여[illegible] 응원하는

해커스공무원의 특별 혜택

FREE 공무원 국어 **동영상강의**

해커스공무원(gosi.Hackers.com) 접속 후 로그인 ▶ 상단의 [무료강좌] 클릭 ▶
좌측의 [교재 무료특강] 클릭

해커스공무원 온라인 단과강의 **20% 할인쿠폰**

788AA3FE6896D54B

해커스공무원(gosi.Hackers.com) 접속 후 로그인 ▶ 상단의 [나의 강의실] 클릭 ▶
좌측의 [쿠폰등록] 클릭 ▶ 위 쿠폰번호 입력 후 이용

* 쿠폰 이용 기한: 2022년 12월 31일까지(등록 후 7일간 사용 가능) * 쿠폰 이용 관련 문의: 1588-4055

해커스 회독증강 콘텐츠 **5만원 할인쿠폰**

B2AC52B3D6436D5F

해커스공무원(gosi.Hackers.com) 접속 후 로그인 ▶ 상단의 [나의 강의실] 클릭 ▶
좌측의 [쿠폰등록] 클릭 ▶ 위 쿠폰번호 입력 후 이용

* 쿠폰 이용 기한: 2022년 12월 31일까지(등록 후 7일간 사용 가능)
* 월간 학습지 회독증강 행정학/행정법총론 개별상품은 할인쿠폰 할인대상에서 제외

해커스 매일국어 **어플 이용권**

1LH5MDMHIEUF9XH7

구글 플레이스토어/애플 앱스토어에서 [해커스 매일국어] 검색 ▶
어플 다운로드 ▶ 어플 이용 시 노출되는 쿠폰 입력란 클릭 ▶ 쿠폰번호 입력 후 이용

▲ 매일국어 어플 바로가기

* 쿠폰 이용 기한 : 2022년 12월 31일까지
* 해당 자료는 [해커스공무원 국어 기본서] 교재 내용으로 제공되는 자료로, 공무원 시험 대비에 도움이 되는 유용한 자료입니다.

단기 합격을 위한

해커스 커리큘럼

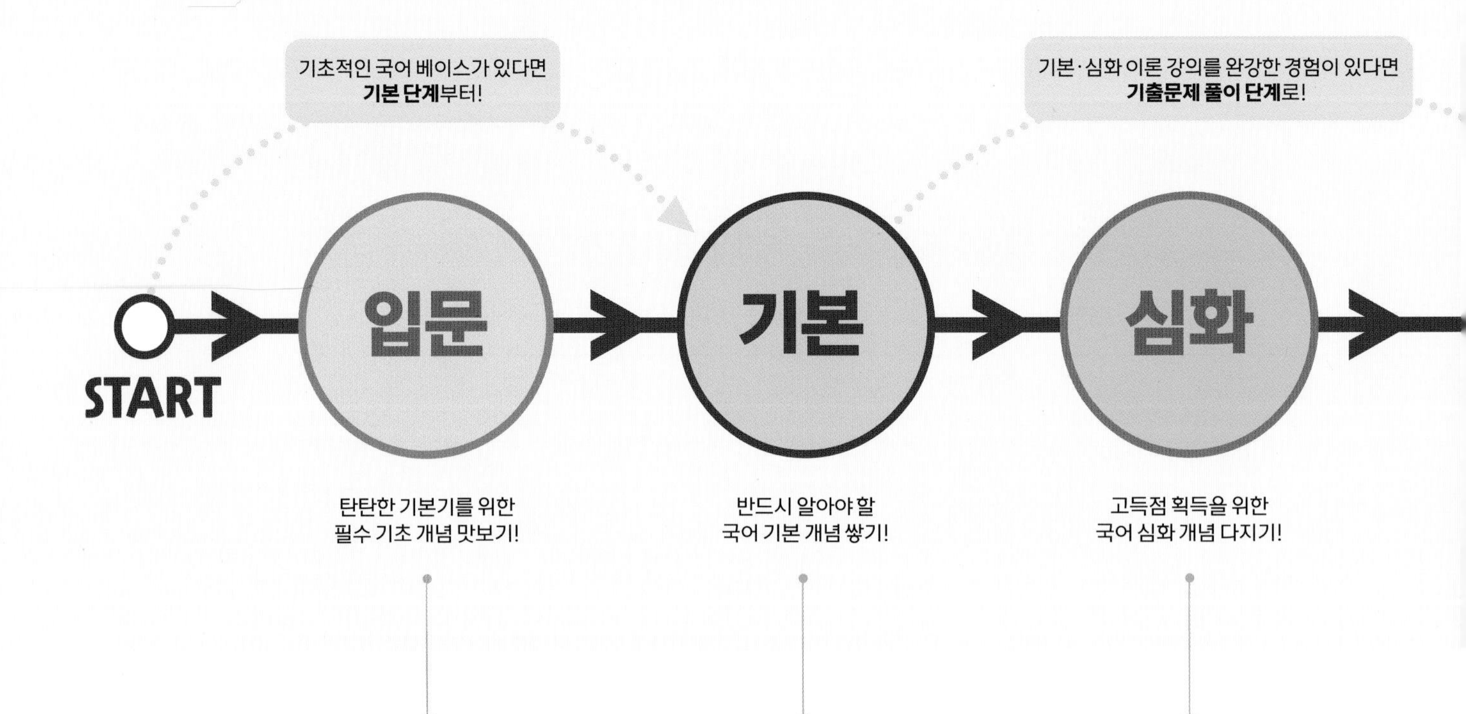

기초적인 국어 베이스가 있다면
기본 단계부터!
기본·심화 이론 강의를 완강한 경험이 있다면
기출문제 풀이 단계로!
START
입문
기본
심화

탄탄한 기본기를 위한
필수 기초 개념 맛보기!

반드시 알아야 할
국어 기본 개념 쌓기!

고득점 획득을 위한
국어 심화 개념 다지기!

강의 쌩기초 입문반

반드시 알아야 할 공무원 국어의 기초 개념을 학습하는 강의로, 공무원 시험 공부를 이제 막 시작한 수험생들을 위한 강의

사용교재

· 해커스공무원 쌩기초 입문서 국어

강의 기본이론반

합격에 꼭 필요한 국어의 기본 개념을 체계적·효율적으로 학습하는 강의

사용교재

· 해커스공무원 국어 기본서 (세트)

강의 심화이론반

기본 개념을 확실하게 자기 것으로 완성하고, 더불어 고득점 획득을 목표로, 심화 개념을 학습하는 강의

사용교재

· 해커스공무원 국어 기본서 (세트)

· 해커스공무원 단권화 핵심정리 국어

* QR코드를 스캔하시면, 레벨별 수강신청 및 사용교재 확인이 가능합니다.

gosi.Hackers.com

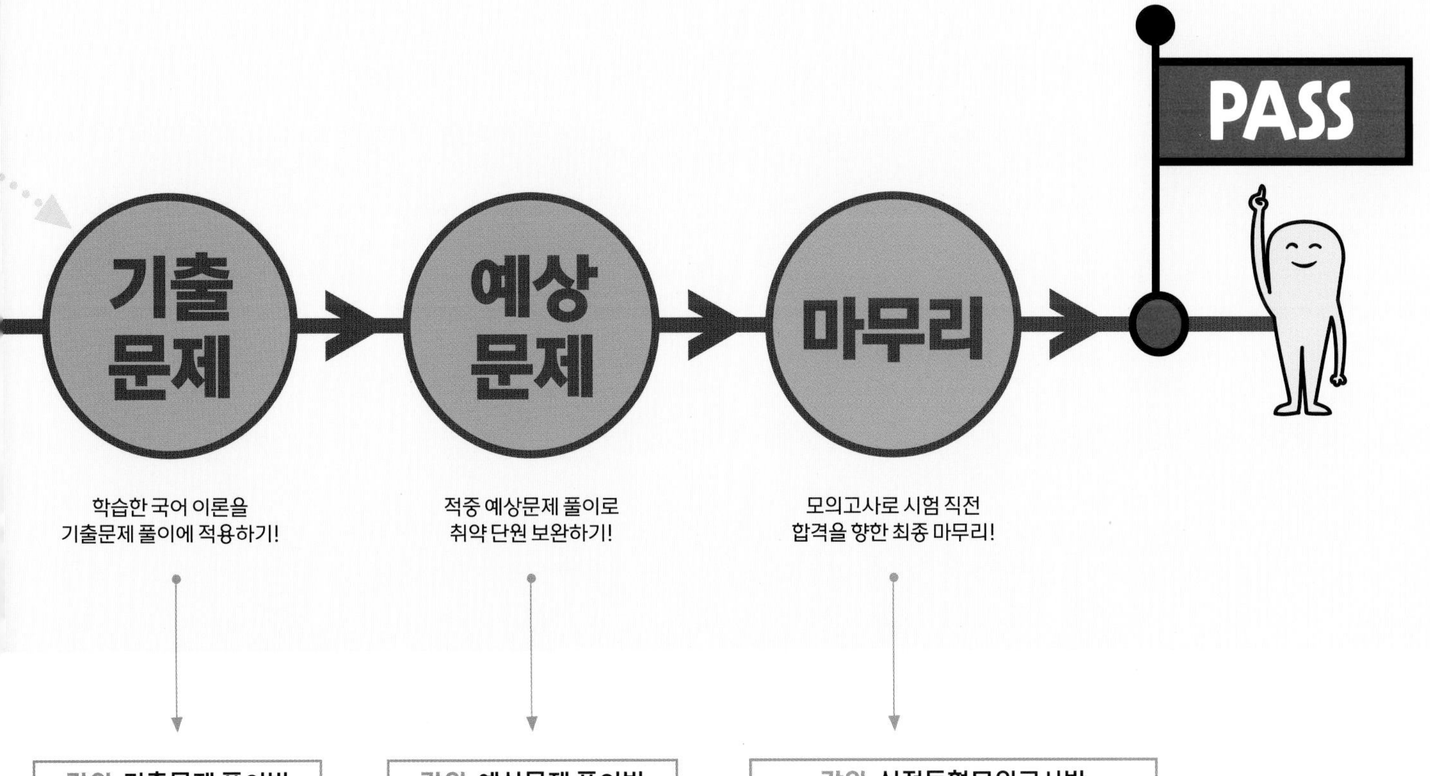

강의 기출문제 풀이반

기본·심화 이론반에서 학습한 내용들을 실제 기출문제 풀이에 적용하면서 문제풀이 감각을 기르는 강의

사용교재

- 해커스공무원 단원별 기출문제집 국어 (세트)
- 해커스공무원 6개년 기출문제집 국어
- 해커스공무원 최신 1개년 기출문제집 국어
- 해커스공무원 8개년 기출문제집 공통과목 통합 국어+영어+한국사

강의 예상문제 풀이반

학습 막바지에 단원별 적중 예상 문제를 풀어 보고, 취약한 단원을 파악하여 약점을 보완하는 강의

사용교재

- 해커스공무원 국어 비문학 독해 333 Vol. 1, 2
- 해커스공무원 단원별 적중 700제 국어

강의 실전동형모의고사반

최신 출제 경향을 반영한 모의고사를 풀어 보며 실전 감각을 극대화하는 강의

사용교재

- 해커스공무원 실전동형모의고사 국어 1, 2

강의 봉투모의고사반

시험 직전, 실제 시험과 동일한 형태의 봉투모의고사를 풀어보며 실전 감각을 완성하는 최종 마무리 강의

사용교재

- 해커스공무원 FINAL 봉투모의고사 국어
- 해커스공무원 FINAL 봉투모의고사 필수과목 통합 국어+영어+한국사

2022 공무원 국어

합격 가이드

매년 치열해지는 공무원 시험 경쟁에서 국어는 합격을 위한 가장 기본적인 과목입니다. 해커스 공무원시험연구소는 수험생 여러분이 합격으로 가는 여정에 길잡이가 되어 드릴 수 있도록 철저하게 분석한 공무원 국어 시험의 최신 출제 경향을 바탕으로 방대한 기출문제 중 반드시 풀어 보아야 하는 문제들만 엄선하여 수록하였습니다. 체계적으로 구성한 「해커스공무원 단원별 기출문제집 국어」와 함께 공무원 단기 합격의 꿈을 이루시기를 진심으로 기원합니다.

공무원 국어 **시험 구성** 및 **최신 출제 경향**

1. 시험 구성

공무원 국어 시험은 총 20~25문항으로 구성되며, 크게 4개의 영역(어법, 비문학, 문학, 어휘)으로 나눌 수 있습니다. 국가직·지방직·서울시·국회직 시험은 평균적으로 어법 영역에서 38%, 비문학 영역에서 30%, 문학 영역에서 23%, 어휘 영역에서 9%가 출제되고 있으며, 법원직은 59% 이상이 문학 영역에서 출제되고 있습니다.

시험 구분	총 문항 수	영역별 출제 문항 수			
		어법	비문학	문학	어휘
국가직 7/9급	총 20문항	4~7문항	7~10문항	4~7문항	0~3문항
지방직 7/9급	총 20문항	3~8문항	6~9문항	4~6문항	1~3문항
서울시 7/9급	총 20문항	8~15문항	1~4문항	3~7문항	1~3문항
법원직 9급	총 25문항	3~6문항	5~6문항	13~16문항	0~1문항
국회직 8급	총 25문항	10~11문항	7~11문항	3~4문항	1~4문항
국회직 9급	총 20문항	6~7문항	6문항	5~6문항	1~2문항

2. 최신 출제 경향 및 대비 전략

어법 필수 문법, 어문 규정을 정확하게 파악해야 합니다.

어법은 음운론·형태론·통사론을 주요 내용으로 하는 필수 문법과 표준 발음법·한글 맞춤법·표준어 규정·외래어 표기법·로마자 표기법으로 구성된 어문 규정의 출제 빈도 및 비중이 가장 높습니다.

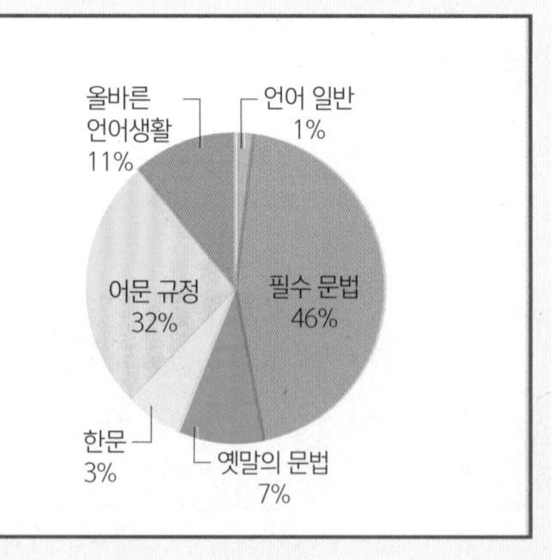

대비 전략 필수 문법과 어문 규정 문제에 대비하기 위해서는 먼저 기본 개념을 이해하고, 학습한 개념을 실제 문제에 적용해 볼 수 있어야 합니다. 필수 문법과 어문 규정은 서로 연관되는 부분이 많으므로 음운론·형태론·통사론에 대한 개념의 뼈대를 세운 후, 이를 활용해서 어문 규정의 내용을 이해하는 것이 좋습니다.

비문학 비문학 독해 문제를 꾸준히 풀어 보아야 합니다.

비문학에서는 독해가 비문학 문제의 약 76%를 차지하며 그중 사실적 독해가 독해 문제의 약 57%를, 추론적 독해가 약 43%를 차지합니다. 사실적 독해에서는 세부 내용 파악이, 추론적 독해에서는 내용 추론이 많이 출제되는 경향을 보입니다.

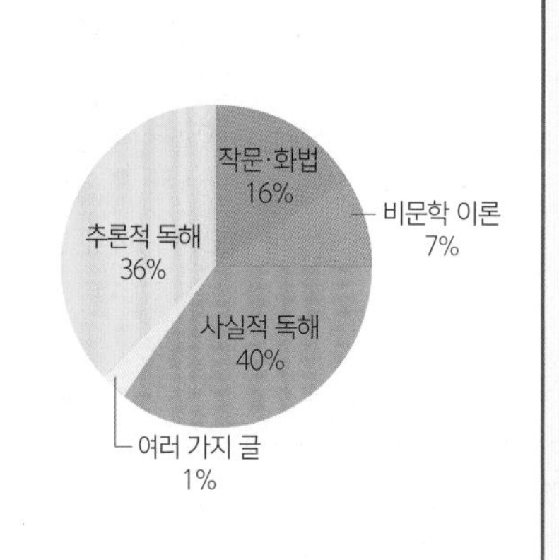

대비 전략 출제 비중이 높은 비문학 독해 문제를 대비하기 위해 많은 문제를 꾸준히 풀어 보아야 합니다. 독해 전략과 비문학 문제 풀이법을 익혀, 실제 기출문제와 예상문제를 충분히 풀면서 독해 실력을 기르는 것이 중요합니다. 더하여 최근 공무원 시험에는 작문·화법 문제도 꾸준히 출제되고 있으므로 꼼꼼하게 학습하는 것이 중요합니다.

문학 필수 문학 작품을 꼼꼼하게 학습하고 작품 이해력을 높여야 합니다.

문학에서는 중등교육과정에 포함되어 있는 필수 문학 작품이 주로 출제되나 기존에 출제되지 않았던 생소한 작품이나 긴 지문의 작품이 출제되기도 합니다. 또한 지문은 현대 문학 작품이 약 57%를, 고전 문학 작품이 약 43%를 차지하며 작품을 종합적으로 감상하고 있는지 묻는 문제의 출제율이 가장 높습니다.

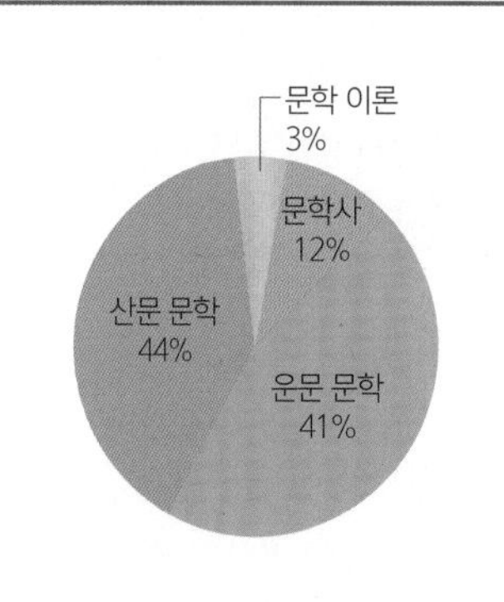

대비 전략 빈출되었거나 출제될 것으로 예상되는 대표 문학 작품을 꼼꼼하게 학습하고, 출제 포인트별 문제풀이 전략을 활용하여 실제 기출문제와 예상문제를 풀어 보는 것을 통해 문학 문제 풀이법을 익힐 수 있도록 합니다.

어휘 반복 출제되는 어휘를 중심으로 학습한 후 출제 예상 어휘도 폭넓게 학습해야 합니다.

어휘 중 한자 성어나 주제별 어휘는 기출되었던 어휘가 반복 출제되는 경향이 뚜렷하게 나타납니다. 반면, 출제 범위가 넓은 한자어나 고유어는 기출된 적이 없는 새로운 어휘가 출제되는 비율이 높은 편입니다.

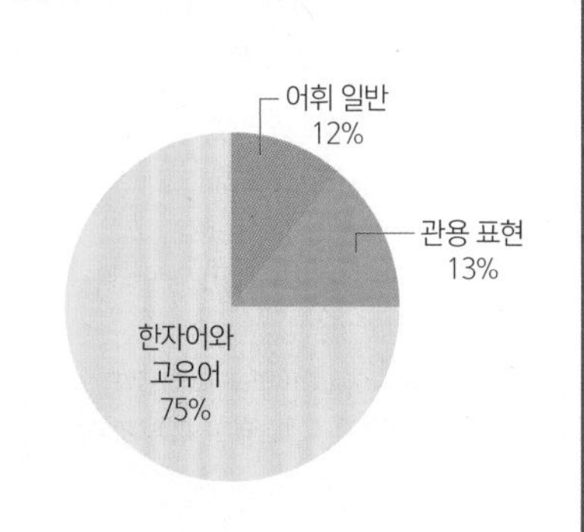

대비 전략 어휘는 출제 범위가 넓고 반복 출제되므로, 기출 어휘를 먼저 학습한 뒤에 출제될 가능성이 높은 예상 어휘를 학습하는 것이 효과적입니다. 학습 범위는 기출 어휘에서 출제 예상 어휘로 점차 넓혀 가고, 꾸준히 반복적으로 어휘 학습을 하는 것이 좋습니다.

공무원 국어 **영역별 출제 유형**

어법

1. 선택지의 밑줄 친 부분 중 어법상 옳은 것 또는 옳지 않은 것 고르기

선택지의 밑줄 친 부분이 어법상 맞는지 혹은 맞지 않는지를 고르는 문제입니다.

문 1. 밑줄 친 부분이 바르게 쓰이지 않은 것은? [2021년 지방직 9급]

① 바쁘다더니 여긴 웬일이야?
② 결혼식이 몇 월 몇 일이야?
③ 굳은살이 박인 오빠 손을 보니 안쓰럽다.
④ 그는 주말이면 으레 친구들과 야구를 한다.

해설 밑줄 친 부분의 출제 포인트는 '한글 맞춤법'과 '표준어 사정 원칙'으로, 그 쓰임이 두 어문 규정에 맞지 않은 것을 묻는 문제입니다. '몇 일'은 '며칠'의 잘못된 표기입니다. '며칠'은 '몇+일'로 분석하여 '몇 일'이라고 쓰는 경우가 많으나, 이렇게 표기할 경우 [며딜]로 소리가 나야 합니다. 그러나 실제 발음은 [며칠]이므로, '몇'과 '일'의 결합으로 보지 않고 소리 나는 대로 '며칠'로 적습니다. 따라서 밑줄 친 부분이 바르게 쓰이지 않은 것은 ②입니다.

문 18. 밑줄 친 부분이 어법상 적절하지 않은 것은? [2020년 국가직 7급]

① 그토록 찾던 그 친구를 오늘 우연찮게 길에서 만났다.
② 당시 변변한 직업이 없던 그는 어디든 취업하길 바랐다.
③ 칠칠치 못하게 그 중요한 문서를 아무 데나 흘리고 다니느냐.
④ 친구가 그렇게 안절부절하는 모습을 보니 나까지 불안한 마음이 들었다.

해설 밑줄 친 부분의 출제 포인트는 '표준어 사정 원칙'과 '한글 맞춤법(준말)'으로, 두 어문 규정상 적절하지 않은 것을 묻는 문제입니다. '마음이 초조하고 불안하여 어찌할 바를 모르다'를 뜻하는 표준어는 '안절부절못하다'입니다. '안절부절하다'는 사전에 등재되어 있지 않은 비표준어이므로 밑줄 친 부분이 어법상 적절하지 않은 것은 ④입니다.

2. 어법상 옳은 것 또는 옳지 않은 것으로만 묶인 것 고르기

선택지당 3~4개의 어휘들이 묶여 있고, 그중 옳은 것 혹은 옳지 않은 것으로만 묶인 것을 고르는 문제입니다. 주로 한글 맞춤법, 표준 발음법, 외래어 표기법과 같은 어문 규정 관련 문제로 출제됩니다.

문 1. 맞춤법에 맞는 것만으로 묶은 것은? [2021년 국가직 9급]

① 돌나물, 꼭지점, 페트병, 낚시꾼
② 흡입량, 구름양, 정답란, 칼럼난
③ 오뚝이, 싸라기, 법석, 딱다구리
④ 찻간(車間), 홧병(火病), 셋방(貰房), 곳간(庫間)

해설 나열된 단어들이 '한글 맞춤법'에 맞는 것으로만 이루어져 있는 것을 묻는 문제입니다. 우선 선택지를 읽고 하나의 선택지당 묶여 있는 어휘들을 파악합니다. 맞춤법에 맞는 것으로만 묶은 것은 ② '흡입량, 구름양, 정답란, 칼럼난'입니다.

3. 어법에 어긋난 문장을 수정한 예로 적절한 것 또는 적절하지 않은 것 고르기

주어진 문장을 어법상 올바르게 수정한 예로 옳은 것 혹은 옳지 않은 것을 고르는 문제입니다. 올바른 문장 표현과 관련된 문제이지만, 문장의 높임 표현, 사동과 피동 표현 등의 문법 요소와 연계하여 복합적으로 출제됩니다.

문 17. (가)~(라)의 고쳐 쓰기 방안으로 적절하지 않은 것은? [2021년 지방직 9급]

(가) 현재 우리 구청 조직도에는 기획실, 홍보실, 감사실, 행정국, 복지국, 안전국, 보건소가 있었다.
(나) 오늘은 우리 시청이 지양하는 '누구나 행복한 ○○시'를 실현하기 위한 추진 방안을 논의합니다.
(다) 지난달 수해로 인한 준비 기간이 짧았기 때문에 지역 축제는 예년보다 규모가 줄어들었다.
(라) 공과금을 기한 내에 지정 금융 기관에 납부하지 않으면 연체료를 내야 한다.

① (가): '있었다'는 문맥상 시제 표현이 적절하지 않으므로 '있다'로 고쳐 쓴다.
② (나): '지양'은 어떤 목표로 뜻이 쏠리어 향한다는 의미인 '지향'으로 고쳐 쓴다.
③ (다): '지난달 수해로 인한'은 '준비 기간'을 수식하는 절이 아니므로 '지난달 수해로 인하여'로 고쳐 쓴다.
④ (라): '납부'는 맥락상 금융 기관이 돈이나 물품 따위를 받아 거두어들인다는 '수납'으로 고쳐 쓴다.

해설 각 선택지를 어법에 맞게 고쳐 쓴 방안으로 적절하지 않은 것을 묻는 문제입니다. '납부(納付/納附)'는 '세금이나 공과금 따위를 관계 기관에 냄'이라는 뜻이고, '수납(收納)'은 '돈이나 물품 따위를 받아 거두어들임'이라는 뜻입니다. 문맥상 금융 기관에 공과금을 내지 않으면 연체료를 지불해야 한다는 내용이므로 '납부'를 쓰는 것이 적절합니다. 따라서 (가)~(라)의 고쳐 쓰기 방안으로 적절하지 않은 것은 ④입니다.

비문학

1. 비문학 이론이나 지식을 활용하여 적절한 것 또는 적절하지 않은 것 고르기

작문·화법과 관련된 이론 및 지식을 미리 암기하고 있어야 정답을 고를 수 있는 유형입니다. 주로 화법의 원리, 토론과 토의, 논지 전개 방식, 논증의 오류 유형 등을 묻는 문제들이 이에 해당합니다. 일반적인 비문학 독해 문제와는 달리 사전에 학습하지 않으면 문제를 풀 수 없으므로 주요 이론들을 정확하게 학습하고 암기해야 합니다.

문 2. 토론에서 사회자가 하는 역할에 대한 설명으로 가장 적절한 것은? [2019년 지방직 9급]

① 토론을 시작하면서 논제가 타당한지 토론자들의 의견을 묻는다.
② 토론자들에게 토론의 전반적인 방향과 유의점에 대해 안내한다.
③ 청중의 의견을 수렴하여 대안을 제시함으로써 쟁점을 약화시킨다.
④ 토론자의 주장과 논거를 비판하는 견해를 개진하여 논쟁의 확산을 피한다.

해설 사회자는 토론의 시작 단계에서 토론자들에게 토론의 배경 및 논제를 소개하는 등 토론의 전반적인 방향과 유의점에 대해 안내하는 역할을 하므로 적절한 설명은 ②입니다.

2. 지문에서 바로 확인할 수 있는 정보로 선택지의 적절성 여부를 판단하여 옳은 것 또는 옳지 않은 것 고르기

지문의 중심 내용과 문단별 중심 내용을 파악하여 지문의 주제, 목적, 주장, 세부 내용, 특정 정보 등을 파악하는 유형입니다. 지문에 나온 핵심어 또는 핵심 문장을 그대로 사용하거나 일부 표현만 바꾼 선택지가 제시되므로, 각 선택지의 핵심어에 밑줄을 긋고 지문에서 핵심어와 관련된 내용을 찾은 다음 선택지와 꼼꼼하게 비교해야 합니다.

문 14. 다음 발화에 나타난 주장으로 가장 적절한 것은? [2020년 지방직 7급]

신어(新語)에 대해 말할 때, 보통 유행어나 비속어, 은어와 같은 한정된 대상을 떠올리는 경우가 많습니다. 그런데 신어 연구의 대상은 특정한 범주의 언어, 소수 집단의 언어에 한정되지 않습니다. 어려운 전문 용어는 의사소통의 효율성이나 교육적 목적을 위해 순화된 신어로 대체할 필요가 있는데, 특히, 상당수의 전문 용어는 신어에 대한 정책적인 고려가 필요해 보입니다. 예를 들어 '좌창(痤瘡)'이라는 의학 용어를 대체한 '여드름'은 일상생활뿐만 아니라 전문 분야에서도 신어로 자리를 잡았습니다. 이와 같은 신어는 전문 용어의 순화에도 일정한 역할을 하고 있습니다. 이는 신어 연구가 단지 새로운 어휘와 몇 가지 주제를 나열하는 연구를 넘어서 한국어 조어론 전반에 대한 연구로 확장되어야 하는 이유이기도 합니다. 이러한 신어의 영역은 대중이 생산하는 '자연 발생적 신어'의 영역과 더불어 '인위적인 신어'의 영역으로 논의되어야 합니다.

① 신어에서 비속어나 은어가 빠져야 한다.
② 신어는 연구 대상과 영역을 확장해야 한다.
③ 자연 발생적인 신어에 대한 정책적 고려가 필요하다.
④ 신어는 의사소통의 효율성을 위해 그 범주를 특정해야 한다.

해설 제시문에 나타난 주장으로 적절한 것을 묻는 문제입니다. 끝에서 2~3번째 줄을 통해 발화자는 신어 연구가 새로운 어휘와 몇 가지 주제를 나열하는 연구를 넘어서 한국어 조어론 전반에 대한 연구로 그 대상과 영역이 확장되어야 한다고 생각함을 알 수 있으므로 답은 ②입니다.

3. 지문의 내용을 토대로 유추하거나 추리하여 적절한 것 또는 적절하지 않은 것 고르기

지문에 제시되어 있는 정보로 추론의 과정을 거쳐야만 정답을 고를 수 있는 유형입니다. 문맥을 파악하여 빈칸에 들어갈 문장을 고르거나 지문을 적용할 수 있는 적절한 사례를 고르는 문제 등이 이에 해당합니다. 추론을 할 때는 반드시 지문의 내용이 근거가 되어야 하므로 전체적인 지문의 내용이나 글쓴이의 생각을 파악해야 합니다.

문 12. 다음 글의 사례로 적절하지 않은 것은? [2021년 국가직 9급]

인간은 언어를 사용하며 언어는 인간의 사고, 사회, 문화를 반영한다. 인간의 지적 능력이 발달하게 된 것은 바로 언어를 사용하기 때문이다. 언어와 사고는 기본적으로 상호작용을 한다. 둘 중 어느 것이 먼저 발달하고 어떻게 영향을 주는지는 알 수 없다. 그러나 언어와 사고가 서로 깊은 관계를 맺고 있다는 사실은 여러 가지 근거를 통해서 뒷받침된다.

① 영어의 '쌀(rice)'에 해당하는 우리말에는 '모', '벼', '쌀', '밥' 등이 있다.
② 어떤 사람은 산도 파랗다고 하고, 물도 파랗다고 하고, 보행 신호의 녹색등도 파랗다고 한다.
③ 일상생활에서 어떠한 사물의 개념은 머릿속에서 맴도는데도 그 명칭을 떠올리지 못할 때가 있다.
④ 우리나라는 수박(watermelon)은 '박'의 일종으로 보지만 어떤 나라는 '멜론(melon)'에 가까운 것으로 파악한다.

해설 제시문의 내용을 정확하게 파악하고 있는지를 묻는 문제입니다. 언어는 인간의 사고, 사회, 문화를 반영하기 때문에 언어와 사고는 상호작용하는 밀접한 관계임을 설명하고 있습니다. 사물의 개념이 머릿속에서 맴도는데 그 명칭을 떠올리지 못한 사례는 언어와 사고가 서로 상호작용을 하고 있다는 근거로 보기 어려우므로 답은 ③입니다.

문학

1. 하나의 특정 출제 포인트에 대한 것을 파악하여 옳은 것 또는 옳지 않은 것 고르기

작품을 읽고 작품의 주제 파악, 특정 어구의 의미 파악, 서술상의 특징, 화자의 정서 및 심리 등에 대한 것을 묻는 유형입니다. 주로 '밑줄 친 부분과 가장 유사한 정서가 드러나는 것은?'과 같이 무엇을 확인해야 하는지 발문에 명확하게 제시되어 있으므로 묻는 바에 집중하여 작품을 분석해야 합니다.

문 18. ㉠과 가장 유사한 정서가 드러나는 것은? [2020년 국가직 9급]

> 다시 방수액을 부어 완벽을 기하고 이음새 부분은 손가락으로 몇 번씩 문대어 보고 나서야 임 씨는 허리를 일으켰다. 임 씨가 일에 몰두해 있는 동안 그는 숨소리조차 내지 않고 일하는 양을 지켜보았다. ㉠저 열 손가락에 박힌 공이의 대가가 기껏 지하실 단칸방만큼의 생활뿐이라면 좀 너무하지 않나 하는 안타까움이 솟아오르기도 했다. 목욕탕 일도 그러했지만 이 사람의 손은 특별한 데가 있다는 느낌이었다. 자신이 주무르고 있는 일감에 한 치의 틈도 없이 밀착되어 날렵하게 움직이고 있는 임 씨의 열 손가락은 손가락 이상의 그 무엇이었다.
>
> – 양귀자, '비 오는 날이면 가리봉동에 가야 한다'

① 즐거운 지상의 잔치에 / 금으로 타는 태양의 즐거운 울림 / 아침이면, / 세상은 개벽을 한다.
② 산에 / 산에 / 피는 꽃은 / 저만치 혼자서 피어 있네. // 산에서 우는 작은 새여. / 꽃이 좋아 / 산에서 / 사노라네.
③ 남편은 어디에 나가 있는지 / 아침에 소 끌고 산에 올랐는데 / 산 밭을 일구느라 고생을 하며 / 저물도록 돌아오지 못한다네.
④ 눈을 가만 감으면 굽이 잦은 풀밭 길이, / 개울물 돌돌돌 길섶으로 흘러가고, / 백양 숲 사립을 가린 초집들도 보이구요.

해설 인물과 화자의 정서를 묻는 문제입니다. ㉠에서 '그'는 '임 씨'의 열 손가락에 박힌 굳은살(공이)을 보고, 자신의 일에 최선을 다하지만 지하실 단칸방에 사는 '임 씨'에게 안타까움과 연민의 정서를 느끼고 있습니다. ③에서도 일을 하느라 날이 저물도록 돌아오지 못하는 남편의 고된 삶에 대한 화자의 연민과 안타까움의 정서가 느껴지므로, ㉠과 가장 유사한 정서가 드러나는 것은 ③입니다.

2. 여러 개의 출제 포인트를 종합적으로 파악하여 적절한 것 또는 적절하지 않은 것 고르기

작품의 전체적인 흐름 등을 종합적으로 이해할 수 있어야만 정답을 고를 수 있는 유형입니다. 어떠한 어조를 사용하였는지, 화자의 정서는 어떠한지, 서술상의 특징은 무엇인지 등을 종합하여 선택지가 제시되는 등 비교적 문제마다 확인해야 하는 바가 다양하므로 선택지를 먼저 확인한 후 핵심어에 밑줄을 긋고 작품을 꼼꼼하게 분석해야 합니다.

문 10. (가)와 (나)에 대한 설명으로 적절하지 않은 것은? [2021년 지방직 9급]

> (가) 오백년 도읍지를 필마로 돌아드니
> 산천은 의구하되 인걸은 간 데 없네.
> 어즈버 태평연월이 꿈이런가 하노라.
>
> (나) 벌레먹은 두리기둥 빛 낡은 단청(丹靑) 풍경 소리 날러간 추녀 끝에는 산새도 비둘기도 둥주리를 마구쳤다. 큰 나라 섬기다 거미줄 친 옥좌(玉座) 위엔 여의주(如意珠) 희롱하는 쌍룡(雙龍) 대신에 두 마리 봉황(鳳凰)새를 틀어 올렸다. 어느 땐들 봉황이 울었으랴만 푸르른 하늘 밑 추석을 밟고 가는 나의 그림자. 패옥(佩玉) 소리도 없었다. 품석(品石) 옆에서 정일품(正一品) 종구품(從九品) 어느 줄에도 나의 몸둘 곳은 바이 없었다. 눈물이 속된 줄을 모를 양이면 봉황새야 구천(九泉)에 호곡(呼哭)하리라.

① (가)는 '산천'과 '인걸'을 대비함으로써 인생의 무상함을 드러내고 있다.
② (나)는 '쌍룡'과 '봉황'을 대비함으로써 사대주의적 역사에 대한 비판적 시각을 드러내고 있다.
③ (가)와 (나) 모두 선경후정의 기법을 사용하고 있다.
④ (가)와 (나) 모두 정해진 율격과 음보에 맞춰 시상을 전개하고 있다.

해설 작품의 종합적 감상을 묻는 문제입니다. (가) 작품은 3·4조의 4음보 구성의 정해진 율격과 음보를 바탕으로 한 시조이나, (나) 작품은 정해진 율격이나 음보에 맞춰 시상을 전개하지 않는 산문시이므로 답은 ④입니다.

어휘

1. 빈칸에 들어갈 어휘·표현 고르기

지문의 빈칸에 들어갈 적절한 어휘 또는 표현을 고르는 유형입니다. 선택지에 주어진 어휘나 표현의 의미를 파악한 후 지문의 빈칸에 들어갈 적절한 것을 유추하면 쉽게 풀 수 있으므로 필수 기출 어휘와 출제 예상 어휘를 알아두고 지문의 내용 추론 능력을 기르는 것이 중요합니다.

문 9. (가)에 들어갈 한자성어로 적절한 것은? [2021년 지방직 9급]

"집안 내력을 알고 보믄 동기간이나 진배없고, 성환이도 이자는 대학생이 됐으니께 상의도 오빠겉이 그렇게 알아놔라." 하고 장씨 아저씨는 말하는 것이었다. 그러나 상의는 처음 만났을 때도 그랬지만 두 번째도 거부감을 느꼈다. 사람한테 거부감을 느꼈기보다 제복에 거부감을 느꼈는지 모른다. 학교규칙이나 사회의 눈이 두려웠는지 모른다. 어쨌거나 그들은 청춘남녀였으니까. 호야 할매 입에서도 성환의 이름이 나오기론 이번이 처음이 아니었다.

"(가), 손주 때문에 눈물로 세월을 보내더니, 이자는 성환이도 대학생이 되었으니 할매가 원풀이 한풀이를 다 했을 긴데 아프기는 와 아프는고, 옛말 하고 살아야 하는 긴데."

－박경리, 『토지』에서

① 오매불망(寤寐不忘)
② 망운지정(望雲之情)
③ 염화미소(拈華微笑)
④ 백아절현(伯牙絕絃)

해설 제시된 작품의 빈칸 (가)에 들어갈 적절한 한자 성어를 묻는 문제입니다. (가) 뒤에서는 할머니가 손주 '성환' 때문에 눈물로 세월을 보냈고, '성환'이 대학생이 되어 원풀이와 한풀이를 했다는 내용이 제시되고 있으므로 (가)에 들어갈 한자 성어로 적절한 것은 '자나 깨나 잊지 못하여'를 뜻하는 ① '오매불망(寤寐不忘)'입니다.

2. 어휘의 뜻풀이로 옳은 것 또는 옳지 않은 것 고르기

제시된 어휘의 뜻풀이로 옳은 것 혹은 옳지 않은 것을 고르는 유형입니다. 이 유형은 제시된 어휘의 정확한 뜻을 알고 있다면 쉽게 풀 수 있으므로 공무원 국어 필수 어휘와 그 뜻을 정확하게 암기하는 것이 가장 중요합니다.

문 19. '먹다'가 들어간 속담의 의미에 대한 설명으로 옳지 않은 것은? [2019년 국회직 8급]

① 꿩 구워 먹은 자리: 어떠한 일의 흔적이 전혀 없음을 비유적으로 이르는 말
② 소금 먹은 놈이 물켠다: 무슨 일이든 반드시 그렇게 된 까닭이 있다는 말
③ 먹던 술도 떨어진다: 매사에 조심하여 잘못이 없도록 하라는 말
④ 먹는 데는 관발이요 일에는 송곳이라: 제 이익이 되는 일 특히 먹는 일에는 남보다 먼저 덤비나, 일할 때는 꽁무니만 뺀다는 말
⑤ 노루 때린 막대기 세 번이나 국 끓여 먹는다: 어떤 일을 성공하기 위해서는 반복해야 한다는 것을 강조하는 말

해설 속담의 뜻풀이로 옳지 않은 것을 묻는 문제입니다. '노루 때린 막대기 세 번이나 국 끓여 먹는다'는 '조금이라도 이용 가치가 있을까 하여 보잘것없는 것을 두고두고 되풀이하여 이용함'을 비유적으로 이르는 말입니다. 따라서 속담의 의미에 대한 설명으로 옳지 않은 것은 ⑤입니다.

3. 지문의 내용과 비슷한 뜻을 가진 어휘 고르기

제시된 지문의 내용과 비슷한 의미를 가진 어휘를 고르는 유형입니다. 이 유형의 경우, 지문의 내용을 정확하게 파악하는 것이 중요합니다. 특히, 지문의 내용을 파악했더라도 선택지의 어휘 및 표현을 알지 못하면 답을 고를 수 없는 경우가 많으므로 공무원 국어 필수 어휘 암기가 필요합니다.

문 17. 다음 글에서 '황거칠'이 처한 상황에 어울리는 한자 성어로 가장 적절한 것은? [2021년 국가직 9급]

황거칠 씨는 더 참을 수가 없었다. 그는 거의 발작적으로 일어섰다.
"이 개 같은 놈들아, 어쩌면 남이 먹는 식수까지 끊으려노?"
그는 미친 듯이 우르르 달려가서 한 인부의 괭이를 억지로 잡아서 저만큼 내동댕이쳤다. 〈중 략〉
경찰은 발포를 — 다행히 공포였지만 — 해서 겨우 군중을 해산시키고, 황거칠 씨와 청년 다섯 명을 연행해 갔다. 물론 강제집행도 일시 중단되었었다.
경찰에 끌려간 사람들은 밤에도 풀려나오지 못했다. 공무집행 방해에다, 산주의 권리행사 방해, 그리고 폭행죄까지 뒤집어쓰게 되었던 것이다. 그래서 그 이튿날도 풀려 나오질 못했다. 쌍말로 썩어 갔다.
황거칠 씨는 모든 죄를 자기가 안아맡아서 처리하려고 했다. 그러나 그것이 뜻대로 되지 않았다. 면회를 오는 가족들의 걱정스런 얼굴을 보자, 황거칠 씨는 가슴이 아팠다. 그는 만부득이 담당 경사의 타협안에 도장을 찍기로 했다. 석방의 조건으로서, 다시는 강제집행을 방해하지 않겠다는 각서였다.
이리하여 황거칠 씨는 애써 만든 산수도를 포기하게 되고 '마삿등'은 한때 도로 물 없는 지대가 되고 말았다.

– 김정한, '산거족'

① 同病相憐 ② 束手無策
③ 自家撞着 ④ 輾轉反側

해설 제시된 작품 속 인물이 처한 상황에 어울리는 한자 성어를 묻는 문제입니다. 제시된 작품에서 황거칠 씨는 물이 나오지 않는 '마삿등'에 산수도를 설치하려고 하다가 경찰에 연행되는데, 가족들이 걱정하자 석방되는 조건으로 산수도를 포기한다는 담당 경사의 타협안에 어쩔 수 없이 도장을 찍습니다. 따라서 이러한 황거칠 씨의 상황에 어울리는 한자 성어로 가장 적절한 것은 '손을 묶은 것처럼 어찌할 도리가 없어 꼼짝 못 함'을 의미하는 ② '束手無策(속수무책)'입니다.

4. 어휘의 표기·독음·쓰임이 옳은 것 또는 옳지 않은 것 고르기

주로 한자어 문제에 출제되는 유형으로, 한자어의 표기뿐만 아니라 독음과 문맥에 맞는 쓰임을 알아야 하는 문제입니다. 어휘의 뜻·표기·독음·쓰임까지 모두 알아야 하므로 어휘 영역에서 난도가 가장 높습니다. 하지만 주로 출제되었던 한자나 한자어가 반복 출제되는 경향이 있으므로 평소 빈출 한자어를 위주로 암기해 두는 것이 가장 효율적입니다.

문 07. 한자 표기가 옳은 것은? [2021년 국가직 9급]

① 그분은 냉혹한 현실(現室)을 잘 견뎌 냈다.
② 첫 손님을 야박(野薄)하게 대해서는 안 된다.
③ 그에게서 타고난 승부 근성(謹性)이 느껴진다.
④ 그는 평소 희망했던 기관에 채용(債用)되었다.

해설 한자가 쓰인 문맥과 독음을 보고 이에 맞는 한자 표기를 묻는 문제입니다. '야멸차고 인정이 없음'을 뜻하는 '야박'은 '野薄(들 야, 엷을 박)'이므로 한자 표기가 옳은 것은 ②입니다.

해커스공무원에서 제공하는 **합격 가능성**을 높이는 프리미엄 콘텐츠!

01

무료 공무원 국어 동영상 강의 (gosi.Hackers.com)

공무원 국어를 쉽고 효과적으로 학습할 수 있도록 무료 어법·비문학·문학·어휘 동영상강의 제공!

02

해커스공무원 단과강의 20% 할인 쿠폰

공무원 1위 해커스 강사진의 다양한 단과강의를 20% 할인된 가격으로 제공!

03

해커스 회독증강 콘텐츠 (할인 쿠폰 수록)

매일 하루 30분씩 꾸준히 학습하는 단계별 코스 제공!

04

해커스 매일 국어 어플 이용권

시험 전 반드시 알아두어야 할 어휘와 한자 성어를 언제 어디서나 학습 가능!

해커스공무원

단원별 기출문제집

국어

1권 | **어법**

해커스공무원

해커스공무원 단원별 기출문제집 국어 **어법**

CONTENTS

이 책의 구성

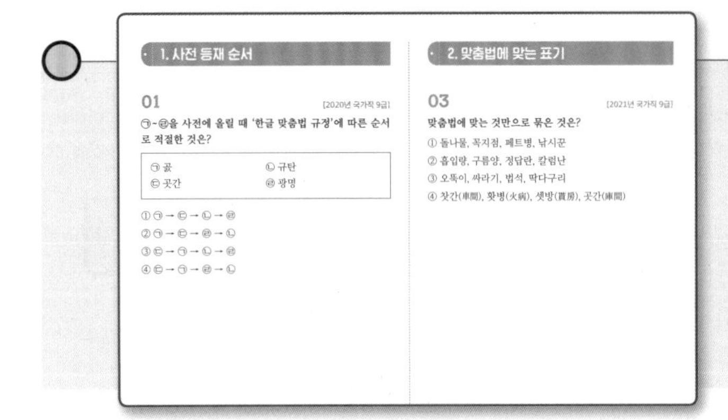

반드시 풀어 보아야 하는 기출문제만 수록!

공무원 전 직렬 국어 시험(경찰/소방/군무원 포함)의 최신 출제 경향을 철저하게 분석하여 수험생들이 반드시 풀어 보아야 하는 기출문제 1000제를 엄선하였습니다. 다양한 유형의 기출문제를 영역별·단원별로 학습하며 공무원 국어 시험의 출제 유형을 이해할 수 있고, 학습에 대한 부담감을 줄여 효율적으로 시험에 대비할 수 있습니다.

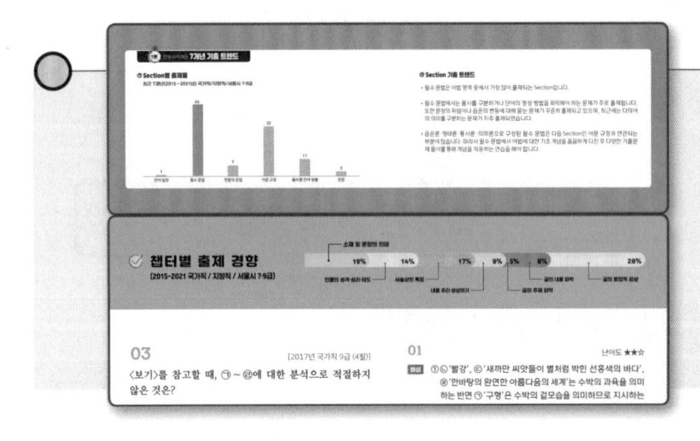

최신 7개년 기출 트렌드 완벽 분석!

최근 7개년(2015~2021년) 간 시행된 공무원 국어 시험의 분석 결과를 그래프로 정리하여 공무원 국어 시험의 Section 별 출제율을 한눈에 파악할 수 있습니다. 또한 각 Section의 출제 경향 및 대비 방법을 정리한 'Section 기출 트렌드'와 각 Chapter의 출제 비중을 확인할 수 있는 '챕터별 출제 경향'을 통해 집중적으로 학습해야 할 부분을 파악하고 학습 계획을 전략적으로 세울 수 있습니다.

기출문제와 해설을 한눈에 확인할 수 있는 구성!

기출문제 페이지와 해설 페이지를 나란히 배치하여 기출문제 풀이를 진행한 후 바로 해설을 확인하고 관련 내용을 정리할 수 있도록 구성하였습니다. 따로 해설집을 펼쳐 볼 필요가 없으므로 더욱 편리하게 학습할 수 있으며, 기출문제와 관련된 내용과 이론을 빠르게 정리할 수 있으므로 효율적인 학습이 가능합니다.

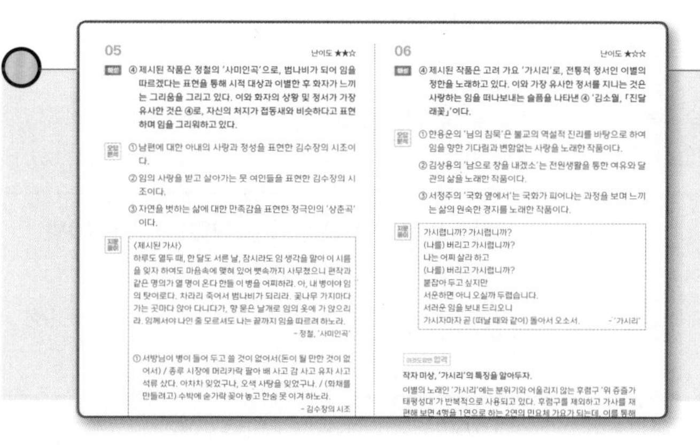
05 난이도 ★★☆

해설 ④ 제시된 작품은 정철의 '사미인곡'으로, 범나비가 되어 임을 따르겠다는 표현을 통해 시적 대상과 이별한 후 화자가 느끼는 그리움을 그리고 있다. 이와 화자의 상황 및 정서가 가장 유사한 것은 ④로, 자신의 처지가 접동새와 비슷하다고 표현하며 임을 그리워하고 있다.

오답분석 ① 남편에 대한 아내의 사랑과 정성을 표현한 김수장의 시조이다.
② 임의 사랑을 받고 살아가는 뭇 여인들을 표현한 김수장의 시조이다.
③ 자연을 벗하는 삶에 대한 만족감을 표현한 정극인의 '상춘곡'이다.

지문풀이 〈제시된 가사〉
하루도 열두 때, 한 달도 서른 날, 잠시라도 임 생각을 말아 이 시름을 잊자 하여도 마음속에 맺혀 있어 뼛속까지 사무쳤으니 편작과 같은 명의가 열 명이 온다 한들 이 병을 어찌하랴. 아, 내 병이야 임의 탓이로다. 차라리 죽어서 범나비가 되리라. 꽃나무 가지마다 가는 곳마다 앉아 다니다가, 향 묻은 날개로 임의 옷에 가 앉으리라. 임께서야 나인 줄 모르셔도 나는 끝까지 임을 따르려 하노라.
- 정철, '사미인곡'

① 서방님이 병이 들어 두고 쓸 것이 없어서(돈이 될 만한 것이 없어서) / 종루 시장에 머리카락 팔아 배 사고 감 사고 유자 사고 석류 샀다. 아차차 잊었구나, 오색 사탕을 잊었구나. / (화채를 만들려고) 수박에 숟가락 꽂아 놓고 한숨 못 이겨 하노라.
- 김수장의 시조

06 난이도 ★☆☆

해설 ④ 제시된 작품은 고려 가요 '가시리'로, 전통적 정서인 이별의 정한을 노래하고 있다. 이와 가장 유사한 정서를 지니는 것은 사랑하는 임을 떠나보내는 슬픔을 나타낸 ④ '김소월, 「진달래꽃」'이다.

오답분석 ① 한용운의 '님의 침묵'은 불교의 역설적 진리를 바탕으로 하여 임을 향한 기다림과 변함없는 사랑을 노래한 작품이다.
② 김상용의 '남으로 창을 내겠소'는 전원생활을 통한 여유와 달관의 삶을 노래한 작품이다.
③ 서정주의 '국화 옆에서'는 국화가 피어나는 과정을 보며 느끼는 삶의 원숙한 경지를 노래한 작품이다.

지문풀이
가시렵니까? 가시렵니까?
(나를) 버리고 가시렵니까?
나는 어찌 살라 하고
(나를) 버리고 가시렵니까?
붙잡아 두고 싶지만
서운하면 아니 오실까 두렵습니다.
서러운 임을 보내 드리오니
가시자마자 곧 (떠날 때와 같이) 돌아서 오소서. - '가시리'

이것도 알면 합격
작자 미상, '가시리'의 특징을 알아두자.
이별의 노래인 '가시리'에는 분위기와 어울리지 않는 후렴구 '위 증즐가 태평성대'가 반복적으로 사용되고 있다. 후렴구를 제외하고 가사를 재편해 보면 4행을 1연으로 하는 2연의 민요체 가요가 되는데, 이를 통해

상세하고 꼼꼼한 해설로 기출문제 완벽 정리!

정답뿐만 아니라 오답의 이유까지 설명하는 상세하고 꼼꼼한 해설을 통해 기출문제를 완벽하게 이해할 수 있습니다. 또한 어려운 한문 지문이나 고전 문학 작품을 현대어로 풀이한 '지문 풀이'와 문제와 연관된 보충·심화 내용을 제공하는 '이것도 알면 합격'을 통해 기출문제를 다양한 각도로 이해하여 실력을 한층 더 향상시킬 수 있습니다.

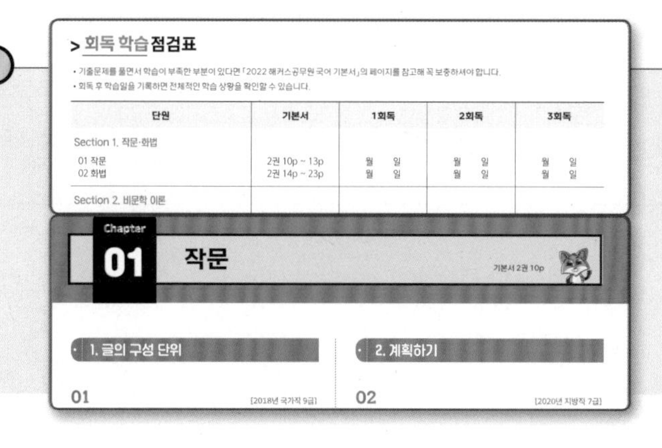
> 회독 학습 점검표

- 기출문제를 풀면서 학습이 부족한 부분이 있다면 「2022 해커스공무원 국어 기본서」의 페이지를 참고해 꼭 보충하세요.
- 회독 후 학습일을 기록하면 전체적인 학습 상황을 확인할 수 있습니다.

단원	기본서	1회독	2회독	3회독
Section 1. 작문·화법				
01 작문	2권 10p ~ 13p	월 일	월 일	월 일
02 화법	2권 14p ~ 23p	월 일	월 일	월 일
Section 2. 비문학 이론				

Chapter 01 작문 기본서 2권 10p

1. 글의 구성 단위

01 [2018년 국가직 9급]

2. 계획하기

02 [2020년 지방직 7급]

기본서와 연계한 전략적인 학습 가능!

'회독 학습 점검표'와 각 Chapter마다 「해커스공무원 국어 기본서」에 연결되는 페이지를 기재하였습니다. 이를 통해 개인별 학습 진도에 맞춰 기본서와 함께 학습하거나 기출문제를 풀고 난 후 부족한 단원을 보충 학습하는 등 전략적으로 활용할 수 있습니다.

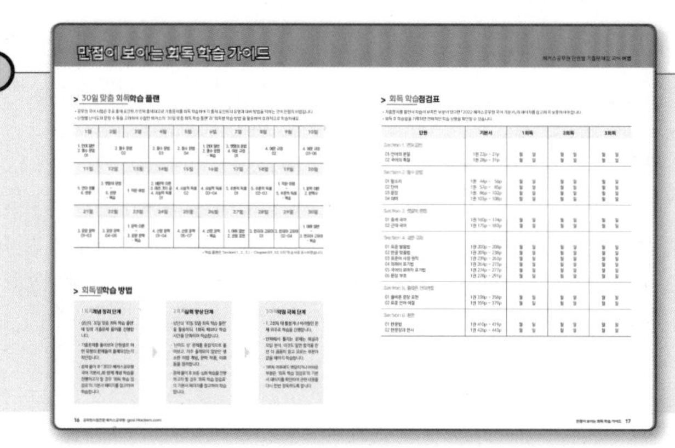
만점이 보이는 회독 학습 가이드

> 30일 맞춤 회독 학습 플랜

> 회독별 학습 방법

> 회독 학습 점검표

계획적이고 효과적인 회독 학습 가능!

공무원 시험 단기 합격을 위해서는 회독 학습이 필수적입니다. '30일 맞춤 회독 학습 플랜'과 '회독별 학습 방법'을 통해 계획적이고 효과적인 회독 학습을 할 수 있으며, '회독 학습 점검표'를 통해 각 Chapter의 회독 진행 상황을 스스로 점검할 수 있습니다.

만점이 보이는 회독 학습 가이드

> 30일 맞춤 회독 학습 플랜

• 공무원 국어 시험은 주요 출제 포인트가 반복 출제되므로 기출문제를 회독 학습하여 각 출제 포인트의 유형과 대비 방법을 익히는 것이 만점의 비법입니다.
• 단원별 난이도와 문항 수 등을 고려하여 수립한 해커스의 '30일 맞춤 회독 학습 플랜'과 '회독별 학습 방법'을 활용하여 효과적으로 학습하세요.

1일	2일	3일	4일	5일	6일	7일	8일	9일	10일
1. 언어 일반 2. 필수 문법 01	2. 필수 문법 02		2. 필수 문법 03	2. 필수 문법 04	1. 언어 일반 2. 필수 문법 - 복습	3. 옛말의 문법 4. 어문 규정 01	4. 어문 규정 02		4. 어문 규정 03~06
11일	**12일**	**13일**	**14일**	**15일**	**16일**	**17일**	**18일**	**19일**	**20일**
5. 언어 생활 6. 한문	3. 옛말의 문법 ~ 6. 한문 - 복습	1. 작문·화법	2. 비문학 이론 3. 여러 가지 글 4. 사실적 독해 01	4. 사실적 독해 02	4. 사실적 독해 03~04	5. 추론적 독해 01	5. 추론적 독해 02~03	1. 작문·화법 ~ 5. 추론적 독해 - 복습	1. 문학 이론 2. 문학사
21일	**22일**	**23일**	**24일**	**25일**	**26일**	**27일**	**28일**	**29일**	**30일**
3. 운문 문학 01~03	3. 운문 문학 04~06	1. 문학 이론 ~ 3. 운문 문학 - 복습	4. 산문 문학 01~04	4. 산문 문학 05~07	4. 산문 문학 - 복습	1. 어휘 일반 2. 관용 표현	3. 한자어·고유어 01	3. 한자어·고유어 02~04	1. 어휘 일반 ~ 3. 한자어·고유어 - 복습

* 학습 플랜은 'Section(1., 2., 3.) - Chapter(01, 02, 03)'의 순서로 표시하였습니다.

> 회독별 학습 방법

1회독 개념 정리 단계

· 상단의 '30일 맞춤 회독 학습 플랜'에 맞춰 **기출문제 풀이를 진행**합니다.

· 기출문제를 풀어보며 단원별로 **어떤 유형의 문제들이 출제**되었는지 확인합니다.

· 문제 풀이 후 「2022 해커스공무원 국어 기본서」와 함께 **개념 학습을 진행**하고자 할 경우 '회독 학습 점검표'의 기본서 페이지를 참고하여 학습합니다.

2회독 실력 향상 단계

· 상단의 '30일 맞춤 회독 학습 플랜'을 활용하되, **1회독 때보다 학습 시간을 단축**하여 학습합니다.

· '난이도 상' 문제를 중점적으로 풀어보고, 자주 출제되지 않았던 **생소한 어법 개념, 문학 작품, 어휘 등을 정리**합니다.

· 문제 풀이 후 보충·심화 학습을 진행하고자 할 경우 '회독 학습 점검표'의 기본서 페이지를 참고하여 학습합니다.

3회독 약점 극복 단계

· 1, 2회독 때 **틀렸거나 어려웠던 문제 위주**로 학습을 진행합니다.

· **반복해서 틀리는 문제**는 해설과 오답 분석, 이것도 알면 합격을 한 번 더 꼼꼼히 읽고 모르는 부분이 없을 때까지 학습합니다.

· 3회독 이후에도 헷갈리거나 어려운 부분은 '회독 학습 점검표'의 기본서 페이지를 확인하여 관련 내용을 다시 한번 정독하도록 합니다.

> 회독 학습 점검표

• 기출문제를 풀면서 학습이 부족한 부분이 있다면 「2022 해커스공무원 국어 기본서」의 페이지를 참고해 꼭 보충하셔야 합니다.
• 회독 후 학습일을 기록하면 전체적인 학습 상황을 확인할 수 있습니다.

단원	기본서	1회독	2회독	3회독
Section 1. 언어 일반				
01 언어의 본질	1권 22p ~ 27p	월 일	월 일	월 일
02 국어의 특질	1권 28p ~ 31p	월 일	월 일	월 일
Section 2. 필수 문법				
01 말소리	1권 44p ~ 56p	월 일	월 일	월 일
02 단어	1권 57p ~ 85p	월 일	월 일	월 일
03 문장	1권 86p ~ 102p	월 일	월 일	월 일
04 의미	1권 103p ~ 108p	월 일	월 일	월 일
Section 3. 옛말의 문법				
01 중세 국어	1권 160p ~ 174p	월 일	월 일	월 일
02 근대 국어	1권 175p ~ 183p	월 일	월 일	월 일
Section 4. 어문 규정				
01 표준 발음법	1권 200p ~ 208p	월 일	월 일	월 일
02 한글 맞춤법	1권 209p ~ 238p	월 일	월 일	월 일
03 표준어 사정 원칙	1권 239p ~ 263p	월 일	월 일	월 일
04 외래어 표기법	1권 264p ~ 273p	월 일	월 일	월 일
05 국어의 로마자 표기법	1권 274p ~ 277p	월 일	월 일	월 일
06 문장 부호	1권 278p ~ 291p	월 일	월 일	월 일
Section 5. 올바른 언어생활				
01 올바른 문장 표현	1권 338p ~ 358p	월 일	월 일	월 일
02 표준 언어 예절	1권 359p ~ 379p	월 일	월 일	월 일
Section 6. 한문				
01 한문법	1권 410p ~ 419p	월 일	월 일	월 일
02 한문장과 한시	1권 426p ~ 443p	월 일	월 일	월 일

Section 1
언어 일반

1분 만에 파악하는 **7개년 기출 트렌드**

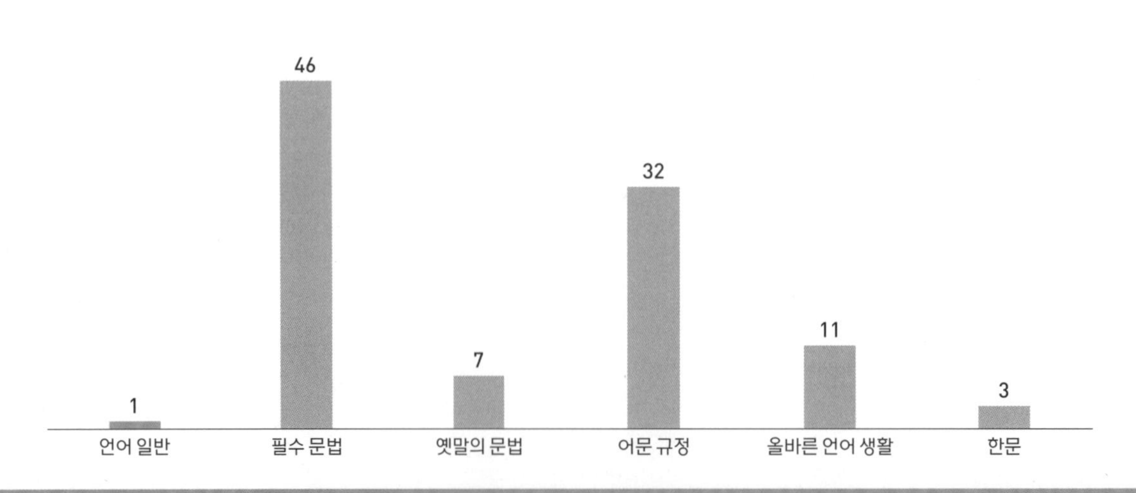

어법

Section 기출 트렌드

- 언어 일반은 최근 공무원 시험에서 출제 비중이 점차 낮아지고 있는 Section입니다. 종종 비문학과 연계되어 출제되기도 합니다.
- 자의성, 역사성과 같은 언어의 특징이나 국어의 음운·어휘·문법상 특질에 대해 묻는 문제가 주로 출제됩니다. 최근에는 지문에 제시된 언어의 특징이나 국어의 특질에 해당하는 사례를 골라야 하는 문제가 출제되기도 하므로 중요한 개념과 예시를 익혀 두어야 합니다.

1. 언어의 특성

01
[2019년 서울시 9급 (6월)]

〈보기1〉의 사례와 〈보기2〉의 언어 특성이 가장 잘못 짝지어진 것은?

〈보기1〉

(가) '방송(放送)'은 '석방'에서 '보도'로 의미가 변하였다.
(나) '밥'이라는 의미의 말소리 [밥]을 내 마음대로 [법]으로 바꾸면 다른 사람들은 '밥'이라는 의미로 이해할 수 없다.
(다) '종이가 찢어졌어'라는 말을 배운 아이는 '책이 찢어졌어'라는 새로운 문장을 만들어 낸다.
(라) '오늘'이라는 의미를 가진 말을 한국어에서는 '오늘[오늘]', 영어에서는 'today(투데이)'라고 한다.

〈보기2〉

㉠규칙성 ㉡역사성
㉢창조성 ㉣사회성

① (가) - ㉡
② (나) - ㉣
③ (다) - ㉢
④ (라) - ㉠

02
[2016년 지방직 9급]

밑줄 친 부분의 예로 가장 적절한 것은?

생각은 큰 그릇이고 말은 생각 속에 들어가는 작은 그릇이어서 생각에는 말 외에도 다른 것이 더 있다. 그러나 아무리 생각이 말보다 범위가 넓고 큰 것이라고 하여도 그것을 말로 바꾸어 놓지 않으면 그 생각의 위대함이나 오묘함이 다른 사람에게 전달되지 않는다. 그 때문에 생각이 형님이요, 말이 동생이라고 할지라도 생각은 동생의 신세를 지지 않을 수가 없게 되어 있다.

① '사과'는 언제부터 '사과'라고 부르기 시작했는지 알 수 없어.
② 동일한 사물을 두고 영국에서는 [tri:], 한국에서는 [namu]라 표현해.
③ 이 소설은 정말 감동적이야. 내가 받은 감동은 말로는 설명이 안 돼.
④ 시간의 흐름을 초, 분, 시간 단위로 나눠 사용해 온 것은 인간의 사회적 약속이야.

03
[2018년 소방직 9급 (10월)]

다음 글의 내용이 나타내고 있는 언어의 특성으로 적절한 것은?

영미는 모두가 사물을 하나의 이름으로 부르는 게 싫어서 사물의 이름을 자신이 정한 다른 단어로 바꿔 부르기로 결심하였다. 영미는 '침대'를 '사진'이라 부르기로 결심하고는 "침대에 누울 거야."가 아닌, "사진에 누울 거야."라고 말하였으며, '의자'를 '시계'라 부르면서 "시계에 앉아 있다."라고 이야기하였다. 영미 주변의 친구들은 영미의 말을 좀처럼 알아들을 수 없었다.

① 언어의 창조성
② 언어의 사회성
③ 언어의 역사성
④ 언어의 자의성

2. 언어의 기능

04
[2016년 사회복지직 9급]

밑줄 친 표현에서 주로 나타나는 언어적 기능은?

나흘 전 감자 쪼간만 하더라도, 나는 저에게 조금도 잘못한 것은 없다.

계집애가 나물을 캐러 가면 갔지 남 울타리 엮는 데 쌩이질을 하는 것은 다 뭐냐. 그것도 발소리를 죽여 가지고 등 뒤로 살며시 와서

"얘! 너 혼자만 일하니?"

하고 긴치 않은 수작을 하는 것이었다.

어제까지도 저와 나는 이야기도 잘 않고 서로 만나도 본척만척하고 이렇게 점잖게 지내던 터이련만, 오늘로 갑작스레 대견해졌음은 웬일인가. 항차 망아지만한 계집애가 남 일하는 놈보구…….

"그럼 혼자 하지 떼루 하디?"

- 김유정, '동백꽃' 중에서

① 미학적 기능
② 지령적 기능
③ 친교적 기능
④ 표현적 기능

챕터별 출제 경향

(2015-2021 국가직 / 지방직 / 서울시 7·9급)

언어의 본질 60% / 국어의 특질 40%

01

난이도 ★★☆

해설 **④ ㉠ 규칙성은 언어에는 일정한 규칙과 체계로 짜여진 구조가 있다는 특성이다. 〈보기1〉의 (라)는 같은 의미를 가진 말을 나라마다 다르게 표현한다는 것으로, 이는 언어의 의미와 말소리 사이에는 필연적인 관계가 없음을 의미하는 언어의 자의성과 관련이 있다. 따라서 언어의 특성이 잘못 짝지어진 것은 ④이다.**

오답분석 ① ㉡ 역사성은 언어가 시간의 흐름에 따라 생성, 발전(변화), 소멸한다는 특성이다. 〈보기1〉의 (가)는 '방송(放送)'의 의미가 처음에는 '석방'에서 시간이 흐름에 따라 '보도'로 변화하였다는 것으로 언어의 역사성과 관련이 있다.

② ㉣ 사회성은 언어가 언어를 사용하는 사람들 간의 사회적 약속이라고 보는 특성이다. 〈보기1〉의 (나)는 '밥'의 말소리를 개인이 임의로 [밥]에서 [법]으로 바꾸면 사회적 약속이 깨져 다른 사람들과 의사소통이 불가능하다는 것으로 언어의 사회성과 관련이 있다.

③ ㉢ 창조성은 언어를 상황에 따라 새로운 말들로 만들어 표현할 수 있다는 특성이다. 〈보기1〉의 (다)는 '종이가 찢어졌어'라는 말을 배운 아이가 새로운 문장인 '책이 찢어졌어'를 만들어 표현하였다는 것으로 언어의 창조성과 관련이 있다.

02

난이도 ★☆☆

해설 **③ 제시문에서 밑줄 친 부분은 생각이 말보다 범위가 넓고 크다는 것을 의미한다. 또한 ③에서 감동(생각)을 말로 설명할 수 없는 이유는 생각이 말보다 더 넓은 범위이기 때문이다. 따라서 밑줄 친 부분의 예로 가장 적절한 것은 ③이다.**

오답분석 ② 동일한 사물을 여러 언어로 표현하는 것은 언어의 의미(내용)와 말소리(형식) 사이에 필연적인 관계가 없다는 것을 의미한다. 따라서 ②는 '언어의 자의성'과 관련된 예이다.

④ 연속적인 시간의 흐름을 초, 분, 시간 단위로 끊어서 표현한 것은 '언어의 분절성'과 관련되고, 이것이 인간의 사회적 약속이라는 것은 '언어의 사회성'과 관련된 예이다.

03

난이도 ★★☆

해설 **② 영미는 사회적으로 약속된 말소리와 그 의미 관계를 고려하지 않은 채, 임의대로 '침대'와 '의자'를 '사진', '시계'로 바꿔 불러 친구들과의 의사소통이 어려워졌다. 따라서 제시문의 내용이 나타내고 있는 언어의 특성으로 적절한 것은 ② '언어의 사회성'이다.**

- **사회성**: 언어는 언어를 사용하는 사람들 간의 사회적 약속이므로 개인이 임의로 바꿀 수 없다.

04

난이도 ★☆☆

해설 **③ 밑줄 친 표현은 '나'와 친해지고 싶어서 말을 건 것이므로 언어의 친교적 기능이 나타난다.**

오답분석 ① **미학적 기능**: 언어를 예술적 재료로 사용하는 문학에서 두드러지는 기능으로, 언어는 화자의 의식적, 무의식적 노력을 통해 되도록 듣기 좋은 짜임새를 가진다는 것이다.

② **지령적 기능**: 청자의 행동이나 태도에 영향을 미치는 언어의 기능으로, 청자를 향한 명령이나 요청 등이 이에 해당한다.

④ **표현적 기능**: 화자에 초점이 맞추어진 기능으로, 화자는 현실 세계에 대한 자신의 판단 및 다른 섬세한 감정 등을 언어로 표현한다는 것이다.

Chapter

02 국어의 특질

기본서 1권 28p

01

[2020년 경찰직 1차]

다음 중 국어의 특질에 대한 설명으로 가장 적절한 것은?

① 국어의 마찰음은 '예사소리-된소리-거센소리'의 3항 대립을 보인다.

② 국어의 단모음은 'ㅏ, ㅓ, ㅗ, ㅜ, ㅡ, ㅣ, ㅔ, ㅐ'로 모두 8개이다.

③ 국어는 조사와 어미로 다양한 문법적 기능을 수행하는 교착어적 특성을 가진다.

④ 국어의 어두(語頭)에는 '끝'과 같이 둘 이상의 자음이 올 수 있다.

02

[2018년 서울시 9급 (3월)]

국어의 특징으로 가장 옳지 않은 것은?

① 조사와 어미가 발달한 교착어적 특성을 보여 준다.

② '값'과 같이 음절 말에서 두 개의 자음이 발음될 수 있다.

③ 담화 중심의 언어로서 주어, 목적어 등이 흔히 생략된다.

④ 가족 관계를 나타내는 친족어가 발달해 있다.

03

[2017년 경찰직 1차]

국어의 특질에 대한 설명으로 적절한 것은?

① 장애음(특히 파열음과 파찰음)이 '평음 - 경음 - 유성음'의 3항 대립을 보인다.

② 조사와 어미가 발달한 굴절어적 특성을 보인다.

③ 음절 초에 'ㄲ', 'ㄸ', 'ㅃ' 등 둘 이상의 자음이 함께 올 수 있다.

④ 화용론적으로 소유 중심의 언어가 아니라 존재 중심의 언어이다.

04

[2015년 서울시 9급]

다음 중 국어의 '형태적' 특징은?

① 수식어는 반드시 피수식어 앞에 온다.

② 동사와 형용사의 활용이 유사하다.

③ 문장 성분의 순서를 비교적 자유롭게 바꿀 수 있다.

④ 언어 유형 중 '주어-목적어-동사'의 어순을 갖는 SOV형 언어이다.

챕터별 출제 경향

(2015-2021 국가직 / 지방직 / 서울시 7·9급)

01

난이도 ★☆☆

해설 **③ 교착어는 실질적인 의미를 가진 단어 또는 어간에 문법적인 기능을 가진 요소가 차례로 결합함으로써, 문장 속에서의 문법적인 역할이나 관계의 차이를 나타내는 언어이다. 국어는 교착어적 특성을 보이는 조사와 어미가 발달되어 있으므로 답은 ③이다.**

오답분석 ① 국어의 마찰음은 '예사소리-된소리'의 2항 대립을 보인다. 참고로 '예사소리-된소리-거센소리'의 3항 대립을 보이는 것은 파열음과 파찰음이다.

② 국어의 단모음은 'ㅏ, ㅐ, ㅓ, ㅔ, ㅗ, ㅚ, ㅜ, ㅟ, ㅡ, ㅣ'이며 총 10개이다.

④ 국어의 어두에는 둘 이상의 자음이 올 수 없으며, 된소리 'ㄲ, ㄸ, ㅃ, ㅆ, ㅉ'는 하나의 자음이다. 참고로 둘 이상의 자음은 'ㄺ, ㅼ'와 같은 것을 말한다.

02

난이도 ★☆☆

해설 **② 국어는 음절 말에 둘 이상의 자음이 오더라도 하나의 자음으로만 발음되므로 국어의 특징으로 옳지 않은 것은 ②이다. 참고로 '값'은 겹받침 중 'ㅅ'이 탈락하여 [갑]으로 발음된다.**

오답분석 ① 국어는 실질 형태소인 어근에 형식 형태소인 접사를 붙여 단어를 파생시키거나 문법적 관계를 표시하는 '교착어(첨가어)'에 해당한다. 국어에서 조사와 어미 등의 형식 형태소가 발달한 것은 교착어의 특징이므로 ①의 설명은 옳다.

③ 국어는 상황에 따라 주어, 목적어 등의 문장 성분을 생략하거나 중요한 것만 강조하여 의사소통이 가능한 담화 중심의 언어이다.

예 A: "밥 먹었어?" (주어 생략)
B: "응, 먹었어." (주어, 목적어 생략)

④ 국어는 혈연을 중시하는 문화의 영향을 받아, 가족 관계를 나타내는 친족어가 발달하였다. 예를 들어 영어에서 'aunt'로 표현하는 대상이 국어에서는 친족 관계에 따라 '큰어머니, 작은어머니, 이모, 고모' 등으로 세분화되어 있다.

03

난이도 ★★☆

해설 **④ 화용론은 말하는 이·시간·장소 등으로 구성되는 맥락 속에서의 언어 사용을 다루는 언어학의 한 분야이다. 국어는 화용론적으로 '존재' 중심의 언어이므로, 동물이나 사물이 주체가 되어 사람을 대상으로 삼지 않는다. 참고로 '소유' 중심의 언어는 대표적으로 영어가 있으며 각 대상의 관계를 소유 관계로 본다는 특징이 있다.**

오답분석 ① 국어의 장애음(특히 파열음과 파찰음)은 '평음 - 경음 - 격음'의 3항 대립(ㄱ, ㄷ, ㅂ, ㅈ - ㄲ, ㄸ, ㅃ, ㅉ - ㅋ, ㅌ, ㅍ, ㅊ)을 보인다. 이때 '장애음'이란 구강 통로가 폐쇄되거나 마찰이 생겨서 나는 소리로, 주로 장애의 정도가 큰 파열음, 마찰음, 파찰음을 말한다.

- **유성음(울림소리)**: 발음할 때 목청이 떨려 울리는 소리로 국어의 모든 모음이 이에 속하며, 자음 중에는 'ㄴ, ㄹ, ㅁ, ㅇ'이 있음

② 국어는 조사와 어미가 발달한 첨가어(교착어)적 특성을 보인다. 참고로 굴절어는 어형과 어미의 변화로 문장 속에서 단어가 가지는 여러 관계를 나타내는 언어로 영어가 이에 해당한다.

③ 된소리인 'ㄲ, ㄸ, ㅃ'은 하나의 자음이다. 또한 음절 초에는 둘 이상의 자음이 함께 올 수 없다.

04

난이도 ★★☆

해설 **② 동사와 형용사의 활용이 유사한 점은 단어 형태상의 특징에 해당하므로 답은 ②이다.**

- 동사와 형용사의 경우 어간에 여러 가지 어미가 붙는 활용을 한다는 점에서 유사하다.

예 • 동사 '먹다' - 먹고, 먹으니, 먹어서
• 형용사 '예쁘다' - 예쁘고, 예쁘니, 예뻐서

오답분석 ①③④ 모두 문장과 관련되어 있으므로 국어의 통사적 특징에 해당한다.

① 국어의 문장에서는 수식어(꾸미는 말)가 피수식어(꾸밈을 받는 말) 앞에 온다. 이는 중심이 되는 말을 뒤에 놓는 경향을 보여 주는 것이다.

예 영희는 예쁜 꽃을 샀다: '꽃'을 꾸미는 말인 '예쁜'이 꾸밈을 받는 말인 '꽃' 앞에 위치한다.

③④ 국어의 문장은 대체로 '주어 + 목적어 + 동사(서술어)' 순으로 나타난다. 그러나 조사가 발달하여 어순은 비교적 자유로운 편이다.

예 '나는(주어) + 밥을(목적어) + 먹는다(서술어)' 순으로 문장이 구성된다. 그러나 '밥을 먹는다, 나는'과 같이 어순을 바꾸어도 의미가 변하지 않는 경우가 많다.

공무원시험전문 해커스공무원
gosi.Hackers.com

Section 2
필수 문법

1분 만에 파악하는 7개년 기출 트렌드

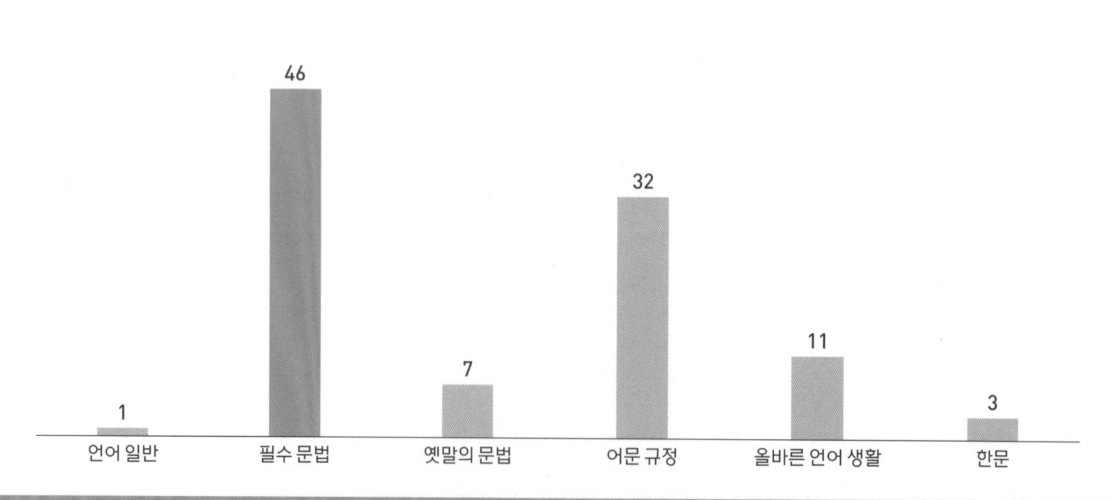

어법

Section 기출 트렌드

- 필수 문법은 어법 영역 중에서 가장 많이 출제되는 Section입니다.
- 필수 문법에서는 품사를 구분하거나 단어의 형성 방법을 파악해야 하는 문제가 주로 출제됩니다. 또한 문장의 짜임이나 음운의 변동에 대해 묻는 문제가 꾸준히 출제되고 있으며, 최근에는 다의어의 의미를 구분하는 문제가 자주 출제되었습니다.
- 음운론·형태론·통사론·의미론으로 구성된 필수 문법은 다음 Section인 어문 규정과 연관되는 부분이 많습니다. 따라서 필수 문법에서 어법에 대한 기초 개념을 꼼꼼하게 다진 후 다양한 기출문제 풀이를 통해 개념을 적용하는 연습을 해야 합니다.

1. 음운의 개념

01
[2019년 서울시 9급 (2월)]

음운의 개념에 대한 설명으로 가장 옳지 않은 것은?

① 소리의 강약이나 고저 등은 분절되지 않으므로 음운이라고 할 수 없다.

② 음운은 의미를 구별해 주는 최소의 단위이므로 최소 대립쌍을 통해 한 언어의 음운 목록을 확인할 수 있다.

③ 음운은 몇 개의 변이음으로 구성되어 있어서 실제로 들리는 소리가 다른 경우에도 하나의 음운으로 인정할 수 있다.

④ 음운은 실제적인 소리라기보다는 관념적이고 추상적인 기호라고 보아야 한다.

02
[2018년 경찰직 1차]

국어의 비분절 음운에 대한 설명으로 가장 적절하지 않은 것은?

① 국어의 비분절 음운에는 장단과 억양이 있다.

② 국어에서 장단의 문제는 모음과 자음 모두에 해당된다.

③ 국어의 비분절 음운은 자음, 모음처럼 정확히 소리마디의 경계를 그을 수 없지만 말소리 요소로서 의미를 변별하는 기능을 한다.

④ 국어에서 장음은 일반적으로 단어의 첫째 음절에 나타나는데, 특이하게 둘째 음절 이하에 오면 장음이 단음으로 발음되는 경향이 있다.

2. 음운의 체계

03
[2018년 서울시 7급 (6월)]

현대 한국어의 양순음에 대한 설명으로 옳은 것을 〈보기〉에서 모두 고른 것은?

〈보기〉

ㄱ. 양순음에는 'ㅂ, ㅃ, ㅍ, ㅁ' 등이 있다.
ㄴ. 양순음은 파열음과 마찰음이 골고루 발달되어 있다.
ㄷ. 'ㅁ'은 비음이지 양순음은 아니다.
ㄹ. 양순음은 발음 과정에서 윗입술과 아랫입술이 닿는 공통점이 있다.

① ㄱ, ㄴ　　② ㄴ, ㄷ
③ ㄱ, ㄹ　　④ ㄴ, ㄹ

04
[2017년 국가직 9급 (4월)]

설명이 옳지 않은 것은?

① 'ㄴ, ㅁ, ㅇ'은 유음이다.

② 'ㅅ, ㅆ, ㅎ'은 마찰음이다.

③ 'ㅡ, ㅓ, ㅏ'는 후설 모음이다.

④ 'ㅟ, ㅚ, ㅗ, ㅜ'는 원순 모음이다.

챕터별 출제 경향

(2015-2021 국가직 / 지방직 / 서울시 7·9급)

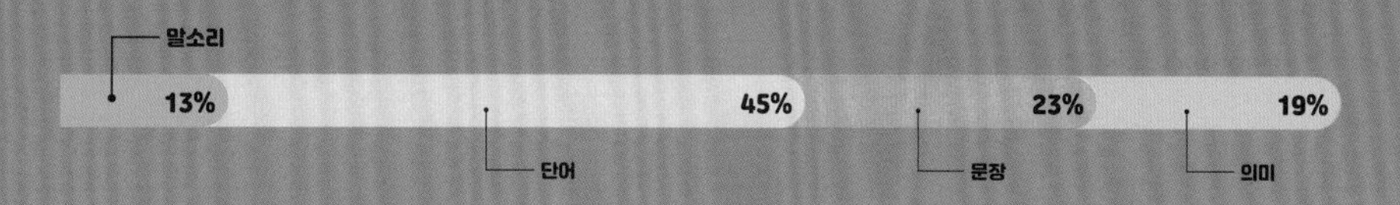

01

난이도 ★☆☆

해설 ① 음운의 종류에는 분절 음운(음소)과 비분절 음운(운소)이 있다. 이때 비분절 음운이란 말의 뜻을 구별해 주는 기능은 있으나 자음, 모음처럼 마디로 나눌 수는 없는 음운으로 소리의 길이, 높이, 세기, 억양 등을 뜻한다. 따라서 소리의 강약이나 고저 등은 분절되지는 않지만 말의 뜻을 구별해주는 기능이 있는 비분절 음운이므로 음운에 해당한다.

이것도 알면 **합격**

음운에 대해 알아두자.

음운은 말의 뜻을 구별해 주는 소리의 가장 작은 단위로, 분절 음운과 비분절 음운으로 나눌 수 있다.

분절 음운	'음소'라고도 하며, 마디로 나눌 수 있는 음운이다. 자음과 모음이 분절 음운에 해당된다.
비분절 음운	'운소'라고도 하며, 말의 뜻을 구별해 주는 기능은 있지만 마디로 나눌 수 없는 음운이다. 소리의 길이(장단), 높이, 세기, 억양 등이 비분절 음운에 해당된다.

02

난이도 ★★☆

해설 ② 국어에서 '모음'은 소리의 장단을 구별하여 발음하지만, '자음'은 소리의 장단을 구별하여 발음하지 않는다. 따라서 비분절 음운에 대한 설명으로 가장 적절하지 않은 것은 ②이다.

오답분석 ① 국어의 비분절 음운에는 소리의 길이(장단), 높이, 세기, 억양 등이 있다.

③ 비분절 음운은 자음, 모음처럼 마디로 나눌 수는 없으나 말의 뜻을 구별해주는 기능이 있다.

④ 국어에서 장음은 단어의 첫음절에서만 나타나고, 둘째 음절 이하에서는 단음으로 발음되는 것이 원칙이다. 예를 들어 '눈(雪)'은 [눈:]으로 발음되는 반면 '첫눈'은 [천눈]으로 발음된다.

03

난이도 ★★☆

해설 ③ 현대 한국어의 양순음에 대한 설명으로 옳은 것은 ㄱ, ㄹ이므로 답은 ③이다.

- ㄱ: 양순음이란 두 입술 사이에서 나는 소리로, 'ㅂ', 'ㅃ', 'ㅍ', 'ㅁ'이 여기에 해당한다.
- ㄹ: 한국어의 양순음 'ㅂ, ㅃ, ㅍ, ㅁ' 중에서 파열음인 'ㅂ, ㅃ, ㅍ'은 발음 과정에서 윗입술과 아랫입술을 닿게 하여 공기의 흐름을 막았다가, 터뜨리면서 발음한다. 그리고 비음인 'ㅁ'은 윗입술과 아랫입술을 닿게 하여 입안의 통로를 막고 코로 공기를 내보내면서 발음한다.

오답분석 ㄴ. 현대 한국어의 양순음에는 파열음 'ㅂ, ㅃ, ㅍ'과 비음 'ㅁ'이 있으나 마찰음은 발달해 있지 않다.

ㄷ. 'ㅁ'은 조음 방법상 비음이며 조음 위치에 따르면 양순음에 해당한다.

04

난이도 ★☆☆

해설 ① 'ㄴ, ㅁ, ㅇ'은 비음(입 안의 통로를 막고 코로 공기를 내보내면서 내는 소리)이므로 설명이 옳지 않은 것은 ①이다.

- **유음**: 혀끝을 윗잇몸에 댄 채 공기를 그 양옆으로 흘려보내면서 내는 소리로, 'ㄹ'이 있다.

오답분석 ② 마찰음은 조음 기관이 좁혀진 사이로 공기가 마찰을 일으켜 나는 소리로 'ㅅ, ㅆ, ㅎ'이 있다.

③ 후설 모음은 혀의 최고점이 입 안의 뒤쪽에 위치하여 발음되는 모음으로 'ㅡ, ㅓ, ㅏ, ㅗ, ㅜ'가 있다.

④ 원순 모음은 입술을 둥글게 오므려 발음하는 모음으로 'ㅟ, ㅚ, ㅗ, ㅜ'가 있다.

05

[2017년 지방직 7급]

다음은 일부 지역과 계층에서 '애'와 '에'를 잘 구분하지 못하는 이유를 설명한 것이다. 괄호 안에 들어갈 말로 적절한 것은?

> '애'와 '에'를 구별하는 '(　　　　　)'이 불분명하기 때문이다.

① 혀의 앞뒤 관련 자질
② 혀의 높낮이 관련 자질
③ 소리의 강약 관련 자질
④ 소리의 장단 관련 자질

06

[2016년 기상직 9급]

모음을 발음할 때 혀의 위치가 가장 높은 것으로만 묶은 것은?

① 위, 수, 그　　② 죄, 너, 도
③ 개, 라, 네　　④ 이, 베, 가

3. 음운의 변동

07

[2020년 지방직 7급]

㉠~㉣의 음운 변동에 대한 설명으로 옳지 않은 것은?

> ㉠ 식용유　　㉡ 헛걸음
> ㉢ 안팎일　　㉣ 입학생

① ㉠과 ㉢은 각각 음운의 첨가가 나타난다.
② ㉠과 ㉣은 각각 음운 변동 전과 후의 음운 개수가 같다.
③ ㉡과 ㉢은 각각 음운의 대치가 나타난다.
④ ㉡과 ㉣은 같은 유형의 음운 변동이 있다.

08

[2019년 서울시 7급 (2월)]

<보기>의 음운 변동 사례 중 옳은 것은?

> <보기>
>
> 교체, 탈락, 축약, 첨가의 음운 변동이 일어나는 경우 음운 개수의 변화가 나타나기도 한다. 먼저 ㉠'집일[짐닐]'은 첨가 및 교체가 일어나 음운의 개수가 늘었다. 그런데 ㉡'닭만[당만]'은 탈락만 일어나 음운의 개수가 줄었고, ㉢'뜻하다[뜨타다]'는 축약만 일어나 음운의 개수가 줄었다. 한편 ㉣'맏는[만는]'은 교체가 두 번 일어나 음운의 개수가 2개 증가하였다.

① ㉠　　② ㉡
③ ㉢　　④ ㉣

05

난이도 ★★☆

해설 ② '애'는 혀를 가장 낮게 하여 발음하는 저모음이고, '에'는 혀를 중간에 두어 발음하는 중모음이다. 따라서 '애'와 '에'를 구별하는 기준으로서 괄호 안에 들어갈 말로 적절한 것은 ② '혀의 높낮이 관련 자질'이다.

오답분석 ① '애'와 '에' 모두 혀의 정점이 입 안의 앞쪽에 위치하여 발음되는 전설 모음이므로 구별의 기준이 될 수 없다.

③ 소리의 강약 관련 자질은 자음을 '예사소리 - 된소리 - 거센소리'로 분류하는 기준이므로 '애'와 '에'의 구별과는 관련이 없다.

④ '애'와 '에'의 구별과는 관련이 없다.

06

난이도 ★☆☆

해설 ① 혀의 위치가 가장 높은 고모음이 쓰인 것만 묶인 것은 ①이다. 참고로 국어 단모음 중 고모음은 'ㅣ, ㅟ, ㅡ, ㅜ'이고, 중모음은 'ㅔ, ㅚ, ㅓ, ㅗ', 저모음은 'ㅐ, ㅏ'이다.

이것도 알면 **합격**

국어의 단모음 체계에 대해 알아두자.

국어의 단모음(발음 시 입술이나 혀가 고정되어 움직이지 않는 모음)은 혀의 높낮이, 혀의 앞뒤 위치, 입술의 모양에 따라 구별할 수 있다.

혀의 위치	앞(전설 모음)		뒤(후설 모음)	
입술의 모양 / 혀의 높낮이	평순 모음	원순 모음	평순 모음	원순 모음
고모음	ㅣ	ㅟ	ㅡ	ㅜ
중모음	ㅔ	ㅚ	ㅓ	ㅗ
저모음	ㅐ		ㅏ	

07

난이도 ★★☆

해설 ② 식용유[시굥뉴]는 'ㄴ' 첨가 현상이 일어나므로 음운 변동 전과 후의 음운 개수(6개 → 7개)가 다르며, 입학생[이팍쌩]은 음운 축약이 일어나므로 음운 변동 전과 후의 음운 개수(8개 → 7개)가 다르다. 따라서 ㉠과 ㉣은 각각 음운 변동 전과 후의 음운 개수가 다르므로 ②의 설명은 옳지 않다. 이때 ㉠~㉣에 일어나는 음운 변동 현상은 아래와 같다.

㉠ **식용유[시굥뉴]('ㄴ' 첨가)**: '식용유'는 '식용'과 '유'가 결합한 파생어로, 앞 단어의 끝이 자음이고 뒤 단어의 첫음절이 '유'이므로 'ㄴ'을 첨가하여 발음한다.

㉡ **헛걸음[헏꺼름](음절의 끝소리 규칙, 된소리되기)**: 음절의 끝소리 규칙으로 인해 받침 'ㅅ'이 [ㄷ]으로 발음되며, [ㄷ]으로 인해 이어지는 'ㄱ'이 된소리로 발음된다.

㉢ **안팎일[안팡닐]('ㄴ' 첨가, 음절의 끝소리 규칙, 비음화)**: '안팎+일'이 결합한 합성어로, 앞 단어의 끝이 자음이고 뒤 단어의 첫음절이 '이'이므로 'ㄴ'이 첨가된다. 또한 음절의 끝소리 규칙으로 인해 받침 'ㄲ'이 [ㄱ]으로 발음되며, 첨가된 'ㄴ'의 영향으로 [ㄱ]이 [ㅇ]으로 바뀌는 비음화 현상이 일어난다.

㉣ **입학생[이팍쌩](음운 축약, 된소리되기)**: 'ㅂ'과 'ㅎ'이 만나 [ㅍ]으로 축약되며, 받침 'ㄱ'으로 인해 'ㅅ'이 된소리로 발음된다.

오답분석 ① ㉠과 ㉢에는 각각 음운의 첨가('ㄴ' 첨가)가 나타난다.

③ ㉡은 음절의 끝소리 규칙, 된소리되기가 나타나고 ㉢은 음절의 끝소리 규칙, 비음화가 나타나므로 ㉡과 ㉢에는 각각 음운의 대치 현상이 나타난다.

④ ㉡은 음절의 끝소리 규칙, 된소리되기가 나타나고 ㉣은 된소리되기가 나타나므로 같은 유형(음운의 대치)의 음운 변동이 나타난다.

08

난이도 ★★☆

해설 ① '집일[짐닐]'은 '집+일'이 결합한 합성어이다. 이때 앞 단어의 끝이 자음 'ㅂ'이고 뒤 단어의 첫음절이 '이'이므로 'ㄴ' 음을 첨가하여('ㄴ' 첨가) [집닐]로 발음한다. 그리고 받침 'ㅂ'이 [ㄴ]음에 동화되어 비음 [ㅁ]으로 교체되므로(비음화) 첨가 및 교체가 일어나 음운의 개수가 늘었다는 ㉠은 옳은 설명이다.

오답분석 ② '닭만[당만]'은 음절 끝의 겹받침 'ㄺ'에서 'ㄹ'이 탈락하고 (자음군 단순화) 받침 'ㄱ'이 비음 'ㅁ'의 영향을 받아 비음 [ㅇ]으로 교체되므로(비음화) 탈락과 교체가 일어나 음운의 개수가 줄었다.

③ '뜻하다[뜨타다]'는 받침 'ㅅ'이 대표음 [ㄷ]으로 교체되고 (음절의 끝소리 규칙) 'ㄷ'이 'ㅎ'과 결합하여 [ㅌ]으로 축약되므로(자음 축약) 교체와 축약이 일어나 음운의 개수가 줄었다.

④ '맡는[만는]'은 받침 'ㅌ'이 대표음 [ㄷ]으로 교체되고(음절의 끝소리 규칙) 받침 'ㄷ'이 비음 'ㄴ'의 영향을 받아 비음 [ㄴ]으로 교체되므로(비음화) 교체가 두 번 일어나지만 음운의 개수에는 변화가 없다.

09

[2019년 국가직 9급]

국어의 주요한 음운 변동을 다음과 같이 유형화할 때, '부엌일'에 일어나는 음운 변동 유형으로 옳은 것은?

	변동 전		변동 후
㉠	XaY	→	XbY(교체)
㉡	XY	→	XaY(첨가)
㉢	XabY	→	XcY(축약)
㉣	XaY	→	XY(탈락)

① ㉠, ㉡
② ㉠, ㉣
③ ㉡, ㉢
④ ㉡, ㉣

10

[2019년 지방직 9급]

다음에 대한 설명으로 적절한 것은?

㉠가을일[가을릴]	㉡텃마당[턴마당]
㉢입학생[이팍쌩]	㉣흙먼지[흥먼지]

① ㉠: 한 가지 유형의 음운 변동이 나타난다.
② ㉡: 인접한 음의 영향을 받아 조음 위치가 같아지는 동화 현상이 나타난다.
③ ㉢: 음운 변동 전의 음운 개수와 음운 변동 후의 음운 개수가 서로 다르다.
④ ㉣: 음절 끝에 'ㄱ, ㄴ, ㄷ, ㄹ, ㅁ, ㅂ, ㅇ' 이외의 자음이 오면 이 7개의 자음 중 하나로 바뀌는 규칙이 적용된다.

11

[2016년 사회복지직 9급]

표준 발음에서 축약 현상이 나타나는 것은?

① 놓치다 ② 헛웃음
③ 똑같이 ④ 닫히다

12

[2018년 서울시 7급 (3월)]

동화의 방향이 다른 것은?

① 손난로 ② 불놀이
③ 찰나 ④ 강릉

09

난이도 ★☆☆

해설 ① 부엌일(㉠ 교체, ㉡ 첨가): '부엌일[부억일 → 부억닐 → 부엉닐]'에서 '엌'의 받침 'ㅋ'은 음절 말에서 [ㄱ]으로 발음하는 음절의 끝소리 규칙(교체)이 일어난다. 또한 합성어에서 앞 단어의 끝이 자음 'ㄱ' 이고 뒤 단어의 첫음절이 'ㅣ'인 경우 'ㄴ' 음을 첨가하여 발음하므로 'ㄴ'첨가(첨가)가 일어난 [부억닐]로 발음한 후, 'ㄱ'이 비음 'ㄴ'을 만나 비음 [ㅇ]으로 발음하는 비음화(교체)가 나타난다. 따라서 답은 ①이다.

이것도 알면 **합격**

음운 변동의 유형을 알아두자.

교체(대치)	원래의 음운이 다른 음운으로 바뀜 예 음절의 끝소리 규칙, 자음 동화, 구개음화, 모음 동화, 된소리되기
탈락	원래 있던 음운이 없어짐 예 'ㄹ' 탈락, 'ㅎ' 탈락, 'ㅡ' 탈락, 동음 탈락
축약	두 개의 음운이나 음절이 하나의 음운이나 음절로 합쳐짐 예 자음 축약, 모음 축약
첨가	이미 있는 것에 새로운 음운이 덧붙음 예 'ㄴ' 첨가

10

난이도 ★★☆

해설 ③ '입학생[이팍쌩]'은 자음 축약과 된소리되기 현상이 나타난다. 이때 음운의 변동 전 음운 개수는 8개(ㅣ, ㅂ, ㅎ, ㅏ, ㄱ, ㅅ, ㅐ, ㅇ)인 반면, 음운의 변동 후 음운 개수는 7개(ㅣ, ㅍ, ㅏ, ㄱ, ㅆ, ㅐ, ㅇ)이므로 음운 변동 전의 음운 개수와 음운 변동 후의 음운 개수가 서로 다르다는 ③의 설명은 적절하다.

오답분석 ① '가을일[가을릴]'은 'ㄴ' 첨가와 유음화 현상이 나타난다. 따라서 ㉠은 첨가와 교체 두 가지 유형의 음운 변동이 나타나므로 적절하지 않다.

② '텃마당[턷마당 → 턴마당]'은 음절의 끝소리 규칙과 비음화 현상이 나타난다. 이때 '치조음'(조음 위치)이자 '마찰음'(조음 방법)인 받침 'ㅅ'이 음절의 끝소리 규칙의 영향으로 [ㄷ]이 된 후, '양순음'(조음 위치)이자 '비음'(조음 방법)인 [ㅁ]의 영향으로 '치조음'(조음 위치)이자 '비음'(조음 방법)인 [ㄴ]으로 발음된다. 따라서 ㉡은 조음 위치가 아니라 조음 방법이 같아지는 동화 현상(비음화)이 나타나므로 적절하지 않다.

④ '흙먼지[흑먼지 → 흥먼지]'는 자음군 단순화와 비음화 현상이 나타난다. 따라서 ㉣은 음절 끝에 'ㄱ, ㄴ, ㄷ, ㄹ, ㅁ, ㅂ, ㅇ' 이외의 자음이 오면 이 중 하나로 바뀌는 음절의 끝소리 규칙이 적용되지 않으므로 적절하지 않다.

11

난이도 ★★☆

해설 ④ 닫히다(음운 축약, 음운 교체): '닫히다[다티다 → 다치다]'는 'ㄷ + ㅎ → ㅌ'이 되는 음운 축약과, 'ㅌ'이 모음 'ㅣ'로 시작하는 형식 형태소를 만나 'ㅊ'으로 바뀌는 음운 교체(구개음화)가 나타난다.

오답분석 ① **놓치다(음운 교체)**: '놓치다[녿치다]'는 '놓'의 끝소리 'ㅎ'이 'ㄷ'으로 바뀌는 음운 교체(음절의 끝소리 규칙)가 나타난다.

② **헛웃음(음운 교체)**: '헛웃음[허두슴]'은 '헛'의 받침 'ㅅ'이 모음 'ㅜ'로 시작하는 실질 형태소 '웃-'과 만나 대표음 'ㄷ'으로 바뀐 뒤 연음하게 된다. 따라서 음운 교체(음절의 끝소리 규칙)가 나타난다.

③ **똑같이(음운 교체)**: '똑같이[똑까치]'는 안울림소리 'ㄱ'과 안울림소리 'ㄱ'이 만나 뒤의 [ㄱ]이 된소리 [ㄲ]으로 발음되는 음운 교체(된소리되기)가 나타난다. 그리고 끝소리가 'ㅌ'인 형태소가 모음 'ㅣ'로 시작되는 형식 형태소를 만나 구개음 'ㅊ'으로 발음되는 음운 교체(구개음화)가 나타난다.

12

난이도 ★☆☆

해설 ① '손난로'는 앞의 음이 뒤의 음의 영향을 받아 그와 비슷하거나 같게 소리 나는 역행 동화 현상이 나타난다. 반면 ② '불놀이', ③ '찰나', ④ '강릉'은 모두 뒤의 음이 앞의 음의 영향을 받아 그와 비슷하거나 같게 소리 나는 순행 동화 현상이 나타나므로 답은 ①이다.

- **손난로[손날로]**: '손난로'는 '난'의 끝소리 'ㄴ'이 뒤 음절의 첫소리 'ㄹ'의 영향을 받아 [ㄹ]로 바뀌어 발음되는(유음화) 역행 동화 현상이 나타난다.

오답분석 ② **불놀이[불로리]**: '불놀이'는 '놀'의 'ㄴ'이 앞 음절의 끝소리인 'ㄹ'의 영향으로 [ㄹ]로 바뀌어 발음되는(유음화) 순행 동화 현상이 나타난다.

③ **찰나[찰라]**: '찰나'는 뒤 음절의 'ㄴ'이 앞 음절의 끝소리인 'ㄹ'의 영향으로 [ㄹ]로 바뀌어 발음되는(유음화) 순행 동화 현상이 나타난다.

④ **강릉[강능]**: '강릉'은 뒤 음절의 'ㄹ'이 앞 음절의 끝소리 'ㅇ'의 영향으로 [ㄴ]으로 바뀌어 발음되는(비음화) 순행 동화 현상이 나타난다.

이것도 알면 **합격**

동화의 방향에 따른 분류를 알아두자.

순행 동화	앞의 소리의 영향을 받아 뒷소리가 앞의 소리를 닮는 것 예 강릉[강능], 찰나[찰라], 불놀이[불로리]
역행 동화	뒷소리의 영향을 받아 앞의 소리가 뒷소리를 닮는 것 예 겉문[건문], 입는[임는], 손난로[손날로]
상호 동화	앞의 소리와 뒷소리가 서로 닮는 것 예 급류[금뉴]

13

[2018년 서울시 7급 (3월)]

〈보기〉 중 음운 변동으로 음운의 수에 변화가 있는 단어를 모두 고른 것은?

〈보기〉

ㄱ. 발전　　ㄴ. 국화
ㄷ. 솔잎　　ㄹ. 독립

① ㄱ, ㄴ　② ㄱ, ㄹ
③ ㄴ, ㄷ　④ ㄷ, ㄹ

14

[2018년 국가직 9급]

'깎다'의 활용형에 적용된 음운 변동에 대한 설명으로 옳은 것은?

- 교체: 한 음운이 다른 음운으로 바뀌는 현상
- 탈락: 한 음운이 없어지는 현상
- 첨가: 없던 음운이 생기는 현상
- 축약: 두 음운이 합쳐져서 또 다른 음운 하나로 바뀌는 현상
- 도치: 두 음운의 위치가 서로 바뀌는 현상

① '깎는'은 교체 현상에 의해 '깡는'으로 발음된다.
② '깎아'는 탈락 현상에 의해 '까까'로 발음된다.
③ '깎고'는 도치 현상에 의해 '깍꼬'로 발음된다.
④ '깎지'는 축약 현상과 첨가 현상에 의해 '깍찌'로 발음된다.

15

[2018년 서울시 9급 (6월)]

〈보기〉의 단어에 공통으로 적용된 음운 변동은?

〈보기〉

- 꽃내음[꼰내음]
- 바깥일[바깐닐]
- 학력[항녁]

① 중화　② 첨가
③ 비음화　④ 유음화

16

[2018년 지방직 7급]

음운 변동에 대한 설명으로 옳은 것은?

① 값진[갑찐]: 탈락, 첨가 현상이 있다.
② 밖과[박꽈]: 대치, 축약 현상이 있다.
③ 끓는[끌른]: 탈락, 대치 현상이 있다.
④ 밭도[받또]: 대치, 첨가 현상이 있다.

13

난이도 ★★☆

해설 **③ '국화'는 [구콰]로 발음하므로 음운의 수가 5개에서 4개로 1개 줄고, '솔잎'은 [솔립]으로 발음하므로 음운의 수가 5개에서 6개로 1개 늘어났음을 알 수 있다. 따라서 음운의 수에 변화가 있는 단어를 모두 고른 것은 ③이다.**

- **ㄴ. 국화[구콰]**: 받침 'ㄱ'과 뒤 음절의 첫소리 'ㅎ'이 만나 하나의 음운 [ㅋ]으로 발음한다.
- **ㄷ. 솔잎[솔립]**: '솔 + 입[솔입 → 솔닙 → 솔립]'에서 '잎'의 받침 'ㅍ'은 음절 말에서 [ㅂ]으로 발음한다. 또한 합성어에서 앞 단어가 자음으로 끝나고 뒤 단어의 첫음절이 'ㅣ'인 경우 'ㄴ' 음을 첨가하여 발음하므로 [솔입]은 [솔닙]으로 발음한다. 그리고 [ㄴ]은 [ㄹ]의 뒤에서 [ㄹ]로 발음하므로 [솔립]으로 발음한다.

오답분석 ㄱ. '발전', ㄹ. '독립'은 모두 음운의 변동 현상이 일어나지만, 음운의 수에는 변화가 없다.

- **ㄱ. 발전[발쩐]**: 한자어에서 'ㄹ' 받침 뒤에 연결되는 자음 'ㅈ'은 된소리 [ㅉ]으로 발음한다.
- **ㄹ. 독립[동닙]**: 받침 'ㄱ'과 뒤 음절의 첫소리 'ㄹ'이 만나 'ㄹ'이 [ㄴ]으로 변하고 받침 'ㄱ'은 [ㄴ]의 영향으로 인해 [ㅇ]으로 발음한다.

14

난이도 ★★☆

해설 **① 깎는(교체)(○): '깎는[깍는 → 깡는]'에서 '깎'의 받침 'ㄲ'은 음절 말에서 [ㄱ]으로 바뀌는 음운 교체(음절의 끝소리 규칙)가 일어난 후, [ㄱ]이 비음 'ㄴ'을 만나 비음 [ㅇ]으로 발음되는 음운 교체(비음화)가 나타난다. 따라서 답은 ①이다.**

② **깎아(탈락)(×) → (연음)(○)**: '깎아[까까]'는 홑받침이나 쌍받침이 모음으로 시작된 조사나 어미, 접미사와 결합되는 경우에 제 음가대로 뒤 음절 첫소리로 옮겨 발음하는 연음 현상이 나타난다.

③ **깎고(도치)(×) → (교체)(○)**: '깎고[깍고 → 깍꼬]'는 '깎'의 받침 'ㄲ'이 [ㄱ]으로 바뀌는 음운 교체(음절의 끝소리 규칙)가 일어난 후, [ㄱ]에 의해 뒤 음절의 첫소리 'ㄱ'이 [ㄲ]으로 발음되는 음운 교체(된소리되기)가 나타난다. 참고로 음운의 도치란 '배꼽(빗곱 < 빗복)'에서 'ㅂ'과 'ㄱ'의 위치가 바뀐 것과 같이 한 단어나 어군의 내부에서 두 음소 또는 그 연속이 서로 위치를 바꾸는 현상을 말한다.

④ **깎지(축약, 첨가)(×) → (교체)(○)**: '깎지[깍지 → 깍찌]'는 '깎'의 받침 'ㄲ'이 [ㄱ]으로 바뀌는 음운 교체(음절의 끝소리 규칙)가 나타난 후, [ㄱ]에 의해 뒤 음절의 첫소리 'ㅈ'이 [ㅉ]으로 발음되는 음운 교체(된소리되기)가 나타난다.

15

난이도 ★★☆

해설 **③ '꽃내음[꼰내음], 바깥일[바깐닐], 학력[항녁]'에는 모두 비음화 현상이 적용되므로 답은 ③이다.**

- **꽃내음(음절의 끝소리 규칙, 비음화)**: '꽃내음[꼰내음]'은 음절의 끝소리 규칙에 따라 '꽃'의 받침 'ㅊ'이 대표음 [ㄷ]으로 바뀌어 발음된 후 [ㄷ]이 비음 [ㄴ]과 만나 비음 [ㄴ]으로 발음되는 비음화 현상이 나타난다.
- **바깥일(음절의 끝소리 규칙, 'ㄴ' 첨가, 비음화)**: '바깥일[바깐닐]'은 '바깥(명사) + 일(명사)'이 결합한 합성어이다. 먼저 음절의 끝소리 규칙에 따라 '깥'의 받침 'ㅌ'이 대표음 [ㄷ]으로 바뀌어 [바깥일]로 발음된다. 그리고 뒷말의 첫소리 모음 'ㅣ' 앞에서 [ㄴ] 소리가 첨가되어 [바깥닐]로 발음된다. 마지막으로 [ㄷ]이 비음 [ㄴ]과 만나 비음 [ㄴ]으로 발음되는 비음화 현상이 나타난다.
- **학력(비음화)**: '학력[항녁]'은 'ㄹ'의 비음화 현상이 나타나는데, 먼저 '력'의 'ㄹ'이 앞의 'ㄱ' 받침의 영향으로 인해 [ㄴ]으로 발음된다. 그리고 '학'의 받침 'ㄱ'이 [ㄴ]의 영향으로 [ㅇ]으로 발음되는 비음화 현상이 나타난다.

오답분석 ① **중화**: 서로 다른 요소가 특정한 조건에서 변별 기능을 잃고 구별되지 않는 현상

예 '낟', '낫', '낮', '낱' 등에 쓰인 받침소리는 모두 'ㄷ'으로 발음됨

16

난이도 ★★☆

해설 **③ 끓는[끌른](탈락, 대치)(○): '끓는'은 음절 끝의 겹받침 'ㅀ'에서 'ㅎ'이 탈락하는 현상(자음군 단순화)이 나타난다. 그리고 '는'의 첫소리 'ㄴ'은 앞 음절의 받침 'ㄹ'의 영향으로 [ㄹ]로 바뀌어 발음되는 대치 현상(유음화)이 나타난다.**

① **값진[갑찐](탈락, 첨가)(×) → (탈락, 대치)(○)**: '값진'은 음절 끝의 겹받침 'ㅄ'에서 'ㅅ'이 탈락하는 현상(자음군 단순화)이 나타난다. 그리고 안울림소리 'ㅂ'과 'ㅈ'이 만나 뒤의 예사소리 'ㅈ'이 [ㅉ]으로 발음되는 대치 현상(된소리되기)이 나타난다.

② **밖과[박꽈](대치, 축약)(×) → (대치)(○)**: '밖과'는 받침 'ㄲ'이 [ㄱ]으로 바뀌는 대치 현상(음절의 끝소리 규칙)이 나타난다. 그리고 안울림소리 'ㄱ'과 'ㄱ'이 만나 뒤의 예사소리 'ㄱ'이 [ㄲ]으로 발음되는 대치 현상(된소리되기)이 나타난다.

④ **밭도[받또](대치, 첨가)(×) → (대치)(○)**: '밭도'는 받침 'ㅌ'이 [ㄷ]으로 바뀌는 대치 현상(음절의 끝소리 규칙)이 나타난다. 그리고 안울림소리 'ㄷ'과 'ㄷ'이 만나 뒤의 예사소리 'ㄷ'이 [ㄸ]으로 발음되는 대치 현상(된소리되기)이 나타난다.

17

[2017년 서울시 9급]

음운 현상은 변동의 양상에 따라 크게 다섯 가지로 구분된다. 다음 중 음운 현상의 유형이 나머지 셋과 가장 다른 하나는?

> ㉠대치 - 한 음소가 다른 음소로 바뀌는 음운 현상
> ㉡탈락 - 한 음소가 없어지는 음운 현상
> ㉢첨가 - 없던 음소가 새로 끼어드는 음운 현상
> ㉣축약 - 두 음소가 합쳐져 다른 음소로 바뀌는 음운 현상
> ㉤도치 - 두 음소가 서로 자리를 바꾸는 음운 현상

① 국+만 → [궁만]
② 물+난리 → [물랄리]
③ 입+고 → [입꼬]
④ 한+여름 → [한녀름]

18

[2017년 서울시 7급]

밑줄 친 부분이 <보기>에 해당하지 않는 것은?

<보기>

> 국어에는 동일한 모음이 연속될 때 하나가 탈락하는 현상이 나타난다.

① 늦었으니 어서 자.
② 여기 잠깐만 서서 기다려.
③ 조금만 천천히 가자.
④ 일단 가 보면 알 수 있겠지.

19

[2017년 경찰직 1차]

다음 중 국어의 음운 현상에 대한 설명으로 가장 적절하지 않은 것은?

① 탈락: 자음군 단순화는 겹받침을 가진 형태소 뒤에 모음으로 시작하는 문법 형태소가 결합할 때 일어나는 현상이다.
② 첨가: 'ㄴ' 첨가는 자음으로 끝나는 말 뒤에 'ㅣ'나 반모음 'ㅣ[j]'로 시작하는 말이 결합할 때 'ㄴ'이 새로 덧붙는 현상이다.
③ 축약: 유기음화는 'ㅎ'과 'ㄱ, ㄷ, ㅂ, ㅈ' 중 하나가 만날 때 이 두 자음이 하나의 음으로 실현되는 현상이다.
④ 교체(대치): 유음화는 'ㄴ'이 앞이나 뒤에 오는 'ㄹ'의 영향을 받아 'ㄹ'로 동화되는 현상이다.

20

[2019년 법원직 9급]

<보기>의 ㉠~㉣에 대한 다음 설명 중 가장 적절하지 않은 것은?

<보기>

> ㉠부엌+일 → [부엉닐]
> ㉡콧+날 → [콘날]
> ㉢앉+고 → [안꼬]
> ㉣훑+는 → [훌른]

① ㉠, ㉡: '맞+불 → [맏뿔]'에서처럼 음절 끝에 올 수 있는 자음이 제한되어 있기 때문에 일어난 음운 변동이 있다.
② ㉠, ㉡, ㉣: '있+니 → [인니]'에서처럼 인접하는 자음과 조음 방법이 같아진 음운 변동이 있다.
③ ㉢: '않+고 → [안코]'에서처럼 자음이 축약된 음운 변동이 있다.
④ ㉢, ㉣: '몫+도 → [목또]'에서처럼 음절 끝에 둘 이상의 자음이 오지 못하기 때문에 일어난 음운 변동이 있다.

17

난이도 ★☆☆

해설 ④ '한여름[한녀름]'에서는 ⓒ '첨가'가 나타나지만 ① ② ③에서는 ㉠ '대치'가 나타나므로 음운 현상의 유형이 나머지 셋과 다른 것은 ④이다.

- 한여름[한녀름]: '한-(접사) + 여름(명사)'이 결합된 파생어로, 뒷말의 첫소리 모음 'ㅕ' 앞에서 [ㄴ] 소리가 덧나는 첨가가 나타난다.

오답 분석 ① 국만[궁만]: '국'의 받침 'ㄱ'이 뒤에 연결되는 비음 'ㅁ'의 영향으로 [ㅇ]으로 바뀌어 발음되는(비음화) 대치가 나타난다.

② 물난리[물란리 → 물랄리]: '난'의 첫소리 'ㄴ'과 받침 'ㄴ'이, 각각 '물'의 받침 'ㄹ'과 '리'의 첫소리 'ㄹ'의 영향으로 [ㄹ]로 바뀌어 발음되는(유음화) 대치가 나타난다.

③ 입고[입꼬]: 안울림소리 'ㅂ'과 안울림소리 'ㄱ'이 만나 뒤의 'ㄱ'이 된소리 [ㄲ]으로 바뀌는(된소리되기) 대치가 나타난다.

이것도 알면 합격

'비음화, 유음화, 'ㄴ' 첨가'에 대해 알아두자.

비음화	• 받침 'ㄱ(ㄲ,ㅋ,ㄳ,ㄺ)'은 'ㄴ,ㅁ' 앞에서 [ㅇ]으로 발음함 • 받침 'ㄷ(ㅅ,ㅆ,ㅈ,ㅊ,ㅌ,ㅎ)'은 'ㄴ,ㅁ' 앞에서 [ㄴ]으로 발음함 • 받침 'ㅂ(ㅍ,ㄼ,ㄿ,ㅄ)'은 'ㄴ,ㅁ' 앞에서 [ㅁ]으로 발음함
유음화	• 'ㄴ'은 'ㄹ'의 앞뒤에서 [ㄹ]로 발음함
'ㄴ' 첨가	• 합성어 및 파생어에서 앞 단어나 접두사의 끝이 자음이고 뒤 단어나 접미사의 첫음절이 '이, 야, 여, 요, 유'의 경우에는, 'ㄴ' 음을 첨가하여 [니, 냐, 녀, 녀, 뇨, 뉴]로 발음함 • 'ㄹ' 받침 뒤에 첨가되는 'ㄴ' 음은 [ㄹ]로 발음함

18

난이도 ★★★

해설 ③ <보기>는 '모음의 동음 탈락'에 관한 설명이다. ③ '가자'는 '가다'의 어간 '가-'에 어떤 행동을 함께 하자는 뜻을 나타내는 종결 어미 '-자'가 연속되는 경우로, 모음의 동음 탈락에 해당하지 않는다.

오답 분석 ① 자(자- + -아): '자다'의 어간 '자-'에 종결 어미 '-아'가 붙어 동일한 모음 'ㅏ'가 연속되었으므로 하나가 탈락하는 현상이 나타난다.

② 서서(서- + -어서): '서다'의 어간 '서-'에 연결 어미 '-어서'가 붙어 동일한 모음 'ㅓ'가 연속되었으므로 하나가 탈락하는 현상이 나타난다.

④ 가(가- + -아): '가다'의 어간 '가-'에 연결 어미 '-아'가 붙어 동일한 모음 'ㅏ'가 연속되었으므로 하나가 탈락하는 현상이 나타난다.

19

난이도 ★☆☆

해설 ① '자음군 단순화'는 음절의 끝에 두 개의 자음이 올 때, 그중 하나가 탈락하는 현상을 말한다. '겹받침을 가진 형태소 뒤에 모음으로 시작하는 문법 형태소가 결합할 때 일어나는 현상'은 '연음'이므로, 설명이 적절하지 않은 것은 ①이다.

20

난이도 ★★☆

해설 ③ '앓고[알코]'는 겹받침 'ㅀ'의 'ㅎ'이 뒤 음절 첫소리 'ㄱ'과 만나 [ㅋ]으로 축약되는 거센소리되기 현상이 나타난다. 반면 ⓒ'앉고[안고 → 안꼬]'는 겹받침 'ㄵ' 중 자음 'ㅈ'이 탈락하는 자음군 단순화 현상과 앞 음절의 끝소리 'ㄴ'과 뒤 음절의 첫소리 'ㄱ'이 만나 'ㄱ'이 [ㄲ]로 발음되는 된소리되기 현상이 일어난다. 따라서 ⓒ'앉고'에는 자음 축약 현상이 일어나지 않으므로 적절하지 않은 것은 ③이다.

오답 분석 ① '맞불[맏불 → 맏뿔]'은 '맞'의 받침 'ㅈ'이 음절 끝에 올 수 없는 제약에 따라 [ㄷ]으로 음운이 교체되는 음절의 끝소리 규칙이 나타난다.

- ㉠'부엌일[부억일 → 부엉닐]'은 '엌'의 받침 'ㅋ'이 [ㄱ]으로 교체되는 음절의 끝소리 규칙이 나타난다.
- ㉡'콧날[콛날 → 콘날]'은 '콧'의 받침 'ㅅ'이 [ㄷ]으로 발음되는 음절의 끝소리 규칙이 나타난다.

② '있니[읻니 → 인니]'는 받침 'ㄷ'이 인접한 자음 'ㄴ'의 영향을 받아 조음 방법이 동화되어 [ㄴ]으로 교체되는 비음화 현상이 일어난다.

- ㉠'부엌일[부억일 → 부엉닐]'에서 받침 'ㄱ'이 인접한 자음 'ㄴ'의 영향으로 조음 방법이 동화되어 [ㅇ]으로 교체되는 비음화 현상이 일어난다.
- ㉡'콧날[콛날 → 콘날]'에서 받침 'ㄷ'이 인접한 자음 'ㄴ'의 영향으로 조음 방법이 동화되어 [ㄴ]으로 교체되는 비음화 현상이 일어난다.
- ㉣'훑는[훌는 → 훌른]'에서 뒤 음절의 첫소리 'ㄴ'이 앞 음절의 받침 'ㄹ'의 영향으로 조음 방법이 동화되어 [ㄹ]로 교체되는 유음화 현상이 일어난다.

④ '몫도[목도 → 목또]'는 받침 'ㄳ'의 두 개의 자음 중 하나만 음절 끝에 올 수 있는 제약에 따라 'ㅅ'이 탈락하고 'ㄱ'만 발음되는 자음군 단순화 현상이 일어난다.

- ⓒ'앉고[안고 → 안꼬]'의 받침 'ㄵ' 중 'ㅈ'이 탈락하고 'ㄴ'만 발음되는 자음군 단순화 현상이 일어난다.
- ㉣'훑는[훌는 → 훌른]'의 앞 음절의 받침 'ㄾ' 중 'ㅌ'이 탈락하고 'ㄹ'만 발음되는 자음군 단순화 현상이 일어난다.

21

[2016년 서울시 9급]

다음 중 음운변동의 성격이 나머지 셋과 가장 다른 것은?

① '옳다'는 [올타]로, '옳지'는 [올치]로 발음된다.
② '주다'와 어미 '-어라'가 만나 '줘라'가 되었다.
③ '막혀'는 [마켜]로, '맞힌'은 [마친]으로 발음된다.
④ '가다'와 어미 '-아서'가 만나 '가서'가 되었다.

22

[2015년 지방직 7급]

밑줄 친 부분 중 음운의 탈락 현상이 나타나지 않은 것은?

① 지난해 새로 집을 지었다.
② 잘 우는 남자는 매력이 없다.
③ 그는 사과문을 써서 벽에 붙였다.
④ 국이 뜨겁고 매워서 먹지 못하겠다.

23

[2015년 서울시 7급]

국어의 음운 현상에는 대치, 탈락, 첨가, 축약, 도치가 있다. 다음에 제시된 단어들 중 동일한 음운 현상이 나타나는 것끼리 묶인 것은?

㉠ 굳이	㉡ 끊더라
㉢ 뒷일	㉣ 무릎
㉤ 배꼽(<빗복)	㉥ 싫어도
㉦ 있지	㉧ 잡히다

① ㉠, ㉢, ㉤　　② ㉠, ㉣, ㉦
③ ㉡, ㉥, ㉧　　④ ㉢, ㉤, ㉧

24

[2014년 사회복지직 9급]

다음에서 설명하고 있는 음운 변동의 예로 적절하지 않은 것은?

> 음운 변동은 그 결과에 따라 한 음운이 다른 음운으로 바뀌는 교체(交替), 원래 있던 음운이 없어지는 탈락(脫落), 없던 음운이 추가되는 첨가(添加), 두 개의 음운이 합쳐져서 하나로 되는 축약(縮約) 등으로 분류할 수 있다.

① 교체 - 부엌[부억]
② 탈락 - 굳이[구지]
③ 첨가 - 솜이불[솜니불]
④ 축약 - 법학[버팍]

21

난이도 ★★☆

해설 **④ '가서'는 음운 탈락, ① '옳다'와 '옳지', ② '줘라', ③ '막혀'와 '맞힌'은 음운 축약이 나타나므로 음운 변동의 성격이 다른 것은 ④이다.**

- **가서(가- + -아서)**: 모음 'ㅏ'로 끝나는 어간에 어미 '-아서'가 결합할 때 동일한 음운인 'ㅏ'가 사라지는 음운 탈락 현상이 나타난다.(동음 탈락)

오답 분석

① **옳다[올타], 옳지[올치]**: 받침 'ㅀ'의 'ㅎ'이 뒤 음절 첫소리 'ㄷ', 'ㅈ'과 합쳐져서 [ㅌ]과 [ㅊ]으로 발음되는 음운 축약 현상이 나타난다.(자음 축약)

② **줘라(주- + -어라)**: 모음 'ㅜ'와 'ㅓ'가 만나 'ㅝ'로 줄어드는 음운 축약 현상이 나타난다.(모음 축약)

③
- **막혀(막- + -히- + -어)[마켜]**: 모음 'ㅣ'와 'ㅓ'가 만나 'ㅕ'로 줄어 들고(모음 축약) 'ㄱ'과 'ㅎ'이 [ㅋ]으로 줄어드는 음운 축약 현상이 나타난다.(자음 축약)
- **맞힌(맞- + -히- + -ㄴ)[마친]**: '맞힌'은 받침 'ㅈ'과 'ㅎ'이 만나 [ㅊ]으로 발음되는 음운 축약 현상이 나타난다.(자음 축약)

22

난이도 ★★☆

해설 **④ 매워서: '맵(다) + -어서'의 결합으로, 어간의 끝소리 'ㅂ'이 모음 어미 'ㅓ' 앞에서 'ㅜ'로 교체되고 'ㅜ'와 'ㅓ'는 'ㅝ'로 축약되는 현상이 나타난다. 따라서 '매워서'에 음운의 탈락 현상은 나타나지 않으므로 답은 ④이다.**

오답 분석

① **지었다**: '짓(다) + -었- + -다'의 결합으로, 어간의 끝소리 'ㅅ'이 모음 어미 '-었-' 앞에서 탈락하는 현상이 나타난다.

② **우는**: '울(다) + -는'의 결합으로, 어간의 끝소리 'ㄹ'이 어미의 첫소리 'ㄴ' 앞에서 탈락하는 현상이 나타난다.

③ **써서**: '쓰(다) + -어서'의 결합으로, 어간의 모음 'ㅡ'와 모음 어미 '-어'가 만나면서 어간의 모음 'ㅡ'가 탈락하는 현상이 나타난다.

23

난이도 ★★★

해설 **② ㉠ '굳이', ㉣ '무릎', ㉦ '있지'에서는 대치 현상이 나타나므로 동일한 음운 현상이 나타난 것끼리 묶인 것은 ②이다.**

- ㉠ **굳이[구지]**: 'ㄷ'이 'ㅣ'로 시작하는 형식 형태소를 만나 구개음 [ㅈ]으로 바뀌는 대치 현상이 나타난다.(구개음화)
- ㉣ **무릎[무릅]**: 음절의 끝소리 'ㅍ'이 대표음 [ㅂ]으로 바뀌는 대치 현상이 나타난다.(음절의 끝소리 규칙)
- ㉦ **있지[읻찌]**: 음절의 끝소리 'ㅆ'이 대표음 [ㄷ]으로 바뀌고(음절의 끝소리 규칙), 안울림소리 [ㄷ]과 안울림소리 [ㅈ]이 만나 뒤의 [ㅈ]이 된소리 [ㅉ]으로 바뀌는(된소리되기) 대치 현상이 나타난다.

오답 분석

㉡ **끊더라[끈터라]**: 겹받침 'ㄶ'의 'ㅎ'과 뒤 음절 첫소리 'ㄷ'이 결합하여 [ㅌ]으로 줄어드는 자음 축약 현상이 나타난다.(거센소리되기)

㉢ **뒷일[뒨ː닐]**: '뒤 + 일'이 결합된 순우리말로 된 합성어로 뒷말의 첫소리 모음 'ㅣ' 앞에서 [ㄴㄴ] 소리가 덧나는 첨가 현상이 나타난다.

㉤ **배꼽(<빗곱<빗복)**: '배꼽'은 '빗복'의 '복'에서 'ㅂ'과 'ㄱ'이 자리를 바꾸어 '빗곱'으로 바뀐 뒤 '배꼽'이 된 것이다. 한 단어 내부에서 두 음운이 서로 위치를 바꾸는 도치 현상이 나타난다.

㉥ **싫어도[시러도]**: 용언 어간의 끝소리인 'ㅎ'이 모음으로 시작하는 어미와 결합할 때 탈락하는 현상이 나타난다.('ㅎ' 탈락)

㉧ **잡히다[자피다]**: 받침의 'ㅂ'과 뒤 음절 첫소리 'ㅎ'이 결합하여 [ㅍ]으로 줄어드는 자음 축약 현상이 나타난다.(거센소리되기)

24

난이도 ★★☆

해설 **② 굳이[구지] 탈락(×) → 교체(○): '굳이[구지]'는 구개음이 아닌 자음 'ㄷ'이 모음 'ㅣ'로 시작되는 형식 형태소를 만나 구개음 [ㅈ]으로 바뀌는 구개음화가 적용된 예이다. 음운 [ㄷ]이 [ㅈ]으로 바뀌었으므로 음운 교체에 해당한다.**

오답 분석

① **교체(○)**: '부엌[부억]'은 받침 'ㅋ'이 [ㄱ]으로 바뀌는 음절의 끝소리 규칙이 나타나므로 음운 교체에 해당한다.

③ **첨가(○)**: '솜이불[솜ː니불]'은 '솜'과 '이불'이 결합된 합성어로 'ㄴ' 음을 첨가하여 발음하므로 음운 첨가에 해당한다.

④ **축약(○)**: '법학[버팍]'은 'ㅂ'과 'ㅎ'이 만나 하나의 음운으로 줄어 [ㅍ]으로 발음되는 거센소리되기가 나타나므로 음운 축약에 해당한다.

Chapter 02 단어

기본서 1권 57p

1. 형태소와 단어

01
[2019년 서울시 9급 (2월)]

형태소의 개수가 가장 많은 것은?

① 떠내려갔다　② 따라 버렸다
③ 빌어먹었다　④ 여쭈어봤다

02
[2019년 서울시 7급 (2월)]

<보기>를 참고할 때, 다음 중 형태소의 교체에 관한 설명으로 가장 옳은 것은?

<보기>

형태소의 교체는 자동적 교체와 비자동적 교체로 나눌 수 있다. 자동적 교체는 필수적으로 일어나야 하는 교체를 말하며, 비자동적 교체는 반드시 일어나야 할 필연적 이유가 없는 교체를 말한다.

(가) 알-: 알+는 → [아:는]
(나) 안-: 안+고 → [안:꼬]
(다) 아름답-: 아름답+은 → [아름다운]
(라) 먹-: 먹+는 → [멍는]

① (가)는 국어에 'ㄹ'과 'ㄴ'이 연속될 때 'ㄹㄴ'이 함께 발음될 수 없다는 제약으로 인해 예외 없이 용언 어간의 종성 'ㄹ'이 탈락하는 자동적 교체의 예이다.
② (나)는 국어에 'ㄴ'과 'ㄱ'이 연속될 때 'ㄱ'이 경음으로 발음된다는 제약으로 인해 예외 없이 어미 '-고'는 [꼬]로 발음되는 자동적 교체의 예이다.
③ (다)는 국어에 'ㅂ'과 '은'이 연속될 때 '븐'이 아니라 [운]으로 발음된다는 제약으로 인해 어미 '-은'이 [운]으로 발음되는 자동적 교체의 예이다.
④ (라)는 국어에 'ㄱ'과 'ㄴ'이 연속될 때 'ㄱ'이 비음 'ㅇ'으로 발음되는 것은 반드시 일어나야 하는 규칙은 아니므로 비자동적 교체의 예이다.

03
[2019년 서울시 7급 (2월)]

주어진 단어를 의미를 가진 요소들로 더 이상 나눌 수 없을 때까지 나누었을 때 그 요소의 수가 가장 많은 것은?

① 파김치　② 짜임새
③ 주름살　④ 지름길

04
[2018년 소방직 9급 (10월)]

다음 문장을 형태소 단위로 나눌 때, 적절한 것은?

하늘이 맑고 푸르다.

① 하늘이 / 맑고 / 푸르다
② 하늘 / 이 / 맑고 / 푸르다
③ 하늘 / 이 / 맑고 / 푸르 / 다
④ 하늘 / 이 / 맑 / 고 / 푸르 / 다

05
[2017년 서울시 7급]

<보기>의 문장을 바탕으로 국어의 형태소를 이해한 것으로 가장 옳지 않은 것은?

<보기>

선생님께서 우리들에게 숙제를 주신다.

① '선생님께서'의 '께서', '우리들에게'의 '들', '주신다'의 '주'는 모두 의존 형태소에 해당하는 것들이다.
② '선생님께서'의 '께서', '숙제를'의 '를', '주신다'의 '다'는 모두 형식 형태소에 해당하는 것들이다.
③ '선생님께서'의 '님', '숙제를'의 '숙제', '주신다'의 '주'는 모두 실질 형태소에 해당하는 것들이다.
④ '선생님께서'의 '선생', '우리들에게'의 '우리', '숙제를'의 '숙제'는 모두 자립 형태소에 해당하는 것들이다.

챕터별 출제 경향

(2015-2021 국가직 / 지방직 / 서울시 7·9급)

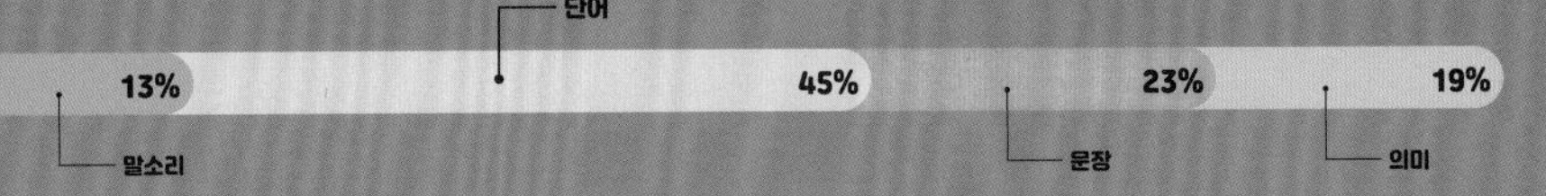

01

난이도 ★★☆

해설 ① '떠내려갔다'는 형태소가 7개이고 ②③④는 5개이므로, 형태소의 개수가 가장 많은 것은 ①이다.

- 떠내려갔다(7개): 뜨-, -어, 내리-, -어, 가-, -았-, -다

오답 분석 ② 따라 버렸다(5개): 따르-, -아, 버리-, -었-, -다

③ 빌어먹었다(5개): 빌-, -어, 먹-, -었-, -다

④ 여쭈어봤다(5개): 여쭈-, -어, 보-, -았-, -다

02

난이도 ★★★

해설 ① (가)의 '알-+-는'이 [아:는]으로 발음되는 것은 어간의 끝소리 'ㄹ'이 어미의 첫소리 'ㄴ' 앞에서 탈락하는 'ㄹ' 탈락 규칙이 적용되었기 때문이다. 'ㄹ' 탈락 규칙은 'ㄹ'과 'ㄴ'이 연속될 때 'ㄹㄴ'이 함께 발음될 수 없다는 제약으로 인해 예외 없이 용언 어간의 끝소리 'ㄹ'이 탈락하는 자동적 교체에 해당하므로, 형태소의 교체에 관한 설명으로 옳은 것은 ①이다.

오답 분석 ② (나)의 '안-+-고'가 [안:꼬]로 발음되는 것은 용언 어간의 끝소리인 비음 'ㄴ'이 어미의 첫소리 'ㄱ'과 만나 'ㄱ'이 된소리로 발음되는 된소리되기 현상이 적용되었기 때문이다. 하지만 국어에 'ㄴ'과 'ㄱ'이 연속될 때 'ㄱ'이 된소리로 발음된다는 제약은 접미사 '-기-'가 결합되는 경우에 'ㄱ'이 된소리로 발음되지 않는 예외가 있으므로(안기다[안기다]) (나)는 비자동적 교체에 해당한다.

③ (다)의 '아름답-+-은'이 [아름다운]으로 발음되는 것은 용언 어간의 끝소리 'ㅂ'이 모음으로 시작하는 어미 앞에서 '오/우'로 변하는 'ㅂ' 불규칙 활용을 하기 때문이다. 불규칙 활용은 특정한 환경에서 반드시 일어나는 것이 아니므로 비자동적 교체에 해당한다.

④ (라)의 '먹-+-는'이 [멍는]으로 발음되는 것은 'ㄱ'과 'ㄴ'이 연속될 때 'ㄱ'이 비음 'ㄴ'의 영향으로 비음 [ㅇ]으로 발음되는 비음화 현상이 적용되었기 때문이다. 비음화 현상은 어떤 형태소가 특정 위치에 놓이거나 다른 형태소와 결합할 때 필수적으로 일어나는 음운 변동이므로 자동적 교체에 해당한다.

03

난이도 ★★☆

해설 ② 주어진 단어를 의미를 가진 요소들로 더 이상 나눌 수 없을 때까지 나눈다는 말은 최소 의미 단위인 형태소로 분석함을 의미한다. ②는 형태소의 개수가 4개, ①③은 2개, ④는 3개이므로 형태소의 수가 가장 많은 것은 ② '짜임새'이다.

- 짜임새(형태소 4개): 짜-/-이-/-ㅁ/-새

오답 분석 ① 파김치(형태소 2개): 파/김치

③ 주름살(형태소 2개): 주름/살

④ 지름길(형태소 3개): 지르-/-ㅁ/길

이것도 알면 합격

형태소의 종류에 대해 알아두자.

1. 자립성의 유무에 따라

자립 형태소	홀로 쓰일 수 있는 형태소 예 별, 매우
의존 형태소	홀로 쓰일 수 없는 형태소 예 이, 밝-, -다

2. 의미의 유형에 따라

실질 형태소	실질적인 뜻을 지닌 형태소 예 별, 매우, 밝-
형식 형태소	문법적인 뜻을 지닌 형태소 예 이, -다

04

난이도 ★★☆

해설 ④ 제시된 문장을 형태소 단위로 나누면 '하늘, 이, 맑-, -고, 푸르-, -다'이므로 답은 ④이다.

05

난이도 ★★☆

해설 ③ '숙제를'의 '숙제', '주신다'의 '주-'는 어근이므로 실질 형태소에 해당하지만, '선생님께서'의 '-님'은 접미사이므로 형식 형태소에 해당한다.

오답 분석 ① '선생님께서'의 '께서'는 조사, '우리들에게'의 '-들'은 접미사, '주신다'의 '주-'는 어간이므로 모두 의존 형태소이다.

② '선생님께서'의 '께서'와 '숙제를'의 '를'은 조사이고, '주신다'의 '-다'는 어미이므로 모두 형식 형태소이다.

④ '선생님께서'의 '선생', '우리들에게'의 '우리', '숙제를'의 '숙제'는 체언이므로 모두 자립 형태소이다.

06

[2016년 서울시 7급]

다음 중 형태소의 개수가 가장 많은 것은?

① 떠나갔던 배가 돌아왔다.
② 머리를 숙여 청하오니.
③ 잇따라 불러들였다.
④ 아껴 쓰는 사람이 되자.

07

[2014년 지방직 9급 (6월)]

형태소의 개수가 가장 많은 것은?

① 남겨진 적도 물리쳤겠네.
② 너를 위해서 땀을 흘렸어.
③ 훔쳐 갔을 수도 있겠군요.
④ 단팥죽이라도 가져와야지.

08

[2013년 서울시 7급]

다음 문장에서 형태소의 개수가 다른 것은?

① 먹이를 나눠 줘라.
② 달님에게 물어봐.
③ 마음에도 안 찼니?
④ 우리들 눈에 보였다.
⑤ 서울에 가셨겠지.

2. 품사

09

[2021년 국가직 9급]

㉠, ㉡의 사례로 옳은 것만을 짝 지은 것은?

> 용언의 불규칙활용은 크게 ㉠어간만 불규칙하게 바뀌는 부류, ㉡어미만 불규칙하게 바뀌는 부류, 어간과 어미 둘 다 불규칙하게 바뀌는 부류로 나눌 수 있다.

	㉠	㉡
①	걸음이 빠름	꽃이 노람
②	잔치를 치름	공부를 함
③	라면이 불음	합격을 바람
④	우물물을 품	목적지에 이름

06

난이도 ★★☆

해설 ① ①은 형태소가 11개이고 ②③④는 8~9개이므로, 형태소의 개수가 가장 많은 것은 ①이다.

- **떠나갔던 배가 돌아왔다(형태소 11개)**: 떠나- / 가- / -았- / -던 / 배 / 가 / 돌- / -아 / 오- / -았- / -다

오답 분석 ② **머리를 숙여 청하오니(형태소 9개)**: 머리 / 를 / 숙- / -이- / -어 / 청- / -하- / -오- / -니

③ **잇따라 불러들였다(형태소 9개)**: 잇- / 따르- / -아 / 부르- / -어 / 들- / -이- / -었- / -다

④ **아껴 쓰는 사람이 되자(형태소 8개)**: 아끼- / -어 / 쓰- / -는 / 사람 / 이 / 되- / -자

이것도 알면 합격

형태소 분석 시 유의 사항에 대해 알아두자.

1. 본말 형태를 고려하여 축약·생략된 형태는 본래 형태로 바꾼 후 형태소 분석을 한다.
   예 오셨다(축약된 형태): 오시었다 → 오/시/었/다
2. 문법적 견해에 따라 다를 수 있으나 사이시옷은 형태소로 처리하지 않는 것이 일반적이다. (사이시옷은 뜻을 가진 성분이 아니라 사잇소리 현상을 나타내는 것이기 때문임)
   예 콧날 → 코/날
3. 일반적 견해에 따라 한자어 형태소의 분석은 한자 하나하나를 형태소로 보되, 문제에 주어진 선택지를 보고 상대적으로 개수 판단을 해야 한다.
   예 고향(故鄕) → 고향(1개) 또는 고(故)/향(鄕)(2개)

07

난이도 ★★★

해설 ① **남겨진 적도 물리쳤겠네(12개): '남- / -기- / -어 / 지- / -ㄴ / 적 / 도 / 물리- / -치- / -었- / -겠- / -네'와 같이 12개로 분석할 수 있다. 형태소 분석은 견해에 따라 달리할 수 있는 부분이 있는데 '물리-'를 '무르- / -이-'로 더 분석할 경우 형태소의 개수를 13개로 볼 수도 있다.**

오답 분석 ② **너를 위해서 땀을 흘렸어(10개)**: 너 / 를 / 위- / -하- / -여서 / 땀 / 을 / 흘리- / -었- / -어

③ **훔쳐 갔을 수도 있겠군요(11개)**: 훔치- / -어 / 가- / -았- / -을 / 수 / 도 / 있- / -겠- / -군 / 요

④ **단팥죽이라도 가져와야지(9개)**: 달- / -ㄴ / 팥 / 죽 / 이라도 / 가지- / -어 / 오- / -아야지

08

난이도 ★★★

해설 ④ ④는 형태소가 8개이고 ①②③⑤는 형태소가 7개이므로 형태소의 개수가 다른 것은 ④이다.

- **우리들 눈에 보였다(8개)**: 우리 / -들 / 눈 / 에 / 보- / -이- / -었- / -다

오답 분석 ① **먹이를 나눠 줘라(7개)**: 먹- / -이 / 를 / 나누- / -어 / 주- / -어라

② **달님에게 물어봐(7개)**: 달 / -님 / 에게 / 물-(묻-) / -어 / 보- / -아

③ **마음에도 안 찼니(7개)**: 마음 / 에 / 도 / 안 / 차- / -았- / -니

⑤ **서울에 가셨겠지(7개)**: 서울 / 에 / 가- / -시- / -었- / -겠- / -지

09

난이도 ★★☆

해설 ④ ㉠, ㉡의 사례로 옳은 것만을 짝 지은 것은 ④이다.

- **우물물을 품('우' 불규칙 활용, 어간만 불규칙하게 바뀜)**: '품'의 기본형 '푸다'는 '푸- + -어 → 퍼'와 같이 두 개의 모음이 이어질 때 어간의 끝소리 'ㅜ'가 탈락하는 '우' 불규칙 활용 용언이다. 따라서 '품'은 ㉠의 사례로 옳다.
- **목적지에 이름('러' 불규칙 활용, 어미만 불규칙하게 바뀜)**: '이름'의 기본형 '이르다[至]'는 '이르- + -어 → 이르러'와 같이 어미 '-어'가 '-러'로 변하는 '러' 불규칙 활용 용언이다. 따라서 '이름' 은 ㉡의 사례로 옳다.

오답 분석 ① • **걸음이 빠름('르' 불규칙 활용, 어간만 불규칙하게 바뀜)**: '빠름'의 기본형 '빠르다'는 '빠르- + -아 → 빨라'와 같이 두 개의 모음이 이어질 때 어간의 끝소리 '르'가 'ㄹㄹ'로 바뀌는 '르' 불규칙 활용 용언이다. 따라서 '빠름'은 ㉠의 사례로 옳다.

• **꽃이 노람('ㅎ' 불규칙 활용, 어간과 어미가 불규칙하게 바뀜)**: '노람'의 기본형 '노랗다'는 '노랗- + -아/-어 → 노래'와 같이 'ㅎ'으로 끝나는 어간에 모음 어미가 결합하면 어간의 'ㅎ'이 탈락하고 어미의 형태도 변하는 'ㅎ' 불규칙 활용 용언이다. 따라서 '노람' 은 ㉡의 사례로 옳지 않다.

② • **잔치를 치름('ㅡ' 탈락 현상, 어간만 규칙적으로 바뀜)**: '치름'의 기본형 '치르다'는 '치르- + -어 → 치러'와 같이 모음 어미 앞에서 어간의 끝소리 'ㅡ'가 탈락하는 규칙 활용 용언이다. 따라서 '치름'은 ㉠의 사례로 옳지 않다.

• **공부를 함('여' 불규칙 활용, 어미만 불규칙하게 바뀜)**: '함'의 기본형 '하다'는 '하- + -아/-어 → 하여'와 같이 '하-' 뒤에 오는 어미 '-아/-어'가 '-여'로 변하는 '여' 불규칙 활용 용언이다. 따라서 '함'은 ㉡의 사례로 옳다.

③ • **라면이 불음('ㄷ' 불규칙 활용, 어간만 불규칙하게 바뀜)**: '불음'의 기본형 '붇다'는 '붇- + -어 → 불어'와 같이 모음 어미 앞에서 어간의 끝소리 'ㄷ'이 'ㄹ'로 변하는 'ㄷ' 불규칙 활용 용언이다. 따라서 '불음'은 ㉠의 사례로 옳다.

• **합격을 바람(규칙 활용)**: '바람'의 기본형 '바라다'는 활용 시에 어간과 어미의 형태 변화가 보편적인 음운 규칙으로 설명되는 규칙 활용 용언이다. 따라서 '바람'은 ㉡의 사례로 옳지 않다.

10

[2021년 국회직 8급]

〈보기〉의 밑줄 친 부분에 해당하는 어휘로 옳은 것은?

〈보기〉

관형사는 뒤에 오는 체언을 수식하는 단어이다. 그러나 뒤에 오는 단어를 한정하고 꾸미는 직능을 보이더라도 그 단어가 격 조사나 어미를 취할 수 있는 단어라면 관형사가 될 수 없다.

① 그는 모든 욕심을 버리기로 다짐했다.
② 무슨 일이 생겼는지 연락이 되지 않는다.
③ 그는 자기 일 밖의 다른 일에는 관심이 없다.
④ 오늘따라 교실에서 뛰는 학생들이 많다.
⑤ 진수는 자동차를 어느 곳에 세워두었는지 기억나지 않았다.

11

[2021년 법원직 9급]

〈보기〉의 Ⓐ의 사례로 가장 적절하지 않은 것은?

〈보기〉

하나의 단어는 보통 하나의 품사 부류에 속한다. 하지만 하나의 단어가 문장에서의 쓰임에 따라 여러 가지 품사의 역할을 할 때가 있다. 이런 단어는 사전에서도 두 가지 이상의 품사로 처리된다. 예를 들어 "마라톤을 좋아하는 사람 다섯이 대회에 참가했다."에서의 '다섯'은 수사이지만 "마라톤을 좋아하는 다섯 사람이 대회에 참가했다."에서의 '다섯'은 관형사이다. 이처럼 하나의 단어가 두 가지 이상의 품사로 처리되는 것을 Ⓐ 품사의 통용이라고 한다.

① 나도 철수만큼 잘할 수 있다.
각자 먹을 만큼 먹어라.
② 뉴스에서 내일의 날씨를 예보하고 있다.
오늘은 이만하고 내일 다시 시작합시다.
③ 어느새 태양이 솟아 밝은 빛을 비춘다.
벽지가 밝아 집 안이 환해 보인다.
④ 키가 큰 나무는 우리에게 그늘을 주었다.
철수야, 키가 몰라보게 컸구나.

12

[2021년 지방직 9급]

밑줄 친 조사의 쓰임이 옳은 것은?

① 언니는 아버지의 딸로써 부족함이 없다.
② 대화로서 서로의 갈등을 풀 수 있을까?
③ 드디어 오늘로써 그 일을 끝내고야 말았다.
④ 시험을 치는 것이 이로서 세 번째가 됩니다.

13

[2020년 지방직 9급]

밑줄 친 부분의 활용형이 옳지 않은 것은?

① 집에 오면 그는 항상 사랑채에 머물었다.
② 나는 고향 집에 한 사나흘 머무르면서 쉴 생각이다.
③ 일에 서툰 것은 연습이 부족한 까닭이다.
④ 그는 외국어가 서투르므로 해외 출장을 꺼린다.

14

[2020년 국가직 7급]

밑줄 친 말이 불규칙 활용 용언이 아닌 것은?

① 카페에는 조용한 음악이 흘렀다.
② 하늘이 맑고 파래 한참 동안 바라보았다.
③ 그들은 자정에 이르러서야 집에 도착했다.
④ 외출할 때는 반드시 가스 밸브를 잠가야 한다.

10

난이도 ★★☆

해설 **④ 밑줄 친 부분에 해당하는 어휘는 관형격 조사와 결합할 수 있는 '체언' 또는 관형사형 어미와 결합할 수 있는 '용언'을 가리킨다. 따라서 이에 해당하는 것은 ④에 쓰인 동사 '뛰는'이다.**

- **뛰는(동사)**: 어간 '뛰-'에 관형사형 어미 '-는'이 결합한 형태로 품사는 동사이며, 뒤에 오는 체언 '학생들'을 수식하므로 문장 성분은 관형어이다.

오답 분석 ①②③⑤ 밑줄 친 어휘의 품사는 모두 관형사이다.

11

난이도 ★★☆

해설 **③ '밝은 빛을 비춘다'와 '벽지가 밝아'에 쓰인 '밝다'는 모두 성질이나 상태를 나타내는 형용사이므로 품사의 통용 사례로 적절하지 않다. 참고로, '밝다'는 '밤이 지나고 환해지며 새날이 오다'를 뜻하 는 동사로도 쓰인다.**

- **밝은 빛을 비춘다(형용사)**: 이때 '밝다'는 '불빛 등이 환하다'를 뜻하는 형용사이다.
- **벽지가 밝아(형용사)**: 이때 '밝다'는 '빛깔의 느낌이 환하고 산뜻하다'를 뜻하는 형용사이다.

오답 분석 ①②④ 하나의 단어가 두 가지 이상의 품사로 사용되는 품사의 통용 사례이다.

① • **철수만큼(조사)**: 이때 '만큼'은 체언 뒤에서 앞말과 비슷한 정도나 한도임을 나타내는 격 조사로 쓰였다.
  • **먹을 만큼(의존 명사)**: 이때 '만큼'은 앞의 내용에 상당한 수량이나 정도임을 나타내는 의존 명사로 쓰였다.

② • **내일의 날씨(명사)**: 이때 '내일'은 관형격 조사 '의'와 결합하여 명사 '날씨'를 수식하고 있으므로 품사는 명사이다.
  • **내일 다시 시작합시다(부사)**: 이때 '내일'은 조사와 결합하지 않고 부사 '다시'를 수식하고 있으므로 품사는 부사이다.

④ • **키가 큰 나무(형용사)**: 이때 '크다'는 '나무'의 성질이나 상태를 나타내므로 품사는 형용사이다.
  • **키가 몰라보게 컸구나(동사)**: 이때 '크다'는 길이가 자라는 동작 또는 과정을 나타내므로 품사는 동사이다.

12

난이도 ★★☆

해설 **③ 오늘로써(○): 이때 '로써'는 어떤 일의 기준이 되는 시간임을 나타내는 격 조사이다.**

오답 분석 ① **딸로써(×) → 딸로서(○)**: 지위나 신분 또는 자격을 나타내는 격 조사 '로서'를 써야 한다.

② **대화로서(×) → 대화로써(○)**: 어떤 일의 수단이나 도구를 나타내는 격 조사 '로서'를 써야 한다.

④ **이로서(×) → 이로써(○)**: 시간을 셈할 때 셈에 넣는 한계를 나타내는 격 조사 '로써'를 써야 한다.

13

난이도 ★★☆

해설 **① 머물었다(×) → 머물렀다(○): '머무르다'의 어간 '머무르-'에 선어말 어미 '-었-'이 결합한 것이다. 이때 어간의 끝음절 '르'가 모음 어미 앞에서 'ㄹㄹ'로 바뀌므로 ('르' 불규칙 활용) '머물렀다'로 활용해야 한다. 따라서 활용형이 옳지 않은 것은 ①이다.**

오답 분석 ② **머무르면서(○)**: '머무르다'의 어간 '머무르-'에 어미 '-면서'가 결합하여 '머무르면서'로 활용한다.

③ **서툰(○)**: '서툴다'의 어간 '서툴-'에 어미 '-ㄴ'이 결합한 것이다. 이때 어간 받침 'ㄹ'이 'ㄴ' 앞에서 탈락하는 'ㄹ' 탈락 현상이 일어난다. 참고로 '서툴다'는 '서투르다'의 준말이다.

④ **서투르므로(○)**: '서투르다'의 어간 '서투르-'에 어미 '-므로'가 결합하여 '서투르므로'로 활용한다.

14

난이도 ★★☆

해설 **④ '잠가야'는 용언이 활용할 때 어간과 어미의 형태가 규칙적인 규칙 활용 용언이다.**

- **잠가야**: '잠그다'의 어간 '잠그-'에 어미 '-아야'가 결합한 것으로, 어간에 모음으로 시작하는 어미가 결합하여 어간의 끝소리 'ㅡ'가 탈락한다.

오답 분석 ① '흘렀다'는 '흐르다'의 어간 '흐르-'에 선어말 어미 '-었-'과 종결 어미 '-다'가 결합한 것이다. '흐르다'는 모음으로 시작하는 어미와 결합하면 어간의 끝음절 '르'가 'ㄹㄹ'로 바뀌는 '르' 불규칙 활용을 하는 용언이다.

② '파래'는 '파랗다'의 어간 '파랗-'에 어미 '-아/-어'가 결합한 것이다. '파랗다'는 '-아/-어'와 결합하면 어간의 'ㅎ'이 없어지고 어미의 형태가 변하는 'ㅎ' 불규칙 활용을 하는 용언이다.

③ '이르러서야'는 '이르다(至)'의 어간 '이르-'에 어미 '-어서'와 조사 '야'가 결합한 것이다. '이르다'는 활용할 때 어미 '-어'가 어간의 끝음절 '르'와 결합할 때 '-러'로 바뀌는 '러' 불규칙 활용을 하는 용언이다.

15

[2020년 지방직 7급]

밑줄 친 활용형 중 옳은 것은?

① 식은 국을 따뜻하게 데서 먹었다.
② 아이가 소란을 펴서 정신이 없다.
③ 어린이가 한시를 줄줄 왜서 놀랐다.
④ 나는 뜬눈으로 밤을 새서 너무 피곤하다.

16

[2020년 법원직 9급]

〈보기1〉의 내용을 참고할 때, 〈보기2〉에서 관형사를 모두 골라 바르게 묶은 것은?

〈보기1〉

관형사는 체언 앞에서 그 체언의 뜻을 분명하게 제한하는 품사이다. 특히 관형사는 체언을 꾸며 주면서도 형태 변화를 하지 않는다는 특징을 가진다. 또한 관형사는 용언이 아니므로 어미를 가지지 않음은 물론 보조사를 포함한 어떤 조사와도 결합하지 않는다.

〈보기2〉

㉠: 도대체 무슨 말을 하는 거야?
㉡: 모든 사람들이 너를 보고 있어.
㉢: 빠른 일처리가 무척 맘에 드는군.
㉣: 눈앞에 아름다운 풍경이 펼쳐졌다.

① ㉠, ㉡ ② ㉠, ㉣
③ ㉡, ㉢ ④ ㉢, ㉣

17

[2019년 국가직 9급]

밑줄 친 단어의 품사를 같은 것끼리 묶은 것은?

○ 쌍둥이도 서로 성격이 ㉠다른 법이다.
○ 날씨가 건조하면 나무가 잘 ㉡크지 못한다.
○ 남부 지방에 홍수가 ㉢나서 많은 수재민이 생겼다.
○ 그 사람이 농담은 하지만 ㉣허튼 말은 하지 않는다.
○ 상대에게 자유를 주는 것이 진정한 사랑이 ㉤아닐까?

① ㉠, ㉡ ② ㉡, ㉢
③ ㉢, ㉣ ④ ㉣, ㉤

18

[2019년 서울시 9급 (6월)]

밑줄 친 부분의 품사가 다른 하나는?

① 옷 색깔이 아주 밝구나!
② 이 분야는 전망이 아주 밝단다.
③ 내일 날이 밝는 대로 떠나겠다.
④ 그는 예의가 밝은 사람이다.

15

난이도 ★★★

해설 **③ 왜서(○): '왜서'는 '외다'의 어간 '외-'에 어미 '-어서'가 결합한 '외어서'가 줄어든 형태이다. 'ㅚ' 뒤에 '-어'가 어울려 'ㅙ'로 될 적에는 준 대로 적으므로 '왜서'는 올바른 표기이다. 참고로 '외다'는 '외우다'의 준말이다.**

오답분석 ① 데서(×) → 데워서(○): 문맥상 '식었거나 찬 것을 덥게 하다'를 뜻하는 '데우다'의 어간 '데우-'에 어미 '-어서'가 결합한 '데워서'를 쓰는 것이 옳다. 참고로 '데다'는 '불이나 뜨거운 기운으로 말미암아 살이 상하다. 또는 그렇게 하다'를 뜻하는 말이다.

② 펴서(×) → 피워서(○): 문맥상 일부 명사와 함께 쓰여 '그 명사가 뜻하는 행동이나 태도를 나타내다'를 뜻하는 '피우다'의 어간 '피우-'에 어미 '-어서'가 결합한 '피워서'를 쓰는 것이 옳다. 참고로 '피다'는 '꽃봉오리 등이 벌어지다'를 뜻하는 말이다.

④ 새서(×) → 새워서(○): 문맥상 '한숨도 자지 않고 밤을 지내다'를 뜻하는 '새우다'의 어간 '새우-'에 어미 '-어서'가 결합한 '새워서'를 쓰는 것이 옳다. 참고로 '새다'는 '날이 밝아 오다'를 뜻하는 말이다.

16

난이도 ★★☆

해설 **① 〈보기2〉에서 관형사를 모두 골라 바르게 묶은 것은 ㉠, ㉡이다.**
- ㉠: '무슨'은 '무엇인지 모르는 일이나 대상, 물건 등을 물을 때 쓰는 말'을 뜻하는 관형사이다.
- ㉡: '모든'은 '빠짐이나 남김이 없이 전부'를 뜻하는 관형사이다.

오답분석
- ㉢: '빠른'은 '빠르다'의 어간 '빠르-'에 관형사형 전성 어미 '-ㄴ'이 결합한 형태로, 형용사이다.
- ㉣: '아름다운'은 '아름답다'의 어간 '아름답-'에 관형사형 전성 어미 '-은'이 결합한 형태로, 형용사이다. 참고로 '아름다운'은 어간 끝소리 'ㅂ'이 모음 앞에서 '우'로 바뀌는 불규칙 활용을 하는 용언이다.

17

난이도 ★★☆

해설 **② 밑줄 친 단어의 품사가 같은 것끼리 묶인 것은 ㉡, ㉢으로, 두 단어 모두 동사이다.**
- **㉡ 크지 못한다**: 이때 '크지'는 '동식물이 몸의 길이가 자라다'라는 뜻이며, 현재 시제 선어말 어미 '-ㄴ-'의 결합이 가능하므로(나무가 잘 큰다○) 동사이다.
- **㉢ 홍수가 나서**: 이때 '나서'는 '홍수, 장마 등의 자연재해가 일어나다'라는 뜻이며, 현재 시제 선어말 어미 '-ㄴ-'의 결합이 가능하므로(홍수가 난다○) 동사이다.

오답분석
- **㉠ 성격이 다른**: 이때 '다른'은 '비교가 되는 두 대상이 서로 같지 않다'를 뜻하는 형용사 '다르다'의 어간에 관형사형 어미 '-ㄴ'이 붙은 활용형이므로 품사는 형용사이다.
- **㉣ 허튼 말**: 이때 '허튼'은 '쓸데없이 헤프거나 된'이라는 뜻으로 체언 '말'을 수식한다. 또한 형태가 고정되고 서술성이 없으므로 품사는 관형사이다.
- **㉤ 사랑이 아닐까**: 이때 '아닐까'는 '물음이나 짐작의 뜻'을 나타내는 형용사 '아니다'의 어간에 어떤 일에 대한 물음이나 추측을 나타내는 종결 어미 '-ㄹ까'가 붙은 활용형이므로 품사는 형용사이다.

18

난이도 ★★☆

해설 **③ 품사가 나머지와 다른 하나는 ③이다. 이때 '밝는'은 '밤이 지나고 환해지며 새날이 오다'라는 뜻으로, 용언의 어간 '밝-'에 현재를 나타내는 관형사형 어미 '-는'이 붙은 동사이다.**

오답분석 ① 이때 '밝구나'는 '빛깔의 느낌이 환하고 산뜻하다'라는 뜻이므로 형용사이다.

② 이때 '밝단다'는 '예측되는 미래 상황이 긍정적이고 좋다'라는 뜻이므로 형용사이다.

④ 이때 '밝은'은 '생각이나 태도가 분명하고 바르다'라는 뜻이므로 형용사이다.

19

[2019년 서울시 9급 (2월)]

밑줄 친 단어의 형태가 옳지 않은 것은?

① 멀리서 보기와 달리 산이 가팔라서 여러 번 쉬었다.
② 예산이 100만 원 이상 모잘라서 구입을 포기해야 했다.
③ 영혼을 불살라서 이룬 깨달음이니 더욱 소중하다.
④ 말이며 행동이 모두 올발라서 흠잡을 데 없는 사람이다.

20

[2019년 서울시 9급 (2월)]

불규칙 활용을 하는 용언이 아닌 것은?

① 묻다(問)　② 덥다(暑)
③ 낫다(愈)　④ 놀다(遊)

21

[2019년 국가직 7급]

밑줄 친 단어의 기본형이 옳지 않은 것은?

① 아침이면 얼굴이 부어서 늘 고생이다. (→ 붓다)
② 개울물이 불어서 징검다리가 안 보인다. (→ 불다)
③ 은행에 부은 적금만도 벌써 천만 원이다. (→ 붓다)
④ 물속에 오래 있었더니 손과 발이 퉁퉁 불었다. (→ 붇다)

22

[2019년 서울시 7급 (10월)]

밑줄 친 부분이 〈보기〉의 ㉠에 해당하지 않는 것은?

〈보기〉

> 국어의 '있다'는 경우에 따라 ㉠동사적인 모습을 보여 주기도 하고 형용사적인 모습을 보여 주기도 한다.

① 나는 오늘 집에 있는다.
② 할아버지는 재산이 많이 있으시다.
③ 눈이 그칠 때까지 가만히 있어라.
④ 비도 오니 그냥 집에 있자.

19

난이도 ★★☆

해설 **② 모잘라서(×) → 모자라서(○): '기준이 되는 양이나 정도에 미치지 못하다'를 뜻하는 '모자라다'의 어간 '모자라-'에 어미 '-아서'가 결합한 것이다. 이때 '모자라다'는 규칙 활용을 하는 동사이므로 '모자라서'로 활용한다. 따라서 단어의 형태가 옳지 않은 것은 ②이다.**

오답 분석 ① **가팔라서(○)**: '가파르다'의 어간 '가파르-'에 어미 '-아서'가 결합한 것이다. '가파르다'는 어간의 끝음절 '르'가 모음 어미 앞에서 'ㄹㄹ'로 바뀌는 '르' 불규칙 활용을 하므로 '가팔라서'로 활용한다.

③ **불살라서(○)**: '불사르다'의 어간 '불사르-'에 어미 '-아서'가 결합한 것이다. '불사르다'는 어간의 끝음절 '르'가 모음 어미 앞에서 'ㄹㄹ'로 바뀌는 '르' 불규칙 활용을 하므로 '불살라서'로 활용한다.

④ **올발라서(○)**: '올바르다'의 어간 '올바르-'에 어미 '-아서'가 결합한 것이다. '올바르다'는 어간의 끝음절 '르'가 모음 어미 앞에서 'ㄹㄹ'로 바뀌는 '르' 불규칙 활용을 하므로 '올발라서'로 활용한다.

이것도 알면 **합격**

'르' 불규칙 활용을 알아두자.

종류	형태 변화의 양상	예
'르' 불규칙	어간 끝소리 '르'가 모음 앞에서 'ㄹㄹ'로 바뀜	흐르+어 → 흘러

20

난이도 ★☆☆

해설 **④ '놀다(遊)'는 어간 '놀-'의 끝소리 'ㄹ'이 'ㄴ, ㅂ, ㅅ, -(으)오, -(으)ㄹ' 앞에서 탈락하는 'ㄹ' 탈락 용언으로 예외없이 보편적으로 일어나는 규칙 활용을 한다. 따라서 불규칙 활용을 하는 용언이 아닌 것은 ④이다.**

오답 분석 ① '묻다(問)'는 어간 '묻-'의 끝소리 'ㄷ'이 모음으로 시작하는 어미 앞에서 'ㄹ'로 변하는 'ㄷ' 불규칙 용언이다.

② '덥다(署)'는 어간 '덥-'의 끝소리 'ㅂ'이 모음으로 시작하는 어미 앞에서 '우'로 변하는 'ㅂ' 불규칙 용언이다.

③ '낫다(愈)'는 어간 '낫-'의 끝소리 'ㅅ'이 모음으로 시작하는 어미 앞에서 탈락하는 'ㅅ' 불규칙 용언이다.

이것도 알면 **합격**

용언의 활용에 대해 알아두자.

규칙 활용	용언이 활용할 때 어간과 어미의 형태가 규칙적인 것 예 묻다[埋]: 묻고, 묻지, 묻어, 묻은
불규칙 활용	용언이 활용할 때 어간 또는 어미의 모습이 불규칙적인 것 예 묻다[問]: 묻고, 묻지, 물어, 물은

21

난이도 ★★☆

해설 **② '개울물이 불어서'의 '불어서'는 개울물의 양이 늘었다는 것을 의미하므로, '분량이나 수효가 많아지다'를 뜻하는 '붇다'의 활용형이다. 따라서 단어의 기본형이 옳지 않은 것은 ② '불다'이다. 참고로 '불다'는 '바람이 일어나서 어느 방향으로 움직이다'를 의미한다.**

오답 분석 ① 이때 '부어서'의 기본형은 '살가죽이나 어떤 기관이 부풀어 오르다'를 뜻하는 '붓다'이다.

③ 이때 '부은'의 기본형은 '불입금, 이자, 곗돈 등을 일정한 기간마다 내다'를 뜻하는 '붓다'이다.

④ 이때 '불었다'의 기본형은 '물에 젖어서 부피가 커지다'를 뜻하는 '붇다'이다.

22

난이도 ★★☆

해설 **② '있다'가 동사적인 모습을 보여준다는 것은 품사가 동사인 경우를 의미한다. 이때 ② '있으시다'는 형용사이고, ① '있는다', ③ '있어라', ④ '있자'는 동사이므로 ㉠에 해당하지 않는 것은 ②이다.**

- **있으시다**: 이때 '있다'는 '어떤 물체를 소유하거나 자격이나 능력 등을 가진 상태이다'라는 뜻으로, 주어의 상태를 나타내며 명령형 어미 '-어라'가 결합할 수 없으므로 형용사이다.

오답 분석 ① **있는다**: 이때 '있다'는 '사람이나 동물이 어느 곳에서 떠나거나 벗어나지 않고 머물다'라는 뜻으로, 주어의 동작을 나타내며 현재 시제 선어말 어미 '-는-'과 결합할 수 있으므로 동사이다.

③ **있어라**: 이때 '있다'는 '사람이나 동물이 어떤 상태를 계속 유지하다'라는 뜻으로, 주어의 동작을 나타내며 명령형 어미 '-어라'와 결합할 수 있으므로 동사이다.

④ **있자**: 이때 '있다'는 '사람이나 동물이 어느 곳에서 떠나거나 벗어나지 않고 머물다'라는 뜻으로, 주어의 동작을 나타내며 청유형 어미 '-자'와 결합할 수 있으므로 동사이다.

이것도 알면 **합격**

동사와 형용사의 구분 방법에 대해 알아두자.

<table>
<tr><td>의미로 구분</td><td colspan="2">동작이나 과정을 나타내면 동사이고, 성질이나 상태를 나타내면 형용사임</td></tr>
<tr><td rowspan="3">어미 결합 여부로 구분</td><td>현재 시제 선어말 어미 '-는-/-ㄴ-', 관형사형 전성 어미 '-는'</td><td rowspan="3">→ 결합할 수 있으면 동사
→ 결합할 수 없으면 형용사</td></tr>
<tr><td>의도의 어미 '-려', 목적의 어미 '-러'</td></tr>
<tr><td>명령형 어미 '-아라/-어라', 청유형 어미 '-자'</td></tr>
</table>

23

[2019년 지방직 7급]

㉠~㉣에 대한 설명으로 옳은 것은?

> ○ 현주가 취직이 되었대. ㉠이는 참으로 잘된 일이야.
> ○ 지금 사는 ㉡그 집이 싫으면 다른 집을 알아보자.
> ○ 걔는 우리가 싫어했던 ㉢저것이 마음에 든대.
> ○ 어르신, 제가 ㉣저 건물까지 부축해 드리겠습니다.

① ㉠: 앞에 발화된 진술의 내용을 지시하는 기능을 한다.
② ㉡: 화자와 청자 모두 모르는 대상을 지시하는 기능을 한다.
③ ㉢: 화자는 모르지만 청자는 아는 내용을 지시하는 기능을 한다.
④ ㉣: 화자와 청자 모두에게 가까이 위치한 대상을 지시하는 기능을 한다.

24

[2019년 서울시 7급 (10월)]

밑줄 친 부분의 품사가 옳지 않은 것은?

① ┌ 오늘이 3월 1일입니다. [명사]
　 └ 오늘 할 일을 내일로 미루지 마라. [부사]
② ┌ 자기가 먹을 만큼 먹어라. [의존 명사]
　 └ 나도 철수만큼 잘할 수 있다. [조사]
③ ┌ 그곳은 비교적 교통이 편리하다. [부사]
　 └ 이 연구는 비교적인 관점에서 이루어졌다. [명사]
④ ┌ 혀가 굳어 말이 잘 나오지 않는다. [형용사]
　 └ 그는 사람됨이 굳고 인색해서 함부로 돈을 빌려주지 않는다. [동사]

25

[2019년 서울시 7급 (2월)]

밑줄 친 조사의 성격이 다른 하나는?

① 인생은 과연 뜬구름과 같은 것일까?
② 누구나 영수하고 친하게 지낸다.
③ 고등학교 때 수학과 영어를 무척 좋아했다.
④ 나와 그 친구는 서로 의지하는 사이였다.

26

[2018년 서울시 9급 (6월)]

밑줄 친 단어의 품사로 가장 옳지 않은 것은?

① 나도 참을 만큼 참았다. 〈의존 명사〉
　 나도 그 사람만큼 할 수 있다. 〈조사〉
② 오늘은 바람이 아니 분다. 〈부사〉
　 아니, 이럴 수가 있단 말인가? 〈감탄사〉
③ 그 아이 열을 배우면 백을 안다. 〈명사〉
　 열 사람이 백 말을 한다. 〈관형사〉
④ 그는 이지적이다. 〈명사〉
　 그는 이지적 인간이다. 〈관형사〉

23

난이도 ★★☆

해설 ① ㉠ '이'는 앞 문장의 진술 내용을 지시하는 지시 대명사이다. 문맥상 뒷 문장의 '참으로 잘된 일'은 앞 문장에서 '현주가 취직이 된 것'을 지시하는 말이므로 옳은 설명은 ①이다.

오답분석 ② ㉡ '그'는 뒤에 오는 체언 '집'을 수식하는 지시 관형사이다. 문맥상 '그'가 지시하는 '집'은 현재 청자가 거주하는 집이므로 화자와 청자가 모두 알고 있는 대상에 해당함을 알 수 있다.

③ ㉢ '저것'은 '우리가 싫어했던'을 통해 화자와 청자 모두가 알고 있는 대상에 해당함을 알 수 있다.

④ ㉣ '저'는 화자와 청자 모두에게서 멀리 떨어져 있는 대상을 가리키는 지시 관형사이다. 문맥상 화자가 청자를 부축하여 함께 멀리 떨어져 있는 건물까지 이동해야 하는 상황임을 알 수 있다.

24

난이도 ★★☆

해설 ④ 밑줄 친 부분의 품사가 옳지 않은 것은 ④이다.

- **혀가 굳어 말이 잘 나오지 않는다**: 이때 '굳다'는 '근육이나 뼈마디가 뻣뻣하게 되다'를 뜻하므로 주어의 동작이나 작용을 나타내는 동사이다.
- **그는 사람됨이 굳고 인색해서**: 이때 '굳다'는 '재물을 아끼고 지키는 성질이 있다'를 뜻하므로 주어의 성질이나 상태를 나타내는 형용사이다.

오답분석 ① • **오늘이 3월 1일입니다**: 이때 '오늘'은 '지금 지나가고 있는 이날'을 뜻하는 명사이다.

- **오늘 할 일을**: 이때 '오늘'은 '지금 지나가고 있는 이날에'를 뜻하며, 용언을 수식하고 있으므로 부사이다.

② • **먹을 만큼 먹어라**: 이때 '만큼'은 '앞의 내용에 상당한 수량이나 정도임을 나타내는 말'을 뜻하며, 용언의 관형사형 '먹을'의 수식을 받고 있으므로 의존 명사이다.

- **나도 철수만큼**: 이때 '만큼'은 '앞말과 비슷한 정도나 한도임'을 뜻하며, 체언 뒤에 붙어 일정한 자격을 나타내는 격 조사이다.

③ • **비교적 교통이 편리하다**: 이때 '비교적'은 '일정한 수준이나 보통 정도보다 꽤'를 뜻하며, 용언 '편리하다'를 수식하고 있으므로 부사이다.

- **비교적인 관점에서**: 이때 '비교적'은 '다른 것과 견주어서 판단하는 것'을 뜻하며, 서술격 조사 '-이(다)'와 결합하고 있으므로 명사이다.

25

난이도 ★★★

해설 ③ '수학과 영어'에서 '과'는 둘 이상의 사물이나 사람을 같은 자격으로 이어 주는 접속 조사이다. 반면 ①의 '과', ②의 '하고', ④의 '와'는 모두 부사격 조사이다. 따라서 밑줄 친 조사의 성격이 다른 하나는 ③이다.

오답분석 ① '뜬구름과 같은'에서 '과'는 다른 것과 비교하거나 기준으로 삼는 대상임을 나타내는 부사격 조사이다.

② '영수하고 친하게'에서 '하고'는 상대로 하는 대상임을 나타내는 부사격 조사이다.

④ '나와 그 친구는'에서 '와'는 일 등을 함께 함을 나타내는 부사격 조사이다.

26

난이도 ★★☆

해설 ③ 밑줄 친 단어의 품사가 옳지 않은 것은 ③이다.

- **열을 배우면 백을 안다. 〈명사〉(×) → 〈수사〉(○)**: 수를 나타내는 단어의 품사는 수사 또는 관형사인데, 이때 '백'은 조사 '을'과 결합하였으므로 수사이다.
- **열 사람이 백 말을 한다. 〈관형사〉(○)**: 이때 '백'은 조사와 결합하지 않고 체언인 '말'을 수식하고 있으므로 관형사이다.

오답분석 ① • **참을 만큼 참았다. 〈의존 명사〉(○)**: 이때 '만큼'은 용언의 관형사형 뒤에 쓰여 '앞의 내용에 상당한 수량이나 정도'를 뜻하는 의존 명사이다.

- **사람만큼 할 수 있다. 〈조사〉(○)**: 이때 '만큼'은 체언 뒤에 붙어 '앞말과 비슷한 정도나 한도'를 뜻하는 조사이다.

② • **바람이 아니 분다. 〈부사〉(○)**: 이때 '아니'는 용언 '분다'의 의미를 부정하는 부사이다.

- **아니, 이럴 수가 있단 말인가? 〈감탄사〉(○)**: 이때 '아니'는 문장에서 독립적으로 쓰이는 감탄사이다.

④ • **그는 이지적이다. 〈명사〉(○)**: 이때 '이지적'은 서술격 조사 '이다'와 결합하였으므로 명사이다.

- **그는 이지적 인간이다. 〈관형사〉(○)**: 이때 '이지적'은 조사와 결합하지 않고 체언 '인간'을 수식하고 있으므로 관형사이다.

이것도 알면 **합격**

수사와 수 관형사의 구분 방법을 알아두자.

수사	조사가 결합할 수 있으면 수사 예 사람 다섯이 모였다.
수 관형사	조사가 결합할 수 없으면 수 관형사 예 다섯 사람이 모였다.

27

[2018년 서울시 9급 (6월)]

밑줄 친 단어의 품사가 다른 하나는?

① 그곳에서 갖은 고생을 다 겪었다.
② 우리가 찾던 것이 바로 이것이구나.
③ 인천으로 갔다. 그리고 배를 탔다.
④ 아기가 방글방글 웃는다.

28

[2018년 서울시 9급 (6월)]

'본용언+보조 용언' 구성이 아닌 것은?

① 영수는 쓰레기를 주워서 버렸다.
② 모르는 사람이 나를 아는 척한다.
③ 요리 맛이 어떤지 일단 먹어는 본다.
④ 우리는 공부를 할수록 더 많은 것을 알아 간다.

29

[2018년 서울시 9급 (3월)]

밑줄 친 부분 중에서 품사가 다른 하나는?

① 그곳은 비교적 교통이 편하다.
② 손이 저리다. 아니, 아프다.
③ 보다 나은 내일을 위해 노력해라.
④ 얼굴도 볼 겸 내일 만나자.

30

[2018년 서울시 7급 (6월)]

'의존 명사 - 조사'의 짝이 아닌 것은?

① ┌ 할 만큼 했다.
　 └ 나는 밥통째 먹으리만큼 배가 고팠다.
② ┌ 들어오는 대로 전화 좀 해 달라고 전해 주세요.
　 └ 네 멋대로 일을 처리하면 안 된다.
③ ┌ 10년 만에 우리는 만났다.
　 └ 너만 와라.
④ ┌ 시키는 대로 할 뿐이다.
　 └ 그래야 우리는 다섯뿐이다.

27

난이도 ★★☆

해설 ① 갖은 고생을 다 겪었다: 이때 '갖은'은 '여러 가지의'를 뜻하며 체언 '고생'을 수식한다. 또한 활용하지 않고 서술성이 없으므로 품사는 관형사이다. 반면 ② ③ ④의 밑줄 친 단어는 모두 부사이므로 품사가 다른 하나는 ①이다.

오답분석 ② 바로 이것이구나: 이때 '바로'는 체언인 '이것'을 수식하는 부사이다. 참고로 부사는 주로 용언이나 문장을 수식하지만 '바로, 아주, 특히'의 경우 수량, 정도, 위치를 뜻하는 말 앞에서는 체언을 수식하기도 한다.

③ 인천으로 갔다. 그리고 배를 탔다: 이때 '그리고'는 앞 문장과 뒤 문장을 병렬적으로 연결하는 접속 부사이다,

④ 방글방글 웃는다: 이때 '방글방글'은 동사 '웃는다'를 수식하는 부사이다.

이것도 알면 합격

형용사의 관형사형과 관형사의 차이를 알아두자.

형용사의 관형사형	활용하고 서술성을 지니며, 기본형이 존재함 예 • 새로운 옷 (기본형: 새롭다) • 그 사람은 우리와 다른 사람이다. (기본형: 다르다)
관형사	활용하지 않고 서술성이 없음 예 • 새 옷을 입다. • 다른 사람은 다 가고 나만 남았다.

28

난이도 ★★☆

해설 ① 줍다(본용언) + 버리다(본용언): 두 번째 용언인 '버리다'가 단독으로 서술어가 되어도 문장이 성립하므로 '버리다'는 본용언이다. 따라서 '본용언 + 보조 용언'의 구성이 아닌 것은 ①이다.

• 영수는 쓰레기를 주웠다. (○)
• 영수는 쓰레기를 버렸다. (○)

오답분석 ② ③ ④는 두 번째 용언이 단독으로 서술어가 될 경우 문장이 성립하지 않으므로 '본용언 + 보조 용언'의 구성이다.

② 알다(본용언) + 척하다(보조 용언): '척하다'는 보조 동사로, '앞말이 뜻하는 행동이나 상태를 거짓으로 그럴듯하게 꾸밈'을 나타낸다.

③ 먹다(본용언) + 보다(보조 용언): '보다'는 보조 동사로, '어떤 행동을 시험 삼아 함'을 나타낸다.

④ 알다(본용언) + 가다(보조 용언): '가다'는 보조 동사로, '말하는 이가 정하는 어떤 기준점에서 멀어지면서 앞말이 뜻하는 행동이나 상태가 계속 진행됨'을 나타낸다.

29

난이도 ★★☆

해설 ④ '겸'은 '두 가지 이상의 동작이나 행위를 아울러 함'을 뜻하는 의존 명사이고, ① '비교적', ② '아니', ③ '보다'는 부사로 쓰였으므로 품사가 다른 하나는 ④이다.

오답분석 ① 비교적: 일정한 수준이나 보통 정도보다 꽤

② 아니: 어떤 사실을 더 강조할 때 쓰는 말

③ 보다: 어떤 수준에 비하여 한층 더

30

난이도 ★★☆

해설 ① '할 만큼 했다'의 '만큼'은 의존 명사이나, '먹으리만큼'의 '만큼'은 어미 '-으리만큼'의 일부이므로 조사가 아니다.

• 할 만큼 했다: 이때 '만큼'은 '앞의 내용에 상당한 수량이나 정도임을 나타내는 말'을 뜻하는 의존 명사이다.
• 밥통째 먹으리만큼: 이때 '만큼'은 '-을 정도로'의 뜻을 나타내는 연결 어미 '-으리만큼'의 일부이다.

오답분석 ② • 들어오는 대로: 이때 '대로'는 '어떤 상태나 행동이 나타나는 그 즉시'를 뜻하는 의존 명사이다.
• 네 멋대로: 이때 '대로'는 앞에 오는 말에 근거하거나 달라짐이 없음을 나타내는 보조사이다.

③ • 10년 만에: 이때 '만'은 '앞말이 가리키는 동안이나 거리'를 나타내는 의존 명사이다.
• 너만 와라: 이때 '만'은 '다른 것으로부터 제한하여 어느 것을 한정함'을 나타내는 보조사이다.

④ • 시키는 대로 할 뿐이다: 이때 '뿐'은 '다만 어떠하거나 어찌할 따름'을 나타내는 의존 명사이다.
• 우리는 다섯뿐이다: 이때 '뿐'은 '그것만이고 더는 없음'을 나타내는 보조사이다.

이것도 알면 합격

'뿐'의 품사를 알아두자.

조사	체언이나 부사어 뒤에 붙어 '그것만이고 더는 없음'을 뜻하거나, '오직 그렇게 하거나 그러하다는 것'을 뜻할 때는 보조사임 예 • 내게 남은 것은 추억뿐이다. • 나는 친구들에게뿐만 아니라 동생들에게도 친절했다.
의존 명사	어미 '-을' 뒤에 쓰여 '다만 어떠하거나 어찌할 따름'을 뜻하거나, '-다 뿐이지' 구성으로 쓰여 '오직 그렇게 하거나 그러하다는 것'을 뜻할 때는 의존 명사임 예 • 마음만 급할 뿐이야. • 넘어졌다 뿐이지 아프지는 않았다.

31

[2018년 서울시 7급 (6월)]

국어의 불규칙 활용에 대한 〈보기〉의 설명과 그 예를 가장 바르게 짝지은 것은?

〈보기〉

(가) 불규칙 용언 가운데는 어간의 일부가 탈락되는 경우가 있다.
(나) 불규칙 용언 가운데는 어간의 일부가 다른 것으로 바뀌는 경우가 있다.
(다) 불규칙 용언 가운데는 어미가 다른 것으로 바뀌는 경우가 있다.
(라) 불규칙 용언 가운데는 어간과 어미가 함께 바뀌는 경우가 있다.

① (가) - 짓다, 푸다, 눕다
② (나) - 깨닫다, 춥다, 씻다
③ (다) - 푸르다, 하다, 노르다
④ (라) - 좋다, 파랗다, 부옇다

32

[2018년 서울시 7급 (6월)]

밑줄 친 용언의 활용형 중 가장 옳지 않은 것은?

① 아주 곤혹스런 상황에 빠졌다.
② 할아버지께 여쭈워 보시면 됩니다.
③ 라면이 붇기 전에 빨리 먹어라.
④ 내 처지가 너무 설워서 눈물만 나온다.

33

[2018년 서울시 7급 (6월)]

국어의 조사에 대한 설명으로 가장 옳지 않은 것은?

① '에서'는 '집에서 가져 왔다'의 경우에는 부사격 조사이지만 '우리 학교에서 우승을 차지했다'의 경우에는 주격 조사이다.
② '는'은 '그는 학교에 갔다'의 경우에는 주격 조사이지만 '일을 빨리는 한다'의 경우에는 보조사이다.
③ '가'는 '아이가 운동장에서 놀고 있다'의 경우에는 주격 조사이지만 '그것은 종이가 아니다'의 경우에는 보격 조사이다.
④ '과'는 '눈과 같이 하얗다'의 경우에는 부사격 조사이지만 '책과 연필이 있다'의 경우에는 접속 조사이다.

34

[2018년 서울시 7급 (6월)]

국어 품사에 대한 설명으로 가장 옳지 않은 것은?

① 관형사는 체언만 수식할 수 있다.
② 명사가 다른 명사를 수식하는 경우도 있다.
③ 부사가 체언을 수식하는 경우는 없다.
④ 부사 뒤에 조사가 오는 경우도 있다.

31 난이도 ★★☆

해설 **③ '푸르다, 하다, 노르다' 모두 용언이 활용할 때 어미가 다른 것으로 바뀌는 불규칙 용언에 해당하므로 답은 ③이다.**

- **푸르다, 노르다**: '푸르- + -어 → 푸르러', '노르- + -어 → 노르러'와 같이 어미 '-어'가 '-러'로 바뀌는 '러' 불규칙 용언이다.
- **하다**: '하- + -어 → 하여'와 같이 어미 '-어'가 '-여'로 바뀌는 '여' 불규칙 용언이다.

오답분석 ① 어간의 일부가 탈락하는 불규칙 용언은 'ㅅ' 불규칙 용언과 '우' 불규칙 용언 등이다. 'ㅅ' 불규칙 용언인 '짓다'와 '우' 불규칙 용언인 '푸다'는 (가)의 예시로 적절하나, '눕다'는 '눕자, 누워라, 누운'과 같이 활용하는 'ㅂ' 불규칙 용언이므로 (나)에 해당한다.

② 어간의 일부가 다른 것으로 바뀌는 불규칙 용언은 'ㄷ' 불규칙 용언, 'ㅂ' 불규칙 용언 등이다. 'ㄷ' 불규칙 용언인 '깨닫다'와 'ㅂ' 불규칙 용언인 '춥다'는 (나)의 예시로 적절하나, '씻다'는 '씻자, 씻어라, 씻은'과 같이 규칙 활용을 하는 용언이므로 (나)에 해당하지 않는다.

④ 어간과 어미가 함께 바뀌는 불규칙 용언은 'ㅎ' 불규칙 용언이다. 'ㅎ' 불규칙 용언인 '파랗다'와 '부옇다'는 (라)의 예시로 적절하나, '좋다'는 '좋아, 좋으니, 좋은'과 같이 규칙 활용을 하는 용언이므로 (라)에 해당하지 않는다.

32 난이도 ★★★

해설 **① 곤혹스런(×) → 곤혹스러운(○): '곤혹스럽다'의 어간 '곤혹스럽-'에 관형사형 어미 '-은'이 결합한 것이다. 이때 어간의 끝소리 'ㅂ'이 모음으로 시작되는 어미 앞에서 '우'로 변하여 (ㅂ 불규칙 활용) '곤혹스러운'으로 활용한다.**

오답분석 ② **여쭈워(○)**: '여쭈워'는 '여쭙다'의 어간 '여쭙-'에 연결 어미 '-어'가 결합한 것이다. 어간의 끝소리 'ㅂ'이 모음으로 시작되는 어미 앞에서 '우'로 변하여(ㅂ 불규칙 활용) '여쭈워'로 활용한다.

③ **붇기(○)**: '붇기'는 '붇다'의 어간 '붇-'에 명사형 어미 '-기'가 결합 한 것이다. '붇다'는 모음 어미 앞에서 어간의 끝소리 'ㄷ'이 'ㄹ'로 바뀌는 ㄷ 불규칙 용언이지만 '붇기'는 어간 '붇-'에 자음으로 시작하는 어미 '-기'가 결합한 것이므로 '붇기'로 활용한다.

④ **설워서(○)**: '설워서'는 '섧다'의 어간 '섧-'에 연결 어미 '-어서'가 결합한 것이다. 어간의 끝소리 'ㅂ'이 모음으로 시작되는 어미 앞에서 '우'로 변하여(ㅂ 불규칙 활용) '설워서'로 활용한다.

33 난이도 ★★★

해설 **② '일을 빨리는 한다'의 '는'은 강조의 뜻을 나타내는 보조사이지만 '그는 학교에 갔다'의 '는'은 주격 조사가 아니라 문장 속에서 어떤 대상이 화제임을 나타내는 보조사이다.**

오답분석 ① • **집에서 가져 왔다**: 이때 '에서'는 앞말이 행동이 이루어지고 있는 처소의 부사어임을 나타내거나 앞말이 어떤 일의 출처임을 나타내는 부사격 조사이다.
• **우리 학교에서 우승을 차지했다**: 이때 '에서'는 단체를 나타내는 명사 뒤에 붙어 앞말이 주어임을 나타내는 주격 조사이다.

③ • **아이가 운동장에서 놀고 있다**: 이때 '가'는 일정한 동작을 하는 주체를 나타내는 주격 조사이다.
• **그것은 종이가 아니다**: 이때 '가'는 '되다', '아니다' 앞에 쓰여 바뀌게 되는 대상이나 부정(否定)하는 대상임을 나타내는 보격 조사이다.

④ • **눈과 같이 하얗다**: 이때 '과'는 다른 것과 비교하거나 기준으로 삼는 대상임을 나타내는 부사격 조사이다.
• **책과 연필이 있다**: 이때 '과'는 둘 이상의 사물이나 사람을 같은 자격으로 이어 주는 접속 조사이다.

34 난이도 ★★☆

해설 **③ 부사는 주로 용언이나 문장을 꾸며 주지만 '겨우, 아주, 바로, 특히' 등 체언을 수식할 수 있는 부사도 존재하므로 ③의 설명은 옳지 않다.**

예 • 겨우 둘만 남았다.
• 그는 아주 부자로 살았다.

오답분석 ① 관형사는 체언인 명사, 대명사, 수사를 수식한다.
예 • 그 무엇이 너를 힘들게 했을까? (대명사를 수식)
• 이 셋이 모이면 항상 즐겁다. (수사를 수식)

② 명사는 다른 명사를 수식할 수 있다.
예 커피 우유

④ 부사는 격 조사와는 결합할 수 없지만, 보조사와는 결합할 수 있다.
예 빨리도 간다. (보조사와 결합)

35

[2018년 서울시 7급 (3월)]

절과 절을 이어주는 연결 어미를 사용할 때 나타나는 여러 제약을 설명한 것으로 가장 옳지 않은 것은?

① '-(으)려고'는 선행절과 후행절의 주어가 같아야 한다.
② '-더라도'는 '-겠-'과 결합하지 못한다.
③ '-거든'은 후행절에 명령문이 오면 어색하다.
④ '-(으)ㄴ들'은 후행절이 의문문이면 수사의문문이어야 한다.

36

[2018년 서울시 7급 (3월)]

밑줄 친 단어의 문법적 기능이 나머지 셋과 다른 하나는?

① 어머니가 바구니를 들고 가셨다.
② 나는 그 일을 끝내지 못했다.
③ 새 옷을 입어 보았다.
④ 그는 나를 놀려 대곤 했다.

37

[2018년 법원직 9급]

〈보기〉를 참고할 때, 다음 중 붙여 쓸 수 없는 것은?

〈보기〉

㉠나는 그 책을 거의 다 읽어 간다.
㉡나는 영희에게 사과를 깎아 주었다.

용언은 그 쓰임에 따라 본용언과 보조 용언으로 나뉜다. 본용언은 ㉠의 '읽어'처럼 문장의 주어를 주되게 서술해 주는 말로 보조 용언의 도움을 받는다. 반면에 보조 용언은 ㉠의 '간다'처럼 본용언과 연결되어 그것의 뜻을 보충하는 역할을 하는 용언으로 자립성이 없어 단독으로 주어를 서술하지 못한다. 한글 맞춤법 규정 제47항에 따르면, 이와 같은 보조 용언은 띄어 씀을 원칙으로 하되 붙여 쓰는 것도 허용한다. 그런데 ㉡의 '주었다'처럼 단독으로 주어를 서술하는 것이 가능하면 본용언 뒤에 또 다른 본용언이 결합되어 있는 것으로 본다. 이 경우 두 본용언은 띄어 쓴다.

① 철수가 농구를 하고 있다.
② 그녀는 가족의 빨래를 빨아 말렸다.
③ 그는 부모님을 여읜 슬픔을 이겨 냈다.
④ 그녀는 하루 종일 어머니 일을 도와 드렸다.

38

[2018년 소방직 9급 (10월)]

밑줄 친 부분의 품사가 다른 하나는?

① 새 신발을 신으니 발이 아프다.
② 과연 우리는 앞으로 어떻게 될까?
③ 그는 해외로 출장을 자주 다닌다.
④ 철수는 이번 시험을 위해 정말 열심히 공부했다.

35

난이도 ★★★

해설 **③ 연결 어미 '-거든'이 가정 또는 조건의 뜻을 나타낼 때는 뒤에 명령문이 이어질 수 있으므로 답은 ③이다.**

예 내일 쉬려거든 오늘 과제를 끝내라.

오답분석 ① 어떤 행동을 할 의도나 욕망을 가지고 있음을 나타내거나, 곧 일어날 움직임이나 상태의 변화를 나타내는 연결 어미 '-(으)려고'는 선행절과 후행절의 주어가 같아야 한다.

예 나는 새를 잡으려고 (나는) 돌을 던졌다.

② '-더라도'는 가정이나 양보의 뜻을 나타내는 연결 어미로, 선어말 어미 '-겠-'과의 결합에 제약을 받는다. 참고로 '-겠-'이 가능성이나 능력을 나타낼 때에는 '-더라도'와 결합이 가능한데, 이는 선어말 어미 '-겠-'의 보편적 쓰임인 미래의 일이나 추측을 의미하는 것이 아니므로 가장 옳지 않은 것을 묻는 해당 문제의 답은 아니다.

예 • 내일 폭우가 오겠더라도 공항에 갈 것이다.(×)
→ 미래의 일이나 추측을 나타내는 '-겠-'
• 막상 가서 못하겠더라도 포기하지 마.(○)
→ 가능성이나 능력을 나타내는 '-겠-'

④ '-(으)ㄴ들'은 '-라고 할지라도'를 뜻하며 어떤 조건을 양보하여 인정한다고 하여도 그 결과로서 기대되는 내용이 부정됨을 나타내는 연결 어미이다. 이때 후행절이 의문문인 경우에는 수사의문문이 된다. 참고로 수사의문문이란, 형식은 물음을 나타내나 답변을 요구하지 않고 강한 긍정 진술을 내포하고 있는 의문문을 말한다.

예 고추가 매운들 시집살이보다 더 매울까?

36

난이도 ★★☆

해설 **① '들고(본용언) + 가셨다(본용언)'의 두 번째 용언인 '가셨다'는 단독으로 서술어가 되어도 문장이 성립하므로 본용언이다. 그러나 ② '못했다', ③ '보았다', ④ '대곤'은 단독으로 서술어가 될 수 없는 보조 용언이므로 밑줄 친 단어의 문법적 기능이 다른 것은 ①이다.**

• 어머니가 바구니를 드셨다. (○)
• 어머니가 가셨다. (○)

오답분석 ② **끝내지(본용언) + 못했다(보조 용언)**: 이때 '못하다'는 동사 뒤에서 '-지 못하다'의 형태로 쓰여 앞말이 뜻하는 행동에 대하여 그것이 이루어지지 않거나 그것을 이룰 능력이 없음을 나타내는 보조 동사이다.

③ **입어(본용언) + 보았다(보조 용언)**: 이때 '보다'는 동사 뒤에서 '-어 보다'의 형태로 쓰여 어떤 행동을 시험 삼아 함을 나타내는 보조 동사이다.

④ **놀려(본용언) + 대곤(보조 용언)**: 이때 '대다'는 동사 뒤에서 '-어 대다'의 형태로 쓰여 앞말이 뜻하는 행동을 반복하거나 그 행동의 정도가 심함을 나타내는 보조 동사이다.

37

난이도 ★★☆

해설 **② 빨아(본용언) + 말렸다(본용언): 두 번째 용언인 '말렸다'는 단독으로 주어를 서술하는 것이 가능하므로 본용언이다. 〈보기〉에서 알 수 있듯이 본용언과 본용언은 띄어 써야 하므로 붙여 쓸 수 없는 것은 ②이다.**

• 그녀는 가족의 빨래를 빨았다. (○)
• 그녀는 가족의 빨래를 말렸다. (○)

오답분석 ① ③ ④ 두 번째 용언이 자립성이 없어 단독으로 주어를 서술하지 못하고 첫 번째 용언의 뜻을 보충하는 역할을 하므로 밑줄 친 부분은 '본용언 + 보조 용언'의 결합이다. 본용언과 보조 용언은 띄어 씀이 원칙이나 붙여 쓸 수도 있다.

① **하고(본용언) + 있다(보조 용언)**: 이때 '있다'는 보조 동사로, 앞말이 뜻하는 행동이 계속 진행되고 있거나 그 행동의 결과가 지속됨을 나타낸다. 주로 동사 뒤에서 '-고 있다'의 형태로 쓰인다.

③ **이겨(본용언) + 냈다(보조 용언)**: 이때 '내다'는 보조 동사로, 앞말이 뜻하는 행동이 스스로의 힘으로 끝내 이루어짐을 나타낸다. 주로 동사 뒤에서 '-어 내다'의 형태로 쓰인다.

④ **도와(본용언) + 드렸다(보조 용언)**: 이때 '드리다'는 보조 동사로, 앞 동사의 행위가 다른 사람의 행위에 영향을 미침을 높여 나타낸다. 주로 동사 뒤에서 '-어 드리다'의 형태로 쓰인다.

38

난이도 ★★☆

해설 **① '새'는 관형사이고, ② '과연', ③ '자주', ④ '정말'은 모두 부사이다. 따라서 품사가 다른 하나는 ①이다.**

• **새**: 체언(명사) '신발'을 수식하며, 형태가 고정되어 있어 활용이 불가능하고 조사가 붙지 않으므로 품사는 관형사이다.

오답분석 ② **과연**: 문장 전체(우리는 앞으로 어떻게 될까?)를 수식하므로, 품사는 부사이다.

③ **자주**: 용언(다닌다)을 수식하므로, 품사는 부사이다.

④ **정말**: 다른 부사(열심히)를 수식하므로, 품사는 부사이다.

39

[2018년 경찰직 2차]

다음 중 국어의 부사에 대한 설명으로 가장 적절하지 않은 것은?

① "그녀는 정말 많이 운다."에서 '정말'은 동사를 꾸며준다.

② "과연 그는 훌륭한 예술가로구나."에서 '과연'은 문장을 꾸며준다.

③ "영이는 아주 새 사람이 되었다."에서 '아주'는 관형사를 꾸며준다.

④ "아이는 맨 흙투성이로 집에 들어왔다."에서 '맨'은 명사를 꾸며준다.

40

[2017년 국가직 9급 (10월)]

밑줄 친 단어의 품사가 같은 것은?

① 모두 제 잘못입니다.
심판은 규칙을 잘못 적용하여 비난을 받았다.

② 집에 도착하는 대로 편지를 쓰다.
큰 것은 큰 것대로 따로 모아 두다.

③ 비교적 교통이 편리한 곳에 사무실이 있다.
우리나라의 출산율은 비교적 낮은 편이다.

④ 이 사과가 맛있게 생겼다.
이보다 더 좋을 수는 없다.

41

[2018년 경찰직 1차]

다음 밑줄 친 단어에 대한 설명으로 가장 적절하지 않은 것은?

> ㉠ 당신은 누구시오?
> ㉡ 당신, 요즘 직장에서 피곤하시죠?
> ㉢ 뭐? 당신? 누구한테 당신이야!
> ㉣ 할아버지께서는 생전에 당신의 장서를 소중히 다루셨다.

① ㉠에서 '당신'은 청자를 가리키는 2인칭 대명사이다.

② ㉡에서 '당신'은 부부 사이에서 상대편을 높여 이르는 2인칭 대명사이다.

③ ㉢에서 '당신'은 맞서 싸울 때 상대편을 낮잡아 이르는 2인칭 대명사이다.

④ ㉣에서 '당신'은 상대방을 높여 부르는 2인칭 대명사이다.

42

[2017년 국가직 9급 (4월)]

밑줄 친 말의 기본형이 옳지 않은 것은?

① 무를 강판에 가니 즙이 나온다. (기본형: 갈다)

② 오래되어 불은 국수는 맛이 없다. (기본형: 불다)

③ 아이들에게 위험한 데서 놀지 말라고 일렀다.
(기본형: 이르다)

④ 퇴근하는 길에 포장마차에 들렀다가 친구를 만났다.
(기본형: 들르다)

39

난이도 ★★☆

해설 ① '그녀는 정말 많이 운다'에서 부사 '정말'은 부사인 '많이'를 꾸며주므로 ①의 설명은 적절하지 않다.

오답분석 ② '과연 그는 훌륭한 예술가로구나'에서 부사 '과연'은 문장 전체를 꾸며준다.

③ '영이는 아주 새 사람이 되었다'에서 부사 '아주'는 관형사 '새'를 꾸며준다.

④ '아이는 맨 흙투성이로 집에 들어왔다'에서 부사 '맨'은 명사 '흙투성이'를 꾸며준다.

40

난이도 ★☆☆

해설 ③ 밑줄 친 단어의 품사가 같은 것은 ③이다.

- **비교적 교통이 편리한, 비교적 낮은**: 이때 '비교적'은 '일정한 수준이나 보통 정도보다 꽤'를 뜻하여, 용언을 수식하고 있으므로 부사이다. '다른 것과 견주어서 판단하는. 또는 그런 것'을 뜻하는 관형사·명사 '비교적'과 품사를 혼동하지 않도록 주의한다.

오답분석 ① • **제 잘못입니다(명사)**: 이때 '잘못'은 '잘하지 못하여 그릇되게 한 일. 또는 옳지 못하게 한 일'을 뜻하는 명사이다.
- **잘못 적용하여(부사)**: 이때 '잘못'은 '틀리거나 그릇되게'를 뜻하는 부사이다.

② • **도착하는 대로(명사)**: 이때 '대로'는 '어떤 상태나 행동이 나타나는 그 즉시'를 뜻하는 의존 명사이다.
- **큰 것은 큰 것대로(조사)**: 이때 '대로'는 따로따로 구별됨을 나타내는 보조사이다.

④ • **이 사과(관형사)**: 이때 '이'는 말하는 이에게 가까이 있거나 말하는 이가 생각하고 있는 대상을 가리킬 때 쓰는 관형사이다.
- **이보다(대명사)**: 이때 '이'는 말하는 이에게 가까이 있거나 말하는 이가 생각하고 있는 대상을 가리키는 지시 대명사이다.

41

난이도 ★☆☆

해설 ④ ㉣에서 '당신'은 '자기'를 아주 높여 이르는 재귀 대명사로 '할아버지'를 가리킨다. 따라서 ④는 적절하지 않은 설명이다.

이것도 알면 **합격**

대명사 '당신'에 대해 알아두자.

대명사 '당신'은 2인칭 대명사와 재귀 대명사로 쓰일 수 있으므로, 그 쓰임을 구별해야 한다.

2인칭 대명사	1. 듣는 이를 가리키는 2인칭 대명사 예 이 일을 맡은 사람이 당신이오? 2. 부부 사이에서, 상대편을 높여 이르는 2인칭 대명사 예 당신에게 좋은 아내가 되도록 노력할게요. 3. 맞서 싸울 때 상대편을 낮잡아 이르는 2인칭 대명사 예 당신이 뭔데 남의 일에 참견이야.
재귀 대명사	'자기'를 아주 높여 이르는 말 예 할머니께서는 생전에 당신의 가구를 소중히 다루셨다.

42

난이도 ★★☆

해설 ② 불다(×) → 붇다(○): '물에 젖어서 부피가 커지다'를 뜻하는 단어는 '붇다'이다. '붇다'는 어간의 끝소리 'ㄷ'이 모음 앞에서 'ㄹ'로 바뀌는 'ㄷ' 불규칙 활용 동사로, '불은, 불어, 불으니'와 같이 활용한다.

오답분석 ① 가니[갈- + -니]: 기본형은 '갈다'로, 어미의 첫소리 'ㄴ' 앞에서 어간의 끝소리 'ㄹ'이 탈락하였다. ('ㄹ' 탈락 규칙)

③ 일렀다[이르- + -었- + -다]: 기본형은 '이르다'로, 어간의 끝음절 '르'가 어미 '-어' 앞에서 'ㄹㄹ'로 바뀌었다. ('르' 불규칙 활용)

④ 들렀다가[들르- + -었- + -다가]: 기본형은 '들르다'로, 어간의 끝소리 'ㅡ'가 모음 어미 '-었-' 앞에서 탈락하였다. ('ㅡ' 탈락 규칙)

이것도 알면 **합격**

'붇다, 불다, 붓다'의 의미를 알아두자.

붇다	1. 물에 젖어서 부피가 커지다. 예 북어포가 물에 붇다. 2. 분량이나 수효가 많아지다. 예 개울물이 붇다.
불다	1. 바람이 일어나서 어느 방향으로 움직이다. 예 따뜻한 바람이 불다. 2. 입을 오므리고 날숨을 내보내어, 입김을 내거나 바람을 일으키다. 예 창문에 입김을 불다.
붓다	살가죽이나 어떤 기관이 부풀어 오르다. 예 다리가 붓다.

43

[2017년 국가직 9급 (10월)]

밑줄 친 단어의 불규칙 활용 유형이 같은 것은?

① 나뭇잎이 누르니 가을이 왔다.
나무가 높아 오르기 힘들다.

② 목적지에 이르기는 아직 멀었다.
앞으로 구르기를 잘한다.

③ 주먹을 휘두르지 마라.
머리를 짧게 자른다.

④ 그를 불운한 천재라 부른다.
색깔이 아주 푸르다.

44

[2017년 국가직 7급 (10월)]

밑줄 친 단어의 품사가 나머지 셋과 다른 것은?

① 노력했지만 아직 부족함이 많다.

② 곧 날이 밝으면 출발할 수 있다.

③ 노인들은 꽃나무를 잘들 키우신다.

④ 노장은 결코 늙지 않는다는 말이 있다.

45

[2017년 지방직 9급 (12월)]

㉠~㉢에 대한 설명으로 적절하지 않은 것은?

> ○ 형님은 ㉠자기 자신을 애국자라고 생각했다.
> ○ 형님은 ㉡당신 스스로 애국자라고 생각했다.
> ○ 형님은 ㉢그의 선물을 나에게 주었다.

① ㉠과 ㉡은 모두 형님을 가리킨다.

② ㉠은 1인칭이고 ㉡은 2인칭이다.

③ ㉡은 ㉠보다 높임 표현이다.

④ ㉢은 ㉠과 달리 형님 이외의 다른 대상을 가리킬 수 있다.

46

[2017년 지방직 9급 (6월)]

밑줄 친 말의 품사가 같은 것으로만 묶은 것은?

> 개나리꽃이 ㉠흐드러지게 핀 교정에서 친구들과 ㉡찍은 사진은, 그때 느꼈던 ㉢설레는 행복감은 물론, 대기 중에 ㉣충만한 봄의 기운, 친구들과의 악의 ㉤없는 농지거리, 벌들의 잉잉거림까지 현장에 있는 것과 다름없이 느끼게 해 준다.

① ㉠, ㉢, ㉣ ② ㉠, ㉣, ㉤
③ ㉡, ㉢, ㉤ ④ ㉢, ㉣, ㉤

43

난이도 ★★☆

해설 **③ '휘두르지'와 '자른다'는 '르' 불규칙 활용을 하는 동사로 불규칙 활용 유형이 같으므로 답은 ③이다.**

- **휘두르지**: '휘두르다'의 어간 '휘두르-'에 어미 '-지'가 결합한 것이다. '휘두르다'는 어간의 끝음절 '르'가 모음 어미 앞에서 'ㄹㄹ'로 바뀌는 '르' 불규칙 활용을 하므로 어미 '-어'가 결합할 때는 '휘둘러'로 활용한다.
- **자른다**: '자르다'의 어간 '자르-'에 어미 '-ㄴ다'가 결합한 것이다. '자르다'는 어간의 끝음절 '르'가 모음 어미 앞에서 'ㄹㄹ'로 바뀌는 '르' 불규칙 활용을 하므로 어미 '-아'가 결합할 때는 '잘라'로 활용한다.

오답분석 ① • **누르니('러' 불규칙 활용)**: '황금이나 놋쇠의 빛깔과 같이 다소 밝고 탁하다'를 뜻하는 '누르다'의 어간 '누르-'에 어미 '-니'가 결합한 것이다. '누르다'는 어미 '-어'가 어간의 끝음절 '르'와 결합할 때 '-러'로 바뀌는 '러' 불규칙 활용을 하는 용언이다.
- **오르기('르' 불규칙 활용)**: '오르다'의 어간 '오르-'에 어미 '-기'가 결합한 것이다. '오르다'는 어간의 끝음절 '르'가 모음 어미 앞에서 'ㄹㄹ'로 바뀌는 '르' 불규칙 활용을 하므로 어미 '-아'가 결합할 때는 '올라'로 활용한다.

② • **이르기('러' 불규칙 활용)**: '이르다'의 어간 '이르-'에 어미 '-기'가 결합한 것이다. '이르다'는 어미 '-어'가 어간의 끝음절 '르'와 결합할 때 '-러'로 바뀌는 '러' 불규칙 활용을 하는 용언이다.
- **구르기('르' 불규칙 활용)**: '구르다'의 어간 '구르-'에 어미 '-기'가 결합한 것이다. '구르다'는 어간의 끝음절 '르'가 모음 어미 앞에서 'ㄹㄹ'로 바뀌는 '르' 불규칙 활용을 하므로 어미 '-어'가 결합할 때는 '굴러'로 활용한다.

④ • **부른다('르' 불규칙 활용)**: '부르다'의 어간 '부르-'에 어미 '-ㄴ다'가 결합한 것이다. '부르다'는 어간의 끝음절 '르'가 모음 어미 앞에서 'ㄹㄹ'로 바뀌는 '르' 불규칙 활용을 하므로 어미 '-어'가 결합할 때는 '불러'로 활용한다.
- **푸르다('러' 불규칙 활용)**: '푸르다'는 어미 '-어'가 어간의 끝음절 '르'와 결합할 때 '-러'로 바뀌는 '러' 불규칙 활용을 하는 용언이다.

44

난이도 ★★☆

해설 **① '많다'는 현재 시제 선어말 어미 '-는-'이 결합할 수 없으므로 (많는다 ×) 형용사이고, ② '밝으면', ③ '키우신다', ④ '늙지'는 어간에 '-ㄴ/는-'의 결합이 가능하기 때문에 모두 동사이다.**

오답분석 ② 이때 '밝다'는 '밤이 지나고 환해지며 새날이 오다'를 뜻하는 동사이다. 참고로 '밝다'가 '불빛이 환하다'를 뜻할 때는 형용사이다.

45

난이도 ★★☆

해설 **② ㉠ '자기'와 ㉡ '당신'은 모두 앞에서 이미 말하였거나 나온 바 있는 사람을 도로 가리키는 3인칭 대명사이므로 ②는 적절하지 않은 설명이다.**

오답분석 ① 문맥상 ㉠ '자기'와 ㉡ '당신'은 모두 형님을 지칭한다.

③ ㉡ '당신'은 앞에서 이미 말하였거나 나온 바 있는 사람을 도로 가리키는 3인칭 대명사인 ㉠ '자기'를 아주 높여 이르는 말이다.

④ ㉠ '자기'는 '형님'만을 가리키지만 ㉢ '그'는 말하는 이와 듣는 이가 아닌 사람을 가리키는 3인칭 대명사이므로 '형님'과 형님 이외의 남성인 다른 대상을 모두 가리킬 수 있다.

46

난이도 ★★★

해설 **② ㉠, ㉣, ㉤은 모두 성질이나 상태를 나타내며 현재 시제 선어말 어미 '-는-/-ㄴ-'과 결합하지 못하므로 형용사이며, ㉡, ㉢은 동작이나 작용을 나타내며 현재 시제 선어말 어미 '-는-/-ㄴ-'과 결합할 수 있으므로 동사이다. 따라서 품사가 같은 것으로만 묶은 것은 ②이다.**

이것도 알면 **합격**

헷갈리기 쉬운 동사와 형용사를 알아두자.

동사	늙다, 자다, 맞다, 모자라다, 쪼들리다, 닮다, 쑤시다, 붐비다, 잘생기다
형용사	알맞다, 걸맞다, 건강하다, 급급하다, 없다, 젊다, 성실하다, 정직(正直)하다
동사, 형용사 모두 쓰이는 단어	크다, 감사(感謝)하다, 있다, 늦다, 밝다, 길다

47

[2017년 지방직 9급 (6월)]

㉠~㉦에 대한 설명으로 옳은 것은?

> ㉠그쪽에서 물건 하나를 맡아 주었으면 해요. 그건 ㉡우리 할머니의 유품이에요. ㉢저는 할머니의 유지에 따라 당신에게 그것을 전해야 할 책임을 느껴요. ㉣할머니께서는 ㉤본인의 생각을 저에게 누차 말씀하신 바 있기 때문이죠. 부디 ㉥당신이 할머니가 품었던 호의를 거절하지 않기를 바랍니다. 아시다시피 할머니는 결코 말씀이 많으신 분은 아니었지요. ㉦당신께서 생전에 표현하지 못했던 심정이 거기에 절실히 아로새겨져 있을 거예요.

① ㉠과 ㉢은 1인칭 대명사이다.
② ㉡은 ㉢과 ㉣을 아우르는 말이다.
③ ㉣과 ㉦은 같은 사람을 가리키는 말이다.
④ ㉤과 ㉥은 같은 사람을 가리키는 말이다.

48

[2017년 지방직 9급 (12월)]

밑줄 친 부분에 해당하는 것은?

> '-ㅁ/-음'은 'ㄹ'을 제외한 받침 있는 용언의 어간이나 어미 '-었-', '-겠-' 뒤에 붙어, 그 말이 명사 구실을 하게 하는 어미로 쓰이는 경우와, 어간 말음이 자음인 용언 어간 뒤에 붙어 명사를 만드는 접미사로 쓰이는 경우가 있다.

① 그는 수줍음이 많은 사람이다.
② 그는 죽음을 각오하고 일에 매달렸다.
③ 태산이 높음을 사람들은 알지 못한다.
④ 나라를 위해 젊음을 바친 사람이 애국자다.

49

[2017년 국가직 7급 (8월)]

밑줄 친 단어가 같은 품사로 묶인 것은?

① 이것 말고 다른 물건을 보여 주세요.
질소는 산소와 성질이 다른 원소이다.
② 나 보기가 역겨워 가실 때에는 말없이 보내 드리겠습니다.
철수는 떡국을 떠먹어 보았다.
③ 그 사과는 크고 빨개서 먹음직스럽다.
아이가 크면서 점점 총명해졌다.
④ 김홍도의 그림은 한국적이다.
이 그림은 한국적 정취가 물씬 풍긴다.

50

[2016년 국가직 9급]

밑줄 친 보조사의 의미를 설명한 것으로 옳지 않은 것은?

① 그렇게 천천히 가다가는 지각하겠다.
-는: 어떤 대상이 다른 것과 대조됨을 나타냄
② 웃지만 말고 다른 말을 좀 해 보아라.
-만: 다른 것으로부터 제한하여 어느 것을 한정함을 나타냄
③ 단추는 단추대로 모아 두어야 한다.
-대로: 따로따로 구별됨을 나타냄
④ 비가 오는데 바람조차 부는구나.
-조차: 이미 어떤 것이 포함되고 그 위에 더함을 나타냄

47

난이도 ★★☆

해설 **③ ⓢ '당신'은 앞에서 이미 말하였거나 나온 바 있는 사람을 도로 가리키는 3인칭 대명사 '자기'의 높임 표현이다. 이때 ⓢ은 앞 문장의 주어인 '할머니'를 이르는 말이므로 ⓡ과 ⓢ은 같은 사람을 가리킨다.**

오답분석 ① ⓒ '저'는 자기를 낮추어 가리키는 1인칭 대명사이나, ⓖ '그쪽'은 청자를 가리키는 2인칭 대명사이다.

② ⓛ '우리'는 자기보다 높지 않은 사람에게, 어떤 대상이 자기와 친밀한 관계임을 나타낼 때 쓰는 말로 ⓒ과 ⓡ을 아우르고 있지 않다.

④ ⓜ '본인'은 어떤 일에 직접 관계가 있거나 해당되는 사람을 이르는 말로 '할머니'를 가리킨다. 반면 ⓑ '당신'은 청자를 가리키는 2인칭 대명사이다.

48

난이도 ★★☆

해설 **③ 밑줄 친 부분은 용언이 명사의 역할을 할 수 있도록 바꾸어 주는 어미인 '명사형 전성 어미'를 가리킨다. '명사형 전성 어미'는 '명사 파생 접미사'와 달리 서술성을 가지므로 밑줄 친 부분에 해당하는 것은 ③이다.**

- **태산이 높음을 사람들은 알지 못한다**: 이때 '높음'은 형용사 '높다'의 어간 '높-'에 명사형 전성어미 '-음'이 붙은 말로, 주어인 '태산'에 대해 서술성을 갖는다.

오답분석 ① **그는 수줍음이 많은 사람이다**: 이때 '수줍음'은 형용사 '수줍다'의 어간 '수줍-'에 명사 파생 접미사 '-음'이 붙은 말로, 서술성을 갖지 않는다.

② **그는 죽음을 각오하고 일에 매달렸다**: 이때 '죽음'은 동사 '죽다'의 어간 '죽-'에 명사 파생 접미사 '-음'이 붙은 말로, 서술성을 갖지 않는다.

④ **나라를 위해 젊음을 바친 사람이 애국자다**: 이때 '젊음'은 형용사 '젊다'의 어간 '젊-'에 명사 파생 접미사 '-음'이 붙은 말로, 서술성을 갖지 않는다.

이것도 알면 **합격**

용언의 명사형과 파생 명사의 차이를 알아두자.

용언의 명사형	• 품사가 동사 또는 형용사임 • 서술성이 있으며 부사어의 수식을 받음 • 명사형 전성 어미 '-(으)ㅁ, -기'가 붙음 예 아기가 젖을 잘 먹기를 바란다.
파생 명사	• 품사가 명사임 • 서술성이 없으며 관형어의 수식을 받음 • 명사 파생 접사 '-(으)ㅁ, -이, -기' 등이 붙음 예 늑대는 새로운 먹이를 찾아 떠났다.

49

난이도 ★★☆

해설 **② 밑줄 친 단어가 같은 품사로 묶인 것은 ②로, 두 단어 모두 동사이다.**

- **나 보기가 역겨워**: 이때 '보기'는 동사 '보다'의 어간에 명사형 전성 어미 '-기'가 붙은 말로, 서술성이 있으며 현재 시제 선어말 어미 '-ㄴ-'과 결합이 가능하므로(본다 ○) 품사는 동사이다.
- **떡국을 떠먹어 보았다**: 이때 '보다'는 어떤 행동을 시험 삼아 함을 나타내는 보조 동사이다.

오답분석 ① • **이것 말고 다른 물건을**: 이때 '다른[他]'은 '당장 문제가 되는 것 이외의'라는 뜻으로 체언 '물건'을 수식하며, 형태가 고정되고 서술성이 없으므로 품사는 관형사이다.
- **성질이 다른 원소이다**: 이때 '다른[異]'은 '비교가 되는 두 대상이 서로 같지 않다'를 뜻하는 형용사 '다르다'의 어간에 관형사형 어미 '-ㄴ'이 붙은 활용형이므로, 품사는 형용사이다.

③ • **그 사과는 크고 빨개서**: 기본형 '크다'의 어간에 현재 시제 선어말 어미 '-ㄴ-'의 결합이 불가능하므로(사과는 큰다 ×) '크고'의 품사는 형용사이다.
- **아이가 크면서 점점 총명해졌다**: 기본형 '크다'의 어간에 현재 시제 선어말 어미 '-ㄴ-'의 결합이 가능하므로(아이가 큰다 ○) '크면서'의 품사는 동사이다.

④ • **그림은 한국적이다**: 이때 '한국적'은 서술격 조사 '이다'와 결합하였으므로 품사는 명사이다.
- **한국적 정취가 물씬 풍긴다**: 이때 '한국적'은 조사와 결합하지 않고 뒤에 오는 체언 '정취'를 수식하고 있으므로 품사는 관형사이다.

이것도 알면 **합격**

접미사 '-적'이 붙은 말의 품사를 알아두자.

명사	'-적'이 조사와 결합한 경우 예 이 문제는 기술적으로 해결할 수 있다.
관형사	'-적'이 뒤의 체언을 수식하는 경우 예 두 나라는 문화적 공통점이 있다.
부사	'-적'이 뒤의 용언이나 부사를 수식하는 경우 예 가급적 빠른 시일 안에 완성하세요.

50

난이도 ★☆☆

해설 **① 그렇게 천천히 가다가는: 이때 '는'은 강조의 뜻을 나타내는 보조사이므로 답은 ①이다.**

이것도 알면 **합격**

보조사 '는(은)'의 다양한 의미를 알아두자.

1. 어떤 대상이 다른 것과 대조됨을 나타냄
   예 사과는 먹어도 배는 먹지 마라.
2. 문장 속에서 어떤 대상이 화제임을 나타냄
   예 나는 학생이다.
3. 강조의 뜻을 나타냄
   예 아무리 바쁘더라도 식사는 해야지.

51

[2017년 사회복지직 9급]

짝지어진 두 문장의 밑줄 친 부분이 모두 보조 용언인 것은?

① ┌ 이 책도 한번 읽어 보거라.
　└ 밖의 날씨가 매우 더운가 보다.

② ┌ 야구공으로 유리를 깨 먹었다.
　└ 여름철에는 음식물을 꼭 끓여 먹자.

③ ┌ 이것 좀 너희 아버지께 가져다 드리렴.
　└ 나는 주말마다 어머니 일을 거들어 드린다.

④ ┌ 이것 말고 저것을 주시오.
　└ 게으름을 피우던 그가 시험에 떨어지고 말았다.

52

[2017년 사회복지직 9급]

밑줄 친 용언의 활용형의 표기가 옳은 것은?

① 집에서 학교까지 거리가 가까왔다.

② 일이 다 잘되서 다행이다.

③ 입구에 붉은 글씨가 씌어 있다.

④ 생각컨대 조금 더 기다려 보자.

53

[2016년 지방직 9급]

명사의 개수가 가장 많은 것은?

① 타율에 관한 한 독보적인 기록도 깨졌다.

② 상자에 이런 것이 깔끔하게 정돈되어 있었다.

③ 친구 외에는 다른 사람에게 항상 못되게 군다.

④ 저 모퉁이에서 얼굴이 하얀 이가 걸어오고 있다.

54

[2016년 서울시 9급]

다음 중 밑줄 친 부분의 품사가 다른 하나는?

① 그 가방에 소설책 한 권이 들어 있었다.

② 넓은 들판에는 농부가 한둘 눈에 띌 뿐 한적했다.

③ 두 사람은 서로 다투다가 화해했다.

④ 보따리에서 석류가 두세 개 굴러 나왔다.

51

난이도 ★★☆

해설 **① 밑줄 친 부분이 모두 보조 용언인 것은 ①이다.**

- **읽어 보거라**: 두 용언 사이에 어미 '-어서'를 넣었을 때 문맥상 그 의미가 어색하므로(읽어서 보거라 ×) '읽어 보거라'는 '본용언 + 보조 용언'의 구성이다. 이때 '보거라'는 어떤 행동을 시험 삼아 함을 나타내는 보조 동사이다.
- **더운가 보다**: 두 번째 용언인 '보다'가 단독으로 서술어가 되었을 때 문맥상 그 의미가 어색해지므로 '더운가 보다'는 '본용언 + 보조 용언'의 구성이다. 이때 '보다'는 앞말이 뜻하는 상태를 추측함을 나타내는 보조 형용사이다.

오답 분석

② • **깨(본용언) + 먹었다(보조 용언)**: 이때 '먹었다'는 보조 용언(보조 동사)으로, 앞말이 뜻하는 행동을 강조하여 마음에 들지 않음을 나타낸다.
- **끓여(본용언) + 먹자(본용언)**: 이때 '먹자'는 본용언(동사)으로, 실질적인 뜻을 가져 단독으로 서술어가 되어도 문장이 성립한다.

③ • **가져다(본용언) + 드리렴(본용언)**: 이때 '드리렴'은 본용언(동사)으로, 실질적인 뜻을 가져 단독으로 서술어가 되어도 문장이 성립한다.
- **거들어(본용언) + 드린다(보조 용언)**: 이때 '드린다'는 보조 용언(보조 동사)으로, 앞말이 뜻하는 행위가 다른 사람의 행위에 영향을 미침을 나타내는 보조 동사 '주다'의 높임말이다.

④ • **이것 말고(본용언)**: 이때 '말고'는 본용언(동사)으로, 실질적인 뜻을 가져 단독으로 서술어가 되어도 문장이 성립한다.
- **떨어지고(본용언) + 말았다(보조 용언)**: 이때 '말았다'는 보조 용언(보조 동사)으로, 앞말이 뜻하는 행동이 끝내 실현됨을 나타낸다.

52

난이도 ★★☆

해설 **③ 씌어(O): '쓰이어'의 준말로서, 'ㅡ' 뒤에 '-이어'가 어울려 줄어질 적에는 준 대로 적으므로 표기가 옳은 것은 ③이다. 참고로 '쓰이어'는 '쓰여'로 표기할 수도 있다.**

오답 분석

① **가까와다(×) → 가까웠다(O)**: '가깝다'는 어간의 끝소리 'ㅂ'이 모음으로 시작하는 어미 '-었-' 앞에서 '우'로 변하여('ㅂ' 불규칙 활용) 활용하므로, '가까웠다'로 표기해야 한다.

② **잘되서(×) → 잘돼서(O)**: '잘돼서'는 '잘되어서'의 준말이다. '잘되어서'는 기본형 '잘되다'의 어간 '잘되-'에 연결 어미 '-어서'가 붙은 것인데, 어간 모음 'ㅚ' 뒤에 '-어'가 붙었기 때문에 'ㅙ'로 줄어질 수 있다.

④ **생각컨대(×) → 생각건대(O)**: '생각하건대'의 준말이다. 안울림소리 받침 'ㄱ' 뒤에서 어간의 끝음절 '하'가 아주 줄 적에는 거센소리로 표기하지 않고, 준 대로 적으므로 '생각건대'로 적는다.

53

난이도 ★★★

해설 **① ①은 명사의 개수가 4개, ②는 2개, ③과 ④는 3개이므로 명사의 개수가 가장 많은 것은 ①이다. ①에는 '타율', '한', '독보적', '기록'의 4개 단어가 명사로 쓰였다. '독보적'은 체언 바로 앞에 쓰이면 관형사이지만, 조사 앞에 쓰이면 명사이다.**

-

타율	에	관한	한	독보적	인	기록	도	깨졌다.
명사	조사	동사	명사	명사	조사	명사	조사	동사

오답 분석

② 명사는 '상자, 것' 2개이다. '깔끔'과 '정돈'은 뒤에 접미사 '-하다'와 '-되다'가 결합되어 한 단어가 된 것으로, '깔끔하다'는 형용사이고, '정돈되다'는 동사이다.

상자	에	이런	것	이	깔끔하게	정돈되어	있었다.
명사	조사	관형사	명사	조사	형용사	동사	보조 동사

③ 명사는 '친구, 외, 사람' 3개이다.

친구	외	에	는	다른	사람	에게	항상	못되게	군다.
명사	명사	조사	조사	관형사	명사	조사	부사	형용사	동사

④ 명사는 '모퉁이, 얼굴, 이' 3개이다.

저	모퉁이	에서	얼굴	이	하얀	이	가	걸어오고	있다.
관형사	명사	조사	명사	조사	형용사	명사	조사	동사	보조동사

54

난이도 ★☆☆

해설 **② '한둘'은 다른 성분을 수식하지 않으며, 문맥상 농부의 수가 하나나 둘쯤 된다는 의미를 나타내므로 수사이다. 그러나 ① '한', ③ '두', ④ '두세'는 모두 뒤에 오는 체언(권, 사람, 개)을 수식하는 관형사이므로 품사가 다른 하나는 ② '한둘'이다.**

이것도 알면 합격

'한둘'의 품사를 알아두자.

수사	하나나 둘쯤 되는 수 예 모처럼 밖에 나가도 잡상인만 한둘 마주칠 뿐이었다.
명사	1. '조금'의 뜻을 나타내는 말. 주로 '한둘이'의 꼴로 쓰여 뒤에 오는 '아니다' 등의 부정어와 호응함 예 우리 마음만 하더라도 농사를 망친 사람이 한둘이 아니라네. 2. 어떤 일이나 현상이 적은 수부터 서서히 시작됨을 나타내는 말 예 가을이 되자 나뭇잎이 한둘 떨어지기 시작한다.

55

[2016년 서울시 7급]

다음 중 밑줄 친 부분의 품사가 다른 하나는?

① 잠이 모자라서 늘 피곤하다.

② 사업을 하기에 자금이 턱없이 부족하다.

③ 어느새 새벽이 지나고 날이 밝는다.

④ 한 마리였던 돼지가 지금은 열 마리로 늘었다.

56

[2015년 국가직 9급]

밑줄 친 부분 중 보조 용언이 결합되지 않은 것은?

① 창문 너머로 날이 밝아 온다.

② 동생이 내 과자를 먹어 버렸다.

③ 우체국에 들러 선배의 편지를 부쳐 주었다.

④ 그는 환갑이 지났지만 40대처럼 젊어 보인다.

57

[2015년 지방직 9급]

밑줄 친 용언의 활용이 잘못된 것은?

① 그는 허구헌 날 술만 마신다.

② 네가 시험에 합격했으니 동네 어른들과 잔치라도 벌여야 겠구나.

③ 무슨 말을 해도 괜찮으니 내게 서슴지 말고 말해 보아라.

④ 담당자의 서투른 일 처리 때문에 창구에서 큰 혼란이 있었다.

58

[2015년 지방직 9급]

밑줄 친 단어의 품사가 나머지 셋과 다른 것은?

① 비 온 뒤에 땅이 굳는 법이다.

② 성격이 다른 사람끼리는 함께 살기 어렵다.

③ 새해에는 으레 새로운 마음이 생기기 마련이다.

④ 몸이 아픈 사람은 교실에 남아 있었다.

55

난이도 ★★☆

해설 **② '부족하다'는 형용사이고, ① '모자라서', ③ '밝는다', ④ '늘었다'는 동사이다.**

- **부족하다**: 필요한 양이나 기준에 미치지 못해 충분하지 않은 '상태'를 나타내고, 현재 시제 선어말 어미 '-는-/-ㄴ-'을 결합한 형태인 '부족한다'로 활용하지 않으므로 형용사이다.

오답분석 ① **모자라서**: '모자란다'와 같이 현재 시제 선어말 어미가 결합할 수 있으므로 동사이다.

③ **밝는다**: '밤이 지나고 환해지며 새날이 오다'라는 뜻으로, '밝는다'의 형태가 가능하므로 동사이다.

④ **늘었다**: '는다'와 같이 현재 시제 선어말 어미가 결합할 수 있으므로 동사이다.

56

난이도 ★★☆

해설 **④ 젊다(본용언) + 보이다(본용언): 두 번째 용언인 '보이다'가 단독으로 서술어가 되어도 문장이 성립하므로 '보이다'는 본용언이다. 따라서 보조 용언이 결합되지 않은 것은 ④이다.**

- 그는 환갑이 지났지만 40대처럼 젊다.
- 그는 환갑이 지났지만 40대처럼 보인다.

오답분석 ① **밝다(본용언) + 오다(보조 용언)**: '오다'는 보조 동사로, 앞말이 뜻하는 행동이나 상태가 말하는 이 또는 말하는 이가 정하는 기준점으로 가까워지면서 계속 진행됨을 나타낸다. 주로 동사 뒤에서 '-어 오다'의 형태로 쓰인다.

② **먹다(본용언) + 버리다(보조 용언)**: '버리다'는 보조 동사로, 앞말의 행동이 이미 끝났음을 나타낸다. 주로 동사 뒤에서 '-어 버리다'의 형태로 쓰인다.

③ **부치다(본용언) + 주다(보조 용언)**: '주다'는 보조 동사로 앞 동사의 행위가 다른 사람의 행위에 영향을 미침을 나타낸다. 주로 동사 뒤에서 '-어 주다'의 형태로 쓰인다.

57

난이도 ★★☆

해설 **① 허구헌(×) → 허구한(○): '날, 세월 등이 매우 오래다'를 뜻하는 단어는 '허구하다'로, 관형사형 어미 '-ㄴ'이 붙어 '허구한'으로 활용한다. 따라서 활용이 잘못된 것은 ①이다.**

오답분석 ② **벌여야겠구나(○)**: '일을 계획하여 시작하거나 펼쳐 놓다'를 뜻하는 단어는 '벌이다'로, 어간 '벌이-'에 어미 '-어야, -겠-, -구나'가 붙어 '벌여야겠구나'로 활용한다.

③ **서슴지(○)**: '결단을 내리지 못하고 머뭇거리며 망설이다'를 뜻하는 단어는 '서슴다'이다. 주로 '서슴지'의 꼴로 활용하며 '않다', '말다'와 같은 부정어와 함께 쓰인다.

④ **서투른(○)**: '일에 익숙하지 못하다'를 뜻하는 단어는 '서투르다'로, 관형사형 어미 '-ㄴ'이 붙어 '서투른'으로 활용한다.

이것도 알면 합격

'서투르다'의 준말 '서툴다'의 주의해야 할 활용형을 알아두자.

1. 관형사형 어미 '-ㄴ'이 붙을 때에는 어간의 끝 'ㄹ'이 탈락하여 '서툰'으로 활용함
2. 모음 어미가 연결될 때에는 준말의 활용을 인정하지 않으므로 '서툴어, 서툴어서, 서툴었다' 등의 활용형은 쓸 수 없고, 대신 '서투르다'의 활용형을 씀('서툴러, 서툴러서, 서툴렀다'는 '르' 불규칙 활용에 따라, '서투르다'의 어간 끝음절 '르'가 어미 '-어' 앞에서 'ㄹㄹ'로 바뀐 예임)

58

난이도 ★★☆

해설 **① 품사가 나머지 셋과 다른 것은 ① '굳는'이다. ① '굳는'은 현재를 나타내는 관형사형 전성 어미 '-는'과 결합하므로 동사이고, ② '다른' ③ '새로운' ④ '아픈'은 관형사형 전성 어미 '-(으)ㄴ'과 결합하므로 형용사이다.**

- **굳는**: 굳- + -는

오답분석 ② **다른**: 다르- + -ㄴ

③ **새로운**: 새롭- + -(으)ㄴ('ㅂ' 불규칙 활용)

④ **아픈**: 아프- + -ㄴ

이것도 알면 합격

'굳다'의 품사를 알아두자.

동사	'무른 물질이 단단하게 되다'를 뜻할 때는 동사임 예 들기름이 굳다. / 시멘트가 굳다.
형용사	'누르는 자국이 나지 않을 만큼 단단하다'를 뜻할 때는 형용사임 예 굳은 땅과 진 땅

59

[2015년 국가직 7급]

밑줄 친 단어 중 동사만을 모두 고른 것은?

ㄱ. 옥수수는 가만 두어도 잘 큰다.
ㄴ. 이 규칙을 중시하지 않은 사람은 아무도 없었다.
ㄷ. 그 연예인도 사람인지라 늙는 것은 어쩔 수 없구나.

① ㄱ, ㄴ ② ㄱ, ㄷ
③ ㄴ, ㄷ ④ ㄱ, ㄴ, ㄷ

60

[2015년 지방직 7급]

밑줄 친 단어의 품사가 나머지 셋과 다른 것은?

① 금고 가득히 눈부신 금괴가 쌓여 있었다.
② 바람이 가볍게 부는 날씨에 기분 좋았다.
③ 소인은 없이 사는 것을 부끄럽게 여긴다.
④ 반죽이 되게 묽어 국수 만들기가 힘들다.

61

[2015년 서울시 7급]

다음 중 밑줄 친 단어의 품사가 나머지 셋과 다른 하나는?

① 오늘은 비가 올 듯하다.
② 당신 좋을 대로 하십시오.
③ 아기는 아버지를 빼다 박은 듯 닮았다.
④ 자기가 아는 만큼 보인다.

62

[2014년 지방직 9급 (10월)]

학교 문법을 기준으로 할 때 품사가 다른 것은?

① 모든 권세를 버리고 산으로 들어갔다.
② 다른 생각은 하지 말고 공부나 해라.
③ 여러 나라가 올림픽에 참가했다.
④ 많은 사람이 우리 의견에 동조했다.

63

[2014년 지방직 9급 (6월)]

밑줄 친 단어 중 명사를 모두 고른 것은?

○ 십 년 만에 그 친구를 만남으로써 갈등이 다소 해결되었다.
○ 가능한 한 깨끗하게 청소하여라.
○ 그녀는 웃을 뿐 말이 없었다.
○ 나를 보기 위해 왔니?

① 만남, 한, 뿐 ② 한, 뿐
③ 한, 뿐, 보기 ④ 만남, 보기

64

[2014년 사회복지직 9급]

㉠~㉣ 중 지시 대상이 같은 것끼리 묶인 것은?

철호: 지난번 빌려 갔던 ㉠이 책은 별로 재미가 없어. ㉡그 책은 어때?
영희: 응. ㉢이 책은 꽤 재미있던데, 철호야 ㉣저 책 읽어 봤니?
철호: 아니, 저 책은 안 봤는데.

① ㉠, ㉢ ② ㉠, ㉣
③ ㉡, ㉢ ④ ㉡, ㉣

59

난이도 ★★★

해설 **④ ㄱ '크다', ㄴ '않은', ㄷ '늙는'은 모두 동사이다. 참고로 기본형에 현재 시제 선어말 어미 '-는-/-ㄴ-'과 관형사형 어미 '-는'이 결합할 수 있으면 동사이고, 결합할 수 없으면 형용사이다.**

- **ㄱ. 큰다**: '크-+-ㄴ-+다'처럼 현재 시제 선어말 어미 '-ㄴ-'이 결합했으므로 동사이다.
- **ㄴ. 않은**: 이때 '않다'는 '이 규칙을 중시하지 않는'처럼 관형사형 어미 '-는'이 결합할 수 있으므로 동사이다. '않다'는 보조 동사와 보조 형용사로 쓰이는데, ㄴ의 문장에서는 '않다'가 동사 '중시하다' 뒤에서 보조 동사 역할을 하고 있다.
- **ㄷ. 늙는**: '늙-+-는'과 같이 관형사형 어미 '-는'이 결합했으므로 동사이다.

60

난이도 ★☆☆

해설 **② 품사가 나머지 셋과 다른 것은 ②로, '가볍게'는 형용사이나, ① '가득히', ③ '없이', ④ '되게'는 부사이다.**

- **가볍게**: 형용사 '가볍다'의 어간 '가볍-'에 어미 '-게'가 붙은 활용형으로, 품사는 형용사이다.

오답분석 ① **가득히**: '분량이나 수효 등이 어떤 범위나 한도에 꽉 찬 모양'을 뜻하는 부사이다.

③ **없이**: '재물이 넉넉하지 못하여 가난하게'를 뜻하는 부사이다.

④ **되게**: '아주 몹시'를 뜻하는 부사이다.

61

난이도 ★★☆

해설 **① 품사가 나머지 셋과 다른 것은 ①로, '듯하다'는 형용사이나 ② '대로', ③ '듯', ④ '만큼'은 명사이다.**

- **듯하다(보조 형용사)**: 의존 명사 '듯'과 '-하다'가 결합된 말로, '앞말이 뜻하는 사건이나 상태 등을 짐작하거나 추측함'을 뜻하는 보조 형용사이다.

오답분석 ② **대로(의존 명사)**: 용언의 관형사형(좋을) 뒤에서 '어떤 모양이나 상태와 같이'라는 뜻을 나타내는 의존 명사이다.

③ **듯(의존 명사)**: 용언의 관형사형(박은) 뒤에서 유사하거나 같은 정도의 뜻을 나타내는 의존 명사이다.

④ **만큼(의존 명사)**: 용언의 관형사형(아는) 뒤에서 앞의 내용에 상당한 수량이나 정도임을 나타내는 의존 명사이다.

이것도 알면 **합격**

'만큼'의 품사를 알아두자.

의존 명사 '만큼'	1. 앞의 내용에 상당한 수량이나 정도임을 나타낼 때는 의존 명사임 예 노력한 만큼 성과를 거두다. 2. 뒤에 나오는 내용의 원인이나 근거가 됨을 나타낼 때는 의존 명사임 예 어른이 심하게 꾸짖은 만큼 그의 행동도 달라져 있었다.
조사 '만큼'	체언의 바로 뒤에 붙어 앞말과 비슷한 정도나 한도임을 나타낼 때는 조사임 예 짐을 태산만큼 쌓아 놓았다.

62

난이도 ★★☆

해설 **④ '많은'은 형용사이고, ① '모든', ② '다른', ③ '여러'는 관형사이므로 품사가 다른 것은 ④ '많은'이다**

- **많은**: '수효나 분량, 정도 등이 일정한 기준을 넘다'를 뜻하는 형용사 '많다'에 관형사형 어미 '-은'이 붙은 활용형이므로, 품사는 형용사이다.

오답분석 ① **모든**: 빠짐이나 남김이 없이 전부의

② **다른**: 당장 문제되거나 해당되는 것 이외의

③ **여러**: 수효가 한둘이 아니고 많은

63

난이도 ★★☆

해설 **② 밑줄 친 단어 중 명사는 '한'과 '뿐'이다.**

- **한(명사)**: 관형어 '가능한'의 수식을 받는 명사이다. '한'은 주로 '-는 한' 구성으로 쓰여 '조건'의 뜻을 나타낸다.
- **뿐(의존 명사)**: 관형어 '웃을'의 수식을 받는 명사이다. '뿐'은 주로 어미 '-을' 뒤에 쓰여 '다만 어떠하거나 어찌할 따름'을 뜻한다.

오답분석
- **만남(동사)**: 동사 '만나다'에 명사형 전성 어미 '-ㅁ'이 붙은 말로, 서술성이 있으므로(그 친구를 만나다) 품사는 동사이다.
- **보기(동사)**: 동사 '보다'에 명사형 전성 어미 '-기'가 붙은 말로, 서술성이 있으므로(나를 보다) 품사는 동사이다.

64

난이도 ★☆☆

해설 **③ ㉡의 '그' 책과 ㉢의 '이' 책은 영희에게 가까이 있는 책을 가리키므로 지시 대상이 같은 것끼리 묶인 것은 ③이다.**

오답분석 ㉠ '이' 책은 철호에게 가까이 있는 책을 가리킨다.

㉣ '저' 책은 철호와 영희로부터 멀리 있는 책을 가리킨다.

이것도 알면 **합격**

관형사 '이', '그', '저'에 대해 알아두자.

이	말하는 이에게 가까이 있거나 말하는 이가 생각하고 있는 대상을 가리킬 때 쓰는 말 예 이 사과가 맛있게 생겼다.
그	듣는 이에게 가까이 있거나 듣는 이가 생각하고 있는 대상을 가리킬 때 쓰는 말 예 그 책 이리 좀 줘 봐.
저	말하는 이와 듣는 이로부터 멀리 있는 대상을 가리킬 때 쓰는 말 예 저 둘 중에 하나를 선택해라

3. 단어의 형성

65

[2020년 국회직 8급]

〈보기〉의 ㄱ~ㅁ에 대한 설명 중 옳지 않은 것은?

〈보기〉

ㄱ. 나는 봄꽃이 좋다.
ㄴ. 그 사람은 감발을 벗었다.
ㄷ. 그는 진짜 거짓말을 못한다.
ㄹ. 그 왕고집을 누가 당하겠어?
ㅁ. 나는 가슴을 두근두근하며 발표를 기다렸다.

① ㄱ의 '봄꽃'과 ㄷ의 '거짓말'은 단어 형성 방법이 같다.
② ㄴ의 '감발'과 '독서', '검붉다'는 단어 형성 방법이 같다.
③ ㄷ의 '진짜'와 '코뚜레', '집게'는 단어 형성 방법이 같다.
④ ㄹ의 '왕고집'과 '범민족', '최고참'은 단어 형성 방법이 같다.
⑤ ㅁ의 '두근두근하며'와 '빛나다', '잘되다'는 단어 형성 방법이 같다.

66

[2019년 서울시 9급 (2월)]

한자어에 대한 설명으로 옳지 않은 것은?

① '연장(延長)', '하산(下山)'은 '서술어+부사어'의 구조이다.
② '인간(人間)', '한국인(韓國人)'의 '인'은 모두 어근이다.
③ '우정(友情)', '대문(大門)'의 구성 성분은 비자립적 어근과 단어이다.
④ '시시각각(時時刻刻)', '명명백백(明明白白)'은 고유어의 반복 합성어 구성 방식과 다르다.

67

[2019년 국가직 7급]

밑줄 친 부분이 ㉠의 예에 해당하는 것은?

어근의 앞이나 뒤에 파생 접사가 결합된 것을 파생어라 한다. 파생 접사는 그 위치에 따라 접두사와 접미사로 나누는데 접두사는 어근의 품사를 바꿀 수 없지만, ㉠ 접미사는 어근의 품사를 바꾸기도 한다.

① 황금을 보기를 돌같이 하라.
② 세 자매가 정답게 앉아 있다.
③ 옥수수 알이 크기에는 안 좋은 날씨이다.
④ 그곳은 낚시질하기에 가장 좋은 자리였다.

68

[2020년 법원직 9급]

〈보기〉의 밑줄 친 부분에 해당하는 예로 가장 옳은 것은?

〈보기〉

국어의 단어 형성 방식을 보면, 실질적인 의미를 갖는 어근들끼리 만나 새말을 만들기도 하지만, 특정한 뜻을 더하는 접사가 어근 앞에 붙어 새말을 만들기도 한다. 전자의 예로는 어근 '뛰다'가 어근 '놀다'를 만나 '뛰놀다'를 만드는 것을 들 수 있고, 후자의 예로는 '군'이 어근 '살' 앞에 붙어 '쓸데없는'의 뜻을 더하면서 '군살'을 만드는 것을 들 수 있다.

① '강'은 '마르다' 앞에 붙어 '심하게'의 뜻을 더하면서 '강마르다'를 만든다.
② '첫'은 '눈' 앞에 붙어 '처음의'의 뜻을 더하면서 '첫눈'을 만든다.
③ '새'는 '해' 앞에 붙어 '새로운'의 뜻을 더하면서 '새해'를 만든다.
④ '얕'은 '보다' 앞에 붙어 '얕게'의 뜻을 더하면서 '얕보다'를 만든다.

65

난이도 ★★★

해설 **⑤ ㅁ의 '두근두근하며'는 파생어이고, '빛나다', '잘되다'는 합성어이므로 단어 형성 방법이 다르다.**
- **두근두근(부사) + -하며(접미사)**: 부사 '두근두근'에 동사를 만드는 접미사 '-하다'가 결합한 파생어이다.
- **빛(명사) + 나다(동사)**: '빛나다'는 '빛(이) 나다'의 결합으로, 주격 조사 '이'가 생략된 합성어이다.
- **잘(부사) + 되다(동사)**: 부사 '잘'에 동사 '되다'가 결합한 합성어이다.

오답분석 ① • **봄(명사) + 꽃(명사)**: 명사와 명사가 결합한 합성어이다.
- **거짓(명사) + 말(명사)**: 명사와 명사가 결합한 합성어이다.

② • **감-(용언의 어간) + 발(명사)**: 용언의 어간이 어미 없이 명사와 결합한 합성어이다.
- **독(讀, 읽다) + 서(書, 글)**: 한자어 어순이 우리말과 다르게 결합한 합성어이다.
- **검-(용언의 어간) + 붉다(용언)**: 용언의 어간이 어미 없이 다른 용언과 결합한 합성어이다.

③ '코뚜레'는 '코 + 뚫- + -에'로, '집게'는 '집- + -게'로 분석되는데 '-에'와 '-게' 모두 현대에는 잘 쓰이지 않는 어휘이다. '진짜'는 한자어 '眞(진)'과 고유어 '짜'로 결합된 단어로, '짜' 또한 현대에는 그 쓰임을 알 수 없는 어휘이므로 세 단어 모두 생산성이 없는 말이 결합하여 형성된 단어이다.

④ • **왕-(접사) + 고집(명사)**: 이때 '왕-'은 '매우 심한'의 뜻을 더하는 접두사로, 명사와 결합한 파생어이다.
- **범-(접사) + 민족(명사)**: 이때 '범-'은 '그것을 모두 아우르는'의 뜻을 더하는 접두사로, 명사와 결합한 파생어이다.
- **최-(접사) + 고참(명사)**: 이때 '최-'는 '가장, 제일'의 뜻을 더하는 접두사로, 명사와 결합한 파생어이다.

66

난이도 ★☆☆

해설 **② '인간(人間)'의 '인(人)'은 어근이 맞지만, '한국인(韓國人)'의 '-인(人)'은 사람의 뜻을 더하는 접미사이다. 따라서 한자어에 대한 설명으로 옳지 않은 것은 ②이다.**

오답분석 ① '연장(延長)'은 '길게 늘이다', '하산(下山)'은 '산에서 내려오다'라는 의미이므로 두 한자어 모두 '서술어 + 부사어'의 구조이다.

③ '우정(友情)'과 '대문(大門)'의 구성 성분은 실질적인 의미를 가지고 있으면서 단독으로 쓰이지 못하는 비자립적 어근 '우(友)', '대(大)'가 단어 '정(情)', '문(門)'과 결합한 것이다.

④ '시시각각(時時刻刻)', '명명백백(明明白白)'은 각각 '시각(時刻)', '명백(明白)'이 반복된 것이다. 이때 고유어의 반복 합성어 구성 방식과 같다면 '시각시각(時刻時刻)', '명백명백(明白明白)'이 되어야 하므로 그 구성 방식이 고유어의 반복 합성어 구성 방식과 다르다.

67

난이도 ★★☆

해설 **② '정답게'는 '정 + -답- + -게'의 구성으로 어근 '정'과 파생 접미사 '-답다'가 결합한 '정답다'의 활용형이다. 이때 '정'의 품사가 명사인 반면, '정답게'의 품사는 형용사이므로 접미사의 결합으로 인해 어근의 품사가 바뀐 예에 해당하는 것은 ②이다.**

오답분석 ① **보기**: 동사 '보다'의 어간 '보-'에 명사형 전성 어미 '-기'가 결합한 것으로, 서술성을 확인할 수 있으므로(황금을 보다) 품사는 동사이다.

③ **크기**: 동사 '크다'의 어간 '크-'에 명사형 전성 어미 '-기'가 결합한 것으로, 서술성을 확인할 수 있으므로(옥수수 알이 크다) 품사는 형용사이다.

④ **낚시질**: 명사 '낚시'에 접미사 '-질'이 결합한 것으로, 품사는 명사이다.
- **접미사 '-질'**: '그 도구를 가지고 하는 일'의 뜻을 더하는 접미사

68

난이도 ★★★

해설 **① 특정한 뜻을 더하는 접사가 어근 앞에 붙어 새말을 만드는 단어 형성 방식은 접두사에 의한 파생어 형성을 의미한다. 이때 '강-'은 '심하게'라는 뜻을 더하는 접두사로, 어근 '마르다' 앞에 붙어 '강마르다'를 만든다.**
- **강마르다**: 물기가 없이 바싹 메마르다.

오답분석 ②③④ 모두 실질적인 의미를 갖는 어근들끼리 만나 만들어진 합성어이다.

② 첫(관형사) + 눈(명사)

③ 새(관형사) + 해(명사)

④ 얕-(용언의 어간) + 보다(용언)

69

[2019년 국회직 8급]

파생어로만 묶인 것은?

① 강추위, 날강도, 온갖, 짓누르다
② 공부하다, 기대치, 되풀다, 들이닥치다
③ 게을러빠지다, 끝내, 참꽃, 한겨울
④ 들개, 어느덧, 움직이다, 한낮
⑤ 들쑤시다, 마음껏, 불호령, 여남은

70

[2018년 서울시 9급 (3월)]

단어 형성 원리에 대한 설명으로 가장 옳은 것은?

① 형용사 '기쁘다'에 동사 파생 접미사 '-하다'가 붙으면 동사 '기뻐하다'가 생성된다.
② '시누이'와 '선생님'은 접미 파생 명사들이다.
③ '빛나가다'와 '공부하다'는 합성 동사들이다.
④ '한여름'은 단일 명사이다.

71

[2018년 서울시 7급 (3월)]

'살짝곰보'와 합성어의 구성 방식이 같은 것은?

① 덮밥
② 얼룩소
③ 딱딱새
④ 섞어찌개

72

[2018년 경찰직 1차]

국어의 단어 형성법에 대한 설명으로 가장 적절한 것은?

① '우리나라, 우리글, 우리말'은 '우리 동네, 우리 학교, 우리 집'처럼 구(句)로 보아야 한다.
② 접사와 어근, 어근과 어근이 결합하여 만들어진 단어를 합성어(合成語)라 한다.
③ '앞뒤, 손수건, 춘추(春秋)'와 같이 어근이 대등하게 이루어진 것을 대등 합성어라 한다.
④ '덮밥, 부슬비, 높푸르다'와 같은 합성어를 비통사적 합성어라 한다.

69

난이도 ★★☆

해설 **② '공부하다, 기대치, 되풀다, 들이닥치다'는 모두 파생어이다.**
- **공부하다**: 공부(명사) + -하다(접미사)
- **기대치**: 기대(명사) + -치(접미사)
- **되풀다**: 되-(접두사) + 풀다(동사)
- **들이닥치다**: 들이-(접두사) + 닥치다(동사)

오답 분석 ① '강추위, 날강도, 짓누르다'는 파생어이고, '온갖'은 합성어이다.
- **강추위**: 강-(접두사) + 추위(명사)
- **날강도**: 날-(접두사) + 강도(명사)
- **온갖**: 온(관형사) + 갖(명사)
- **짓누르다**: 짓-(접두사) + 누르다(동사)

③ '끝내, 참꽃, 한겨울'은 파생어이고, '게을러빠지다'는 합성어이다.
- **게을러빠지다**: 게으르-(용언의 어간) + -어(연결 어미) + 빠지다(용언)
- **끝내**: 끝(명사) + -내(접미사)
- **참꽃**: 참-(접두사) + 꽃(명사)
- **한겨울**: 한-(접두사) + 겨울(명사)

④ '들개, 움직이다, 한낮'은 파생어이고, '어느덧'은 합성어이다.
- **들개**: 들-(접두사) + 개(명사)
- **어느덧**: 어느(관형사) + 덧(명사)
- **움직이다**: 움직-(동사의 어근) + -이다(접미사)
- **한낮**: 한-(접두사) + 낮(명사)

⑤ '들쑤시다, 마음껏, 불호령'은 파생어이고, '여남은'은 합성어이다.
- **들쑤시다**: 들-(접두사) + 쑤시다(동사)
- **마음껏**: 마음(명사) + -껏(접미사)
- **불호령**: 불-(접두사) + 호령(명사)
- **여남은**: 열(수사) + 남-(동사의 어간) + -은(관형사형 어미)

70

난이도 ★★☆

해설 **① '기뻐하다'는 형용사 '기쁘다'의 어근 '기쁘-'에 파생 접미사 '-하다'가 붙어 생성된 동사이므로 답은 ①이다. 참고로 '기뻐하다'의 '하다'를 접미사가 아닌 보조 동사로 보는 관점도 있으므로, '기뻐하다'가 선택지로 출제될 경우에는 나머지 선택지를 비교하여 문제를 풀어야 한다.**

오답 분석 ② '선생님'은 접미 파생 명사이나, '시누이'는 접두 파생 명사이다.
- 시-(접두사) + 누이(명사)
- 선생(명사) + -님(접미사)

③ '빗나가다'와 '공부하다'는 모두 파생 동사이다.
- 빗-(접두사) + 나가다(동사)
- 공부(명사) + -하다(접미사)

④ '한여름'은 파생 명사이다.
- 한-(접두사) + 여름(명사)

71

난이도 ★★☆

해설 **③ '살짝곰보'와 합성어의 구성 방식이 같은 것은 ③ '딱딱새'이다.**
- **살짝곰보**: '살짝(부사) + 곰보(명사)'로 구성된 비통사적 합성어이다.
- **딱딱새**: '딱딱(부사) + 새(명사)'로 구성된 비통사적 합성어이다.

오답 분석 ① **덮-(용언의 어간) + 밥(명사)**: 용언의 어간이 어미 없이 명사와 결합한 비통사적 합성어이다.

② **얼룩(명사) + 소(명사)**: 명사와 명사가 결합한 통사적 합성어이다.

④ **섞-(용언의 어간) + -어-(연결 어미) + 찌개(명사)**: 용언의 어간이 연결 어미와 함께 명사와 결합한 비통사적 합성어이다.

72

난이도 ★★☆

해설 **④ '덮밥, 부슬비, 높푸르다'는 모두 비통사적 합성어이다. 따라서 국어의 단어 형성법에 대한 설명으로 가장 적절한 것은 ④이다.**
- **덮-(용언의 어간) + 밥(명사)**: 용언의 어간이 어미 없이 명사와 결합한 비통사적 합성어이다.
- **부슬(부사의 일부) + 비(명사)**: 부사의 일부가 명사를 꾸미는 비통사적 합성어이다. 참고로, 견해에 따라 '부슬비'의 '부슬'을 동사 '부슬거리다'의 어근으로 보기도 한다.
- **높-(용언의 어간) + 푸르다(용언)**: 용언의 어간이 연결 어미 없이 다른 용언과 결합한 비통사적 합성어이다.

오답 분석 ① '우리나라, 우리글, 우리말'은 한 단어로 굳어진 합성어이다. 반면 '우리 동네, 우리 학교, 우리 집'은 두 단어가 모여 이루어진 구(句)에 속한다.

② 어근과 어근이 결합하여 만들어진 단어는 '합성어'가 맞으나, 접사와 어근이 결합한 단어는 '파생어'이다.

③ '앞뒤'는 어근이 대등하게 이루어진 대등 합성어이나, '손수건'은 앞의 어근 '손'이 뒤의 어근 '수건'을 수식하며 의미상 종속되어 있는 종속 합성어이다. 또한 '춘추'는 봄을 뜻하는 '춘(春)'과 가을을 뜻하는 '추(秋)'가 결합하여 '나이'라는 새로운 의미를 나타내는 융합 합성어이다.

이것도 알면 합격

대등·종속·융합 합성어의 예를 알아두자.

대등 합성어	한두, 오가다, 팔다리, 서넛, 대여섯, 여닫다, 뛰놀다
종속 합성어	손수건, 책가방, 손수레, 물걸레, 가죽신, 쇠못, 소고기, 쇠사슬
융합 합성어	밤낮, 춘추, 피땀, 쑥밭, 빈말, 집안, 강산, 바늘방석, 실마리, 보릿고개, 종이호랑이, 쥐불

73
[2018년 법원직 9급]

〈보기〉의 ㉠~㉣에 대한 설명으로 적절하지 않은 것은?

〈보기〉

- 그는 ㉠슬픔에 젖어 말을 잇지 못했다.
- 간호사는 환자의 팔뚝에 붕대를 ㉡휘감았다.
- 그 사이 한 해가 저물고 ㉢새해가 왔다.
- 그의 집은 인근에서 ㉣알부자로 소문난 집이다.

① ㉠은 어근과 접미사의 결합으로 이루어진 파생어로 품사가 형용사에서 명사로 바뀌었다.

② ㉡은 접두사와 어근의 결합으로 만들어진 파생어이다.

③ ㉢은 어근과 어근의 결합인 '관형사+명사' 형태의 통사적 합성어이다.

④ ㉣은 어근과 어근의 결합인 '명사+명사' 형태의 통사적 합성어이다.

74
[2017년 국가직 9급 (10월)]

단어에 대한 설명으로 옳지 않은 것은?

① '바다', '맑다'는 어근이 하나인 단일어이다.

② '회덮밥'은 파생어 '덮밥'에 새로운 어근 '회'가 결합된 합성어이다.

③ '곁눈질'은 합성어 '곁눈'에 접미사 '-질'이 결합된 파생어이다.

④ '웃음'은 어근 '웃-'에 접미사 '-음'이 붙어 명사가 된 파생어이다.

75
[2018년 경찰직 2차]

다음은 접미사 '-히'에 대한 설명과 용례를 제시한 것이다. ㉠~㉣의 용례를 추가할 때 적절하지 않은 것은?

	접미사 '-히'의 의미 및 기능	접미사 '-히'의 용례
㉠	(일부 동사 어간 뒤에 붙어) '사동'의 뜻을 더하는 접미사	나뭇가지를 뒤로 젖혔다.
㉡	(일부 동사 어간 뒤에 붙어) '피동'의 뜻을 더하는 접미사	맺힌 매듭을 풀어야 한다.
㉢	(일부 형용사 어간 뒤에 붙어) '사동'의 뜻을 더하고 동사를 만드는 접미사	자리를 넓혀 앉았다.
㉣	(형용사의 어근이나 '하다'가 붙어 형용사가 되는 어근 뒤에 붙어) 부사를 만드는 접미사	학생들이 교실에서 조용히 공부하고 있다.

① ㉠의 용례로 "학생들에게 주로 신문 사설을 읽혔다."에서의 '읽혔다'를 추가할 수 있다.

② ㉡의 용례로 "그는 굽힌 허리를 천천히 세웠다."에서의 '굽힌'을 추가할 수 있다.

③ ㉢의 용례로 "무더위가 훈련 중인 선수들을 괴롭혔다."에서의 '괴롭혔다'를 추가할 수 있다.

④ ㉣의 용례로 "둘이 나란히 앉았다."에서의 '나란히'를 추가할 수 있다.

76
[2018년 국회직 8급]

다음 중 합성어로만 묶인 것은?

① 비행기, 새해, 밑바닥, 짓밟다, 겁나다, 낯설다

② 새해, 막내둥이, 돌부처, 얄밉다, 깔보다, 본받다

③ 새해, 늙은이, 어깨동무, 정들다, 앞서다, 손쉽다

④ 비행기, 개살구, 산들바람, 겁나다, 낯설다, 그만두다

⑤ 늙은이, 막내둥이, 척척박사, 본받다, 앞서다, 배부르다

73

난이도 ★★☆

④ ㉣의 '알부자'는 접두사 '알-'과 어근 '부자'가 결합한 파생어이므로 어근과 어근의 결합인 '명사+명사' 형태의 통사적 합성어라는 ④의 설명은 적절하지 않다. 참고로 이때 '알-'은 '진짜, 알짜'의 뜻을 의미한다.

오답분석

① ㉠의 '슬픔'은 형용사 '슬프다'의 어근 '슬프-'와 명사 파생 접미사 '-ㅁ'가 결합하여 이루어진 파생어로, 품사가 형용사에서 명사로 바뀌었으므로 적절한 설명이다.

② ㉡의 '휘감았다'는 접두사 '휘-'와 어근 '감았다'가 결합한 파생어이므로 적절한 설명이다. 참고로 이때 '휘-'는 '마구' 또는 '매우 심하게'의 뜻을 더한다.

③ ㉢의 '새해'는 '새(관형사)+해(명사)'가 결합한 합성어로, 어근과 어근이 우리말의 일반적인 배열법과 일치하게 결합한 통사적 합성어이므로 적절한 설명이다.

이것도 알면 합격

통사적 합성어와 비통사적 합성어에 대해 알아두자.

1.통사적 합성어

개념	우리말의 일반적인 배열법과 일치하는 합성어
형성 방법	• 명사+명사 예 논밭, 소나무 • 주어+서술어(조사 생략 인정) 예 바람나다, 수많다 • 목적어+서술어(조사 생략 인정) 예 본받다, 수놓다 • 관형어+명사 예 새해, 작은집 • 부사+용언 예 가로눕다, 잘생기다 • 부사+부사 예 이리저리, 비틀비틀 • 감탄사+감탄사 예 얼씨구절씨구 • 용언의 어간+연결 어미+용언 예 들어가다, 알아보다

2.비통사적 합성어

개념	우리말의 일반적인 배열법과 일치하지 않는 합성어
형성 방법	• 어간+명사(관형사형 어미 생략) 예 먹거리, 접칼 • 어간+용언(연결 어미 생략) 예 검붉다, 날뛰다, 여닫다 • 부사+명사 예 부슬비, 산들바람, 척척박사, 촐랑개 • 한자어 어순이 우리말과 다른 경우 예 독서(讀書), 등산(登山)

74

난이도 ★★☆

② '회덮밥'은 '덮-(동사의 어간)+밥(명사)'으로 이루어진 합성어 '덮밥'에 새로운 어근 '회'가 결합하여 이루어진 합성어이다. 따라서 단어에 대한 설명으로 옳지 않은 것은 ②이다.

오답분석

③ '곁눈질'은 '곁(명사)+눈(명사)'이 결합한 합성어 '곁눈'에 '그 신체 부위를 활용한 어떤 행동'을 뜻하는 접미사 '-질'이 결합한 파생어이다.

④ '웃음'은 '웃다'의 어근 '웃-'에 명사를 만드는 접미사 '-음'이 결합한 파생어이다.

75

난이도 ★★☆

② '굽히다'는 동사 '굽다'의 어근 '굽-'에 '사동'의 뜻을 더하는 접미사 '-히'가 붙은 것이므로 ㉡이 아닌 ㉠의 용례에 해당한다. 따라서 용례를 추가할 때 적절하지 않은 것은 ②이다.

오답분석

① '읽히다'는 동사 '읽다'의 어간 '읽-'에 '사동'의 뜻을 더하는 접미사 '-히'가 붙은 것이므로 ㉠의 용례로 적절하다.

③ '괴롭히다'는 형용사 '괴롭다'의 어간 '괴롭-'에 '사동'의 뜻을 더하고 동사를 만드는 접미사 '-히'가 붙은 것이므로 ㉢의 용례로 적절하다.

④ '나란히'는 형용사 '나란하다'의 어근 '나란'에 부사를 만드는 접미사 '-히'가 붙은 것이므로 ㉣의 용례로 적절하다.

76

난이도 ★★☆

해설

③ '새해, 늙은이, 어깨동무, 정들다, 앞서다, 손쉽다'는 모두 합성어이므로 답은 ③이다.

- **새해**: 새(관형사)+해(명사)
- **늙은이**: 늙은(동사의 관형사형)+이(명사)
- **어깨동무**: 어깨(명사)+동무(명사)
- **정들다**: 정(명사)+들다(동사)
- **앞서다**: 앞(명사)+서다(동사)
- **손쉽다**: 손(명사)+쉽다(형용사)

오답분석

① '새해, 밑바닥, 겁나다, 낯설다'는 합성어이고, '비행기, 짓밟다'는 파생어이다.
- **비행기**: 비행(명사)+-기(접미사)
- **밑바닥**: 밑(명사)+바닥(명사)
- **짓밟다**: 짓-(접두사)+밟다(동사)
- **겁나다**: 겁(명사)+나다(동사)
- **낯설다**: 낯(명사)+설다(형용사)

② '새해, 돌부처, 얄밉다, 깔보다, 본받다'는 합성어이고, '막내둥이'는 파생어이다.
- **막내둥이**: 막내(명사)+-둥이(접미사)
- **돌부처**: 돌(명사)+부처(명사)
- **얄밉다**: 얄(명사)+밉다(형용사)
- **깔보다**: 깔-(동사의 어간)+보다(동사)
- **본받다**: 본(명사)+받다(동사)

④ '산들바람, 겁나다, 낯설다, 그만두다'는 합성어이고, '비행기, 개살구'는 파생어이다.
- **개살구**: 개-(접미사)+살구(명사)
- **산들바람**: 산들(부사)+바람(명사)
- **그만두다**: 그만(부사)+두다(동사)

⑤ '늙은이, 척척박사, 본받다, 앞서다, 배부르다'는 합성어이고, '막내둥이'는 파생어이다.
- **척척박사**: 척척(부사)+박사(명사)
- **배부르다**: 배(명사)+부르다(형용사)

77

[2017년 국가직 9급 (4월)]

밑줄 친 접두사가 한자에서 온 말이 아닌 것은?

① 강염기
② 강타자
③ 강기침
④ 강행군

78

[2017년 서울시 7급]

다음 중 합성어로만 묶인 것은?

① 손목, 눈물, 할미꽃, 어깨동무, 굳세다, 날뛰다
② 잠보, 점쟁이, 일꾼, 덮개, 넓이, 조용히
③ 지붕, 군것질, 선생님, 먹히다, 거멓다, 고프다
④ 맨손, 군소리, 풋사랑, 시누이, 빗나가다, 새파랗다

79

[2017년 국가직 7급 (8월)]

비통사적 합성어로만 묶은 것은?

① 힘들다, 작은집, 돌아오다
② 검붉다, 굳세다, 밤낮
③ 부슬비, 늦더위, 굶주리다
④ 빛나다, 보살피다, 오르내리다

80

[2017년 서울시 9급]

다음 〈보기〉에 제시된 단어들과 단어 형성 원리가 같은 것은?

〈보기〉

개살구, 헛웃음, 낚시질, 지우개

① 건어물(乾魚物)
② 금지곡(禁止曲)
③ 한자음(漢字音)
④ 핵폭발(核爆發)

77

난이도 ★★☆

해설 ③ **'강기침'의 접두사 '강-'은 '마른' 또는 '물기가 없는'의 뜻을 더하는 고유어이므로 답은 ③이다.**

오답분석 ①②④ '강염기, 강타자, 강행군' 모두 '매우 센' 또는 '호된'의 뜻을 더하는 한자 '강(強)-'이 접두사로 쓰였다.

78

난이도 ★★☆

해설 ① **'손목, 눈물, 할미꽃, 어깨동무, 굳세다, 날뛰다'는 모두 합성어이다.**

- 손(어근) + 목(어근)
- 눈(어근) + 물(어근)
- 할미(어근) + 꽃(어근)
- 어깨(어근) + 동무(어근)
- 굳-(어근) + 세다(어근)
- 날-(어근) + 뛰다(어근)

오답분석 ② '잠보, 점쟁이, 일꾼, 덮개, 넓이, 조용히' 모두 파생어이다.

- 잠(어근) + -보(접사)
- 점(어근) + -쟁이(접사)
- 일(어근) + -꾼(접사)
- 덮-(어근) + -개(접사)
- 넓-(어근) + -이(접사)
- 조용-(어근) + -히(접사)

③ '지붕, 군것질, 선생님, 먹히다, 거멓다, 고프다' 모두 파생어이다.

- **집(어근) + -웅(접사)**: 표준국어대사전에는 '지붕'이 단일어로 등재되어 있으나, '-웅'을 접미사로 본다면 파생어로 볼 수도 있다.
- 군-(접사) + 것(어근) + -질(접사)
- 선생(어근) + -님(접사)
- 먹-(어근) + -히-(접사) + -다
- **검-(어근) + -엏-(접사) + -다**: 표준국어대사전에는 단일어로 등재되어 있으나, '-엏-'을 접사로 인정한다면 파생어로 볼 수도 있다.
- 곯-(어근) + -브-(접사) + -다

④ '맨손, 군소리, 풋사랑, 시누이, 빗나가다, 새파랗다' 모두 파생어이다.

- 맨-(접사) + 손(어근)
- 군-(접사) + 소리(어근)
- 풋-(접사) + 사랑(어근)
- 시-(접사) + 누이(어근)
- 빗-(접사) + 나가다(어근)
- 새-(접사) + 파랗다(어근)

79

난이도 ★★☆

해설 ③ **'부슬비, 늦더위, 굶주리다'는 모두 비통사적 합성어이다.**

- **부슬(부사의 일부) + 비(명사)**: 부사의 일부가 명사와 결합한 비통사적 합성어. 참고로, 견해에 따라 '부슬비'의 '부슬'을 동사 '부슬거리다'의 어근으로 보기도 한다.
- **늦-(용언의 어간) + 더위(명사)**: 용언의 어간이 연결 어미 없이 명사와 결합한 비통사적 합성어
- **굶-(용언의 어간) + 주리다(용언)**: 용언의 어간이 연결 어미 없이 다른 용언과 결합한 비통사적 합성어

오답분석 ① '힘들다, 작은집, 돌아오다'는 통사적 합성어이다.

- **힘(이)(주어) + 들다(서술어)**: 주어와 서술어가 결합한 통사적 합성어
- **작은(용언의 관형사형) + 집(명사)**: 용언의 관형사형과 명사가 결합한 통사적 합성어
- **돌-(용언의 어간) + -아(연결 어미) + 오다(용언)**: 용언의 어간과 용언이 연결 어미를 통해 결합한 통사적 합성어

② '검붉다, 굳세다'는 비통사적 합성어이고, '밤낮'은 통사적 합성어이다.

- **검-(용언의 어간) + 붉다(용언), 굳-(용언의 어간) + 세다(용언)**: 용언의 어간이 연결 어미 없이 다른 용언과 결합한 비통사적 합성어
- **밤(명사) + 낮(명사)**: 명사와 명사가 결합한 통사적 합성어

④ '빛나다'는 통사적 합성어이고, '보살피다, 오르내리다'는 비통사적 합성어이다.

- **빛(이)(주어) + 나다(서술어)**: 주어와 서술어가 결합한 통사적 합성어
- **보-(용언의 어간) + 살피다(용언), 오르-(용언의 어간) + 내리다 (용언)**: 용언의 어간이 연결 어미 없이 다른 용언과 결합한 비통사적 합성어

80

난이도 ★☆☆

해설 ① **<보기>에 제시된 단어들은 모두 실질 형태소인 어근과 형식 형태소인 접사가 결합한 파생어이다. '건어물'은 '건-(접두사) + 어물(어근)'이 결합하여 만들어진 파생어이므로 <보기>의 단어들과 형성 원리가 같다.**

- **개살구**: 개-(접두사) + 살구(어근)
- **헛웃음**: 헛-(접두사) + 웃음(어근)
- **낚시질**: 낚시(어근) + -질(접미사)
- **지우개**: 지우(어근) + -개(접미사)

오답분석 ②③④ 모두 어근과 어근이 결합한 합성어이다.

② **금지곡**: 금지(어근) + 곡(어근)

③ **한자음**: 한자(어근) + 음(어근)

④ **핵폭발**: 핵(어근) + 폭발(어근)

81

[2017년 법원직 9급]

〈보기1〉을 참고하여 〈보기2〉를 ㉠과 ㉡으로 잘 분류한 것은?

〈보기1〉

어근과 어근의 형식적 결합 방식에 따라 합성어를 나누어 볼 수 있다. 형식적 결합 방식이란 어근과 어근의 배열 방식이 국어의 정상적인 단어 배열 방식 즉 통사적 구성과 같고 다름을 고려한 것이다. 여기에는 합성어의 각 구성 성분들이 가지는 배열 방식이 국어의 정상적인 단어 배열법과 같은 ㉠'통사적 합성어'와 정상적인 배열 방식에 어긋나는 ㉡'비통사적 합성어'가 있다.

〈보기2〉

a. 새해	b. 힘들다
c. 접칼	d. 부슬비
e. 돌아가다	f. 오르내리다

	㉠	㉡
①	a, e	b, c, d, f
②	a, b, e	c, d, f
③	a, c, d	b, e, f
④	b, e, f	a, c, d

82

[2015년 국가직 7급]

통사적 합성어로만 묶인 것은?

① 흔들바위, 곶감
② 새언니, 척척박사
③ 길짐승, 높푸르다
④ 어린이, 가져오다

83

[2016년 지방직 9급]

비통사적 합성어로만 묶인 것은?

① 열쇠, 새빨갛다
② 덮밥, 짙푸르다
③ 감발, 돌아가다
④ 젊은이, 가로막다

84

[2016년 서울시 9급]

다음 중 단어의 짜임이 〈보기〉와 같은 것은?

〈보기〉

놀리- + -ㅁ
↓ (파생)
손 + 놀림
↓ (합성)
손놀림

① 책꽂이
② 헛소리
③ 가리개
④ 흔들림

81

난이도 ★★☆

해설 ② a. '새해', b. '힘들다', e. '돌아가다'는 모두 통사적 합성어이며, c. '접칼', d. '부슬비', f. '오르내리다'는 모두 비통사적 합성어이므로 답은 ②이다.

- a. 새(관형사) + 해(명사): 관형사와 명사가 결합한 통사적 합성어이다.
- b. 힘(이)(주어) + 들다(서술어): 조사가 생략되고 주어와 서술어가 결합한 통사적 합성어이다.
- e. 돌-(용언의 어간) + -아(연결 어미) + 가다(용언): 용언의 어간과 용언이 연결 어미로 이어진 통사적 합성어이다.
- c. 접-(용언의 어간) + 칼(명사): 용언의 어간이 관형사형 어미 없이 명사와 결합한 비통사적 합성어이다.
- d. 부슬(부사의 일부) + 비(명사): 부사의 일부가 명사와 직접 결합한 비통사적 합성어이다. 참고로, 견해에 따라 '부슬비'의 '부슬'을 동사 '부슬거리다'의 어근으로 보기도 한다.
- f. 오르-(용언의 어간) + 내리다(용언): 용언의 어간이 연결 어미 없이 용언과 결합한 비통사적 합성어이다.

82

난이도 ★★☆

해설 ④ '어린이', '가져오다'는 통사적 합성어이다.

- 어린(용언의 관형사형) + 이(의존 명사): 관형어가 의존 명사를 꾸미는 통사적 합성어로, 이때 '어린'은 형용사 '어리다'의 어간에 관형사형 어미 '-ㄴ'이 결합된 것이다.
- 가지-(용언의 어간) + -어(연결 어미) + 오다(용언): 용언의 어간과 용언이 연결 어미로 이어진 통사적 합성어이다.

오답분석 ① '흔들바위, 곶감'은 비통사적 합성어이다.

- 흔들-(용언의 어간) + 바위(명사): 용언의 어간이 어미 없이 명사와 결합한 비통사적 합성어이다.
- 곶-(용언의 어간) + 감(명사): 용언의 어간이 어미 없이 명사와 결합한 비통사적 합성어로, 이때 '곶다'는 '꽂다'의 옛말이다.

② '새언니'는 통사적 합성어이고, '척척박사'는 비통사적 합성어이다.

- 새(관형사) + 언니(명사): 관형어가 명사를 꾸미는 통사적 합성어이다.
- 척척(부사) + 박사(명사): 부사가 명사를 꾸미는 비통사적 합성어이다.

③ '길짐승'은 통사적 합성어이고, '높푸르다'는 비통사적 합성어이다.

- 길(용언의 관형사형) + 짐승(명사): 관형어가 명사를 꾸미는 통사적 합성어로, 이때 '길'은 동사 '기다'의 어간에 관형사형 어미 '-ㄹ'이 결합된 것이다.
- 높-(용언의 어간) + 푸르다(용언): 용언의 어간이 어미 없이 다른 용언과 결합한 비통사적 합성어이다.

83

난이도 ★☆☆

해설 ② '덮밥'과 '짙푸르다'는 모두 비통사적 합성어이므로 답은 ②이다.

- 덮-(용언의 어간) + 밥(명사): 용언의 어간이 관형사형 어미 없이 명사와 결합한 비통사적 합성어이다.
- 짙-(용언의 어간) + 푸르다(용언): 용언의 어간이 연결 어미 없이 다른 용언과 결합한 비통사적 합성어이다.

오답분석 ①
- 열-(용언의 어간) + 쇠(명사): 용언의 어간이 관형사형 어미 없이 명사와 결합한 비통사적 합성어이다.(단, 표준국어대사전의 어원 정보에 따라 '열- + -ㄹ + 쇠'의 결합으로 볼 경우 용언의 어간 '열-'과 명사 '쇠'가 관형사형 어미 '-ㄹ'에 의해 결합된 통사적 합성어로 볼 수도 있음)
- 새-(접두사) + 빨갛다(용언): 접두사가 결합한 파생어이다.

③
- 감-(용언의 어간) + 발(명사): 용언의 어간이 관형사형 어미 없이 명사와 결합한 비통사적 합성어이다.
- 돌-(용언의 어간) + -아(연결 어미) + 가다(용언): 용언의 어간과 용언이 연결 어미로 이어진 통사적 합성어이다.

④
- 젊은(용언의 관형사형) + 이(의존 명사): 관형어와 명사가 결합한 통사적 합성어이다.
- 가로(부사) + 막다(용언): 부사가 용언을 수식하는 통사적 합성어이다.

84

난이도 ★★☆

해설 ① <보기>의 '손놀림'은 파생어 '놀림'에 어근 '손'이 결합하여 합성어가 된 예이다. 이와 단어의 짜임이 같은 것은 ① '책꽂이'이다.

- 책꽂이(책 + 꽂- + -이): 용언의 어간 '꽂-'에 명사 파생 접사 '-이'가 붙어 된 파생어 '꽂이'에 어근 '책'이 결합한 합성어이다.

오답분석 ②③④ 모두 파생어이다.

② 헛소리(헛- + 소리): 접두사 '헛-'에 명사 '소리'가 붙은 파생어이다.

③ 가리개(가리- + -개): 어근 '가리-'에 명사 파생 접사 '-개'가 붙은 파생어이다.

④ 흔들림(흔들- + -리- + -ㅁ): 어근 '흔들-'에 피동 접미사 '-리-'가 붙어 파생된 '흔들리다'에 명사 파생 접사 '-ㅁ'이 붙은 파생어이다.

85

[2016년 지방직 7급]

밑줄 친 단어 가운데 품사를 바꾸어 주는 접사가 포함된 것은?

① 그 남자가 미간을 좁혔다.
② 청년이 여자의 어깨를 밀쳤다.
③ 이 말에 그만 아버지의 울화가 치솟았다.
④ 나는 문틈 사이에 눈을 대고 바깥을 엿보았다.

86

[2016년 서울시 7급]

다음 중 비통사적 합성어끼리 묶인 것은?

① 소나무, 빛나다, 살코기, 나가다
② 접칼, 굶주리다, 부슬비, 검붉다
③ 감발, 묵밭, 오가다, 새해
④ 큰집, 늦더위, 안팎, 촐랑새

87

[2015년 국가직 9급]

( ) 안에 들어갈 말로 적절한 것은?

> '개살구', '잠', '새파랗다' 등은 어휘 형태소인 '살구', '자-', '파랗-'에 '개-', '-ㅁ', '새-'와 같은 접사가 덧붙어서 파생된 단어들이다. 이처럼 직접 구성 요소 중 접사가 확인되는 단어들을 '파생어'라고 한다. 반면, ( ) 등은 각각 실질적 의미를 지닌 두 요소가 결합하여 한 단어가 된 경우인데, 이를 '파생어'와 구분하여 '합성어'라고 한다.

① 고추장, 놀이터, 손짓, 장군감
② 면도칼, 서릿발, 쉰둥이, 장난기
③ 깍두기, 선생님, 작은형, 핫바지
④ 김치찌개, 돌다리, 시나브로, 암탉

88

[2015년 서울시 9급]

다음 중 <보기>의 설명에 해당되지 않는 단어는?

> <보기>
> 접미사는 품사를 바꾸거나 자동사를 타동사로 바꾸는 기능을 한다.

① 보기　② 낯섦
③ 낮추다　④ 꽃답다

85

난이도 ★★☆

해설 **① '좁혔다'는 '좁- + -히- + -었- + -다'의 결합이다. 이때 '-히-'는 형용사 '좁다'의 어근에 붙어 '사동'의 뜻을 더하고, 그 품사를 동사로 만드는 접미사이다.**

오답 분석 ② **밀쳤다**: '밀- + -치- + -었- + -다'의 결합이다. 접미사 이때 '-치-'는 '강조'의 뜻을 더할 뿐 어근의 품사를 바꾸지 않는다.

③ **치솟았다**: '치- + 솟- + -았- + -다'의 결합이다. 이때 접두사 '치-'는 '위로 향하게' 또는 '위로 올려'의 뜻을 더할 뿐 어근의 품사를 바꾸지 않는다.

④ **엿보았다**: '엿- + 보- + -았- + -다'의 결합이다. 이때 접두사 '엿-'은 '몰래'의 뜻을 더할 뿐 어근의 품사를 바꾸지 않는다.

이것도 알면 **합격**

기능에 따른 접사의 분류에 대해 알아두자.

한정적 접사	뜻만 더하는 접사 예 맨- + 손 (명사 → 명사), 달 + -맞이 (명사 → 명사)
지배적 접사	품사를 바꾸는 접사 예 크- + -기 (형용사 → 명사), 공부 + -하다 (명사 → 동사)

86

난이도 ★★☆

해설 **② 비통사적 합성어끼리 묶인 것은 ②이다.**
- **접-(용언의 어간) + 칼(명사)**: 용언의 어간이 관형사형 어미 없이 명사와 결합한 비통사적 합성어
- **굶-(용언의 어간) + 주리다(용언)**: 용언의 어간이 관형사형 어미 없이 다른 용언과 결합한 비통사적 합성어
- **부슬(부사의 일부) + 비(명사)**: 부사의 일부가 명사를 수식하는 비통사적 합성어. 참고로, 견해에 따라 '부슬비'의 '부슬'을 동사 '부슬거리다'의 어근으로 보기도 한다.
- **검-(용언의 어간) + 붉다(용언)**: 용언의 어간이 관형사형 어미 없이 다른 용언과 결합한 비통사적 합성어

오답 분석 ① '소나무, 빛나다, 살코기'는 통사적 합성어이고, '나가다'는 비통사적 합성어이다.
- 솔(명사) + 나무(명사)
- 빛(이)(주어) + 나다(서술어)
- 살ㅎ(명사) + 고기(명사)
- 나-(용언의 어간) + 가다(용언)

③ '감발, 묵밭, 오가다'는 비통사적 합성어이고, '새해'는 통사적 합성어이다.
- 감-(용언의 어간) + 발(명사) / 묵 -(용언의 어간) + 밭(명사)
- 오-(용언의 어간) + 가다(용언)
- 새(관형사) + 해(명사)

④ '큰집, 안팎'은 통사적 합성어이고, '늦더위, 촐랑새'는 비통사적 합성어이다. (단, 표준국어대사전에서는 '늦더위'를 '늦-(접사) + 더위(어근)'으로 보아 파생어로 등재하고 있음)
- 큰(용언의 관형사형) + 집(명사)
- 안ㅎ(명사) + 밖(명사)
- 늦-(용언의 어간) + 더위(명사)
- 촐랑(용언의 어근) + 새(명사)

87

난이도 ★★☆

해설 **① 합성어끼리 묶인 것은 ①이다.**
- **고추장**: 고추(어근) + 장(어근)
- **놀이터**: 놀이(어근) + 터(어근)
- **손짓**: 손(어근) + 짓(어근)
- **장군감**: 장군(어근) + 감(어근)

오답 분석 ② '면도칼, 서릿발'은 합성어이고 '쉰둥이, 장난기'는 파생어이다.
- **합성어**: 면도(어근) + 칼(어근), 서리(어근) + 발(어근)
- **파생어**: 쉰(어근) + -둥이(접사), 장난(어근) + -기(접사)

③ '작은형'은 합성어이고 '깍두기, 선생님, 핫바지'는 파생어이다.
- **합성어**: 작은(어근) + 형(어근)
- **파생어**: 깍둑(어근) + -이(접사), 선생(어근)+-님(접사), 핫-(접사) + 바지(어근)

④ '시나브로'는 단일어, '김치찌개, 돌다리'는 합성어, '암탉'은 파생어이다.
- **단일어**: 시나브로
- **합성어**: 김치(어근) + 찌개(어근), 돌(어근) + 다리(어근)
- **파생어**: 암-(접사) + 닭(어근)

88

난이도 ★★☆

해설 **② '낯섦'은 '낯설- + -ㅁ'의 결합인데, 이때 '-ㅁ'은 명사형 전성어미이다. 따라서 ②는 접미사가 결합하지 않았으므로 〈보기〉의 설명에 해당되지 않는다.**

오답 분석 ① **보기**: '보- + -기'의 결합이다. '-기'는 접미사로, 용언 '보다'의 어간에 붙어 그 품사를 명사로 바꾼다.

③ **낮추다**: '낮- + -추- + -다'의 결합이다. 이때 '-추-'는 접미사로, 형용사 '낮다'의 어간에 붙어 '사동'의 뜻을 더하고 그 품사를 동사로 바꾼다.

④ **꽃답다**: '꽃 + -답다'의 결합이다. '-답다'는 접미사로, 명사 '꽃'에 붙어 '성질이나 특성이 있음'의 뜻을 더하고 그 품사를 형용사로 바꾼다.

Chapter 03 문장

기본서 1권 86p

1. 문장 성분

01
[2020년 서울시 9급]

밑줄 친 부분의 문장 성분이 나머지 셋과 다른 하나는?

① 이 물건은 시장에서 사 왔다.
② 고마운 마음에서 드리는 말씀입니다.
③ 이에서 어찌 더 나쁠 수가 있겠어요?
④ 정부에서 실시한 조사 결과가 발표되었다.

02
[2020년 서울시 9급]

밑줄 친 서술어의 자릿수가 다른 하나는?

① 그림이 실물과 같다.
② 나는 학생이 아니다.
③ 지호가 종을 울렸다.
④ 길이 매우 넓다.

03
[2019년 서울시 9급 (6월)]

밑줄 친 부분의 문장 성분이 다른 하나는?

① 그는 밥도 안 먹고 일만 한다.
② 몸은 아파도 마음만은 날아갈 것 같다.
③ 그는 그녀에게 물만 주었다.
④ 고향의 사투리까지 싫어할 이유는 없었다.

04
[2019년 서울시 7급 (2월)]

밑줄 친 부분의 문장 성분이 다른 하나는?

① 지금도 나는 어머니의 말씀이 기억난다.
② 그 학생이 아주 새 사람이 되었더라.
③ 바로 옆집에 삼촌이 사신다.
④ 5월에 예쁜 꽃을 보러 가자.

05
[2018년 경찰직 2차]

다음 밑줄 친 서술어에 대한 설명으로 가장 적절한 것은?

> ○ 잎이 노랗게 ㉠물들었다.
> ○ 그는 이 소설책을 열심히 ㉡읽었다.
> ○ 저 사람은 전혀 다른 사람이 ㉢되었다.
> ○ 그녀는 자신의 행운을 당연하게 ㉣여긴다.

① ㉠은 부사어를 필수적으로 요구하는 두 자리 서술어이다.
② ㉡은 부사어를 필수적으로 요구하는 세 자리 서술어이다.
③ ㉢은 보어를 필수적으로 요구하지 않는 한 자리 서술어이다.
④ ㉣은 목적어 외에 부사어를 필수적으로 요구하지 않는 두 자리 서술어이다.

06
[2018년 서울시 9급 (3월)]

밑줄 친 부분 중에서 목적어가 아닌 것은?

① 우리는 그의 제안을 수용할지를 결정하지 못했다.
② 사공들은 바람이 불기를 기다렸다.
③ 아이들이 건강하지를 않아 걱정이다.
④ 나는 일이 어렵고 쉽고를 가리지 않는다.

챕터별 출제 경향

(2015-2021 국가직 / 지방직 / 서울시 7·9급)

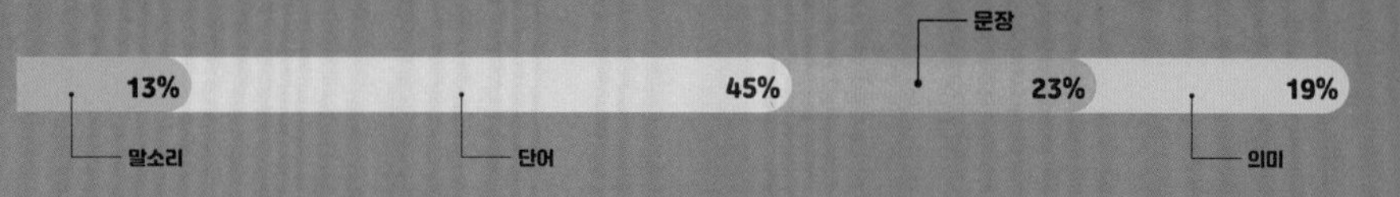

01

난이도 ★★☆

해설 **④ '정부에서'는 주어이고, ① '시장에서', ② '마음에서', ③ '이에서'는 모두 부사어이므로, 문장 성분이 다른 하나는 ④이다.**

- **정부에서 실시한 조사 결과가 발표되었다**: 이때 '정부에서'는 '명사 + 주격 조사'로 이루어진 주어이다. 참고로 '에서'는 일반적으로 부사격 조사로 사용되지만, 단체를 나타내는 명사 뒤에 붙어 앞말이 주어임을 나타내는 주격 조사로도 쓰일 수 있다.

오답분석 ①②③ '명사 + 부사격 조사'로 이루어진 부사어이다.

① **이 물건은 시장에서 사 왔다**: 이때 '에서'는 앞말이 행동이 이루어지고 있는 처소임을 나타내는 부사격 조사이다.

② **고마운 마음에서 드리는 말씀입니다**: 이때 '에서'는 앞말이 근거의 뜻을 갖는 부사어임을 나타내는 부사격 조사이다.

③ **이에서 어찌 더 나쁠 수가 있겠어요?**: 이때 '에서'는 앞말이 비교의 기준이 되는 점의 뜻을 갖는 부사어임을 나타내는 부사격 조사이다.

02

난이도 ★★☆

해설 **④ '넓다'는 주어(길이)만을 필요로 하는 한 자리 서술어이지만 ①②③에 쓰인 서술어는 주어 외에 또 하나의 문장 성분을 필요로 하는 두 자리 서술어이다.**

오답분석 ① **그림이 실물과 같다**: '같다'는 '~ 와(과) 같다'의 형태로 쓰이며 주어(그림이)와 필수적 부사어(실물과)를 모두 필요로 하는 서술어이다.

② **나는 학생이 아니다**: '아니다'는 '~ 이 아니다'의 형태로 쓰이며 주어(나는)와 보어(학생이)를 모두 필요로 하는 서술어이다.

③ **지호가 종을 울렸다**: '울렸다'는 '~ 을(를) 울렸다'의 형태로 쓰이며 주어(지호가)와 목적어(종을)를 모두 필요로 하는 서술어이다.

03

난이도 ★★☆

해설 **② '마음만은'은 주어이고, ① '밥도', ③ '물만', ④ '사투리까지'는 모두 목적어이므로 문장 성분이 다른 하나는 ②이다.**

- **마음(명사) + 만(보조사) + 은(보조사)**: '명사 + 보조사'로 이루어진 주어이다. 이때 '마음만은'은 주격 조사가 생략되고 보조사가 사용된 것이다.

오답분석 ①③④ '명사 + 보조사'로 이루어진 목적어이다. 이때 '밥도', '물만', '사투리까지'는 목적격 조사가 생략되고 보조사가 사용된 것이다.

① 밥(명사) + 도(보조사)

③ 물(명사) + 만(보조사)

④ 사투리(명사) + 까지(보조사)

04

난이도 ★★☆

해설 **② '아주'는 부사어인 반면, ① '어머니의', ③ '바로', ④ '예쁜'은 관형어이므로 문장 성분이 다른 하나는 ②이다.**

- **아주 새 사람이**: 이때 '아주'는 관형어 '새'를 수식하고 있으므로 부사어이다.

오답분석 ①③④는 모두 뒤따르는 체언을 수식하고 있으므로 관형어이다.

① **어머니의 말씀이**: 이때 '어머니의'는 '어머니(명사) + 의(관형격 조사)'의 결합으로, 체언 '말씀'을 수식하고 있으므로 관형어이다.

③ **바로 옆집에**: 이때 '바로'는 체언 '옆집'을 수식하고 있으므로 관형어이다.

④ **예쁜 꽃을**: 이때 '예쁜'은 '예쁘-(형용사 어간) + -ㄴ(관형사형 전성 어미)'의 결합으로, 체언 '꽃'을 수식하고 있으므로 관형어이다.

05

난이도 ★★☆

해설 **① ㉠ '물들었다(물들다)'는 주어, 부사어를 필수적으로 요구하는 두 자리 서술어이므로 밑줄 친 서술어에 대한 설명으로 가장 적절한 것은 ①이다.**

- 주어(잎이) + 부사어(노랗게) + 서술어(물들었다)

오답분석 ② ㉡ '읽었다(읽다)'는 주어, 목적어를 필수적으로 요구하는 두 자리 서술어이다.

- 주어(그는) + 목적어(소설책을) + 서술어(읽었다)

③ ㉢ '되었다(되다)'는 주어, 보어를 필수적으로 요구하는 두 자리 서술어이다.

- 주어(사람은) + 보어(사람이) + 서술어(되었다)

④ ㉣ '여긴다(여기다)'는 주어, 목적어, 부사어를 필수적으로 요구하는 세 자리 서술어이다.

- 주어(그녀는) + 목적어(행운을) + 부사어(당연하게) + 서술어(여긴다)

06

난이도 ★★☆

해설 **③ '건강하지를 않아'는 본용언(건강하다)과 보조 용언(않다)이 결합한 서술어이다. 따라서 밑줄 친 '건강하지를'은 서술어의 일부이며, 이때 '를'은 목적격 조사가 아닌 강조의 의도를 나타내는 보조사이다. 따라서 답은 ③이다.**

오답분석 ①②④의 밑줄 친 부분은 모두 목적격 조사 '를'을 포함하는 목적어이다.

① '그의 제안을 수용할지를'은 서술어 '결정하지 못했다'의 목적어이다.

② '바람이 불기를'은 서술어 '기다렸다'의 목적어이다.

④ '어렵고 쉽고를'은 서술어 '가리지 않는다'의 목적어이다.

07

[2018년 경찰직 1차]

다음 밑줄 친 성분에 대한 설명 중 가장 적절한 것은?

> ㉠ 영선이가 참 아름답다.
> ㉡ 과연 영선이는 똑똑하구나.
> ㉢ 영선이는 엄마와 닮았다.
> ㉣ 그러나 영선이는 역경을 이겨냈다.

① ㉠과 ㉡의 밑줄 친 부분은 문장 내의 다른 성분을 수식하는 성분 부사어이다.
② ㉡과 ㉢의 밑줄 친 부분은 문장 전체를 수식하는 문장 부사어이다.
③ ㉢과 ㉣의 밑줄 친 부분은 앞뒤를 연결해 주는 접속 부사어이다.
④ ㉠부터 ㉣까지 밑줄 친 부분은 모두 부사어이다.

08

[2017년 경찰직 2차]

다음 〈보기〉에 대한 설명으로 가장 적절한 것은?

〈보기〉

> ㉠ 철이는 아이가 아니다.
> ㉡ 영선이는 엄마와 닮았다.
> ㉢ 철이는 영선이를 사랑한다.
> ㉣ 철이가 영선이에게 편지를 보냈다.

① ㉠에서 '아이가 아니다'는 서술절이다.
② ㉡에서 '엄마와'는 부사어이지만 생략하면 안 되는 필수적 부사어이다.
③ ㉢에서 '사랑하다'는 주어, 목적어, 서술어를 요구하는 세 자리 서술어이다.
④ ㉣에서 부사어 '영선이에게'와 목적어 '편지를'의 위치를 바꾸면 ㉣은 비문(非文)이 된다.

09

[2016년 서울시 7급]

다음 중 국어의 문장 성분에 관한 설명이 옳은 것끼리 묶인 것은?

> ㉠ 주어는 성격에 따라 필요로 하는 문장 성분의 숫자가 다르다.
> ㉡ 주어, 서술어, 목적어, 부사어는 주성분에 속한다.
> ㉢ '물이 얼음으로 되었다.'의 문장 성분은 주어, 부사어, 서술어이다.
> ㉣ 부사어는 관형어나 다른 부사어를 수식하기도 한다.
> ㉤ 체언에 호격 조사가 결합된 형태는 독립어에 해당된다.
> ㉥ 문장에서 주어는 생략될 수 있지만 목적어는 생략될 수 없다.

① ㉠, ㉡, ㉢　　② ㉡, ㉢, ㉣
③ ㉢, ㉣, ㉤　　④ ㉣, ㉤, ㉥

10

[2016년 서울시 7급]

다음 중 서술어의 자릿수를 잘못 제시한 것은?

① 우정은 마치 보석과도 같단다. → 두 자리 서술어
② 나 엊저녁에 시험 공부로 녹초가 됐어. → 두 자리 서술어
③ 철수의 생각은 나와는 아주 달라. → 세 자리 서술어
④ 원영이가 길가 우체통에 편지를 넣었어. → 세 자리 서술어

07

난이도 ★☆☆

해설 **④ ㉠부터 ㉣까지 밑줄 친 부분은 모두 용언, 관형어, 부사어, 문장 전체 등을 수식하는 문장 성분인 '부사어'이다. 따라서 밑줄 친 성분에 대한 설명 중 가장 적절한 것은 ④이다.**

오답분석

① ㉠ '참'은 서술어 '아름답다'를 수식하는 성분 부사어가 맞으나, ㉡ '과연'은 문장 전체를 수식하는 문장 부사어이다.

② ㉡ '과연'은 문장 전체를 수식하는 문장 부사어가 맞으나, ㉢ '엄마와'는 서술어 '닮다'를 수식하는 성분 부사어이다.

③ ㉣ '그러나'는 문장의 앞뒤를 연결하는 접속 부사어가 맞으나, ㉢ '엄마와'는 서술어 '닮다'를 수식하는 성분 부사어이다.

08

난이도 ★★☆

해설 **② ㉡의 '닮았다'는 주어와 부사어를 필수적으로 요구하는 두 자리 서술어이다. 따라서 '엄마와'는 생략이 불가능한 필수적 부사어이므로 설명이 적절한 것은 ②이다.**

오답분석

① ㉠은 '주어(철이는) + 보어(아이가) + 서술어(아니다)'로 이루어진 홑문장이다. '절'은 주어와 서술어를 갖추어야 하는데, ㉠의 '아이가 아니다'는 보어와 서술어의 관계이므로 절이 될 수 없다.

③ ㉢에서 서술어 '사랑하다'는 주어와 목적어를 요구하는 두 자리 서술어이다.

④ 부사어는 문장 내에서 비교적 자유롭게 자리를 옮길 수 있다는 특징이 있다. 따라서 ㉣의 부사어 '영선이에게'와 목적어 '편지를'의 위치를 바꾸어도 비문이 되지 않는다.

09

난이도 ★★☆

해설 **③ 문장 성분에 관한 설명이 옳은 것은 ㉢, ㉣, ㉤으로, 답은 ③이다.**

- ㉢ '물이 얼음으로 되었다'의 문장 성분은 '주어(물이), 부사어(얼음으로), 서술어(되었다)'이다. '되다, 아니다' 앞에 오는 체언에 보격 조사 '이/가'가 붙으면 보어이지만 체언에 부사격 조사 '으로'가 붙으면 부사어가 된다.
- ㉣ 부사어는 관형어나 다른 부사어를 수식하기도 한다.
  예 • 아주 새 옷이다. (부사어 '아주'가 관형어 '새'를 수식)
  • 매우 빨리 간다. (부사어 '매우'가 부사어 '빨리'를 수식)
- ㉤ '체언 + 호격 조사(아/야/이여)'의 형태도 독립어에 해당한다.
  예 민중이여, 궐기하라.

오답분석

- ㉠ 주어는(×) → 서술어는(○): 성격에 따라 필요한 문장 성분의 숫자가 다른 것은 서술어이다.
- ㉡ 주어, 서술어, 목적어, 부사어는(×) → 주어, 서술어, 목적어, 보어는(○): 주성분에 속하는 것은 주어, 서술어, 목적어, 보어이며 부사어는 부속 성분에 속한다.
- ㉥ 목적어는 생략될 수 없다(×) → 목적어는 생략될 수 있다(○): 이야기의 맥락상 목적어가 무엇인지 분명할 때는 문장에서 목적어를 생략할 수 있다.
  예 철수: 너 저녁을 먹었어?
  영희: 응, 먹었어. (목적어 '저녁을' 생략)

10

난이도 ★★☆

해설 **③ '다르다'는 주어와 필수적 부사어를 요구하는 두 자리 서술어이므로 ③은 서술어의 자릿수가 잘못 제시되었다.**

- **철수의 생각은 나와는 아주 달라**: 제시된 문장에서 서술어 '다르다'가 필수적으로 요구하는 문장 성분은 '생각은(주어)'과 '나와(필수적 부사어)'이다.

오답분석

① **우정은 마치 보석과도 같단다**: '같다'는 두 자리 서술어이다. 제시된 문장에서 서술어 '같다'가 필수적으로 요구하는 문장 성분은 '우정은(주어)'과 '보석과도(필수적 부사어)'이다.

② **나 엊저녁에 시험 공부로 녹초가 됐어**: '되다'는 두 자리 서술어이다. 제시된 문장에서 서술어 '되다'가 필수적으로 요구하는 문장 성분은 '나(주어)'와 '녹초가(보어)'이다.

④ **원영이가 길가 우체통에 편지를 넣었어**: '넣다'는 세 자리 서술어이다. 제시된 문장에서 서술어 '넣다'가 필수적으로 요구하는 문장 성분은 '원영이가(주어)', '우체통에(필수적 부사어)', '편지를(목적어)'이다.

11

[2015년 국가직 7급]

밑줄 친 부분의 문장 성분이 다른 것은?

① 어느 학교의 동창회에서 있었던 일이다.
② 손에 익은 연장이라서 일이 빨리 끝나겠다.
③ 정부에서 실시한 조사 결과가 드디어 발표되었다.
④ 그 고마운 마음에 보답하고자 편지를 드리려고 합니다.

12

[2015년 서울시 7급]

다음 〈보기〉 가운데 우리말의 관형어에 대한 설명으로 옳은 것을 모두 고르면?

〈보기〉

㉠ 관형어는 명사, 대명사, 수사와 같은 체언류를 꾸미는 문장 성분이다.
㉡ 명사는 그대로 관형어가 될 수 있다.
㉢ 동사나 형용사도 관형어가 될 수 있다.
㉣ 조사 '의'는 관형어를 만드는 중요한 격조사이다.

① ㉠, ㉡, ㉢, ㉣
② ㉠, ㉢, ㉣
③ ㉡, ㉢
④ ㉡, ㉣

13

[2012년 국가직 7급]

다음 예문에서 밑줄 친 문장 성분을 잘못 파악한 것은?

◦ 그녀는 ㉠아름다운 꽃을 품에 ㉡가득 안고 왔다.
◦ 하루 종일 ㉢비가 왔다. ㉣다행히도 마음만은 즐거웠다.

① ㉠: 관형어
② ㉡: 부사어
③ ㉢: 주어
④ ㉣: 독립어

2. 문장의 짜임

14

[2021년 국회직 8급]

밑줄 친 관형절의 성격이 다른 것은?

① 우리는 급히 학교로 돌아오라는 연락을 받았다.
② 내가 어제 책을 산 서점은 바로 우리 집 앞에 있다.
③ 충무공이 만든 거북선은 세계 최초의 철갑선이었다.
④ 우리는 사람이 살지 않는 그 섬에서 하룻밤을 지냈다.
⑤ 수양버들이 서 있는 돌각담에 올라가 아득히 먼 수평선을 바라본다.

15

[2017년 사회복지직 9급]

다음 예문 중에서 관형절의 성격이 다른 하나는?

① 비가 오는 소리가 들린다.
② 철수는 새로 맞춘 양복을 입었다.
③ 나는 길에서 주운 지갑을 역 앞 우체통에 넣었다.
④ 윤규가 지하철에서 만났던 사람은 의사이다.

11

난이도 ★★☆

해설 ③ 문장 성분이 다른 것은 ③이다. ③ '정부에서'는 주어이고, ① '동창회에서', ② '손에', ④ '마음에'는 모두 부사어이다.
- **정부(명사) + 에서(주격 조사)**: '명사 + 주격 조사'로 이루어진 주어이다. 이때 '에서'는 단체를 나타내는 명사 뒤에 붙어 앞말이 주어임을 나타내는 격 조사이다.

오답분석 ① **동창회에서 있었던**: 이때 '에서'는 앞말이 행동이 이루어지고 있는 처소의 부사어임을 나타내는 부사격 조사이다.

②④ **손에 익은 / 마음에 보답하고자**: 이때 '에'는 앞말이 어떤 움직임이나 작용이 미치는 대상의 부사어임을 나타내는 부사격 조사이다.

12

난이도 ★★☆

해설 ① ㉠~㉣ 모두 우리말의 관형어에 대한 설명으로 옳다. 따라서 답은 ①이다.
- ㉠ 관형어는 명사, 대명사, 수사와 같은 체언류를 꾸미는 문장 성분이다.
  예 도시의(관형어) 풍경(명사)이 황량하다.
- ㉡ 명사와 같은 체언은 그대로 관형어가 될 수 있다.
  예 오늘 길에서 고향(관형어(명사)) 친구를 우연히 만났다.
- ㉢ 동사나 형용사는 관형사형 어미와 결합함으로써 관형어가 될 수 있다.
  예 나의 작은 천사가 자고 있다.
  관형어: 작(다)(형용사) + -은(관형사형 어미)
- ㉣ 조사 '의'는 체언에 붙어 관형어를 만드는 관형격 조사이다.
  예 나의 작은 천사가 자고 있다.
  관형어: 나(체언) + 의(관형격 조사)

13

난이도 ★☆☆

해설 ④ ㉣ 다행히도(독립어)(×) → (부사어)(○): '뜻밖에 일이 잘되어 운이 좋게'를 뜻하는 부사 '다행히'에 보조사 '도'가 결합한 것으로, '즐거웠다'를 수식하는 부사어이다. 따라서 문장 성분을 잘못 파악한 것은 ④이다.

오답분석 ① ㉠ **아름다운(관형어)(○)**: 형용사 '아름답다'의 관형사형으로, 명사 '꽃'을 수식하는 관형어이다.

② ㉡ **가득(부사어)(○)**: '빈 데가 없을 만큼 사람이나 물건 등이 많은 모양'을 뜻하는 부사로, 용언 '안고'를 수식하는 부사어이다.

③ ㉢ **비가(주어)(○)**: 명사 '비'에 주격 조사 '가'가 결합한 것으로, 서술어 '왔다'와 호응하는 주어이다.

14

난이도 ★☆☆

해설 ① 밑줄 친 관형절 중 ①은 수식하는 체언과 동격 관계에 있는 동격 관형절이고 나머지는 모두 수식을 받는 체언이 관형절의 문장 성분이 되는 관계 관형절이므로 관형절의 성격이 다른 것은 ①이다.
- **우리는 급히 학교로 돌아오라는 연락을 받았다**: 관형절 '급히 학교로 돌아오다'와 관형절의 수식을 받는 '연락'이 동일한 의미를 지니고 있다.

오답분석 ② **내가 어제 책을 산 서점은 바로 우리 집 앞에 있다**: 관형절의 수식을 받는 '서점'이 관형절 '내가 어제 (서점에서) 책을 샀다'의 부사어가 되므로 밑줄 친 부분은 관계 관형절이다.

③ **충무공이 만든 거북선은 세계 최초의 철갑선이었다**: 관형절의 수식을 받는 '거북선'이 관형절 '충무공이 (거북선을) 만들다'의 목적어가 되므로 밑줄 친 부분은 관계 관형절이다.

④ **우리는 사람이 살지 않는 그 섬에서 하룻밤을 지냈다**: 관형절의 수식을 받는 '그 섬'이 관형절 '(그 섬에) 사람이 살지 않다'의 부사어가 되므로 밑줄 친 부분은 관계 관형절이다.

⑤ **수양버들이 서 있는 돌각담에 올라가 아득히 먼 수평선을 바라본다**: 관형절의 수식을 받는 '돌각담'이 관형절 '수양버들이 (돌각담에) 서 있다'의 부사어가 되므로 밑줄 친 부분은 관계 관형절이다.

이것도 알면 합격

관계 관형절과 동격 관형절에 대해 알아두자.

관계 관형절	• 관형절의 수식을 받는 체언(피수식어)이 관형절의 한 성분이 됨 • 수식을 받는 체언과 관형절 내의 성분이 동일하여 관형절 내의 성분이 생략됨
동격 관형절	• 관형절의 수식을 받는 체언(피수식어)이 관형절의 한 성분이 아니라 관형절 전체의 내용을 받음 • 수식을 받는 체언과 관형절 자체가 동일한 의미를 가졌기 때문에 관형절 내에 생략되는 성분이 없음

15

난이도 ★☆☆

해설 ① '비가 오는'은 관형절 내 생략된 성분이 없고, 수식을 받는 체언(소리)과 동일한 의미를 갖는 동격 관형절이다. 반면 ②③④는 모두 관계 관형절이므로 성격이 다른 하나는 ①이다.

오답분석 ②③④ 모두 수식을 받는 체언과 관형절 내의 생략된 성분이 동일한 관계 관형절이다.

② '새로 맞춘'은 목적어 '양복을'이 생략된 관계 관형절이다.

③ '길에서 주운'은 목적어 '지갑을'이 생략된 관계 관형절이다.

④ '지하철에서 만났던'은 목적어 '사람을'이 생략된 관계 관형절이다.

16

[2020년 소방직 9급]

㉠, ㉡에 해당하는 문장으로 바르게 연결한 것은?

> 문장 속에 안겨 하나의 성분처럼 기능하는 절을 안긴 문장이라고 하며 이러한 절을 포함한 문장을 안은문장이라고 한다. 안은문장에는 ㉠ 명사절을 안은 문장, ㉡ 관형절을 안은 문장, 부사절을 안은 문장, 서술절을 안은 문장, 인용절을 안은 문장이 있다.

① ㉠ 나는 봄이 오기를 기다린다.
  ㉡ 그는 열심히 공부하는 그녀를 떠올린다.

② ㉠ 오늘은 밖에 나가기가 싫다.
  ㉡ 누나는 마음이 넓다.

③ ㉠ 그것은 내가 입을 옷이다.
  ㉡ 꽃이 활짝 핀 봄을 기다린다.

④ ㉠ 그가 범인임이 밝혀졌다.
  ㉡ 그녀의 얼굴이 예쁘게 생겼다.

17

[2020년 군무원 9급]

홑문장에 해당하는 것은?

① 어제 빨간 모자를 샀다.

② 봄이 오니 꽃이 피었다.

③ 남긴 만큼 버려지고, 버린 만큼 오염된다.

④ 우리 집 앞마당에 드디어 장미꽃이 피었다.

18

[2019년 서울시 7급 (10월)]

밑줄 친 절의 성격이 나머지 셋과 다른 것은?

① 나는 영수가 만든 음식이 정말 맛있다.

② 영수가 한 질문이 너무 어려웠다.

③ 나는 영수가 애쓴 사실을 알고 있다.

④ 영수가 들은 소문은 헛소문이었다.

19

[2018년 소방직 9급 (10월)]

대등하게 이어진 문장인 것은?

① 까마귀 날자 배 떨어진다.

② 사공이 많으면 배가 산으로 간다.

③ 가는 말이 고와야 오는 말이 곱다.

④ 낮말은 새가 듣고 밤말은 쥐가 듣는다.

16

난이도 ★★☆

해설 ① ㉠의 '봄이 오기'는 동사 '오다'의 어간 '오-'에 명사형 어미 '-기'가 결합한 명사절이므로 ㉠은 명사절을 안은 문장이고, ㉡의 '(그녀가) 열심히 공부하는'은 동사 '공부하다'의 어간 '공부하-'에 관형사형 어미 '-는'이 결합한 관형절이므로 ㉡은 관형절을 안은 문장이다.

오답분석 ② ㉠은 명사절 '밖에 나가기'를 안은 문장이고, ㉡은 서술절 '마음이 넓다'를 안은 문장이다.

③ ㉠은 관형절 '내가 입을'을 안은 문장이고, ㉡은 관형절 '꽃이 활짝 핀'을 안은 문장이다.

④ ㉠은 명사절 '그가 범인임'을 안은 문장이고, ㉡은 부사절 '예쁘게'를 안은 문장이다.

이것도 알면 **합격**

안은문장의 종류를 알아두자.

종류	설명
명사절을 안은 문장	명사형 어미 '-(으)ㅁ, -기'가 붙어서 만들어진 명사절이 문장 속에서 주어, 목적어, 부사어 등 다양한 기능을 함 예 지금은 밖에 나가기에 늦은 시간이다.
관형절을 안은 문장	관형사형 어미 '-(으)ㄴ, -는, -(으)ㄹ, -던'이 붙어서 만들어진 관형절이 문장 속에서 관형어의 기능을 함 예 그 책은 내가 [읽은/읽는/읽을/읽던] 책이다.
부사절을 안은 문장	부사형 어미 '-이, -게, -도록, -아/-어, -(아/어)서' 또는 부사 파생 접미사 '-이'가 붙어서 만들어진 부사절이 문장 속에서 부사어의 기능을 함 예 너는 예고도 없이 불쑥 찾아오니?
서술절을 안은 문장	특정한 절 표시가 따로 없는 서술절이 서술어의 기능을 함 예 그는 키가 크다.

17

난이도 ★★☆

해설 ④ ④는 주어(장미꽃)와 서술어(피었다) 관계가 한 번만 성립하는 홑문장이다.

- 우리(관형어) + 집(관형어) + 앞마당에(부사어) + 드디어(부사어) + 장미꽃이(주어) + 피었다(서술어)

오답분석 ① '(모자가) 빨갛다'가 '모자'를 수식하고 있는 관형절을 안은문장이므로 겹문장이다.

② '봄이 오다'와 '꽃이 피었다'가 원인을 나타내는 연결 어미 '-니'에 의해 종속적으로 이어진 문장이므로 겹문장이다.

③ '남긴 만큼 버려지고, 버린 만큼 오염된다'는 '(당신이) 남기다'와 '(당신이) 버리다'가 의존 명사 '만큼'을 수식하고 있는 관형절을 안은 문장이다. 또한, '남긴 만큼 버려지다'와 '버린 만큼 오염되다'가 연결 어미 '-고'에 의해 대등하게 이어진 문장이므로 겹문장이다.

18

난이도 ★★☆

해설 ③ 밑줄 친 절 중 ③은 수식하는 체언과 동격 관계에 있는 동격 관형절이고, ①②④는 모두 수식을 받는 체언이 관형절의 문장 성분이 되는 관계 관형절이므로 성격이 나머지 셋과 다른 것은 ③이다.

- **나는 영수가 애쓴 사실을 알고 있다**: '영수가 애쓰다'라는 문장이 관형절로 안겨 있는 문장으로, 피수식어 '사실'과 관형절이 동일한 의미를 가진다.

오답분석 ① **나는 영수가 만든 음식이 정말 맛있다**: '영수가 (음식을) 만들다'라는 문장이 관형절로 안겨 있는 문장으로, 피수식어 '음식'이 관형절 내의 목적어가 되는 관계 관형절이다.

② **영수가 한 질문이 너무 어려웠다**: '영수가 (질문을) 하다'라는 문장이 관형절로 안겨 있는 문장으로, 피수식어 '질문'이 관형절 내의 목적어가 되는 관계 관형절이다.

④ **영수가 들은 소문은 헛소문이었다**: '영수가 (소문을) 듣다'라는 문장이 관형절로 안겨 있는 문장으로, 피수식어 '소문'이 관형절 내의 목적어가 되는 관계 관형절이다.

19

난이도 ★★☆

해설 ④ '낮말은 새가 듣는다'와 '밤말은 쥐가 듣는다'가 나열의 기능을 가진 대등적 연결 어미 '-고'로 연결되어 있으므로 대등하게 이어진 문장은 ④이다.

오답분석 ①②③은 모두 종속적으로 이어진 문장이다.

① '까마귀 날다'와 '배 떨어진다'가 한 동작이 막 끝남과 동시에 다른 동작이나 사실이 잇따라 일어남을 나타내는 종속적 연결 어미인 '-자'로 이어져 있다.

② '사공이 많다'와 '배가 산으로 간다'가 일반적으로 분명한 사실을 어떤 일에 대한 조건으로 말할 때 쓰는 종속적 연결 어미인 '-으면'으로 이어져 있다.

③ '가는 말이 곱다'와 '오는 말이 곱다'가 앞 절의 일이 뒤 절 일의 조건임을 나타내는 종속적 연결 어미인 '-아야'로 이어져 있다.

이것도 알면 **합격**

이어진 문장의 종류에 대해 알아두자.

종류	설명
대등하게 이어진 문장	앞 절과 뒤 절의 의미가 대등하게 이어진 문장 예 산은 높고, 바다는 넓다.
종속적으로 이어진 문장	앞 절과 뒤 절의 의미가 독립적이지 못하고 원인, 의도, 조건 등 종속적인 관계로 이어진 문장 예 버스가 일찍 도착하면, 집에 빨리 올 수 있다.

20

[2016년 국가직 9급]

안긴문장이 주성분으로 쓰이지 않은 것은?

① 그 학교는 교정이 넓다.

② 농부들은 비가 오기를 학수고대했다.

③ 아이들이 놀다 간 자리는 항상 어지럽다.

④ 대화가 어디로 튈지 아무도 몰랐다.

21

[2016년 지방직 7급]

밑줄 친 안긴 문장의 종류로 옳지 않은 것은?

> 나는 ㉠내가 평소에 관심이 많았던 중원 고구려비를 조사하였다. ㉡중원 고구려비는 장수왕이 남한강 유역의 여러 성을 공략하고 개척한 후에 세운 기념비라고 한다. 5세기 후반에 건립된 것으로 추정된다고 하는데, 5세기 후반이면 지금으로부터 1,500년 이전에 세워졌다는 계산이 나온다.
>
> 다음으로 문화재청 홈페이지에서 중원 고구려비에 대한 내용을 찾았다. 이 설명은 ㉢중원 고구려비가 이제 나라의 재산임을 ㉣일반인들도 쉽게 알 수 있도록 보여 주고 있다.

① ㉠관형절　② ㉡인용절

③ ㉢서술절　④ ㉣부사절

3. 문법 요소

22

[2021년 법원직 9급]

(가)에 들어갈 문장으로 가장 적절한 것은?

> 교사: 능동문은 목적어가 피동문의 주어가 되는 것이니까 피동문에는 목적어가 없는 것이 원칙이야. 그건 너도 잘 알고 있지?
>
> 학생: 예, 선생님. 그런데 '원칙'이라고 하셨으면, 원칙의 예외가 되는 문장도 있다는 말씀이신가요?
>
> 교사: 응, 그래. 드물지만 피동문에 목적어가 나타날 때가 있어. 어떤 문장이 있을지 한번 말해 볼래?
>
> 학생: "　　(가)　　"와 같은 문장이 그 예에 해당하겠네요.

① 형이 동생에게 짐을 안겼다.

② 동생은 집 밖으로 짐을 옮겼다.

③ 동생이 버스 안에서 발을 밟혔다.

④ 그 사람이 동생에게 상해를 입혔다.

23

[2020년 법원직 9급]

<보기>의 ㉠, ㉡에 해당하는 것은?

<보기>

> 우리말의 용언 중에는 피동사와 사동사의 형태가 동일한 것이 있다. 예를 들어, '글을 보고 거기에 담긴 뜻을 헤아려 알다.'의 뜻인 '읽다'에서 파생된 사동사와 피동사의 형태는 모두 '읽히다'로, 그 형태가 같다.
> - 사동사: '부하 장수들에게 병서를 읽혔다.'
> - 피동사: '이 책은 비교적 쉽게 읽힌다.'
>
> 이때 ㉠**사동사**인지, ㉡**피동사**인지의 구별은 문장에서의 의미와 쓰임을 통해 이루어진다.

	㉠	㉡
①	성탄절에는 교회에서 종을 울렸다.	형이 장난감을 뺏어 동생을 울렸다.
②	동생이 새 시계를 내게 보였다.	멀리 건물 사이로 하늘이 보였다.
③	우리는 난로 앞에서 몸을 녹였다.	따스한 햇살이 고드름을 서서히 녹였다.
④	나는 손에 짐이 들려 문을 열 수가 없다.	부부 싸움을 한 친구에게 꽃을 들려 집에 보냈다.

20

난이도 ★☆☆

해설 ③ '아이들이 놀다 간 자리는 항상 어지럽다'는 관형절 '아이들이 놀다 간'을 안은 문장으로, 이때 안긴문장인 '아이들이 놀다 간'은 관형어의 역할을 한다. 주성분에는 주어, 서술어, 목적어, 보어만이 포함되므로 ③의 안긴문장은 주성분이 아니다.

오답분석 ① ② ④의 안긴문장은 서술어나 목적어의 역할을 하므로 모두 주성분으로 쓰였다.

① '그 학교는 교정이 넓다'는 '교정이 넓다'를 서술절로 안은 문장이다. 이때 안긴문장인 '교정이 넓다'는 서술어의 역할을 한다.

② '농부들은 비가 오기를 학수고대했다'는 '비가 오기'를 명사절로 안은 문장이다. 이때 안긴문장인 '비가 오기'는 목적어의 역할을 한다.

④ '대화가 어디로 튈지'는 종결 어미 '-ㄹ지'로 끝나는 명사절이므로 '대화가 어디로 튈지 아무도 몰랐다'는 명사절을 안은 문장이다. 이때 안긴문장인 '대화가 어디로 튈지(를)'는 목적격 조사 '를'이 생략된 것으로 목적어의 역할을 한다.

이것도 알면 합격

종결 어미로 끝나는 명사절을 알아두자.

'-느냐/(으)냐, -는가 / (으)ㄴ가, -는지 / (으)ㄴ지' 등의 종결 어미로 끝난 문장은 그대로 명사절로 쓰일 수 있음

예 이제부터 우리가 무엇을 할 것이냐/것인가/것인지가 문제다.
(명사절: 우리가 무엇을 할 것이냐/것인가/것인지)

21

난이도 ★☆☆

해설 ③ ㉢ '중원 고구려비가 이제 나라의 재산임'은 명사형 어미 '-ㅁ'이 붙어 만들어진 명사절이므로 안긴 문장의 종류가 옳지 않은 것은 ③이다.

오답분석 ① ㉠ **내가 평소에 관심이 많았던**: 관형사형 어미 '-던'이 붙어 만들어진 관형절이다.

② ㉡ **중원 고구려비는 ~ 세운 기념비라고**: 어미 '-라' 뒤에 간접 인용의 조사 '고'가 붙어 만들어진 인용절이다.

④ ㉣ **일반인들도 쉽게 알 수 있도록**: 연결 어미 '-도록'이 붙어 뒤의 서술어 '보여주고 있다'를 꾸미는 부사절이다.

22

난이도 ★★☆

해설 ③ 대화문의 내용을 통해 (가)에는 목적어가 포함된 피동문이 들어가야 함을 알 수 있다. 이때 ③ '동생이 버스 안에서 발을 밟혔다'는 목적어 '발을'을 포함하고 있으며, 문맥상 주어 '동생이'가 서술어 '밟히다'의 행위를 당하는 객체이므로 피동의 의미를 지니는 피동문이다. 따라서 (가)에 들어갈 문장으로 적절한 것은 ③이다.

오답분석 ① ② ④ 모두 문맥상 주어가 대상에게 어떤 행위나 동작을 하게 만드는 사동문이므로 (가)에 들어갈 문장으로 적절하지 않다.

23

난이도 ★★★

해설 ② ㉠과 ㉡의 '보이다'는 '보다'에서 파생된 사동사와 피동사로, 형태가 동일하다.

- **새 시계를 내게 보였다**: 이때 '보이다'는 '눈으로 대상의 존재나 형태적 특징을 알게 하다'를 뜻하는 사동사이다.
- **하늘이 내게 보였다**: 이때 '보이다'는 '눈으로 대상의 존재나 형태적 특질을 알게 되다'를 뜻하는 피동사이다.

오답분석 ① ㉠의 '울리다'는 '어떤 물체가 소리를 내다'를 뜻하는 사동사이며, ㉡의 '울리다'는 '억누르기 힘든 감정이나 참기 힘든 어려운 아픔으로 눈물을 흘리게 하다'를 뜻하는 사동사이다.

③ ㉠의 '녹이다'는 '추워서 굳어진 몸이나 신체 부위를 풀리게 하다'를 뜻하는 사동사이며, ㉡의 '녹이다'는 '얼음이나 얼음같이 매우 차가운 것을 열로 액체가 되게 하다'를 뜻하는 사동사이다.

④ ㉠의 '들리다'는 '손에 가지게 되다'를 뜻하는 피동사이며, ㉡의 '들리다'는 '손에 가지게 하다'를 뜻하는 사동사이다.

이것도 알면 합격

형태가 같은 사동사와 피동사를 알아두자.

구분	사동사로 쓰인 예	피동사로 쓰인 예
안기다	엄마가 아빠에게 아이를 안기다.	동생은 아버지에게 안겨서 차에 올랐다.
잡히다	엄마가 아이에게 연필을 잡혔다.	도둑이 경찰에게 잡히다.
업히다	엄마가 아빠에게 아이를 업히다.	아기가 아빠 등에 업혀 잠이 들었다.
뜯기다	목동이 소에게 풀을 뜯기다.	편지 봉투가 뜯긴 채 바닥에 떨어져 있었다.
물리다	개에게 막대기를 물리다.	사나운 개에게 팔을 물리다.

24

[2020년 소방직 9급]

높임법의 쓰임이 다른 것은?

① 내일은 잊지 않고 어머니께 편지를 보내 드려야겠다.
② 오늘도 할머니께서는 경로당에서 시간을 보내셨다.
③ 선생님께서 누나와 함께 와도 좋다고 하셨다.
④ 큰아버지께서는 나를 무척 아끼셨다.

25

[2019년 서울시 7급 (10월)]

밑줄 친 부분에서 선어말 어미 '-겠-'의 기능이 나머지 셋과 다른 하나는?

① 구름이 몰려오는 것을 보니 조만간 비가 오겠다.
② 지금쯤 철수가 집에 도착하여 밥을 먹겠다.
③ 철수가 이번에는 자기가 가겠다고 하였다.
④ 8시에 출발하면 10시쯤에 도착하겠구나.

26

[2019년 국가직 9급]

다음 글의 괄호 안에 들어갈 문장으로 적절한 것은?

> 국어의 높임법에는 말하는 이가 듣는 이에 대하여 높이거나 낮추어 말하는 상대 높임법, 서술어의 주체를 높이는 주체 높임법, 서술어의 객체를 높이는 객체 높임법 등이 있다. 이러한 높임 표현은 한 문장에서 복합적으로 실현되기도 하는데, (　　)의 경우 대화의 상대, 서술어의 주체, 서술어의 객체를 모두 높인 표현이다.

① 아버지께서 할머니를 모시고 댁에 들어가셨다.
② 제가 어머니께 그렇게 말씀을 드리면 될까요?
③ 어머니께서 아주머니께 이 김치를 드리라고 하셨습니다.
④ 주민 여러분께서는 잠시만 제 이야기에 귀를 기울여 주시기 바랍니다.

27

[2019년 국가직 7급]

높임 표현에 대한 설명으로 가장 적절한 것은?

① "제 말씀 좀 들어 보세요."에서의 '말씀'은 '말'을 높여 이르는 단어이므로 '말'로 바꾸는 것이 바람직하다.
② "혜정아, 할아버지께서는 생전에 당신의 장서를 진짜 소중히 여기셨어."에서의 '당신'은 3인칭 '자기'를 아주 높여 이르는 말이다.
③ 남에게 말할 때는 자기와 관계된 부분을 낮추어 '저희 학과', '저희 학교', '저희 회사', '저희 나라' 등과 같이 표현해야 한다.
④ 요즈음 흔히 들을 수 있는 "그건 만 원이세요.", "품절이십니다."에서의 '-세요', '-십니다'는 객체를 높이는 새로운 표현 방식이다.

28

[2019년 지방직 7급]

높임 표현의 쓰임이 적절하지 않은 것은?

① 부장님, 넥타이가 잘 어울리시네요.
② 어머님, 아비가 아직 안 들어왔습니다.
③ 선생님, 어머니께서 위임장을 주셨습니다.
④ 시장님, 저에게 여쭤 보셨던 내용을 검토했습니다.

24

난이도 ★★☆

해설 **① 높임법의 쓰임이 다른 것은 ①이다. ①은 객체 높임법, ② ③ ④는 주체 높임법이 사용되었다.**
- 서술의 객체인 '어머니'를 높이기 위해 부사격 조사 '께'와 객체를 높이는 특수 어휘 '드리다'를 사용하였다.

오답 분석 ②③④ 모두 서술의 주체인 '할머니', '선생님', '큰아버지'를 높이기 위해 높임의 주격 조사 '께서'와 주체 높임 선어말 어미 '-시-'를 사용하였다.

25

난이도 ★★☆

해설 **③ '자기가 가겠다고'에서 '-겠-'은 주체의 의지를 나타내는 기능을 하는 반면 ①②④는 추측을 나타내는 기능을 하므로 선어말 어미 '-겠-'의 기능이 다른 것은 ③이다.**
- **철수가 이번에는 자기가 가겠다고 하였다**: 이때 '-겠-'은 주체인 철수의 의지를 나타내는 기능을 한다.

오답 분석 ① **구름이 몰려오는 것을 보니 조만간 비가 오겠다**: 이때 '-겠-'은 비가 올 것이라는 미래에 대한 추측의 기능을 한다.

② **지금쯤 철수가 집에 도착하여 밥을 먹겠다**: 이때 '-겠-'은 지금 철수가 밥을 먹고 있을 것이라는 현재 사실에 대한 추측의 기능을 한다.

④ **8시에 출발하면 10시쯤에 도착하겠구나**: 이때 '-겠-'은 10시에 도착할 것이라는 미래에 대한 추측의 기능을 한다.

26

난이도 ★★☆

해설 **③ 괄호 안에는 상대·주체·객체 높임법이 모두 쓰인 문장이 들어가야 하므로 답은 ③이다.**
- **상대 높임법**: 하십시오체 종결 어미 '-습니다'를 사용하여 대화의 상대를 높임
- **주체 높임법**: 서술의 주체인 '어머니'를 높이기 위해 높임의 주격 조사 '께서'와 주체 높임 선어말 어미 '-시-'를 사용함
- **객체 높임법**: 서술의 객체인 '아주머니'를 높이기 위해 부사격 조사 '께'와 객체를 높이는 특수 어휘 '드리다'를 사용함

오답 분석 ① 높임의 주격 조사 '께서'와 주체 높임 선어말 어미 '-시-'를 사용하여 서술의 주체인 '아버지'를 높이고, 객체를 높이는 특수 어휘 '모시다'를 사용하여 서술어의 객체인 '할머니'를 높였으나 대화의 상대를 높인 표현은 나타나지 않는다.

② 해요체 종결 어미 '-아요'를 사용하여 대화의 상대를 높이고, 높임의 부사격 조사 '께'와 객체를 높이는 특수 어휘 '드리다'를 사용하여 서술의 객체인 '어머니'를 높였으나 서술어의 주체를 높인 표현은 나타나지 않는다.

④ 하십시오체 종결 어미 '-ㅂ니다'를 사용하여 대화의 상대를 높이고, 높임의 주격 조사 '께서'와 주체 높임 선어말 어미 '-시-'를 사용하여 서술의 주체인 '여러분'을 높였으나 서술어의 객체를 높인 표현은 나타나지 않는다.

27

난이도 ★★☆

해설 **② '당신'은 주어인 '할아버지'를 가리키는 3인칭 재귀 대명사 '자기'를 아주 높여 이르는 말이다. 따라서 높임 표현에 대한 설명으로 적절한 것은 ②이다.**

오답 분석 ① '말씀'은 남의 말을 높여 이르는 말이기도 하고 자기의 말을 낮추어 이르는 말이기도 하므로, '말씀'의 사용이 적절하다.

③ '저희'는 '우리'의 낮춤말로 '저희 학과', '저희 학교', '저희 회사'는 가능하다. 하지만 '나라'는 낮추어 말할 수 없으므로 '우리 나라'와 같이 표현해야 한다.

④ '만 원', '품절'은 청자의 소유물이거나 청자와 밀접한 관련을 맺고 있는 대상이 아니므로 높임의 대상이 아니다. 따라서 '만 원이세요', '품절이십니다'와 같이 객체를 불필요하게 높이는 표현은 적절하지 않다.

28

난이도 ★★☆

해설 **④ 여쭤 보셨던(×) → 물어보셨던(○): '여쭈어보다'는 '물어보다'의 높임말로, 서술의 객체를 높일 때 사용하는 어휘이다. 따라서 ④에서 '여쭤 보셨던'이 높이는 대상은 서술의 객체(부사어) '저(나)'가 되므로, 높임의 대상이자 서술의 주체인 '시장님'을 높이기 위해서는 '여쭤 보셨던'을 '물어보다'에 주체 높임 선어말 어미 '-(으)시'를 붙인 '물어보셨던'으로 고쳐 써야 한다.**

오답 분석 ① **부장님, 넥타이가 잘 어울리시네요(○)**: 서술의 주체인 '넥타이'는 높임의 대상인 '부장님'과 관련된 간접 높임의 대상이다. 따라서 서술어 '어울리다'에 '-(으)시-'를 붙여 '어울리시네요'로 쓰는 것은 적절하다.

② **어머님, 아비가 아직 안 들어왔습니다(○)**: 남편을 시부모님에게 말할 때는 높이지 않고 낮추어 말하는 것이 적절하다.

③ **선생님, 어머니께서 위임장을 주셨습니다(○)**: 문장의 주체인 '어머니'를 높이기 위해 주격 조사의 높임말 '-께서'를 사용하고 서술어에 주체 높임 선어말 어미 '-(으)시-'를 붙여 쓰는 것은 적절하다.

이것도 알면 **합격**

압존법에 대해 알아두자.

문장의 주체가 화자보다는 높지만 청자보다는 낮아, 그 주체를 높이지 못하는 어법

예 할아버지, 아버지가 아직 안 왔습니다.

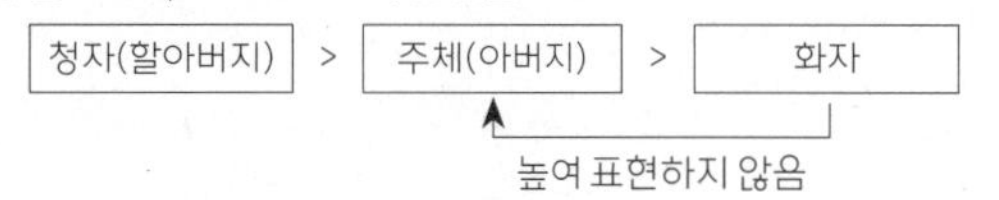

29

[2019년 서울시 7급 (2월)]

〈보기〉를 참고하여 문장에 실현되는 높임법을 분석할 때, 다음 중 옳지 않은 것은?

〈보기〉

국어의 높임법에는 주체 높임법, 객체 높임법, 상대 높임법이 있다. 이처럼 다양한 높임법을 체계적으로 살펴보기 위해서 아래의 (예)와 같이 이들 높임법이 문장에 나타날 때와 그렇지 않을 때를 '+'와 '-'로 표시할 수 있을 것이다.

예 영수가 동생에게 과자를 주었습니다.
(-주체, -객체, +상대)

① 어머니께서 영희에게 과자를 주셨다.
(+주체, -객체, -상대)

② 영희가 할머니께 과자를 드렸다.
(-주체, +객체, +상대)

③ 어머니께서 영희에게 과자를 주셨습니다.
(+주체, -객체, +상대)

④ 어머니께서 할머니께 과자를 드리셨습니다.
(+주체, +객체, +상대)

30

[2019년 서울시 7급 (2월)]

〈보기〉에 제시된 문장은 주동문과 사동문 그리고 능동문과 피동문이다. 다음 중 사동문과 피동문에 대한 설명으로 가장 옳지 않은 것은?

〈보기〉

(가) 내가 책을 읽었다.
(나) 선생님께서 나에게 책을 읽히셨다.
(다) 우리가 산을 봅니다.
(라) 산이 우리에게 보입니다.

① 사동문과 피동문의 서술어인 사동사와 피동사는 모두 파생어이다.

② 사동문과 피동문에는 행위의 주체에 해당되는 문장 성분이 필수적으로 제시된다.

③ 사동문과 피동문에 나타난 부사어는 각각 주동문의 주어와 능동문의 주어이다.

④ 주동문이 사동문으로 전환될 때나 능동문이 피동문으로 전환될 때 서술어의 자릿수에 변화가 나타난다.

31

[2018년 서울시 7급 (3월)]

높임법이 가장 옳지 않은 것은?

① 부장님의 따님은 집에 계신가요?

② 담임 선생님은 키가 굉장히 크시다.

③ 할아버지, 지팡이가 아주 멋지세요.

④ 선생님, 비가 오는데 우산 있으세요?

32

[2018년 소방직 9급 (10월)]

높임법의 쓰임이 적절한 것은?

① 고객님이 주문하신 커피 나오셨습니다.

② 할아버지께서 네 방으로 오라고 하셨어.

③ 지금부터 사장님의 말씀이 계시겠습니다.

④ 어머니께서 제게 시간을 여쭈어 보셨어요.

29

난이도 ★★★

해설 ① 주격 조사 '께서'와 주체 높임 선어말 어미 '-(으)시-'를 사용하고 있으므로 문장의 주체인 '어머니'를 높이고 있음을 확인할 수 있고, 객체 높임에 사용되는 조사 '-께'나 '드리다'와 같은 어휘가 사용되고 있지 않으므로 문장의 객체인 '영희'를 높이고 있지 않음을 확인할 수 있다. 하지만 격식체 중 해라체의 종결 어미인 '-다'를 사용하고 있으므로, 청자를 높이거나 낮추는 상대 높임이 사용되었음을 확인할 수 있다. 따라서 ①은 '+주체, -객체, +상대'로 분석하는 것이 옳다.

30

난이도 ★★★

해설 ② 사동문 (나)의 서술어 '읽히다'는 두 자리 서술어로 행위의 주체에 해당되는 주어 '선생님께서'가 필수적으로 제시된다. 반면 피동문 (라)의 서술어 '보이다'는 한 자리 서술어로 행위의 주체에 해당되는 부사어 '우리에게'가 생략될 수 있다. 따라서 피동문 (라)에서 행위의 주체에 해당되는 부사어 '우리에게'는 필수적인 문장 성분이 아니므로 옳지 않은 것은 ②이다.

오답분석 ① 사동문 (나)의 서술어인 사동사 '읽히다'와 피동문 (라)의 서술어인 피동사 '보이다'는 각각 어근 '읽-'과 '보-'에 사동의 뜻을 더하는 접미사 '-히-'와 피동의 뜻을 더하는 접미사 '-이-'가 결합한 것이므로 모두 파생어이다.

③ 사동문 (나)에 나타난 부사어 '나에게'와 피동문 (라)에 나타난 부사어 '우리에게'는 각각 주동문 (가)의 주어 '내가'와 능동문 (다)의 주어 '우리가'에 해당한다.

④ 주동문 (가)의 서술어 '읽다'는 두 자리 서술어이고, 사동문 (나)의 서술어 '읽히다'는 세 자리 서술어이다. 또한 능동문 (다)의 서술어 '보다'는 두 자리 서술어이고, 피동문 (라)의 서술어 '보이다'는 한 자리 서술어이다. 따라서 주동문이 사동문으로 전환될 때나 능동문이 피동문으로 전환될 때 서술어의 자릿수에 변화가 나타난다.

31

난이도 ★☆☆

해설 ① 부장님의 따님은 집에 계신가요(×) → 부장님의 따님은 집에 있으신가요(○): '계시다'는 직접 높임 표현에 사용하는 어휘이므로 간접 높임의 대상인 '부장님의 따님'을 높일 때 사용하는 것은 적절하지 않다. '부장님의 따님'은 '부장님'과 밀접한 관련이 있는 대상이므로 간접 높임 표현인 '-(으)시-'를 사용하여 '있으신가요'로 고쳐 써야 한다. 따라서 답은 ①이다.

오답분석 ② 담임 선생님은 키가 굉장히 크시다(○): '크시다'는 선어말 어미 '-(으)시-'를 사용하여 '담임 선생님'의 신체인 '키'를 높여 '담임 선생님'을 간접적으로 높이는 표현이다.

③ 할아버지, 지팡이가 아주 멋지세요(○): '멋지세요'는 선어말 어미 '-(으)시-'를 사용하여 '할아버지'와 밀접한 관련이 있는 '지팡이'를 높여 '할아버지'를 간접적으로 높이는 표현이다.

④ 선생님, 비가 오는데 우산 있으세요(○): '있으세요'는 선어말 어미 '-(으)시-'를 사용하여 '선생님'과 밀접한 관련이 있는 '우산'을 높여 '선생님'을 간접적으로 높이는 표현이다.

32

난이도 ★★☆

해설 ② 할아버지께서 네 방으로 오라고 하셨어(○): 문장의 주체인 '할아버지'를 높이기 위해 높임의 주격 조사 '께서'와 주체 높임 선어말 어미 '-시-'를 사용하고 있으므로 높임법의 쓰임이 적절한 것은 ②이다.

오답분석 ① 고객님이 주문하신 커피 나오셨습니다(×) → 고객님께서 주문하신 커피 나왔습니다(○): 문장의 주체인 '고객님'을 높이기 위해 주격 조사인 '께서'를 쓰는 것이 적절하다. 또한 '나오셨습니다'는 간접 높임의 대상인 '커피'를 직접 과도하게 높인 표현이므로 '나왔습니다'로 고쳐 쓰는 것이 적절하다.

③ 사장님의 말씀이 계시겠습니다(×) → 사장님의 말씀이 있으시겠습니다(○): '계시다'는 높여야 할 대상을 직접 높이는 경우에 쓰는 표현이므로 '사장님'과 관련된 '말씀'을 높이는 간접 높임 표현에서는 사용하면 안 된다. '말씀'을 통해 높여야 할 대상을 간접적으로 높이기 위해서는 '있으시겠습니다'와 같이 서술어에 '-(으)시-'를 붙이거나 '-(으)시-'를 쓰지 않은 '있겠습니다'로 고쳐 쓰는 것이 적절하다.

④ 어머니께서 제게 시간을 여쭈어 보셨어요(×) → 어머니께서 제게 시간을 물어보셨어요(○): '여쭙다'는 목적어나 부사어와 같은 서술의 객체를 높일 때 사용하는 어휘로 주체인 '어머니'가 아닌 서술의 객체인 '저(나)'를 높이는 표현이 된다. 따라서 '물어'로 고쳐 쓰는 것이 적절하다.

33

[2017년 국가직 9급 (10월)]

높임법에 대한 설명으로 옳지 않은 것은?

> ㄱ. 할아버지께서 노인정에 가셨습니다.
> ㄴ. 선생님께서는 휴일에는 댁에 계십니다.
> ㄷ. 여러분, 아이들을 자리에 앉혀 주십시오.
> ㄹ. 우리는 할머니를 모시고 산책을 다녀왔다.

① ㄱ, ㄴ: 문장의 주체를 높이고 있다.
② ㄱ, ㄴ, ㄷ: 듣는 이를 높이고 있다.
③ ㄴ, ㄹ: 특수한 어휘를 사용하여 높임을 표현하고 있다.
④ ㄷ, ㄹ: 목적어를 높이고 있으므로 객체를 높이는 표현이다.

34

[2018년 국가직 7급]

밑줄 친 부분의 사례로 적절한 것은?

> 한국어의 피동 표현 중 '-어/아지다'에 의한 피동이 있다. 이것은 연결 어미 '-어/아'에 보조 동사 '지다'가 결합된 통사적 구성으로 통사적 피동이라 부르기도 한다. 그런데 '-어/아지다'가 피동의 의미보다는 '-게 되다'와 비슷한 의미를 가져 어떠어떠한 상태로 된다는 <u>과정화</u>의 의미가 더 강할 때가 있다.

① 이 책이 잘 읽혀진다.
② 방에 우유가 쏟아졌다.
③ 그 가게에 잘 가지지 않아요.
④ 이 연필은 글씨가 잘 써진다.

35

[2017년 국가직 7급 (10월)]

높임법의 사용이 자연스럽지 않은 것은?

① 제 말씀을 그렇게 곡해하시다니 정말 섭섭합니다.
② 그분은 항상 걱정이 많으시니 각별히 배려해 드려야 합니다.
③ 당신께서 생전에 아끼시던 물품이라 당장에 처분하기는 어렵습니다.
④ 아버님께서는 집안의 대소사에 대해 항상 아랫사람들에게 여쭈어 보십니다.

36

[2017년 지방직 9급 (6월)]

"숙희야, 내가 선생님께 꽃다발을 드렸다."의 문장을 다음 규칙에 따라 옳게 표시한 것은?

> 우리말에는 주체 높임, 객체 높임, 상대 높임 등이 있다. 주체 높임과 객체 높임의 경우 높임은 +로, 높임이 아닌 것은 -로 표시하고 상대 높임의 경우 반말체를 -로, 해요체를 +로 표시한다.

① [주체 -], [객체 +], [상대 -]
② [주체 +], [객체 -], [상대 +]
③ [주체 -], [객체 +], [상대 +]
④ [주체 +], [객체 -], [상대 -]

33

난이도 ★★☆

해설 **④ 높임법에 대한 설명으로 옳지 않은 것은 ④이다.**
- **ㄷ(상대 높임):** 하십시오체를 사용하여 청자인 '여러분'을 높이고 있을 뿐, 목적어인 '아이들'을 높이지는 않았다.
- **ㄹ(객체 높임):** 서술어 '모시고'를 사용하여 목적어인 '할머니'를 높여 표현하고 있다.

오답 분석 ① • ㄱ: 주격 조사의 높임말 '께서'를 사용하고 서술어에 주체 높임 선어말 어미 '-시-'를 붙여 문장의 주체인 '할아버지'를 높였다.
- ㄴ: 주격 조사의 높임말 '께서'와 주체 높임 어휘인 '계시다'를 사용하여 문장의 주체인 '선생님'을 높였다.

② ㄱ, ㄴ, ㄷ 모두 하십시오체를 사용하여 듣는 상대를 높이고 있다.

③ • ㄴ: 주체 높임 어휘인 '계시다'를 사용하여 서술의 주체인 '선생님'을 높였다. 또한 간접 높임말 '댁'을 사용하여 선생님과 관련 있는 사물인 '집'을 높였다.
- ㄹ: 객체 높임 어휘인 '모시다'를 사용하여 서술의 대상인 '할머니'를 높였다.

34

난이도 ★☆☆

해설 **③ 그 가게에 잘 가지지 않아요: 이때 '가지다'는 '가다'의 어간에 '-아지다'가 결합한 형태로, 피동의 의미보다는 '그 가게에 잘 가게 되지 않아요'와 같이 과정화의 의미가 더 강하게 드러난다. 따라서 밑줄 친 부분의 사례로 적절한 것은 ③이다.**

오답 분석 ① **이 책이 잘 읽혀진다**: 이때 '읽혀지다'는 '읽다'의 어간 '읽-'에 피동 접미사 '-히-'와 '-어지다'가 결합하여 피동의 의미를 나타내고 있다. 참고로, '읽혀지다'는 이중 피동 표현이므로 '읽히다'로 고쳐 써야 한다.

② **방에 우유가 쏟아졌다**: 이때 '쏟아지다'는 '쏟다'의 어간 '쏟-'에 '-아지다'가 결합하여 피동의 의미를 나타내고 있다.

④ **이 연필은 글씨가 잘 써진다**: 이때 '써지다'는 '쓰다'의 어간 '쓰-'에 '-어지다'가 결합하여 피동의 의미를 나타내고 있다.

35

난이도 ★☆☆

해설 **④ 아랫사람들에게 여쭈어 보십니다(×) → 아랫사람들에게 물어보십니다(○): '여쭈다'는 목적어나 부사어 같은 서술의 객체를 높이는 어휘인데, 문장의 부사어인 '아랫사람들'을 높이므로 자연스럽지 않다. 따라서 높임 표현을 사용하지 않은 '물어'로 고쳐 써야 한다.**

오답 분석 ① **제 말씀을 그렇게 곡해하시다니(○)**: 이때 '말씀'은 자신의 말을 낮추어 이르는 말로 사용되었다.

② **그분은 항상 걱정이 많으시니 각별히 배려해 드려야 합니다(○)**: 이때 '걱정'은 높임의 대상이 되는 '그분'의 심리이므로 '그분'과 밀접한 관련이 있다. 따라서 서술어 '많다'에 높임 선어말 어미 '-(으)시-'를 붙여 간접 높임 표현을 사용하였다. 또한 '주다'의 높임말인 '드리다'를 통해 서술의 객체인 '그분'을 높이고 있다.

③ **당신께서 생전에 아끼시던 물품이라(○)**: 이때 '당신'은 '자기'를 아주 높여 이르는 말로 쓰였으므로 주어를 높이는 조사 '께서'를 사용하였다. 또한 관형절 '당신께서 생전에 아끼시던'에서 문장의 주체인 '당신'은 높임의 대상이므로 서술어 '아끼다'에 주체 높임 선어말 어미 '-시-'를 붙였다.

36

난이도 ★★☆

해설 **① "숙희야, 내가 선생님께 꽃다발을 드렸다."의 문장에서는 선어말 어미 '-(으)시-'와 같은 주체 높임 표현이 없으므로 주체인 '나'를 높이고 있지 않으나, 조사 '께'와 서술어 '드리다'를 통해 서술의 객체인 '선생님'을 높이고 있다. 또한 격식체 중 반말체인 '해라체'를 사용하고 있으므로 청자인 '숙희'도 높이고 있지 않다. 따라서 [주체 -], [객체 +], [상대 -]와 같이 표시한 ①이 답이다.**

이것도 알면 합격

높임법의 종류를 알아두자.

주체 높임법	서술상의 주체가 화자보다 나이가 많거나 사회적 지위가 높을 때 서술의 주체를 높이는 표현	
	직접 높임	높임의 표지가 주어에게 향해 있을 때 주체를 직접적으로 높이는 방법 예 할머니께서 집에 계신다.
	간접 높임	높임의 표지가 주체의 신체 부분이나 생활에 필수적인 사물, 개인적인 소유물 등과 같이 주체와 관련된 것일 때 주체를 간접적으로 높이는 방법 예 곧 선생님의 말씀이 있으시겠습니다.
객체 높임법	목적어나 부사어가 지시하는 대상인 서술의 객체를 높이는 표현 예 • 나는 아버지를 모시고 집으로 왔다. • 나는 어머님께 용돈을 드렸다.	
상대 높임법	청자를 높이거나 낮추는 표현. 하십시오체, 하오체, 하게체, 해라체 등의 격식체와 해요체, 해체 등의 비격식체가 있음 예 • 다음에 또 들르겠습니다. (하십시오체) • 다음에 또 들르겠어요. (해요체)	

37

[2017년 국가직 7급 (8월)]

높임법 사용이 옳은 것은?

① 교수님, 연구실에서 교수님을 직접 보고 말씀을 드리겠습니다.
② 큰아버지, 오늘 약주를 많이 드셨는데, 제가 집까지 모셔다 드리겠습니다.
③ 김 과장님, 부장님께서 빨리 오시라는데 오후에 시간 계십니까?
④ 철수야, 이것은 중요한 문제니까 부모님께 여쭈어 보고 결정할게.

38

[2017년 기상직 9급]

〈보기〉의 문장에 사용된 높임법의 종류가 일치하는 것끼리 묶인 것은?

〈보기〉

ㄱ. 얘들아, 우리 빨리 이 과제 끝내자.
ㄴ. 어머니께서 선생님께 이 편지를 드리라고 하셨어요.
ㄷ. 할아버지께서는 우리들을 많이 사랑해주셔서 자주 뵙고 싶습니다.
ㄹ. 잘 모르겠으면 아버지께 여쭤보는 게 좋겠어.

① ㄱ, ㄴ
② ㄴ, ㄷ
③ ㄷ, ㄹ
④ ㄱ, ㄴ, ㄷ

39

[2017년 서울시 7급]

다음 중 상대 높임법의 등급이 다른 하나는?

① 여보게, 어디 가는가?
② 김 군, 벌써 봄이 왔다네.
③ 오후에 나와 같이 산책하세.
④ 어느덧 벚꽃이 다 지는구려.

40

[2016년 서울시 9급]

다음 중 〈보기〉에 대한 이해로 적절하지 않은 것은?

〈보기〉

주동문	㉠아이가 밥을 먹었다.	㉢마당이 넓다.
	↓	↓
사동문	㉡어머니가 아이에게 밥을 먹게 하였다.	㉣인부들이 마당을 넓혔다.

① ㉡, ㉣을 보니, 사동문에는 두 가지 유형이 있군.
② ㉡, ㉣을 보니, 주동문의 주어는 사동문에서 다른 문장 성분으로 나타날 수 있군.
③ 〈보기〉를 보니, 동사만 사동화될 수 있군.
④ 〈보기〉를 보니, 주동문을 사동문으로 바꾸면 서술어의 자릿수가 변화할 수 있군.

37

난이도 ★★☆

해설 ④ 부모님께 여쭈어 보고(○): 부사어가 지시하는 대상(서술의 객체)인 '부모님'을 높이기 위해 부사격 조사 '에게'의 높임말인 '께'와 객체 높임을 나타내는 어휘 '여쭈다'를 바르게 사용하였다.

오답분석 ① **교수님을 직접 보고(×) → 교수님을 직접 뵙고(○)**: 서술의 객체인 '교수님'은 높여야 할 대상이므로 높임 표현 '뵙고'로 고쳐 써야 한다.

② **집까지 모셔다 드리겠습니다(×) → 댁까지 모셔다 드리겠습니다 (○)**: '큰아버지'는 높임의 대상이므로 그 대상과 관련 있는 '집'도 높임말 '댁'으로 고쳐 써야 한다.

③ • **김 과장님, 부장님께서 빨리 오시라는데(×) → 김 과장님, 부장님께서 빨리 오시라고 하시는데(○)**: 직장에서는 직급에 상관없이 모든 사람에게 존대하는 것이 바람직하다. 따라서 과장님과 부장님을 모두 높일 수 있도록 '오시라고 하시는데'로 고쳐 써야 한다.

• **오후에 시간 계십니까(×) → 오후에 시간 있으십니까(○)**: '계시다'는 높여야 할 대상을 직접 높이는 경우에 쓰는 표현이다. 따라서 높임의 대상인 '김 과장님'과 관련된 '시간'을 간접적으로 높이기 위해서는 서술어에 높임의 선어말 어미 '-(으)시'를 붙여 '있으십니까?'와 같이 쓰는 것이 적절하다.

38

난이도 ★★☆

해설 ② **ㄴ, ㄷ은 주체 높임과 객체 높임, 상대 높임이 모두 사용되었다.**

• **주체 높임**: 격 조사 '께서'와 선어말 어미 '-시-'를 통해 '어머니'와 '할아버지'를 높이고 있다.

• **객체 높임**: 격 조사 '께'와 특수 어휘 '드리다', '뵙다'를 통해 '선생님'과 '할아버지'를 높이고 있다.

• **상대 높임**: 비격식체인 해요체의 종결 어미 '-요'와 격식체인 하십시오체의 종결 어미 '-습니다'를 통해 청자를 높이고 있다.

• ㄱ: 격식체인 해라체를 사용한 '끝내자'를 통해 청자를 낮춘 상대 높임이 나타난다.

• ㄹ: 부사격 조사 '께'와 '여쭈다(여쭤보다)'를 통해 객체인 '아버지'를 높인 객체 높임이 나타난다.

39

난이도 ★★☆

해설 ④ **'지는구려'는 '예사 높임(하오체)'에 해당하나, ① ② ③은 모두 '예사 낮춤(하게체)'에 해당한다.**

40

난이도 ★★☆

해설 ③ **ⓒ의 '넓다'는 형용사인데, ⓔ에서 사동 접사 '-히-'가 붙어 '넓히다'가 되었으므로 형용사도 사동화될 수 있음을 알 수 있다. 따라서 ③의 설명은 적절하지 않다.**

① ⓒ은 용언에 '-게 하다'가 붙은 통사적 사동문이고, ⓔ은 파생 접사 '-히-'가 붙은 파생적 사동문이므로 사동문의 유형이 두 가지임을 알 수 있다.

② 주동사가 타동사이면 주동문의 주어는 사동문의 부사어가 되고 (ⓒ), 주동사가 형용사이면 주동문의 주어는 사동문의 목적어가 된다(ⓔ).

• ㉠ 아이가(주어) → ⓒ 아이에게(부사어)
• ⓒ 마당이(주어) → ⓔ 마당을(목적어)

④ 주동문 ㉠의 서술어 '먹다'는 주어, 목적어를 요구하는 두 자리 서술어이고, 사동문 ⓒ의 서술어 '먹게 하다'는 주어, 필수적 부사어, 목적어를 요구하는 세 자리 서술어이다. 그리고 주동문 ⓒ의 서술어 '넓다'는 주어만 요구하는 한 자리 서술어이고, 사동문 ⓔ의 서술어 '넓히다'는 주어, 목적어를 요구하는 두 자리 서술어이다. 따라서 주동문을 사동문으로 바꾸면 서술어의 자릿수가 변화할 수 있음을 알 수 있다.

• ㉠ 두 자리 서술어 → ⓒ 세 자리 서술어
• ⓒ 한 자리 서술어 → ⓔ 두 자리 서술어

이것도 알면 **합격**

주동문이 사동문으로 바뀌는 경우를 알아두자.

1. 주동사가 형용사나 자동사이면, 주동문의 주어가 사동문의 목적어가 됨

예 • 주동문: 얼음이 녹다.
(주어) (서술어)
• 사동문: 영희가 얼음을 녹이다.
(주어) (목적어) (서술어)

2. 주동사가 타동사이면, 주동문의 주어가 사동문의 부사어가 되면서 주동문의 목적어는 그대로 목적어로 남음

예 • 주동문: 팥쥐가 짐을 지다.
(주어) (목적어)(서술어)
• 사동문: 콩쥐가 팥쥐에게 짐을 지우다.
(주어) (부사어) (목적어)(서술어)

41

[2016년 기상직 9급]

밑줄 친 부분의 시제가 다른 것은?

① 친구가 도서관에서 책을 빌렸다.
② 그녀의 아름다운 마음씨가 예쁘다.
③ 잘 익은 사과를 보니 기분이 좋다.
④ 나는 그에게 받은 것이 전혀 없다.

42

[2015년 국회직 8급]

다음은 국어의 부정(否定) 표현에 대한 설명이다. ㉠~㉤의 예시로 적절하지 않은 것은?

> 부정의 의미를 나타내기 위하여 가장 많이 사용하는 방법은 이른바 부정소라고 불리는 ㉠부정 부사나 부정 서술어를 사용하는 경우이다. 그러나 이 밖에도 ㉡부정의 의미를 가지는 접두사를 이용하기도 하고 ㉢부정의 뜻을 가지는 어휘를 이용하여 부정의 의미를 나타내기도 한다. 더욱이 우리말에는 ㉣부정소를 사용하지 않아도 부정의 의미를 내포하는 경우도 있고 반대로 ㉤부정소를 사용하였더라도 의미상으로는 긍정인 경우도 있다.

① ㉠: 너무 시끄럽게 떠들지 마라.
② ㉡: 이번 계획은 너무나 비교육적이다.
③ ㉢: 나는 그녀의 마음을 잘 모른다.
④ ㉣: 제가 어찌 그 일을 하지 않을 수 있겠습니까?
⑤ ㉤: 그가 이번 일을 그렇게 못 하지는 않았다.

43

[2014년 지방직 9급 (10월)]

밑줄 친 부분에 해당하는 예로 적절한 것은?

> 간접 높임이란 '할아버지께서는 돈이 많으시다.'처럼 높여야 할 대상의 신체 부분, 성품, 심리, 소유물과 같이 주어와 밀접한 관계를 맺고 있는 대상을 높이는 것을 말한다. 하지만 간접 높임을 지나치게 사용할 경우 언어생활의 오류를 범하게 된다.

① 과장님, 여쭈어볼 게 있어요.
② 나도 그 선생님께 선물을 드렸어.
③ 철수야, 선생님께서 너 지금 교무실로 오시래.
④ 손님, 사용 중에 불편한 점이 계시면 언제든 연락 주십시오.

44

[2014년 사회복지직 9급]

밑줄 친 부분에 해당하는 표현으로 옳은 것은?

> 청유문은 화자가 청자에게 같이 행동할 것을 요청하는 문장이다. 즉, 청유문은 청유형 어미 '-자', '-(으)ㅂ시다' 등이 붙는 서술어의 행동을 화자와 청자가 공동으로 하도록 유발하는 것이다. 그러나 간혹 청자만 행하기를 바라거나 화자만 행하기를 바랄 때에도 쓰인다.

① (반장이 떠드는 친구에게) 조용히 좀 하자.
② (식사를 먼저 마친 사람들이 귀찮게 말을 걸 때) 밥 좀 먹읍시다.
③ (회의에서 논의가 길어질 때) 이 문제는 나중에 다시 다루도록 합시다.
④ (같은 반 친구에게) 영화표가 두 장 생겼어. 오늘 나와 같이 보러 가자.

41

난이도 ★★☆

해설 ② '아름다운'은 현재 시제인 반면 ①③④의 밑줄 친 부분은 과거 시제이므로 시제가 다른 것은 ②이다.

- 아름답-(형용사 어간)+-은(관형사형 어미): 이때 '-은'은 앞말이 관형어 역할을 하게 하면서 현재의 상태를 나타내는 어미이다.

오답 분석 ① '빌렸다'는 동사 '빌리다'에 과거 시제의 선말 어미 '-었-'이 결합한 표현이다.

③④ '익은/받은'은 동사 '익다/받다'에 앞말이 관형어 역할을 하게 하고 동작이 과거에 이루어졌음을 나타내는 어미 '-은'이 결합한 표현이다.

42

난이도 ★★☆

해설 ④ 제시된 문장은 수사 의문문으로, 부정 표현인 '-지 않-'이 붙어 있지만 의미상으로는 '제가 그 일을 하겠습니다'라는 긍정의 의미를 내포한다. 따라서 ㉣의 예로 적절하지 않다.

오답 분석 ① '마라'는 부정의 뜻을 나타내는 서술어 '말다'에 명령형 어미 '-아라'가 결합한 것이다.

② '비-'는 '아님'이라는 부정의 의미를 더하는 접두사이다.

③ '모르다'는 '사람이나 사물 등을 알거나 이해하지 못하다'라는 부정의 뜻을 가진 어휘이다.

⑤ '못 하지는 않았다'는 이중 부정으로, 한 번 부정한 것을 다시 부정하여 긍정의 의미를 나타낸다.

43

난이도 ★★☆

해설 ④ 사용 중에 불편한 점이 계시면(×) → 사용 중에 불편한 점이 있으시면/있다면(○): '계시다'는 '있다'의 직접 높임 표현으로 손님을 존대하려는 의도에서 '불편한 점'을 지나치게 높여 표현한 것이다. 따라서 '계시면'을 간접 높임 표현인 '있으시면'으로 고치거나 높임 표현을 쓰지 않은 '있다면'으로 고치는 것이 적절하다.

오답 분석 ①② 과장님, 여쭈어볼 게 있어요 / 나도 그 선생님께 선물을 드렸어(○): '여쭙다', '드리다'는 서술의 객체를 높일 때 사용하는 어휘이다. ①②는 객체 높임법이 적절히 사용된 표현이므로 간접 높임의 잘못된 예와 관련이 없다.

③ 철수야, 선생님께서 너 지금 교무실로 오시래(×) → 철수야, 선생님께서 너 지금 교무실로 오라고 하셔/오라셔(○): '오시래'는 '오는' 행동의 주체인 '너(철수)'를 높이는 표현이므로, 선생님을 높이는 '오라고 하셔' 또는 '오라셔'로 고쳐 써야 한다. 이때 ③은 주체 높임법이 잘못 사용된 표현이므로 간접 높임의 잘못된 예와는 관련이 없다.

44

난이도 ★☆☆

해설 ② '밥 좀 먹읍시다'에서 밥을 먹으려는 사람은 화자이므로, 서술어 '먹는다'의 행동을 화자만 행하기를 바라는 경우에 해당한다. 따라서 답은 ②이다.

오답 분석 ① 서술어의 행동을 청자만 행하기를 바라는 경우이다.

③④ 논의를 다시 하거나, 영화를 볼 사람은 화자와 청자이므로 서술어의 행동을 화자와 청자가 공동으로 하기를 바라는 경우이다.

Chapter 04

의미

기본서 1권 103p

1. 동음이의어, 다의어

01

[2021년 국가직 9급]

㉠의 단어와 의미가 같은 것은?

> 친구에게 줄 선물을 예쁜 포장지에 ㉠싼다.

① 사람들이 안채를 겹겹이 싸고 있다.
② 사람들은 봇짐을 싸고 산길로 향한다.
③ 아이는 몇 권의 책을 싼 보퉁이를 들고 있다.
④ 내일 학교에 가려면 책가방을 미리 싸 두어라.

02

[2018년 서울시 7급 (6월)]

밑줄 친 단어 중 그 의미가 나머지 셋과 가장 다른 것은?

① 그는 음식이 너무 매워 거의 먹지 못했다.
② 장군은 흐르는 눈물 때문에 말을 잇지 못했다.
③ 그 아이는 부모의 바람만큼 똑똑하지 못했다.
④ 오늘은 너무 바빠서 동창회에 가지 못했다.

03

[2021년 국회직 8급]

〈보기〉에서 밑줄 친 어휘의 의미가 유사한 것끼리 묶인 것은?

〈보기〉

> ㄱ. 농촌 생활에 제법 길이 들었다.
> ㄴ. 그 먼 길을 뚫고 고향으로 돌아가겠다고?
> ㄷ. 길이 많이 막혀서 대중교통을 이용하는 편이 빠르다.
> ㄹ. 서랍은 길이 들지 않아 잘 열리지 않았다.
> ㅁ. 통나무 굵기가 한 아름이 넘고, 길이는 열 길이 넘었다.

① (ㄱ, ㄴ), (ㄷ, ㄹ, ㅁ)
② (ㄱ, ㄷ), (ㄴ, ㄹ, ㅁ)
③ (ㄱ, ㄷ), (ㄴ, ㄹ), (ㅁ)
④ (ㄱ, ㄹ), (ㄴ, ㄷ), (ㅁ)
⑤ (ㄱ, ㄹ), (ㄴ, ㅁ), (ㄷ)

04

[2020년 서울시 9급]

〈보기〉의 밑줄 친 부분과 문맥적 의미가 가장 가까운 것은?

〈보기〉

> 현재 그녀는 건강이 매우 좋다.

① 그녀의 성격은 더할 수 없이 좋다.
② 서울 간 길에 한 번 뵈올 땐 혈색이 좋으셨는데?
③ 다음 주 토요일은 결혼식을 하기에는 매우 좋은 날이다.
④ 대화를 하는 그의 말투는 기분이 상쾌할 정도로 좋았다.

05

[2020년 소방직 9급]

㉠의 문맥적 의미와 가장 가까운 것은?

> 문화의 특성도 인간의 성격도 크게 나누어 보면 '심근성(深根性)'과 '천근성(淺根性)'으로 ㉠나누어 볼 수 있다. 심근성의 문화는 이념이나 정통에 깊이 뿌리를 박고 있는 대륙형 문화이며, 천근성의 문화는 이식과 수용·적응이 잘되는 해양성 섬 문화이다. 소나무 가지는 한번 꺾이고 부러지면 재생 불가능이지만 버들은 아무데서나 새 가지가 돋는다. 이렇게 고지식하고 융통성이 없는 깐깐한 소나무 문화와는 달리 버드나무는 뿌리가 얕으므로 오히려 덕을 본다.

① 우리는 그 문제에 대해서 의견을 나누었으나 결론을 내지는 못했다.
② 학생들은 청군과 백군으로 나누어 편을 갈랐다.
③ 형제란 한 부모의 피를 나눈 사람들이다.
④ 이 사과를 세 조각으로 나누자.

챕터별 출제 경향
(2015-2021 국가직 / 지방직 / 서울시 7·9급)

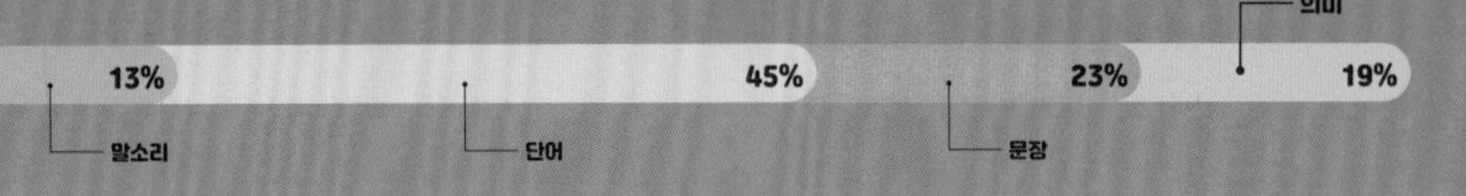

01

난이도 ★★☆

해설 ③ ㉠ '싼다'의 기본형 '싸다'는 '물건을 안에 넣고 보이지 않게 씌워 가리거나 둘러 말다'라는 의미이다. 이때 ③의 '싼'은 문맥상 '책을 보에 넣고 보이지 않게 씌워 가린'을 뜻하므로 ㉠의 의미와 같다.

오답분석 ① 이때 '싸다'는 '어떤 물체의 주위를 가리거나 막다'라는 의미이다.

②④ 이때 '싸다'는 '어떤 물건을 다른 곳으로 옮기기 좋게 상자나 가방 등에 넣거나 종이나 천, 끈 등을 이용해서 꾸리다'라는 의미이다.

02

난이도 ★☆☆

해설 ③ '그 아이는 부모의 바람만큼 똑똑하지 못했다'의 '못하다'는 '앞말이 뜻하는 상태에 미치지 않음'을 나타내는 보조 형용사인 반면 ①②④의 '못하다'는 '앞말이 뜻하는 행동에 대하여 그것이 이루어지지 않거나 그것을 이룰 능력이 없음'을 나타내는 보조 동사이다.

03

난이도 ★★☆

해설 ④ 밑줄 친 어휘의 의미가 유사한 것끼리 묶인 것은 ④ (ㄱ, ㄹ), (ㄴ, ㄷ), (ㅁ)이다.

길²	ㄱ. 제법 길이 들었다: 어떤 일에 익숙하게 된 솜씨 ㄹ. 서랍은 길이 들지 않아: 어떤 일에 익숙하게 된 솜씨
길¹	ㄴ. 그 먼 길을 뚫고: 걷거나 탈것을 타고 어느 곳으로 가는 노정 ㄷ. 길이 많이 막혀서: 사람이나 동물 또는 자동차 등이 지나갈 수 있게 땅 위에 낸 일정한 너비의 공간
길⁶	ㅁ. 길이는 열 길이 넘었다: 길이의 단위

04

난이도 ★★☆

해설 ② 〈보기〉의 '좋다'는 '신체적 조건이나 건강 상태가 보통 이상의 수준이다'라는 의미로, 이것과 문맥적 의미가 가장 가까운 것은 ② '서울 간 길에 한 번 뵈올 땐 혈색이 좋으셨는데?'의 '좋다'이다.

오답분석 ① 그녀의 성격은 더할 수 없이 좋다: 이때 '좋다'는 '성품이나 인격 등이 원만하거나 선하다'를 뜻한다.

③ 다음 주 토요일은 결혼식을 하기에는 매우 좋은 날이다: 이때 '좋다'는 '날짜나 기회 등이 상서롭다'를 뜻한다.

④ 대화를 하는 그의 말투는 기분이 상쾌할 정도로 좋았다: 이때 '좋다'는 '말씨나 태도 등이 상대의 기분을 언짢게 하지 않을 만큼 부드럽다'를 뜻한다.

05

난이도 ★★☆

해설 ② 제시문에서 ㉠ '나누어'는 문화의 특성과 인간의 성격을 심근성과 천근성으로 분류하였다는 의미로 사용되었다. 따라서 ㉠은 '여러 가지가 섞인 것을 구분하여 분류하다'의 뜻을 가진다. ②의 '나누다' 역시 분류의 의미를 지니므로 문맥적 의미가 가장 가까운 것은 ②이다.

오답분석 ① 의견을 나누었으나: 이때 '나누다'는 '말이나 이야기, 인사 등을 주고받다'라는 뜻이다.

③ 한 부모의 피를 나눈: 이때 '나누다'는 '같은 핏줄을 타고나다'라는 뜻이다.

④ 사과를 세 조각으로 나누자: 이때 '나누다'는 '하나를 둘 이상으로 가르다'라는 뜻이다.

06
[2020년 국가직 7급]

밑줄 친 단어가 다의어로 묶인 것은?

① 그는 의심하는 눈으로 나를 쳐다보았다.
봄이 오니 나뭇가지에 눈이 튼다.

② 얘가 글씨를 또박또박 잘 쓴다.
어른에게는 존댓말을 써야 한다.

③ 어머니가 아끼시던 화초가 죽었다.
아저씨의 거칠던 성질이 요즈음은 많이 죽었다.

④ 폭풍우가 치는 바람에 배가 출항하지 못한다.
나무가 가지를 많이 쳐서 제법 무성하다.

07
[2019년 지방직 9급]

다음에 제시된 단어의 의미에 맞게 쓴 문장으로 적절하지 않은 것은?

단어	의미	문장
살다	경기나 놀이에서, 상대편에게 잡히지 않고 제 기능을 하다.	㉠
	어떤 직분이나 신분의 생활을 하다.	㉡
	마음이나 의식 속에 남아 있거나 생생하게 일어나다.	㉢
	움직이던 물체가 멈추지 않고 제 기능을 하다.	㉣

① ㉠: 장기에서 포는 죽고 차만 살아 있다.
② ㉡: 그는 벼슬을 살기 싫어 속세를 버렸다.
③ ㉢: 옷에 풀기가 아직 살아 있다.
④ ㉣: 그렇게 세게 부딪혔는데도 시계가 살아 있다.

08
[2018년 지방직 9급]

밑줄 친 부분과 같은 의미로 사용된 것은?

> 지도 위에 손가락을 짚어 가며 여행 계획을 설명하였다.

① 이마를 짚어 보니 열이 있었다.
② 그는 두 손으로 땅을 짚어야 했다.
③ 그들은 속을 짚어 낼 수가 없는 사람들이었다.
④ 시험 문제를 짚어 주었는데도 성적이 좋지 않다.

09
[2018년 국가직 7급]

밑줄 친 말의 문맥적 의미와 가장 가까운 것은?

> 나는 우리 회사의 장래를 너에게 걸었다.

① 이 작가는 이번 작품에 생애를 걸었다.
② 우리나라는 첨단 산업에 승부를 걸었다.
③ 마지막 전투에 주저 없이 목숨을 걸었다.
④ 그는 친구를 보호하기 위해 자신의 직위를 걸었다.

10
[2015년 국가직 7급]

밑줄 친 부분의 의미와 가장 가까운 것은?

> 회초리 맞은 자리에 멍이 들었다.

① 높은 자리에 있는 사람을 만났다.
② 금 간 자리를 흙으로 말끔히 메웠다.
③ 그는 적성에 맞는 자리를 구하고 있다.
④ 방이 좁아서 책상을 들여놓을 자리가 없다.

06

난이도 ★★☆

해설 ③ '화초가 죽었다'와 '성질이 요즈음은 많이 죽었다'에 쓰인 '죽다'는 모두 '어떤 것이 줄어들거나 없어지다'라는 의미를 지니므로 의미적 연관성이 있는 다의어 관계이다.

- **화초가 죽었다**: 이때 '죽다'는 '생명이 없어지거나 끊어지다'를 뜻한다.
- **성질이 요즈음은 많이 죽었다**: 이때 '죽다'는 '성질이나 기운 등이 꺾이다'를 뜻한다.

오답분석 ①②④ 소리는 같으나 의미적 연관성이 없는 동음이의 관계이다.

① • **의심하는 눈으로**: 이때 '눈'은 '무엇을 보는 표정이나 태도'를 뜻한다.
   • **나뭇가지에 눈이 튼다**: 이때 '눈'은 '새로 막 터져 돋아나려는 초목의 싹'을 뜻한다.

② • **글씨를 또박또박 잘 쓴다**: 이때 '쓰다'는 '붓, 펜, 연필과 같이 선을 그을 수 있는 도구로 종이 등에 획을 그어서 일정한 글자의 모양이 이루어지게 하다'를 뜻한다.
   • **존댓말을 써야 한다**: 이때 '쓰다'는 '어떤 말이나 언어를 사용하다'를 뜻한다.

④ • **폭풍우가 치는 바람에**: 이때 '치다'는 '바람이 세차게 불거나 비, 눈 등이 세차게 뿌리다'를 뜻한다.
   • **나무가 가지를 많이 쳐서**: 이때 '치다'는 '식물이 가지나 뿌리를 밖으로 돋아 나오게 하다'를 뜻한다.

이것도 알면 **합격**

다의어와 동음이의어의 차이를 알아두자.

다의어	• 중심적 의미와 하나 이상의 주변적 의미를 가지는 단어 • 중심 의미에서 주변 의미들이 분화되었기 때문에 의미와 의미의 유사성(類似性)이 있음 • 사전에 하나의 단어로 등재됨
동음이의어	• 두 개 이상의 단어가 서로 소리는 같으나 그 의미가 다른 경우 • 우연히 소리가 같을 뿐, 두 단어 사이에 공통된 의미가 전혀 없음 • 사전에 별개의 단어로 등재됨

07

난이도 ★☆☆

해설 ③ ⓒ '옷에 풀기가 아직 살아 있다'에서 '살다'는 '본래 가지고 있던 색깔이나 특징 등이 그대로 있거나 뚜렷이 나타나다'를 뜻하므로, 제시된 단어의 의미에 맞지 않다.

08

난이도 ★★☆

해설 ④ 지도 위에 손가락을 짚어 가며: 이때 '짚다'는 '여럿 중에 하나를 꼭 집어 가리키다'를 뜻한다. 이와 같은 의미로 사용된 것은 ④ '시험 문제를 짚어 주었는데도'의 '짚다'이다.

오답분석 ① **이마를 짚어 보니**: 이때 '짚다'는 '손으로 이마나 머리 등을 가볍게 눌러 대다'를 뜻한다.

② **땅을 짚어야 했다**: 이때 '짚다'는 '바닥이나 벽, 지팡이 등에 몸을 의지하다'를 뜻한다.

③ **그들은 속을 짚어 낼 수가 없는**: 이때 '짚다'는 '상황을 헤아려 어떠할 것으로 짐작하다'를 뜻한다.

09

난이도 ★★☆

해설 ② '장래를 너에게 걸었다'에서 '걸다'는 '앞으로의 일에 대한 희망 등을 품거나 기대하다'를 뜻한다. 이와 문맥적 의미가 가장 가까운 것은 ② '첨단 산업에 승부를 걸었다'의 '걸다'이다.

오답분석 ①③④의 '걸다'는 모두 '목숨, 명예 등을 담보로 삼거나 희생할 각오를 하다'를 뜻한다.

10

난이도 ★★☆

해설 ② '회초리 맞은 자리에 멍이 들었다'에서 '자리'는 '사람의 몸이나 물건이 어떤 변화를 겪고 난 후 남은 흔적'이라는 뜻이다. 이와 같은 뜻으로 쓰인 것은 ② '금 간 자리를 흙으로 말끔히 메웠다'의 '자리'이다.

오답분석 ① **높은 자리에 있는 사람을 만났다**: 이때 '자리'는 '일정한 조직체에서의 직위나 지위'를 뜻한다.

③ **그는 적성에 맞는 자리를 구하고 있다**: 이때 '자리'는 '일정한 조건의 사람을 필요로 하는 곳'을 뜻한다.

④ **방이 좁아서 책상을 들여놓을 자리가 없다**: 이때 '자리'는 '사람이나 물체가 차지하고 있는 공간'을 뜻한다.

11

[2018년 서울시 7급 (3월)]

〈보기〉의 내용 중 밑줄 친 '쓰다'의 쓰임이 다의 관계를 보이는 것은?

〈보기〉

㉠연습장에 붓글씨를 쓰다.
㉡그는 억울하게 누명을 썼다.
㉢공원묘지에 묘를 쓰다.
㉣그는 아무에게나 반말을 쓴다.
㉤입맛이 써서 맛있는 게 없다.
㉥아르바이트를 하는 데 시간을 많이 썼다.

① ㉠-㉢
② ㉡-㉤
③ ㉢-㉣
④ ㉣-㉥

12

[2017년 국가직 9급 (4월)]

밑줄 친 말의 문맥적 의미가 같은 것은?

> 고장 난 시계를 고치다.

① 부엌을 입식으로 고치다.
② 상호를 순우리말로 고치다.
③ 정비소에서 자동차를 고치다.
④ 국민 생활에 불편을 주는 낡은 법을 고치다.

13

[2017년 서울시 7급]

"이렇게 된 터에 더 이상 참을 수만은 없다."의 '터'와 같은 문맥적 의미로 쓰였다고 보기 가장 어려운 것은?

① 첫 출근 날이라 힘들었을 터이니 어서 쉬어.
② 자기 앞가림도 못하는 터에 남 걱정을 한다.
③ 이제야 후회한다고 해도 너무 늦은 터였다.
④ 이틀을 굶은 터에 찬밥 더운밥 가릴 겨를이 없다.

14

[2017년 국가직 7급 (8월)]

밑줄 친 단어가 다음에서 설명한 동음어로 묶인 것은?

> 동음어는 의미상 서로 관련이 없거나 역사적으로 기원이 다른데 소리만 우연히 같게 된 말들의 집합이며, 국어사전에는 서로 다른 표제어로 등재된다.

① 지수는 빨래를 할 때 합성세제를 쓰지 않는다.
이 일은 인부를 쓰지 않으면 하기 어렵다.
② 새로 구입한 의자는 다리가 튼튼하다.
박물관에 가려면 한강 다리를 건너야 한다.
③ 이 방은 너무 밝아서 잠자기에 적당하지 않다.
그는 계산에 밝은 사람이다.
④ 그 영화는 뒤로 갈수록 재미가 없었다.
너의 일이 잘될 수 있도록 내가 뒤를 봐주겠다.

15

[2016년 서울시 9급]

〈보기〉는 '비치다'에 대한 사전의 뜻풀이이다. 다음 중 각 뜻에 대한 예문으로 적절한 것은?

〈보기〉

1 【…에】
❶ 빛이 나서 환하게 되다.
❷ 빛을 받아 모양이 나타나 보이다.
❸ 물체의 그림자나 영상이 나타나 보이다.
❹ 뜻이나 마음이 밖으로 드러나 보이다.
❺ 투명하거나 얇은 것을 통하여 드러나 보이다.

2 【…에/에게 …으로】
무엇으로 보이거나 인식되다.

3 【…에/에게 …을】
❶ 얼굴이나 눈치 따위를 잠시 또는 약간 나타내다.
❷ 의향을 떠보려고 슬쩍 말을 꺼내거나 의사를 넌지시 깨우쳐 주다.

① 1 ❶: 창문을 종이로 가렸지만 그래도 안이 비친다.
② 1 ❸: 만년설이 쌓인 산이 호수에 비쳤다.
③ 2: 동생에게 결혼 문제를 비쳤더니 그 자리에서 펄쩍 뛰었다.
④ 3 ❶: 글씨를 흘려서 쓰면 성의 없는 사람으로 비치기 쉽다.

11

난이도 ★★☆

해설 ④ ㉣ '반말을 쓴다'의 '쓰다'는 '어떤 말이나 언어를 사용하다'를 뜻하고, ㉥ '시간을 많이 썼다'의 '쓰다'는 '어떤 일을 하는 데 시간이나 돈을 들이다'를 뜻한다. 두 단어 간의 의미의 유사성이 있으므로 다의 관계에 있는 것은 ④이다.

오답 분석 ㉠ **붓글씨를 쓰다**: 이때 '쓰다'는 '붓, 펜, 연필과 같이 선을 그을 수 있는 도구로 종이 등에 획을 그어서 일정한 글자의 모양이 이루어지게 하다'를 뜻한다.

㉡ **누명을 썼다**: 이때 '쓰다'는 '사람이 죄나 누명 등을 가지거나 입게 되다'를 뜻한다.

㉢ **공원묘지에 묘를 쓰다**: 이때 '쓰다'는 '시체를 묻고 무덤을 만들다'를 뜻한다.

㉤ **입맛이 써서 맛있는 게 없다**: 이때 '쓰다'는 '몸이 좋지 않아서 입맛이 없다'를 뜻한다.

12

난이도 ★★☆

해설 ③ 고장 난 시계를 고치다: 이때 '고치다'는 '고장이 나거나 못 쓰게 된 물건을 손질하여 제대로 되게 하다'를 뜻한다. 이와 같은 의미로 쓰인 것은 ③ '정비소에서 자동차를 고치다'의 '고치다'이다.

오답 분석 ① **부엌을 입식으로 고치다**: 이때 '고치다'는 '본디의 것을 손질하여 다른 것이 되게 하다'라는 뜻이다.

②④ **상호를 순우리말로 고치다, 국민 생활에 불편을 주는 낡은 법을 고치다**: 이때 '고치다'는 '이름, 제도 등을 바꾸다'라는 뜻이다.

13

난이도 ★★☆

해설 ① "이렇게 된 터에 더 이상 참을 수 없다."의 '터'는 '형편'을 의미하는 의존 명사이다. '터'의 문맥적 의미가 다른 것은 '추측'의 의미로 쓰인 ①이며, ②③④의 '터'는 모두 '형편'을 의미한다.

이것도 알면 합격

의존 명사 '터'의 쓰임을 알아두자.

1. '추측, 예정, 의지'의 뜻을 나타낼 때: 어미 '-ㄹ, -을' 뒤에 쓰임
   예 • 소문이 거짓으로 드러났을 터였다. (추측)
   • 내일 갈 터이니 그리 알아라. (예정)
   • 나는 내일 꼭 병원에 갈 터이다. (의지)
2. '형편, 처지'의 뜻을 나타낼 때: 어미 '-은, -는, -던' 뒤에 쓰임
   예 • 공부하지도 않은 터에 좋은 결과를 바라겠느냐?
   • 자기 앞가림도 못하는 터에 남 걱정을 한다.
   • 지금 막 가려던 터였다.

14

난이도 ★★☆

해설 ② '의자는 다리가 튼튼하다'에서 '다리'는 '물체의 아래쪽에 붙어서 그 물체를 받치거나 직접 땅에 닿지 않도록 버티어 놓은 부분'을 의미하지만 '한강 다리를 건너야 한다'에서 '다리'는 '물을 건너거나 또는 한편의 높은 곳에서 다른 편의 높은 곳으로 건너다닐 수 있도록 만든 시설물'을 의미한다. 이 두 단어는 의미상 관련이 없으며 서로 다른 표제어로 등재되어 있는 동음어이므로 답은 ②이다.

오답 분석 ①③④ 모두 두 단어가 의미상 서로 관련이 있는 다의어로 묶였다.

① • **합성세제를 쓰지 않는다**: 이때 '쓰다'는 '어떤 일을 하는 데에 재료나 도구, 수단을 이용하다'를 뜻한다.
   • **인부를 쓰지 않으면 하기 어렵다**: 이때 '쓰다'는 '사람에게 어떤 일을 하게 하다'를 뜻한다.

③ • **이 방은 너무 밝아서**: 이때 '밝다'는 '불빛 등이 환하다'를 뜻한다.
   • **계산에 밝은 사람**: 이때 '밝다'는 '어떤 일에 대하여 잘 알아 막히는 데가 없다'를 뜻한다.

④ • **영화는 뒤로 갈수록**: 이때 '뒤'는 '일의 끝이나 마지막이 되는 부분'을 뜻한다.
   • **내가 뒤를 봐주겠다**: 이때 '뒤'는 '어떤 일을 할 수 있게 이바지하거나 도와주는 힘'을 뜻한다.

15

난이도 ★★☆

해설 ② '산이 호수에 비쳤다'는 1 ❸ '물체의 그림자나 영상이 나타나 보이다'를 뜻하는 '비치다'가 적절하게 쓰인 예문이다.

오답 분석 ① '안이 비친다'는 1 ❺ '투명하거나 얇은 것을 통하여 드러나 보이다'의 예문이다.

③ '동생에게 결혼 문제를 비쳤더니'는 3 ❷ '의향을 떠보려고 슬쩍 말을 꺼내거나 의사를 넌지시 깨우쳐 주다'의 예문이다.

④ '성의 없는 사람으로 비치기 쉽다'는 2 '무엇으로 보이거나 인식되다'의 예문이다.

2. 단어 간의 의미 관계

16
[2020년 법원직 9급]

〈보기〉의 내용을 참고할 때, 밑줄 친 ⓐ에 해당하는 것이 아닌 것은?

〈보기〉

상보 반의어는 양분적 대립 관계에 있기 때문에 두 단어가 상호 배타적인 영역을 갖는다. 즉, 상보 반의어는 한 단어의 긍정이 다른 단어의 부정을 함의하는 관계에 있다. 등급 반의어는 두 단어 사이에 등급성이 있다. 다시 말하면 두 단어 사이에 중간 상태가 있을 수 있으며 그렇기 때문에 한 쪽을 부정하는 것이 바로 다른 쪽을 의미하는 것이 아니다. ⓐ관계 반의어는 두 단어가 상대적 관계에 있으면서 의미상 대칭을 이루고 있다. '남편'과 '아내'를 예로 들면 두 단어 사이에서 x가 y의 남편이면 y가 x의 아내가 되는 상대적 관계가 있으며 두 단어는 어떤 기준을 사이에 두고 대칭관계를 이루고 있으므로 관계 반의어라고 할 수 있는 것이다.

① 사다 - 팔다
② 부모 - 자식
③ 동쪽 - 서쪽
④ 있다 - 없다

17
[2019년 지방직 9급]

다음에 해당하는 사례로 적절하지 않은 것은?

대립쌍을 이루는 단어들이 일정한 방향성을 이루고 있다.

① 성공(成功) : 실패(失敗)
② 시상(施賞) : 수상(受賞)
③ 판매(販賣) : 구매(購買)
④ 공격(攻擊) : 방어(防禦)

18
[2019년 서울시 7급 (2월)]

의미관계와 단어들의 연결이 옳지 않은 것은?

① 동의 관계(synonymy) - 근심 : 시름
② 반의 관계(antonymy) - 볼록 : 오목
③ 상하 관계(hyponymy) - 할아버지 : 손자
④ 부분 관계(meronymy) - 코 : 얼굴

19
[2020년 군무원 9급]

밑줄 친 '성김'과 '빽빽함'의 의미 관계와 같지 않은 것은?

구도의 필요에 따라 좌우와 상하의 거리 조정, 허와 실의 보완, 성김과 빽빽함의 변화 표현 등이 자유로워졌다.

① 곱다 : 거칠다
② 무르다 : 야무지다
③ 넉넉하다 : 푼푼하다
④ 느슨하다 : 팽팽하다

20
[2018년 국가직 9급]

반의 관계 어휘에 대한 설명으로 옳지 않은 것은?

① '크다/작다'의 경우, 두 단어를 동시에 긍정하거나 부정하면 모순이 발생한다.
② '출발/도착'의 경우, 한 단어의 부정이 다른 쪽 단어의 부정과 모순되지 않는다.
③ '참/거짓'의 경우, 한 단어의 부정은 다른 쪽 단어의 긍정을 함의한다.
④ '넓다/좁다'의 경우, 한 단어의 의미가 다른 쪽 단어의 부정을 함의한다.

16

난이도 ★★☆

해설 ④ '있다-없다'는 중간 상태가 없는 상호 배타적인 관계에 있으므로 한 단어의 긍정이 다른 단어의 부정을 함의하는 상보 반의어에 속한다.

오답분석 ①②③ 두 단어가 상대적 관계에 있으면서 의미상 대칭을 이루는 관계 반의어에 속한다.

이것도 알면 **합격**

반의 관계의 종류에 대해 알아두자.

상보 반의어 (모순 관계)	중간 항이 없는 반의 관계 예 있다 ↔ 없다, 남 ↔ 여, 참 ↔ 거짓
정도 반의어 (반대 관계)	중간 항이 있는 반의 관계 예 길다 ↔ 짧다, 빠르다 ↔ 느리다
방향 반의어	맞선 방향을 전제로 하여 관계나 이동의 측면에서 대립을 이루는 단어의 쌍으로, 공간적 관계에서의 대립, 인간관계에서의 대립, 이동 측면에서의 대립으로 나뉨 예 위 ↔ 아래, 형 ↔ 동생, 가다 ↔ 오다

17

난이도 ★★☆

해설 ① 대립쌍을 이루는 단어들이 일정한 방향성을 이루는 반의어를 방향 반의어라고 한다. 이때 '성공/실패'는 방향성을 이룬다고 보기 어려우므로 '방향 반의어'에 해당하지 않는다. 따라서 적절하지 않은 것은 ①이다.

- **성공(成功)**: 목적하는 바를 이룸
- **실패(失敗)**: 일을 잘못하여 뜻한 대로 되지 않거나 그르침

오답분석 ② '시상/수상'은 '상(賞)'을 주거나 받는다는 측면에서 일정한 방향성을 이루는 '방향 반의어'에 해당한다.

- **시상(施賞)**: 상장이나 상품, 상금 등을 줌
- **수상(受賞)**: 상을 받음

③ '판매/구매'는 상품이나 물건을 팔거나 산다는 측면에서 일정한 방향성을 이루는 '방향 반의어'에 해당한다.

- **판매(販賣)**: 상품 등을 팖
- **구매(購買)**: 물건 등을 사들임

④ '공격/방어'는 상대편을 치거나 막는다는 측면에서 일정한 방향성을 이루는 '방향 반의어'에 해당한다.

- **공격(攻擊)**: 나아가 적을 침
- **방어(防禦)**: 상대편의 공격을 막음

18

난이도 ★★☆

해설 ③ '할아버지'와 '손자'는 한 단어가 다른 단어를 의미상 포함하는 상하 관계가 아니므로 답은 ③이다.

오답분석 ① '근심'과 '시름'은 서로 비슷하거나 같은 의미를 지니는 동의 관계이다.

- **근심**: 해결되지 않은 일 때문에 속을 태우거나 우울해함
- **시름**: 마음에 걸려 풀리지 않고 항상 남아 있는 근심과 걱정

② '볼록'과 '오목'은 서로 대립하거나 반대되는 의미를 지니는 반의 관계이다.

- **볼록**: 물체의 거죽이 조금 도드라지거나 쏙 내밀린 모양
- **오목**: 가운데가 동그스름하게 폭 패거나 들어가 있는 모양

④ '코'와 '얼굴'은 한 단어가 지시하는 대상이 다른 단어가 지시하는 대상의 일부인 부분 관계이다.

19

난이도 ★★☆

해설 ③ '성기다'는 '물건의 사이가 뜨다'라는 뜻이며, '빽빽하다'는 '사이가 촘촘하다'라는 뜻이다. 따라서 '성김'과 '빽빽함'은 서로 대립되는 의미이므로 반의 관계를 이룬다. 반면, '넉넉하다'와 '푼푼하다'는 의미가 비슷한 유의 관계의 단어이다.

- **넉넉하다**: 크기나 수량 등이 기준에 차고도 남음이 있다.
- **푼푼하다**: 모자람이 없이 넉넉하다.

오답분석 ①②④는 서로 대립되는 의미를 가진 반의 관계의 단어이다.

① • **곱다**: 만져 보는 느낌이 거칠지 않고 보드랍다.
  • **거칠다**: 나무나 살결 등이 결이 곱지 않고 험하다.

② • **무르다**: 일 처리나 솜씨가 야무지지 못하다.
  • **야무지다**: 사람의 성질이나 행동, 생김새 등이 빈틈이 없이 꽤 단단하고 굳세다.

④ • **느슨하다**: 잡아맨 끈이나 줄 등이 늘어져 헐겁다.
  • **팽팽하다**: 줄 등이 늘어지지 않고 힘 있게 곧게 펴져서 튀기는 힘이 있다.

20

난이도 ★★☆

해설 ① '크다/작다'는 '정도 반의어'에 해당한다. 이 두 단어 사이에는 '크지도 작지도 않다'와 같은 중간 단계가 있으므로 두 단어를 동시에 긍정하거나 부정하여도 모순이 발생하지 않는다.

오답분석 ② '출발/도착'은 맞선 방향을 전제로 하여 관계나 이동의 측면에서 대립을 이루는 '방향 반의어'에 해당한다. '출발하지 않았다'와 '도착하지 않았다'는 서로 모순되지 않는다.

③ '참/거짓'은 두 단어 사이에 중간 항이 없는 '상보 반의어'에 해당한다. '참이 아니다'는 '거짓'의 의미를 포함하고 '거짓이 아니다'는 '참'의 의미를 포함한다.

④ '넓다/좁다'는 두 단어 사이에 중간 항이 있는 '정도 반의어'에 해당한다. '넓다'의 의미가 '좁지 않다'의 의미를 포함하고 '좁다'의 의미가 '넓지 않다'의 의미를 포함한다.

21

[2018년 지방직 7급]

반의어에 대한 설명으로 옳지 않은 것은?

① '상식 : 몰상식'에서는 부정(否定)의 접두사가 붙어 반의어가 만들어진다.

② '남자 : 여자'는 '사람'이라는 공통 요소와 '성별'의 대조적 요소가 있어서 반의 관계를 이룬다.

③ '오다 : 가다'는 '이동'이라는 공통 요소와 '방향'의 대조적 요소가 있어서 반의 관계를 이룬다.

④ '하늘 : 땅'은 두 단어 사이에 의미의 중간 영역이 있어서 서로 반의 관계를 이룬다.

22

[2017년 지방직 9급 (6월)]

'잡다'의 유의어에 해당하는 예문으로 적절하지 않은 것은?

유의어	예문
죽이다	㉠
쥐다	㉡
어림하다	㉢
진압하다	㉣

① ㉠: 할아버지는 돼지를 잡아 잔치를 베푸셨다.

② ㉡: 그들은 멱살을 잡고 싸우고 있다.

③ ㉢: 술집 주인은 손님의 시계를 술값으로 잡았다.

④ ㉣: 산불이 난 지 열 시간 만에 불길을 잡았다.

23

[2017년 서울시 9급]

다음 중 반의 관계의 성격이 다른 하나는?

① 살다 – 죽다
② 높다 – 낮다
③ 늙다 – 젊다
④ 뜨겁다 – 차갑다

24

[2015년 국가직 9급]

밑줄 친 부분의 의미 관계가 나머지 셋과 다른 것은?

① 세 시간이 흐르도록 분분했던 의견들이 마침내 하나로 합치하였다.

② 아무리 논리적 사고라 하더라도 거기에는 비판이 따르게 마련이다.

③ 사회적 지위가 높은 사람이 보여 주는 겸손은 가끔 오만으로 비칠 수도 있다.

④ 결미에 제시된 결론이 모두에서 진술한 내용과 관련을 맺는다면 좀 더 긴밀한 구성이 될 것이다.

25

[2015년 지방직 7급]

상대되는 의미로 짝지어지지 않은 것은?

① 失笑 – 笑殺
② 訥辯 – 能辯
③ 稀薄 – 濃厚
④ 困難 – 順坦

21

난이도 ★★☆

해설 ④ '하늘 : 땅'은 두 단어 사이에 의미의 중간 영역이 없으므로 ④의 설명은 옳지 않다. 두 단어 사이에 중간 영역이 있다는 것은 '뜨겁다 : 차갑다'와 같이 '미지근하다'라는 의미가 존재하는 경우를 뜻한다. 참고로 반의 관계에 있는 단어는 오직 한 개의 의미 요소만 다르고 나머지 의미 요소들은 모두 공통되어야 한다. '하늘 : 땅'은 '공간'이라는 공통 요소와 '공간의 대칭'이라는 대조적 요소가 있는 반의 관계이다.

오답분석 ① '상식 : 몰상식'은 '그것이 전혀 없음'을 뜻하는 접두사 '몰-'을 사용하여 반의 관계를 이룬다.

22

난이도 ★★☆

해설 ③ ㉢의 '잡았다'를 짐작하여 헤아린다는 뜻의 '어림하다'로 바꾸면 '술집 주인은 손님의 시계를 술값으로 짐작하여 헤아렸다'라는 뜻이 되므로 문맥상 자연스럽지 않다. 참고로 ③의 '잡았다'는 '담보로 맡다'라는 뜻으로 사용되었다.

오답분석 ① ㉠의 '잡다'는 '짐승을 죽이다'라는 뜻으로 사용되었다.

② ㉡의 '잡다'는 '손으로 움키고 놓지 않다'라는 뜻으로 사용되었다.

④ ㉣의 '잡다'는 '기세를 누그러뜨리다'라는 뜻으로 사용되었다.

23

난이도 ★☆☆

해설 ① 반의 관계의 성격이 나머지 셋과 다른 것은 ①로, '살다 - 죽다'는 중간 항이 없는 '상보 반의어(모순 관계)'이다. 반면 ② '높다 - 낮다', ③ '늙다 - 젊다', ④ '뜨겁다 - 차갑다'는 중간 항이 있는 '정도 반의어(반대 관계)'이다.

24

난이도 ★★☆

해설 ② 의미 관계가 나머지 셋과 다른 것은 ②이다. ② '사고'와 '비판'은 특별한 의미 관계를 이루고 있지 않으나 ① '분분'과 '합치', ③ '겸손'과 '오만', ④ '결미'와 '모두'는 반의 관계를 이룬다.
- **사고(思考)**: 생각하고 궁리함
- **비판(批判)**: 현상이나 사물의 옳고 그름을 판단하여 밝히거나 잘못된 점을 지적함

오답분석 ① • **분분(紛紛)**: 소문, 의견 등이 많아 갈피를 잡을 수 없음
- **합치(合致)**: 의견이나 주장 등이 서로 맞아 일치함

③ • **겸손(謙遜/謙巽)**: 남을 존중하고 자기를 내세우지 않는 태도가 있음
- **오만(傲慢)**: 태도나 행동이 건방지거나 거만함

④ • **결미(結尾)**: 글이나 문서 등의 끝부분
- **모두(冒頭)**: 말이나 글의 첫머리

25

난이도 ★★☆

해설 ① '失笑(실소)'와 '笑殺(소살)'은 웃음과 관련된 말이기는 하나 서로 상대(반대)되는 의미는 아니다. 따라서 상대되는 의미로 짝지어지지 않은 것은 ①이다.
- **失笑(실소: 잃을 실, 웃음 소)**: 어처구니가 없어 저도 모르게 웃음이 툭 터져 나옴. 또는 그 웃음
- **笑殺(소살: 웃음 소, 죽일 살)**: 1. 웃어넘기고 문제 삼지 않음 2. 큰 소리로 비웃음

오답분석 ②③④ 모두 상대되는 의미로 짝지어진 단어들이다.

② • **訥辯(눌변: 말 더듬거릴 눌, 말씀 변)**: 더듬거리는 서툰 말솜씨
- **能辯(능변: 능할 능, 말씀 변)**: 말을 능숙하게 잘함. 또는 그 말

③ • **稀薄(희박: 드물 희, 엷을 박)**: 기체나 액체 등의 밀도나 농도가 짙지 못하고 낮거나 엷음
- **濃厚(농후: 짙을 농, 두터울 후)**: 맛, 빛깔, 성분 등이 매우 짙음

④ • **困難(곤란: 곤할 곤, 어려울 난)**: 사정이 몹시 딱하고 어려움
- **順坦(순탄: 순할 순, 평탄할 탄)**: 삶 등이 아무 탈없이 순조로움

3. 문장 간의 의미 관계

26 [2020년 국회직 8급]

〈보기〉에서 중의성을 유발하는 요인이 같은 것으로만 묶인 것은?

〈보기〉

ㄱ. 길이 있다.
ㄴ. 영수가 보고 싶은 친구들이 많다.
ㄷ. 어머니는 아버지보다 딸을 더 사랑한다.
ㄹ. 시내에서 가까운 곳에 우리 집이 있다.

① (ㄱ), (ㄴ, ㄷ, ㄹ)
② (ㄴ), (ㄱ, ㄷ, ㄹ)
③ (ㄱ, ㄴ), (ㄷ, ㄹ)
④ (ㄱ, ㄷ), (ㄴ, ㄹ)
⑤ (ㄱ, ㄹ), (ㄴ, ㄷ)

27 [2018년 서울시 9급 (3월)]

〈보기〉의 문장은 구조상 중의성(重義性: 여러 가지 뜻을 갖는 성질)을 가지고 있다. 이 문장의 구조로부터 형성되는 의미로 가장 적절하지 않은 것은?

〈보기〉

봄이면, 아름다운 서울의 공원과 거리의 나무에서 봄꽃들이 활짝 피어난다.

① 봄꽃은 아름답다.
② 서울은 아름답다.
③ 거리의 나무는 아름답다.
④ 서울의 공원은 아름답다.

28 [2018년 경찰직 1차]

다음 표현에 대한 설명으로 가장 적절하지 않은 것은?

㉠용감한 그의 아버지는 적군을 향해 돌진했다.
㉡아버지는 어머니의 초상화를 팔았다.
㉢선생님이 보고 싶은 학생이 많다.
㉣철이와 영선이는 결혼했다.

① ㉠은 '용감한'이 '그'를 꾸미는지, '그의 아버지'를 꾸미는지 불분명하다.
② ㉡은 '어머니가 그린 초상화'인지, '어머니를 그린 초상화'인지, '어머니가 소유한 초상화'인지 불분명하다.
③ ㉢은 '선생님이 보고 싶어 하는 학생'인지, '선생님을 보고 싶어 하는 학생'인지 불분명하다.
④ ㉣은 '철이'가 '영선'이와 결혼했다는 의미로 명확한 의미의 문장이다.

29 [2015년 교육행정직 9급]

중의적인 문장이 아닌 것은?

① 영수가 나보다 너를 더 좋아한다고 하였다.
② 영수가 지금 학교 운동장에서 철호와 놀고 있겠다.
③ 영수는 나를 사랑하는 그녀의 친구와 어제 만났다.
④ 영수가 넥타이를 매고 있는 친구를 조용히 바라본다.

26

난이도 ★★☆

해설 **⑤ ㄱ과 ㄹ은 '어휘', ㄴ과 ㄷ은 '문장 구조'로 인해 중의적으로 해석된다. 따라서 답은 ⑤ (ㄱ, ㄹ), (ㄴ, ㄷ)이다.**

- ㄱ. 이때 '길'은 '사람이나 동물 또는 자동차 등이 지나갈 수 있게 땅 위에 낸 일정한 너비의 공간'이라는 의미와 '사람이 삶을 살아가거나 사회가 발전해 가는 데에 지향하는 방향'이라는 두 가지 의미로 해석되므로 그 의미가 분명하지 않다.
- ㄹ. 이때 '시내'는 '도시의 안'이라는 의미와 '골짜기나 평지에서 흐르는 자그마한 내'라는 두 가지 의미로 해석되므로 그 의미가 분명하지 않다.
- ㄴ. '영수가 보고 싶어 하는 친구들이 많다'는 것인지, '영수를 보고 싶어 하는 친구들이 많다'는 것인지 문장 구조상 수식 범위가 모호하여 그 의미가 분명하지 않다.
- ㄷ. '어머니가 딸을 사랑하는 정도가 아버지를 사랑하는 정도보다 크다'는 것인지, '어머니가 딸을 사랑하는 정도가 아버지가 딸을 사랑하는 정도보다 크다'는 것인지 문장 구조상 수식 범위가 모호하여 그 의미가 분명하지 않다.

27

난이도 ★☆☆

해설 **① <보기>의 문장은 '아름다운'의 수식 범위에 따라 의미가 달라지므로 중의성을 지닌다. '아름다운'이 수식하는 대상은 부사어구에 속하는 '서울', '서울의 공원', '거리의 나무'가 될 수 있다. 그러나 '봄꽃'은 제시된 문장의 주어로, '아름다운'의 수식을 받지 않는다. 따라서 정답은 ①이다.**

28

난이도 ★★☆

해설 **④ ㉣은 '철이와 영선이가 결혼하여 서로의 배우자가 된 것인지', '철이와 영선이가 각각 다른 사람과 결혼한 것인지' 명확하지 않아 중의적으로 해석된다. 따라서 적절하지 않은 설명은 ④이다.**

오답분석 ① ㉠은 '용감한'이 '그'를 수식하는지 '그의 아버지를' 수식하는지 불분명하여 중의적으로 해석된다.

② ㉡의 '어머니의 초상화'는 '어머니가 그린 초상화', '어머니를 그린 초상화', '어머니가 소유한 초상화' 등으로 해석될 수 있다.

③ ㉢은 '선생님이 보고 싶어 하는 학생'인지 '선생님을 보고 싶어 하는 학생'인지 불분명하여 중의적으로 해석된다.

29

난이도 ★★☆

해설 **② 중의적인 문장이 아닌 것은 ②이다.**

오답분석 ① 영수가 더 좋아하는 대상이 '나'가 아닌 '너'라는 의미인지, '나'가 '너'를 좋아하는 것보다 영수가 '너'를 더 좋아한다는 의미인지 명확하지 않아 중의적으로 해석되는 문장이다.

③ '나를 사랑하는'의 주체가 '그녀'인지, '그녀의 친구'인지 명확하지 않아 중의적으로 해석되는 문장이다.

④ '넥타이를 매고 있는'이 동작의 진행과 완료 상태 모두를 나타내므로, 영수가 '넥타이를 매고 있는 중'인 친구를 바라보는 것인지, '넥타이를 맨 채로 있는' 친구를 바라보는 것인지 의미가 명확하지 않아 중의적으로 해석되는 문장이다.

4. 의미의 변화

30

[2019년 서울시 7급 (10월)]

〈보기〉의 밑줄 친 ㉠에 대한 이해로 가장 적절한 것은?

〈보기〉

사회 구조가 복잡해지고 새로운 사물과 행동이 나타나게 되면 그에 맞도록 언어가 변화하는데 이러한 변화의 예로는 ㉠기존 어휘의 의미가 확대되거나 새로운 의미로 변화하는 경우, 아예 새로운 어휘가 나타나는 경우를 들 수 있다.

① 식당에서 여성 종업원을 '이모'라고 부르기도 한다.
② 예전에는 '통닭'이라고 했지만 요즘엔 '치킨'이라고 한다.
③ '아침 겸 점심'을 뜻하는 말로 '아점'이라는 말이 나타났다.
④ 천연두가 사라지면서 '마마'라는 말도 이제는 쓰이지 않게 되었다.

31

[2019년 국가직 9급]

글의 내용을 구체적으로 설명하기 위한 예로 적절하지 않은 것은?

하나의 개념에 두 개 이상의 단어가 필요한 것은 아니다. 따라서 동의어는 서로 경쟁을 통해 하나가 없어지거나 각기 다른 의미 영역을 확보하는 등의 다양한 양상을 보인다. 현실 언어에서 동의어로 공존하면서 경쟁을 계속하는 경우가 있으며, 한쪽은 살아남고 다른 쪽은 소멸하는 경우가 있다. 동의 충돌의 결과 의미 영역이 바뀌는 경우도 있다. 이는 의미 축소, 의미 확대, 의미 교체 등으로 구분된다.

① '가을걷이'와 '추수'는 공존하며 경쟁하고 있다.
② '말미'는 쓰지 않고 '휴가'라는 말을 사용하고 있다.
③ '얼굴'은 '형체'의 뜻에서 '안면'의 뜻으로 의미가 축소되었다.
④ '겨레'는 '친척'의 뜻에서 '민족'의 뜻으로 의미가 확대되었다.

32

[2020년 국회직 8급]

밑줄 친 ㉠~㉢을 설명할 수 있는 예시로 옳은 것은?

언어는 통시적으로 꾸준히 변화하고, 음운, 어휘, 문법, 의미 등 언어를 구성하는 모든 부분에서 변화가 일어난다. 그 중 의미 변화는 어떤 말의 중심 의미가 새로 생겨난 다른 의미와 함께 사용되다가 마침내 다른 의미로 바뀌는 현상이다. 단어가 의미 변화를 겪고 난 후의 결과를 보면 단어가 지시하는 범위, 곧 의미 영역에 변화가 일어나는데, ㉠의미가 확대되는 경우와 ㉡축소되는 경우, 그리고 ㉢제3의 다른 의미로 바뀌는 경우를 볼 수 있다.

	㉠	㉡	㉢
①	마누라	놈	식구
②	놀부	짐승	언니
③	온	메	인정(人情)
④	어리다	외도(外道)	손
⑤	무릉도원	방송(放送)	말씀

30

난이도 ★★☆

해설 ① 기존 어휘의 의미가 확대되었다는 말은 그 어휘의 의미 범주가 넓어지는 것을 의미한다. '이모'는 '어머니의 여자 형제를 이르거나 부르는 말'이라는 뜻이었으나 식당에서 여성 종업원을 일컫는 말로 의미 범주가 넓어졌으므로 기존 어휘의 의미가 확대된 것으로 볼 수 있다.

오답분석 ② '통닭'을 '치킨'이라고 하는 것은 고유어를 외래어로 바꾸어 부르는 것일 뿐, 기존 어휘의 의미가 확대되거나 변화한 것은 아니다.

③ '아침 겸 점심으로 먹는 밥을 속되게 이르는 말'이라는 뜻의 '아점'은 새로운 어휘가 나타나는 경우에 해당한다.

④ '마마'는 천연두가 사라짐에 따라 쓰이지 않게 되어 어휘가 소멸한 경우에 해당한다.

31

난이도 ★★☆

해설 ② '말미'는 '일정한 직업이나 일 등에 매인 사람이 다른 일로 말미암아 얻는 겨를'을 뜻하는 말이고, '휴가'는 '직장, 학교, 군대 등의 단체에서 일정한 기간 동안 쉬는 일. 또는 그런 겨를'을 뜻한다. '말미'와 '휴가'는 제시문의 현실 언어에서 동의어로 공존하면서 경쟁을 계속하는 경우에 해당하므로, '말미'는 쓰지 않고 '휴가'라는 말을 사용하고 있다는 ②의 예는 적절하지 않다.

이것도 알면 합격

의미 변화의 양상에 대해 알아두자.

구분	내용
의미 축소	어떤 단어의 의미 범주가 축소되는 것 예 • 놈(사람 평칭 → 남자의 비칭) • 계집(여자 → 여자의 비칭)
의미 확대	어떤 단어의 의미 범주가 넓어지는 것 예 감투(모자 → 모자, 벼슬)
의미 교체	어떤 단어의 의미 자체가 달라지는 것 예 방송(放送)(죄인을 풀어 주다 → 전파를 내보내다)

32

난이도 ★★★

해설 ③ ㉠~㉢에 대한 예시로 적절한 것은 ㉠ '온', ㉡ '메', ㉢ '인정(人情)'이다.

- ㉠ **온**: 숫자 '100'을 나타내는 옛말에서 '전부'를 나타내는 말로 의미가 확대되었다. 참고로, '온'을 '온전한'이라는 뜻의 옛말 '오ᄋᆞᆫ'이 축약된 것으로 보아 의미 변화에 해당하지 않는다고 보는 견해도 있으므로 선택지 간의 비교를 통해 답을 택해야 한다.
- ㉡ **메**: 궁중에서 '밥'을 나타내는 말이었으나, 지금은 '제사 때 신위 앞에 놓는 밥'을 나타내므로 의미가 축소되었다.
- ㉢ **인정(人情)**: '벼슬아치들에게 몰래 주던 선물'을 나타내는 말이었으나, 지금은 '사람이 본래 가지고 있는 감정이나 심정'을 나타내므로 의미가 이동되었다.

오답분석 ① ㉠ '마누라', ㉡ '놈'은 의미 축소, ㉢ '식구'는 의미 이동에 해당한다.

- ㉠ **마누라**: 남녀 모두에게 사용하던 말 → 중년이 넘은 아내를 허물없이 이르는 말
- ㉡ **놈**: 보통 사람 → 남자를 낮잡아 이르는 말
- ㉢ **식구**: 입 → 가족

② ㉠ '놀부'는 의미 확대, ㉡ '짐승', ㉢ '언니'는 의미 축소에 해당한다.

- ㉠ **놀부**: 구체적 인물 → 심술궂고 욕심 많은 사람을 비유적으로 이르는 말
- ㉡ **짐승**: 생물 전체 → 사람을 제외한 동물
- ㉢ **언니**: 손위 남녀 모두를 가리키는 말 → 같은 부모에게서 태어난 사이이거나 일가친척 가운데 항렬이 같은 동성의 손위 형제를 이르거나 부르는 말. 주로 여자 형제 사이에 많이 쓴다.

④ ㉠ '어리다', ㉡ '외도'는 의미 이동, ㉢ '손'은 의미 확대에 해당한다.

- ㉠ **어리다**: 어리석다 → 나이가 적다
- ㉡ **외도(外道)**: 불교 이외의 종교 → 바르지 않은 길이나 노릇
- ㉢ **손**: 사람의 팔목 끝에 달린 부분 → 어떤 일을 하는 데 드는 사람의 힘이나 노력, 기술

⑤ ㉠ '무릉도원'은 의미 확대, ㉡ '방송'은 의미 이동, ㉢ '말씀'은 의미 축소에 해당한다.

- ㉠ **무릉도원**: 도연명의 '도화원기'에 나오는 공간 → '이상향', '별천지'를 비유적으로 이르는 말
- ㉡ **방송(放送)**: 죄인을 감옥에서 나가도록 풀어주던 일 → 라디오나 텔레비전 등을 통하여 널리 듣고 볼 수 있도록 음성이나 영상을 전파로 내보내는 일
- ㉢ **말씀**: '말' 전체를 이르는 말 → 남의 말을 높여 이르는 말

Section 3
옛말의 문법

1분 만에 파악하는 7개년 기출 트렌드

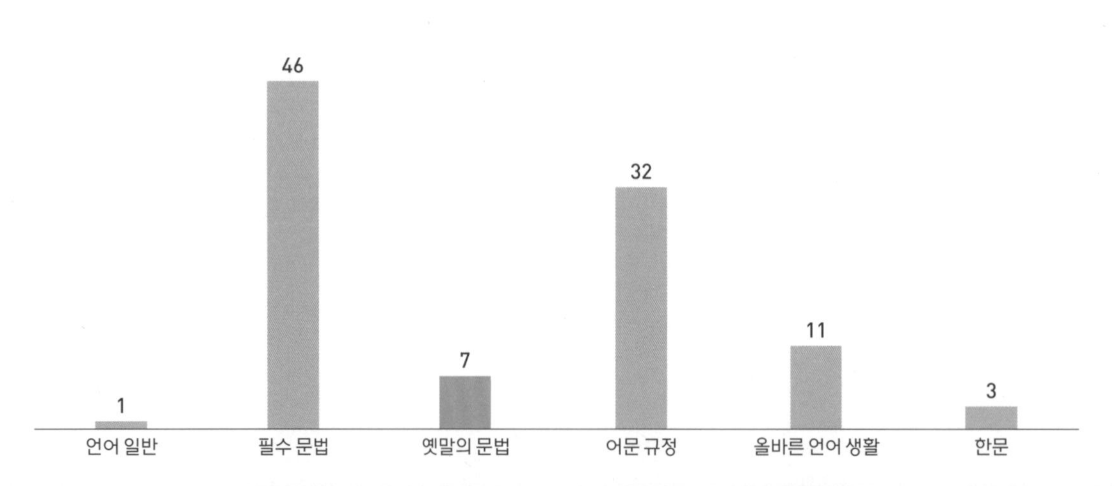

어법

Section 기출 트렌드

- 옛말의 문법은 어법 영역에서 출제 비중이 낮은 편에 속합니다.
- 주로 훈민정음의 제자 원리 또는 중세 국어의 특징을 묻는 문제가 출제됩니다.
- 옛말의 문법은 훈민정음의 제자 원리를 이해하고 중세 국어의 자모 체계나 문법적 특징을 중점적으로 학습해야 합니다. 또한 중세 국어와 근대 국어의 차이를 묻는 문제가 종종 출제되므로 두 시기의 문법적 특징을 비교하여 학습하는 것이 효율적입니다.

중세 국어

기본서 1권 160p

01

[2021년 법원직 9급]

〈보기1〉을 바탕으로 〈보기2〉의 ㉠~㉣을 이해한 것으로 가장 적절하지 않은 것은?

〈보기1〉

[중세 국어 문장에서 목적어의 실현]

- 체언에 목적격 조사(을/를, ᄋᆞᆯ/ᄅᆞᆯ, ㄹ)가 붙어서 실현됨.
- 체언에 목적격 조사 없이 체언 단독으로 실현됨.
- 체언에 목적격 조사 없이 보조사가 붙어서 실현됨.
- 명사구나 명사절에 목적격 조사가 붙어서 실현됨.

〈보기2〉

㉠내 太子ᄅᆞᆯ 셤기ᅀᆞᄫᅩᄃᆡ (내가 태자를 섬기되)
㉡곶 됴코 여름 하ᄂᆞ니 (꽃 좋고 열매 많으니)
㉢됴ᄒᆞᆫ 고ᄌᆞ란 ᄑᆞ디 말오 (좋은 꽃일랑 팔지 말고)
㉣뎌 부텻 像ᄋᆞᆯ 밍ᄀᆞ라 (저 부처의 형상을 만들어)

① ㉠: 체언에 목적격 조사 'ᄅᆞᆯ'이 붙어서 목적어가 실현되었군.
② ㉡: 체언에 목적격 조사 없이 단독으로 목적어가 실현되었군.
③ ㉢: 체언에 보조사 'ᄋᆞ란'이 붙어서 목적어가 실현되었군.
④ ㉣: 명사구에 목적격 조사 'ᄋᆞᆯ'이 붙어 목적어가 실현되었군.

02

[2021년 국회직 8급]

다음은 훈민정음의 제자 방법에 대한 설명이다. 이에 대한 예로 옳지 않은 것은?

훈민정음의 글자를 만드는 방법은 상형을 기본으로 하였다. 초성 글자의 경우 발음기관을 상형의 대상으로 삼아 ㄱ, ㄴ, ㅁ, ㅅ, ㅇ 기본 다섯 글자를 만들고 다른 글자들 중 일부는 '여(厲: 소리의 세기)'를 음성자질(音聲資質)로 삼아 기본 글자에 획을 더하여 만들었는데 이를 가획자라 한다.

① 아음 ㄱ에 획을 더해 가획자 ㅋ을 만들었다.
② 설음 ㄴ에 획을 더해 가획자 ㄷ을 만들었다.
③ 순음 ㅁ에 획을 더해 가획자 ㅂ을 만들었다.
④ 치음 ㅅ에 획을 더해 가획자 ㅈ을 만들었다.
⑤ 후음 ㅇ에 획을 더해 가획자 ㆁ(옛이응)을 만들었다.

03

[2020년 국회직 8급]

중세 국어의 문법적 특징에 대한 설명으로 옳지 않은 것은?

① 중세 국어의 객체 높임 선어말 어미 '-ᅀᆞᆸ-'은 현대 국어의 '하옵고' 등에 그 용법이 남아 있다.
② 중세 국어에서는 주격 조사로 주로 'ㅣ'를 사용하였는데, '너'에 주격 조사가 결합하면 '네'가 된다.
③ 중세 국어에서는 '네 겨집 그려 가던다'에서 보듯이 주어가 2인칭일 때에는 '-ㄴ다'를 의문형 종결 어미로 사용하였다.
④ 중세 국어에서는 주어가 1인칭 화자일 경우에는 '우리ᄃᆞᆯ히 毒藥ᄋᆞᆯ 그르 머구니'와 같이 선어말 어미 '-오/우-'를 사용하였다.
⑤ 중세 국어에서 명사절을 만드는 방법은 '날로 ᄡᅮ메'에서 보듯 현대 국어와 다르다.

04

[2019년 서울시 9급 (2월)]

〈보기〉는 「훈민정음언해」의 한 부분이다. 이에 대한 설명으로 가장 옳은 것은?

〈보기〉

나랏 말ᄊᆞ미 中國에 달아 文字와로 서르 ᄉᆞᄆᆞᆺ디 아니ᄒᆞᆯᄊᆡ 이런 젼ᄎᆞ로 어린 百姓이 니르고져 홇 배 이셔도 ᄆᆞᄎᆞᆷ내 제 ᄠᅳ들 시러 펴디 몯홇 노미 하니라 내 이ᄅᆞᆯ 爲ᄒᆞ야 어엿비 너겨 새로 스믈여듧字ᄅᆞᆯ 밍ᄀᆞ노니 사ᄅᆞᆷ마다 ᄒᆡᅇᅧ 수ᄫᅵ 니겨 날로 ᄡᅮ메 便安킈 ᄒᆞ고져 홇 ᄯᆞᄅᆞ미니라

① 〈보기〉는 한 문장이다.
② 밑줄 친 '시러'는 한자 '載'에 해당한다.
③ 밑줄 친 '내'는 세종대왕이 자신을 가리키는 표현이다.
④ 'ㅏ'와 'ㆍ'는 발음이 같지만 단어들을 구별하기 위해 사용했다.

챕터별 출제 경향

(2015-2021 국가직 / 지방직 / 서울시 7·9급)

중세 국어 95% · 근대 국어 5%

01

난이도 ★★★

해설 ② ⓒ에서 '여름 하ᄂᆞ니'는 '열매(가) 많으니'로 해석되므로 '여름'의 문장 성분은 주어이다. 따라서 '여름'이 목적격 조사 없이 실현된 목적어라는 설명은 적절하지 않다.

오답분석 ① ㉠의 '太子ᄅᆞᆯ'은 체언 '태자(太子)'에 목적격 조사 'ᄅᆞᆯ'이 붙어 목적어가 실현된 경우이다.

③ ㉢의 '고ᄌᆞ란'은 체언 '곶'에 보조사 'ᄋᆞ란'이 붙어 목적어가 실현된 경우이다.

④ ㉣의 '부텻 像ᄋᆞᆯ'은 명사구 '부텻 像'에 목적격 조사 'ᄋᆞᆯ'이 붙어 목적어가 실현된 경우이다.

02

난이도 ★☆☆

해설 ⑤ 후음 'ㅇ'에 획을 더해 만든 가획자는 'ㆆ, ㅎ'이며, ㆁ(옛이응)은 아음의 이체자이므로 ⑤는 적절하지 않은 설명이다. 참고로 이체자란 기본 글자와 모양을 다르게 하여 만든 글자이다.

이것도 알면 **합격**

훈민정음 초성의 제자 원리를 알아두자.

구분	상형	기본자	가획자	이체자
어금닛소리 [牙音(아음)]	혀뿌리가 목구멍을 닫는 형상을 본뜸	ㄱ	ㅋ	ㆁ
혓소리 [舌音(설음)]	혀끝이 윗잇몸에 닿는 형상을 본뜸	ㄴ	ㄷ, ㅌ	ㄹ
입술소리 [脣音(순음)]	입의 형상을 본뜸	ㅁ	ㅂ, ㅍ	
잇소리 [齒音(치음)]	이의 형상을 본뜸	ㅅ	ㅈ, ㅊ	ㅿ
목소리 [喉音(후음)]	목구멍의 형상을 본뜸	ㅇ	ㆆ, ㅎ	

03

난이도 ★★☆

해설 ① 중세 국어의 객체 높임법은 객체 높임 선어말 어미 '-ᅀᆞᆸ/ᄌᆞᆸ/ᄉᆞᆸ-'을 통해 실현되었으나, 현대 국어의 객체 높임법은 조사 '께'와 특수 어휘(모시다, 여쭈다 등)를 사용하여 실현한다. 따라서 ①의 설명은 옳지 않다.

오답분석 ② 중세 국어의 주격 조사는 '이, ㅣ, ∅(생략)'으로, 조사 앞에 붙는 말의 끝소리가 모음으로 끝날 경우에는 'ㅣ'가 사용되었다. 따라서 '너'에는 주격 조사 'ㅣ'가 결합하여 '네'가 된다.

③ 중세 국어에서는 주어가 2인칭일 경우 의문문의 종류에 상관없이 의문형 종결어미 '-ㄴ다'가 쓰였다.

④ 중세 국어에서는 주어가 '나, 우리'와 같은 1인칭 화자일 때 선어말 어미 '-오/우-'를 사용하였다. '우리ᄃᆞᆯ히 毒藥ᄋᆞᆯ 그르 머구니'의 주어는 '우리들'로 1인칭 화자이며, 서술어 '머구니'는 '먹-+-우-+-니'로 분석되어 선어말 어미 '-우-'가 쓰였음을 알 수 있다.

⑤ '날로 ᄡᅮ메'에서 'ᄡᅮ메'는 'ᄡᅳ-+-움-+-에'로 분석되는데, 이때 '-움-'은 명사형 어미로 현대 국어의 명사형 어미 '-(으)ㅁ, 기'와 그 형태가 다르다.

04

난이도 ★★☆

해설 ③ '내 이ᄅᆞᆯ 爲ᄒᆞ야 ~ 스믈여듧字ᄅᆞᆯ ᄆᆡᇰᄀᆞ노니'를 통해 밑줄 친 '내'는 세종대왕이 자신을 가리키는 표현임을 알 수 있으므로, 설명으로 가장 옳은 것은 ③이다.

오답분석 ① 〈보기〉는 '나랏 말ᄊᆞ미 ~ 노미 하니라'와 '내 이ᄅᆞᆯ ~ ᄯᆞᄅᆞ미니라'의 두 문장으로 이루어져 있다.

② 선택지에 제시된 한자는 '載(실을 재)'이나, 밑줄 친 '시러'는 '능히, 얻어'로 해석되므로 한자 '能(능할 능)', '得(얻을 득)'에 해당한다.

④ 'ㆍ'는 'ㅏ'와 'ㅗ'의 중간 발음이므로, 'ㅏ'와 'ㆍ'의 발음은 같지 않다.

지문풀이

> 우리나라의 말소리가 중국과 달라서, 문자(한자)로는 서로 통하지 않는다. 그렇기 때문에 (한자를 배우지 않은) 일반 백성들은 말하고 싶은 것이 있어도, 마침내 (한자를 이용하여) 자신의 뜻을 능히 나타낼 수 없는 사람이 많다. 내가 이를 딱하게 생각하여, 새로 스물여덟 글자를 만들었으니, 사람들로 하여금 쉽게 익혀서 나날이 쓰는 데 편리하게 하고자 할 따름이다.

05

[2019년 서울시 7급 (2월)]

<보기>의 밑줄 친 부분에 대한 현대어 해석으로 가장 옳지 않은 것은?

〈보기〉

자내 샹해 ㉠<u>날ᄃᆞ려</u> 닐오ᄃᆡ 둘히 머리 셰도록 사다가 ᄒᆞᆷᄭᅴ 죽쟈 ᄒᆞ시더니 엇디ᄒᆞ야 나ᄅᆞᆯ 두고 자내 몬져 가시ᄂᆞᆫ 날ᄒᆞ고 ᄌᆞ식ᄒᆞ며 뉘 긔걸ᄒᆞ야 엇디ᄒᆞ야 살라 ᄒᆞ야 다 더디고 자내 몬져 가시ᄂᆞᆫ고 자내 날 향ᄒᆡ ᄆᆞᄋᆞᄆᆞᆯ 엇디 가지며 나ᄂᆞᆫ 자내 ㉡<u>향ᄒᆡ</u> ᄆᆞᄋᆞ믈 엇디 가지던고 ᄆᆡ양 자내ᄃᆞ려 내 닐오ᄃᆡ ᄒᆞᆫᄃᆡ 누어셔 이 보소 ᄂᆞᆷ도 우리ᄀᆞᄐᆡ 서ᄅᆞ 에엿ᄡᅵ 녀겨 ᄉᆞ랑ᄒᆞ리 ᄂᆞᆷ도 우리 ᄀᆞᄐᆞᆫ가 ᄒᆞ야 자내ᄃᆞ려 니ᄅᆞ더니 엇디 그런 이ᄅᆞᆯ ᄉᆡᆼ각디 ㉢<u>아녀</u> 나ᄅᆞᆯ ᄇᆞ리고 몬져 가시ᄂᆞᆫ고 자내 ㉣<u>여ᄒᆡ고</u> 아ᄆᆞ려 내 살 셰 업ᄉᆞ니 수이 자내 ᄒᆞᆫᄃᆡ 가고져 ᄒᆞ니 날 ᄃᆞ려 가소

① ㉠나를 따라서

② ㉡향하여

③ ㉢아니하여

④ ㉣여의고

06

[2018년 국가직 9급]

밑줄 친 부분에 대한 설명으로 적절한 것은?

말ᄊᆞᄆᆞᆯ ㉠<u>ᄉᆞᆯᄫᆞ리</u> 하ᄃᆡ 天命을 疑心ᄒᆞ실ᄊᆡ ᄭᅮ므로 ㉡<u>뵈아시니</u>

놀애ᄅᆞᆯ 브르리 ㉢<u>하ᄃᆡ</u> 天命을 모ᄅᆞ실ᄊᆡ ᄭᅮ므로 ㉣<u>알외시니</u>

(말씀을 아뢸 사람이 많지만, 天命을 의심하시므로 꿈으로 재촉하시니

노래를 부를 사람이 많지만, 天命을 모르므로 꿈으로 알리시니)

- '용비어천가' 13장

① ㉠에서 '-이'는 주격을 나타내는 조사로 기능한다.

② ㉡에서 '-아시-'는 높임을 나타내는 선어말 어미로 기능한다.

③ ㉢에서 '-ᄃᆡ'는 이유를 나타내는 연결 어미로 기능한다.

④ ㉣에서 '-외-'는 사동을 나타내는 접미사로 기능한다.

07

[2019년 서울시 9급 (6월)]

<보기>의 밑줄 친 ㉠에 해당하는 글자가 아닌 것은?

〈보기〉

한글 중 초성자는 기본자, 가획자, 이체자로 구분된다. 기본자는 조음 기관의 모양을 상형한 글자이다. ㉠ <u>가획자</u>는 기본자에 획을 더한 것으로, 획을 더할 때마다 그 글자가 나타내는 소리의 세기는 세어진다는 특징이 있다. 이체자는 획을 더한 것은 가획자와 같지만 가획을 해도 소리의 세기가 세어지지 않는다는 차이가 있다.

① ㄹ
② ㄷ
③ ㅂ
④ ㅊ

08

[2019년 법원직 9급]

ⓐ에 들어갈 내용으로 가장 적절하지 못한 것은?

○ 학습 목표

중세 국어의 특징을 이해한다.

○ 학습 자료

㉠<u>孔子(공ᄌᆞ)ㅣ</u> 曾子(증ᄌᆞ)ᄃᆞ려 닐러 ᄀᆞᆯᄋᆞ샤ᄃᆡ 몸이며 얼굴이며 머리털이며 ㉡<u>ᄉᆞᆯ혼</u> 父母(부모)ᄭᅴ ㉢<u>받ᄌᆞ온</u> 거시라 敢(감)히 헐워 샹ᄒᆡ오디 아니홈이 효도ᄋᆡ 비르소미오 몸을 셰워 道(도)를 行(ᄒᆡᆼ)ᄒᆞ야 일홈을 後世(후셰)예 베퍼 ㉣<u>ᄡᅥ</u> 父母(부모)ᄅᆞᆯ 현뎌케 홈이 효도ᄋᆡ ᄆᆞᄎᆞᆷ이니라.

- '소학언해'

○ 학습 자료 활용 계획

ⓐ

① ㉠: 중세 국어 시기에도 주격 조사를 사용했다는 사례로 제시한다.

② ㉡: 중세 국어 시기에는 'ㅎ'으로 끝나는 체언을 사용했다는 사례로 제시한다.

③ ㉢: 중세 국어 시기에는 객체를 높이는 형태소로 '-ᄌᆞᆸ-'이 있었다는 사례로 제시한다.

④ ㉣: 중세 국어 시기에 어두에 두 개 자음을 하나의 자음처럼 발음했다는 사례로 제시한다.

05

난이도 ★★☆

해설 **① ㉠ '날ᄃᆞ려'에서 'ᄃᆞ려'는 '더러'를 뜻하며 '에게'와 동일한 의미이므로, '날ᄃᆞ려'를 현대어로 해석하면 '나더러(에게)'가 된다. 따라서 현대어 해석으로 가장 옳지 않은 것은 ①이다.**

지문 풀이

> 당신 언제나 ㉠나에게 "둘이 머리 희어지도록 살다가 함께 죽자." 라고 하셨지요. 그런데 어찌 나를 두고 당신 먼저 가십니까? 나와 어린아이는 누구의 말을 듣고 어떻게 살라고 다 버리고 당신 먼저 가십니까? 당신은 나를 향해 마음을 어떻게 가져왔고, 또 나는 당신을 ㉡향하여 마음을 어떻게 가져왔었나요? 함께 누우면 언제나 나는 당신에게 말하곤 했지요. "여보, 다른 사람들도 우리처럼 서로 어여삐 여기고 사랑할까요? 남들도 정말 우리 같을까요?" 어찌 그런 일들 생각하지도 ㉢아니하여 나를 버리고 먼저 가시는가요. 당신을 ㉣여의고는 아무리 해도 나는 살 수 없어요. 빨리 당신께 가고 싶어요. 나를 데려가 주세요.

06

난이도 ★★★

해설 **④ ㉣ '알외시니'는 '알리시니'를 뜻하며 '알- + -외- + -시- + -니'로 분석할 수 있다. 이때 '-외-'는 '알다'의 어간 '알-'에 붙어 사동을 나타내는 접미사이므로 ④는 적절한 설명이다.**

오답 분석

① ㉠ 'ᄉᆞᆯᄫᆞ리'는 '아뢸 사람이'를 뜻하며 'ᄉᆞᆯᄫᆞᆯ + 이'로 분석할 수 있다. 이때 '이'는 '사람'을 나타내는 의존 명사이므로 주격 조사라는 설명은 적절하지 않다.

② ㉡ '뵈아시니'는 '재촉하시니'를 뜻하며 '뵈아- + -시- + -니'로 분석할 수 있다. 이때 높임을 나타내는 선어말 어미로 기능하는 것은 '-시-'이므로 '-아시-'라는 설명은 적절하지 않다.

③ ㉢ '하ᄃᆡ'는 '많지만'을 뜻하며 이때 '-ᄃᆡ'는 대립적인 사실을 드러내는데 쓰는 연결 어미이다. 따라서 '-ᄃᆡ'가 이유를 나타내는 연결 어미로 기능한다는 설명은 적절하지 않다.

07

난이도 ★★☆

해설 **① 'ㄹ'은 'ㄴ'의 이체자이다. 따라서 ㉠ '가획자'에 해당하는 글자가 아닌 것은 ①이다.**

오답 분석

② 'ㄷ'은 혓소리 'ㄴ'의 가획자이다.

③ 'ㅂ'은 입술소리 'ㅁ'의 가획자이다.

④ 'ㅊ'은 잇소리 'ㅅ'의 가획자이다.

08

난이도 ★★☆

해설 **④ ㉣ 'ᄲᅧ'에는 어두 자음군 'ㅄ'이 사용되었으나, 이를 통해 중세 국어 시기에 어두에 두 개 자음을 하나의 자음처럼 발음했는지는 알 수 없으므로 적절하지 못한 것은 ④이다.**

오답 분석

① ㉠ '孔子(공ᄌᆞ)ㅣ'에 주격 조사 'ㅣ'가 사용되었다. 따라서 ㉠은 중세 국어 시기에도 주격 조사를 사용했다는 사례로 적절하다.

② ㉡ 'ᄉᆞᆯᄒᆞᆫ'은 'ᄉᆞᆯㅎ(명사) + ᄋᆞᆫ(조사)'가 결합하여 'ㅎ'이 연음된 것이다. 이를 통해 'ᄉᆞᇙ'이 'ㅎ' 말음을 가진 체언임을 알 수 있으므로 ㉡은 중세 국어 시기에 'ㅎ'으로 끝나는 체언을 사용했다는 사례로 적절하다.

③ ㉢ '받ᄌᆞ온'은 '받-(용언의 어간) + -ᄌᆞᇦ-(선어말 어미) + -ᄋᆞᆫ(관형사형 어미)'이 결합하여 서술의 객체(부사어) '父母(부모)'를 높이고 있다. 따라서 ㉢은 중세 국어 시기에 객체를 높이는 형태소로 '-ᄌᆞᇦ-'이 있었다는 사례로 적절하다.

지문 풀이

> 공자께서 증자에게 일러 말씀하시기를, 몸과 형체와 머리털과 살은 부모께 받은 것이라, 감히 헐게 하여 상하게 하지 아니함이 효도의 시작이며, 입신(출세)하여 도를 행하며 이름을 후세에 날려 이로써 부모를 드러나게 함이 효도의 끝이니라.

이것도 알면 합격

중세 국어의 특징을 알아두자.

1. 된소리가 등장하기 시작했고 'ㅸ, ㅿ' 등의 자음이 존재했으며, 어두에 자음군이 올 수 있었음
2. 음절 말에서 'ㅅ'과 'ㄷ'은 구별되어 현대어와 차이를 보임
3. 모음 조화 현상이 잘 지켜졌으나, 후기에는 부분적으로 지켜지지 않음
4. 주격 조사로 '가' 없이 '이'만 쓰임
5. 체언에 조사가 결합할 때 체언의 형태가 불규칙하게 바뀌는 현상이 있었음
6. 훈민정음 창제 당시에는 띄어쓰기를 하지 않고 소리 나는 대로 적는 이어적기 방식이 일반적이었음
7. 성조가 있었고 이를 방점(평성, 거성, 상성)으로 표시했음
8. 몽골어, 여진어 등 외래어가 유입되기도 함 예 보라매, 두만

09

[2018년 지방직 9급]

발음 기관에 따라 '아음(牙音)', '설음(舌音)', '순음(脣音)', '치음(齒音)', '후음(喉音)'으로 구별하고 있는 훈민정음의 자음 체계를 참조할 때, 다음 휴대 전화의 자판에 대한 설명으로 옳지 않은 것은?

ㄱ ㅋ	ㅣ ㅡ	ㅏ ㅑ
ㄷ ㅌ	ㄴ ㄹ	ㅓ ㅕ
ㅁ ㅅ	ㅂ ㅍ	ㅗ ㅛ
ㅈ ㅊ	ㅇ ㅎ	ㅜ ㅠ

① 훈민정음의 자음 체계에 따른다면, 'ㅅ'은 'ㅈㅊ' 칸에 함께 배치할 수 있다.

② 'ㅁㅅ' 칸은 조음 위치와 조음 방식의 양면을 모두 고려하여 같은 성질의 소리끼리 묶은 것이다.

③ 'ㄷㅌ'과 'ㄴㄹ' 칸은 훈민정음 창제 당시 적용된 가획 등의 원리에 따른 제자 순서보다 소리의 유사성을 중시하여 배치한 것이다.

④ 훈민정음의 자음 체계에서 'ㅇ'과 'ㆁ'은 구별되었다. 훈민정음의 자음 체계에 따른다면, 이 중에서 'ㆁ'은 'ㄱㅋ' 칸에 함께 배치할 수 있다.

10

[2018년 서울시 9급 (3월)]

<보기>는 중세 국어의 표기법에 대한 설명이다. 이에 따른 표기로 가장 옳지 않은 것은?

〈보기〉

중세 국어 표기법의 일반적 원칙은 표음적 표기법으로, 이는 음운의 기본 형태를 밝혀 적지 않고 소리 나는 대로 적는 표기를 말한다. 이어적기는 이러한 원리에 따른 것으로 받침이 있는 체언이나 받침이 있는 용언 어간에 모음으로 시작하는 조사나 어미가 붙을 때 소리 나는 대로 이어 적는 표기를 말한다.

① 불휘 기픈

② ᄇᆞᄅᆞ매 아니 뮐ᄊᆡ

③ 쟝긔판ᄂᆞᆯ 밍ᄀᆞᆯ어ᄂᆞᆯ

④ 바ᄅᆞ래 가ᄂᆞ니

11

[2018년 국가직 7급]

㉠~㉣에 대한 설명으로 적절하지 않은 것은?

千世우희 미리 定ᄒᆞ샨 漢水 北에 ㉠ 累仁開國ᄒᆞ샤 卜年이 ᄀᆞᇫ 업스시니 / 聖神이 니ᅀᆞ샤도 ㉡ 敬天勤民ᄒᆞ샤ᅀᅡ 더욱 구드시리이다 / ㉢ 님금하 ㉣ 아ᄅᆞ쇼셔 洛水예 山行 가 이셔 하나빌 미드니잇가

① ㉠에서 '-샤'는 주체 높임 선어말 어미에 연결어미 '-아'가 결합된 형태로, 현대 국어의 '-시어'에 대응된다.

② ㉡에서 '-ᅀᅡ'는 선행하는 활용형과 결합하여 그 뜻을 강조하는 조사로, 현대 국어의 '-서'에 대응된다.

③ ㉢에서 '-하'는 높임을 받는 대상에 쓰는 호격 조사로, 현대 국어의 '-이시여'에 대응된다.

④ ㉣에서 '-쇼셔'는 청자를 높여 주며 명령을 나타내는 종결어미로, 현대 국어의 '-십시오'에 대응된다.

12

[2018년 서울시 7급 (3월)]

중세 국어 표기법에 대한 설명 중 옳은 것을 모두 고른 것은?

ㄱ. 종성 표기에는 원칙적으로 'ㄱ, ㆁ, ㄷ, ㄴ, ㅂ, ㅁ, ㅅ, ㄹ'의 8자만 쓰였다.
ㄴ. 사잇소리에는 'ㅅ'과 'ㅿ' 외의 자음이 쓰이지 않았다.
ㄷ. 한자를 적을 때는 동국정운식 한자음을 한자 아래 병기했다.
ㄹ. 음절을 초성, 중성, 종성의 3분법으로 분석하였으나 종성 글자는 따로 만들지 않고 초성 글자를 그대로 다시 썼다.
ㅁ. 'ㅇ'을 순음 아래 이어 쓰면 순경음이 된다.

① ㄱ, ㄴ, ㄷ　　② ㄱ, ㄷ, ㄹ
③ ㄴ, ㄹ, ㅁ　　④ ㄱ, ㄹ, ㅁ

09

난이도 ★★☆

해설 **② 훈민정음의 자음 체계상 'ㅁ'은 순음, 'ㅅ'은 치음으로 분류되므로 두 소리는 조음 위치가 다르다. 또한 조음 방식상 'ㅁ'은 울림소리, 'ㅅ'은 안울림소리로 분류되므로 두 소리의 성질이 다르다. 따라서 'ㅁㅅ'칸이 조음 위치와 조음 방식의 양면을 모두 고려하여 성질이 같은 소리끼리 묶은 것이라는 ②의 설명은 옳지 않다.**

오답 분석 ① 훈민정음의 자음 체계에 따르면 치음인 'ㅅ'은 기본자이며, 'ㅅ'의 가획자는 'ㅈ', 'ㅊ'이다. 따라서 훈민정음의 자음 체계에 따른다면 'ㅅ'은 'ㅈㅊ' 칸에 함께 배치할 수 있다.

③ 'ㄴ'은 기본자이며 'ㄷ, ㅌ'은 가획자, 'ㄹ'은 이체자이므로 가획의 원리대로 칸을 배치한다면 'ㄴ'과 'ㄹ'은 같은 칸에 배치될 수 없다. 'ㄴㄹ'과 'ㄷㅌ'으로 칸을 나눈 것은 각각 울림소리와 파열음이라는 소리의 유사성을 기준으로 한 것이다.

④ 훈민정음의 자음 체계에 따르면 'ㅇ'은 후음의 기본자, 'ㆁ'은 아음의 이체자이다. 따라서 훈민정음의 자음 체계를 따른다면 아음인 'ㆁ'은 같은 아음인 'ㄱㅋ' 칸에 함께 배치할 수 있다.

10

난이도 ★★☆

해설 **③ <보기>는 중세 국어 표기법 중 '이어적기'에 대한 설명이다. ③은 거듭적기와 끊어적기에 따른 표기이므로 <보기>에서 설명한 이어적기에 따른 표기로 옳지 않다.**

- **쟝긔판ᄂᆞᆯ**: 명사 '쟝긔판'과 조사 'ᄋᆞᆯ'을 거듭적기 방식으로 표기한 것으로, 앞말에 종성 'ㄴ'을 적고 뒷말의 초성에도 'ㄴ'을 적었다.
- **밍ᄀᆞᆯ어ᄂᆞᆯ**: 용언의 어간 '밍ᄀᆞᆯ-'과 어미 '-어ᄂᆞᆯ'을 끊어적기 방식을 통해 본래의 형태를 밝혀 적었다.

오답 분석 ①②④ 모두 이어적기에 따른 표기이다.

① **기픈**: 깊-(용언의 어간) + 은(관형사형 어미)

② **ᄇᆞᄅᆞ매**: ᄇᆞᄅᆞᆷ(명사) + 애(조사)

④ **바ᄅᆞ래**: 바ᄅᆞᆯ(명사) + 애(조사)

이것도 알면 합격

중세 국어의 표기법에 대해 알아두자.

이어적기 (연철)	앞말의 종성을 뒷말의 초성에 내려 적음. 표음주의 표기법으로 주로 15~16세기에 나타남 예 사ᄅᆞᆷ + 이 → 사ᄅᆞ미
거듭적기 (중철/혼철)	앞말에 종성을 적고 뒷말의 초성에도 내려 적음. 이어적기와 끊어적기의 중간 단계인 과도기적 표기법으로 주로 17~19세기에 나타남 예 사ᄅᆞᆷ + 이 → 사ᄅᆞᆷ미
끊어적기 (분철)	앞말에 종성을 적고 뒷말의 초성에는 'ㅇ'을 적음. 표의주의 표기법으로, 현대 국어에서 사용하는 표기법임 예 사ᄅᆞᆷ + 이 → 사ᄅᆞᆷ이

11

난이도 ★★☆

해설 **② ⓛ에서 'ᅀᅡ'는 보조사로서 현대 국어의 '야'에 대응된다. 따라서 'ᅀᅡ'가 조사 '에서'의 준말인 현대 국어의 '서'에 대응된다는 ②의 설명은 적절하지 않다.**

오답 분석 ① ㉠ **累仁開國ᄒᆞ샤**: '累仁開國ᄒᆞ- + -시- + -아'의 결합으로 이때 '-샤'는 주체 높임 선어말 어미 '-시-'에 연결 어미 '-아'가 결합된 형태이다.

③ ㉢ **님금하**: '님금 + 하'의 결합으로 이때 '하'는 높임을 받는 대상인 '님금'에 쓰는 호격 조사이다.

④ ㉣ **아ᄅᆞ쇼셔**: '알- + -ᄋᆞ- + -쇼셔'의 결합으로 이때 '-쇼셔'는 청자인 '님금'을 높이는 명령형 종결 어미이다.

지문 풀이

> 아주 먼 옛날에 하늘이 미리 (도읍지로) 정한 한양 땅에 ㉠ (육조께서) 덕을 쌓아 나라를 여시어 나라의 운수가 끝이 없으니
> 후대 왕들이 (왕권을) 이으셔도 ㉡ 하늘을 공경하고 백성을 부지런히 다스리셔야만 (왕권이) 더욱 굳을 것입니다.
> ㉢ 후대 왕들이여, ㉣ 아소서. (하나라의 태강왕이) 낙수에 사냥 가서 (폐위되니) 할아버지만 믿었단 말입니까?
>
> \- 용비어천가 125장

12

난이도 ★★☆

해설 **④ 중세 국어 표기법에 대한 설명으로 옳은 것은 ㄱ, ㄹ, ㅁ이므로 답은 ④이다.**

- **ㄱ**: 훈민정음의 '8종성가족용'에 따르면 'ㄱ, ㆁ, ㄷ, ㄴ, ㅂ, ㅁ, ㅅ, ㄹ'의 8자만 종성으로 표기할 수 있다.
- **ㄹ**: 중세 국어의 음절은 초성, 중성, 종성으로 이루어져 있으며, 종성은 '종성부용초성'에 따라 별도로 글자를 만들지 않고 초성 글자를 다시 쓴다.
- **ㅁ**: 순음(ㅁ, ㅂ, ㅍ, ㅃ) 아래 'ㅇ'을 이어 쓰면 'ㅱ, ㅸ, ㆄ, ㅹ' 등과 같은 순경음이 된다.

오답 분석

- **ㄴ**: 사잇소리에는 'ㅅ, ㅿ' 이외에도 'ㄱ, ㄷ, ㅂ, ㅸ, ㆆ' 등의 자음이 사용되었다.
- **ㄷ**: 동국정운식 한자음은 한자의 아래가 아닌 오른쪽에 병기하였다. 참고로 동국정운식 한자음 표기는 최대한 중국의 원음에 가깝게 표기하기 위한 것이었다.

13

[2017년 국가직 9급 (4월)]

훈민정음의 28 자모(字母) 체계에 들지 않는 것은?

① ㆆ ② ㅿ

③ ㅠ ④ ㅸ

14

[2017년 서울시 9급]

다음 중 한글 창제 당시 초성 17자에 포함되지 않는 글자가 쓰인 것은?

① 님금 ② 늦거ᅀᅡ

③ 바ᅌᅩᆯ ④ 가ᄫᅵ야ᄫᆞᆫ

15

[2017년 서울시 7급]

〈보기〉의 문장을 바탕으로 중세 국어의 경어법을 이해한 것으로 가장 적절하지 않은 것은?

〈보기〉

㉠太子ㅣ 道理 일우샤 <u>ᄌᆞ개</u> 慈悲호라 ᄒᆞ시ᄂᆞ니

《석보상절》

㉡그 後로 人間앳 차바ᄂᆞᆫ 뻐 몯 <u>좌시며</u>

《월인석보》

㉢셤 안해 <u>자싫</u> 제 한비 사ᄋᆞ리로ᄃᆡ 뷔어ᅀᅡ ᄌᆞᄆᆞ니이다

《용비어천가》

㉣곶과 果實와 플와 나모와ᄅᆞᆯ 머그리도 <u>이시며</u>

《석보상절》

① ㉠의 'ᄌᆞ갸'는 太子를 받는 높임의 대명사로 쓰였다.

② ㉡의 '좌시며'는 '먹다'의 높임말로 쓰인 것이다.

③ ㉢의 '자싫'은 '자다'의 높임말로 쓰인 것이다.

④ ㉣의 '이시며'는 앞에 오는 '머그리'를 높이는 말로 쓰였다.

16

[2016년 서울시 9급]

훈민정음 해례본에 나오는 한글의 제자 원리로 가장 옳은 것은?

① 초성은 발음기관을 본떠 만들었는데 'ㄱ'은 혀가 윗잇몸에 닿는 모양을 본뜬 것이다.

② 'ㄱ, ㄴ, ㅁ, ㅅ, ㅇ' 5개의 기본 문자에 가획의 원리로 'ㅋ, ㄷ, ㅌ, ㄹ, ㅂ, ㅈ, ㅊ, ㅎ' 총 8개의 문자를 만들었다.

③ 문자의 수는 초성 10자, 중성 10자, 종성 8자로 모두 28자이다.

④ 연서(連書)는 'ㅇ'을 이용한 것으로서 예로는 'ㅸ'이 있다.

13

난이도 ★★☆

해설 **④ 'ㅸ'은 가획자 'ㅂ' 아래에 기본자 'ㅇ'을 이어 쓴 연서자로, 28 자모 체계에 포함되지 않으므로 답은 ④이다.**

오답분석
① 'ㆆ'는 초성의 기본자 'ㅇ'에 획이 더해진 가획자로 28 자모 체계에 포함된다.
② 'ㅿ'는 초성의 기본자 'ㅅ'의 모양을 바꾼 이체자로 28 자모 체계에 포함된다.
③ 'ㅠ'는 중성의 재출자로 28 자모 체계에 포함된다.

이것도 알면 **합격**

이체자의 개념을 알아두자.

발음 기관의 모양을 본떠 만든 자음의 기본자 'ㄱ, ㄴ, ㅁ, ㅅ, ㅇ'와 기본자에 획을 더해 만든 가획자들과 달리, 모양을 본뜨거나 획을 더해서 만들지 않고 그 모양을 달리하여 만든 글자를 '이체자'라고 한다. 초성 17자 체계에 해당하는 이체자에는 'ㆁ, ㄹ, ㅿ'가 있다.

14

난이도 ★☆☆

해설 ④ 훈민정음 초성 17자는 'ㄱ, ㄴ, ㅁ, ㅅ, ㅇ, ㅋ, ㄷ, ㅌ, ㅂ, ㅍ, ㅈ, ㅊ, ㆆ, ㅎ, ㆁ, ㄹ, ㅿ'이다. 여기에 순경음 'ㅸ'은 포함되지 않으므로 답은 ④이다. 참고로 'ㅸ'은 순음 'ㅂ' 아래에 'ㅇ'을 이어서 표기한 글자로, 중세 국어의 특징인 '이어쓰기(연서)' 방법에 따라서 만들어졌다.

이것도 알면 **합격**

연서(連書)에 대해 알아두자.

개념	순음(ㅁ, ㅂ, ㅍ, ㅃ) 아래에 'ㅇ'을 이어서 순경음을 만드는 방법
예	ㅱ, ㅸ, ㆄ, ㅹ

15

난이도 ★★★

해설 **④ ㉣ '이시며'는 '이시다'가 기본형으로 높임 표현이 아니며, '있으며'를 뜻한다. 따라서 ④의 설명은 적절하지 않다.**

오답분석
① ㉠ '자갸(ᄌᆞ갸)'는 '저' 또는 '자기'를 높여 이르는 말이다. 제시된 문장에서는 앞의 '太子'를 받는 재귀 대명사로 쓰였으므로 옳은 설명이다.
② ㉡ '좌시며'는 '먹다'의 높임말인 '자시다'의 옛말이므로 옳은 설명이다.
③ ㉢ '자싫'은 '자다'에 높임의 선어말 어미 '-시-'가 결합된 것이므로 옳은 설명이다.

16

난이도 ★★☆

해설 **④ 연서(連書)는 순경음을 표기하기 위하여 순음자 밑에 'ㅇ'을 이어 쓰는 것이다. 예로는 'ㅱ, ㅸ, ㆄ, ㅹ' 등이 있으므로 ④는 옳은 설명이다.**

오답분석
① 초성은 발음기관을 본떠 만들었는데 'ㄱ'은 혀뿌리가 목구멍을 막는 꼴을 본뜬 어금닛소리이다. 혀가 윗잇몸에 닿는 모양을 본뜬 것은 혓소리 'ㄴ'이다.
② 훈민정음의 초성은 'ㄱ, ㄴ, ㅁ, ㅅ, ㅇ' 5개의 기본 문자에 가획의 원리로 'ㅋ, ㄷ, ㅌ, ㅂ, ㅍ, ㅈ, ㅊ, ㆆ, ㅎ' 총 9개의 가획자를 만들었다. 'ㄹ'은 이체자이며 'ㅍ, ㆆ'이 빠졌으므로 ②는 옳지 않은 설명이다.
③ 훈민정음의 28자는 초성 17자와 중성 11자로 이루어져 있으며, 종성은 별도로 글자를 만들지 않고 초성 글자를 다시 쓰도록 했다.

17

[2016년 서울시 7급]

다음 중 중세 국어에 대한 설명으로 가장 옳지 않은 것은?

① 'ㅿ'은 'ㅸ'보다는 오래 쓰였지만 16세기 후반에 가서는 거의 사라졌다.

② 대략 10세기부터 16세기 말까지의 국어를 말한다.

③ 중세 국어 전기에 새로운 주격 조사 '가'가 사용 폭을 넓혀 갔다.

④ 중세 국어의 전기에는 원나라의 영향으로 몽골어가 많이 유입되었다.

18

[2016년 서울시 7급]

다음 중 밑줄 친 부분의 현대어 풀이가 옳지 않은 것은?

> ᄌᆞ식이 能히 밥 먹거든 ᄀᆞᄅᆞ츄ᄃᆡ 올ᄒᆞᆫ손으로ᄡᅥ ᄒᆞ게 ᄒᆞ며 能히 말ᄒᆞ거든 ᄉᆞ나ᄒᆡᄂᆞᆫ ᄲᆞᆯ리 ᄃᆡ답ᄒᆞ고 겨집은 느즈기 ᄃᆡ답게 ᄒᆞ며 ᄉᆞ나ᄒᆡ ᄯᅴᄂᆞᆫ 갓ᄎᆞ로 ᄒᆞ고 겨집의 ᄯᅴᄂᆞᆫ 실로 홀디니라

① ᄀᆞᄅᆞ츄ᄃᆡ: 가르치되

② 느즈기: 천천히

③ 갓ᄎᆞ로: 가장자리로

④ 홀디니라: 할 것이니라

19

[2015년 서울시 9급]

다음에서 설명하는 훈민정음 제자 원리에 해당하는 것은?

> 'ㄱ, ㄷ, ㅂ, ㅅ, ㅈ, ㅎ' 등을 가로로 나란히 써서 'ㄲ, ㄸ, ㅃ, ㅆ, ㅉ, ㆅ'을 만드는 것인데, 필요한 경우에는 'ㅺ, ㅼ, ㅽ, ㅳ, ㅶ, ㅷ, ㅴ, ㅵ' 등도 만들어 썼다.

① 象形 ② 加畫

③ 竝書 ④ 連書

20

[2015년 지방직 7급]

훈민정음 28자에 대한 설명으로 옳지 않은 것은?

① 초성의 기본자는 발음 기관을 상형한 'ㄱ, ㄴ, ㅁ, ㅅ, ㅇ'이다.

② 초성 17자에는 전탁자 'ㄲ, ㄸ, ㅃ, ㅉ, ㅆ, ㆅ'도 포함된다.

③ 중성의 기본자는 '天, 地, 人'을 상형한 'ㆍ, ㅡ, ㅣ'이다.

④ 중성 11자에는 재출자 'ㅑ, ㅕ, ㅛ, ㅠ'도 포함된다.

17

난이도 ★★☆

해설 ③ 중세 국어 시기에는 주격 조사 '가'가 사용되지 않았으므로 중세 국어에 대한 설명으로 가장 옳지 않은 것은 ③이다. '가'는 근대 국어에서부터 출현하기 시작하여, 이후 자음으로 끝나는 말 뒤에는 '이', 모음으로 끝나는 말 뒤에서는 '가'가 나타나는 현대 국어의 주격 조사 체계를 이루게 되었다.

오답분석
① 'ㅸ'은 15세기 중엽에 사라지고, 'ㅿ'은 16세기 중반에 사라져 16세기 후반에는 거의 옛것을 본뜬 표기 정도만 남아 있었다.

② 중세 국어는 고려의 건국(10세기) 때부터 16세기 말까지의 국어를 말한다.

④ 중세 국어의 전기에는 원나라의 영향으로 말, 매, 군사, 관직명과 관련된 몽골어가 많이 유입되었다.

이것도 알면 **합격**

몽골어 차용어의 예시를 알아두자.

말[馬]에 관한 어휘	• 가라ᄆᆞᆯ(검은 말) • 간쟈ᄆᆞᆯ(눈 위에 흰 점이 있는 말) • 가리온ᄆᆞᆯ(갈기와 꼬리가 검은 말) • 고라ᄆᆞᆯ(꼬리가 검은 밤색 말)
매[鷹]에 관한 어휘	• 궉진(늙은 매) • 도롱태(작은 매의 일종) • 보라 • 숑골(매의 일종)
관직명 / 그 밖의 어휘	• 必者赤(필자적: 서기) • 必尼赤(필니적: 양치는 사람) • 時波赤(시파적: 매 다루는 사람)

18

난이도 ★★☆

해설 ③ '갓ᄎᆞ로'는 '가죽으로'를 뜻하므로 현대어 풀이가 옳지 않은 것은 ③이다. 참고로 제시문은 '소학언해'의 일부이다.

자식이 능히 밥을 먹게 되면 가르치되 오른손으로 먹게 하며 말을 할 때는 남자는 빨리 대답하고 여자는 천천히 대답하게 하며 남자의 띠는 가죽으로 하고 여자의 띠는 실로 할 것이니라.

19

난이도 ★☆☆

해설 ③ 제시문에서 설명하는 초성자 두 글자 또는 세 글자를 가로로 나란히 붙여 쓰는 것은 ③ '竝書(병서)'에 해당한다.

오답분석
① **象形(상형)**: 발음 기관의 모양을 본떠서 글자를 만듦
예 ㄱ, ㄴ, ㅁ, ㅅ, ㅇ

② **加畫(가획)**: 기본자에 획을 더해 글자를 만듦
예 ㅋ, ㄷ, ㅌ, ㅂ, ㅍ, ㅈ, ㅊ, ㆆ, ㅎ

④ **連書(연서)**: 순경음을 표기하기 위해 순음 글자 밑에 'ㅇ'을 이어 씀
예 ㅱ, ㅸ, ㆄ, ㅹ

20

난이도 ★★☆

해설 ② 훈민정음 초성 17자는 'ㄱ, ㅋ, ㆁ, ㄷ, ㅌ, ㄴ, ㅂ, ㅍ, ㅁ, ㅈ, ㅊ, ㅅ, ㆆ, ㅎ, ㅇ, ㄹ, ㅿ'이다. 여기에 전탁자 'ㄲ, ㄸ, ㅃ, ㅉ, ㅆ, ㆅ'은 포함되지 않으므로 ②의 설명은 옳지 않다.

오답분석 ④ 중성 11자에는 기본자 'ㆍ, ㅡ, ㅣ'와 초출자 'ㅗ, ㅏ, ㅜ, ㅓ', 재출자 'ㅛ, ㅑ, ㅠ, ㅕ'가 있다.

기본서 1권 175p

01 [2020년 국회직 8급]

밑줄 친 ㉠~㉤의 현대어가 옳은 것은?

> 나라히 破亡ᄒᆞ니 뫼콰 ㉠ ᄀᆞ롬뿐 잇고 잣 앉 보ᄆᆡ 플와 나모뿐 ㉡ 기펫도다 時節을 感歎호니 고지 눉믈롤 ᄲᅳ리게코 여희여슈믈 ㉢ 슬호니 새 ᄆᆞᄋᆞ몰 놀래노다 烽火ㅣ 석 돌롤 니어시니 지븻 音書ᄂᆞᆫ 萬金이 ㉣ ᄉᆞ도다 셴 머리롤 글구니 또 뎌르니 다 ㉤ 빈혀롤 이긔디 몯ᄒᆞᆯ ᄃᆞᆺᄒᆞ도다
>
> \- 17C, '두시언해 중간본' 중에서

① ㉠: ᄀᆞ롬뿐 - 갈래만
② ㉡: 기펫도다 - 기뻤구나
③ ㉢: 슬호니 - 슬퍼하니
④ ㉣: ᄉᆞ도다 - 싸구나
⑤ ㉤: 빈혀롤 - 텅 빈 혀를

02 [2017년 서울시 9급]

다음 중 국어의 역사에 대한 설명으로 옳은 것은?

① 띄어쓰기는 1933년 한글 맞춤법 통일안에서 규범화되었다.
② 주격 조사 '가'는 고대 국어에서부터 등장한다.
③ 'ㆍ'는 17세기 이후의 문헌에서부터 나타나지 않는다.
④ 'ㅸ'은 15세기 중반까지 사용되다가 'ㅃ'으로 변하였다.

03 [2017년 국가직 7급 (10월)]

다음을 분석한 것으로 옳지 않은 것은?

> 이랑이 소ᄅᆡ롤 놉히 ᄒᆞ야 나를 불러 져긔 믈밋ᄎᆞᆯ 보라 웨거ᄂᆞᆯ 급히 눈을 드러 보니 믈밋 홍운을 헤앗고 큰 실오리 ᄀᆞᆺᄒᆞᆫ 줄이 븕기 더옥 긔이ᄒᆞ며 긔운이 진홍 ᄀᆞᆺᄒᆞᆫ 것이 ᄎᆞᄎᆞ 나 손바닥 너ᄇᆡ ᄀᆞᆺᄒᆞᆫ 것이 그믐밤의 보는 숫불빗 ᄀᆞᆺ더라. ᄎᆞᄎᆞ 나오더니 그 우흐로 젹은 회오리밤 ᄀᆞᆺᄒᆞᆫ 것이 븕기 호박 구슬 ᄀᆞᆺ고 ᄆᆞᆰ고 통낭ᄒᆞ기ᄂᆞᆫ 호박도곤 더 곱더라.

① 혼철 표기가 발견된다.
② 명사형 어미 '-기'가 사용된다.
③ 원순 모음화를 반영한 표기가 나타나지 않는다.
④ '의'가 현대 국어와 다른 용법으로 사용되기도 하였다.

04 [2017년 서울시 7급]

다음 중 17세기부터 19세기 말까지의 근대 국어에 대한 설명으로 가장 적절한 것은?

① 언문일치가 이루어졌다.
② 시상법 체계에서 과거 시제가 확립되었다.
③ 유성 마찰음 계열인 'ㅸ, ㅿ'이 실제로 존재했다.
④ 의문문은 판정 의문과 설명 의문이 구별되기 시작했다.

챕터별 출제 경향

(2015-2021 국가직 / 지방직 / 서울시 7·9급)

근대 국어 95% · 5% 중세 국어

01

난이도 ★★☆

해설 ③ ㉢ '슬호니'는 '슬퍼하니'를 뜻하므로 현대어 해석으로 옳은 것은 ③이다.

오답분석 ① ㉠ 'ᄀᆞᄅᆞᆷ뿐'은 '강만'을 뜻한다.

② ㉡ '기펫도다'는 '깊어 있구나'를 뜻한다.

④ ㉣ 'ᄉᆞ도다'는 '값지도다'를 뜻한다.

⑤ ㉤ '빈혀ᄅᆞᆯ'은 '비녀를'을 뜻한다.

나라가 망하니 산과 ㉠ 강만 있고 성 안의 봄에는 풀과 나무만 ㉡ 깊어 있구나. 시절을 애상히 여기니 꽃까지 눈물을 흘리게 하고 (처자와) 이별하였음을 ㉢ 슬퍼하니 새조차 마음을 놀라게 한다. (전쟁의) 봉화가 석 달을 이었으니 집의 소식은 만금보다 ㉣ 값지도다. 흰머리를 긁으니 또 짧아져서 다해도 ㉤ 비녀를 이기지 못할 것 같구나

이것도 알면 합격

17세기 '두시언해 중간본'에 드러난 근대 국어의 특징을 알아두자.

근대 국어의 특징	17세기 두시언해 중간본
'ㅿ'이 소실됨	ᄆᆞᄋᆞᆷ, 니어시니
'ㆍ'의 동요가 나타남	놀래노나
모음 조화가 동요함	슬호니
거듭적기가 나타남	눈믈ᄅᆞᆯ, 석 ᄃᆞᄅᆞᆯ

02

난이도 ★☆☆

해설 ① 띄어쓰기는 1933년 한글 맞춤법 통일안에서 '제7장 띄어쓰기'로 규범화되었으므로 옳은 설명이다.

② 주격 조사 '가'는 근대 국어 시기에 등장하였다.

③ 'ㆍ'는 17세기 이후의 문헌에도 나타난다. 'ㆍ'의 음가는 소실되었으나, 문자 'ㆍ'는 한글 맞춤법 통일안(1933)에 의하여 폐지될 때까지 계속 사용되었다.

④ 'ㅸ'은 15세기 중반까지 사용되다가 이후 '오/우'로 변하였다.

03

난이도 ★★☆

해설 ③ 원순 모음화란 순음 'ㅁ, ㅂ, ㅍ'의 영향으로 'ㅡ'가 원순 모음 'ㅜ(ㅗ)'로 바뀌는 음운 현상으로, '숫불빗'의 '불'은 '블'의 원순 모음화를 반영한 표기이다.

오답분석 ① '믈밋ᄎᆞᆯ'은 '믈 + 밎 + ᄋᆞᆯ'을 혼철 표기(거듭적기)한 것으로, '밎'의 종성 'ㅊ'을 뒷말의 초성으로 내려 적은 형태이다. 이때, '밎'의 받침 'ㅊ'은 8종성법에 의해 'ㅅ'으로 표기되었다.

② '븕기', '통낭ᄒᆞ기'에 명사형 어미 '-기'가 사용되었다.

④ '그믐밤의'의 '의'는 처소 부사격 조사 '에'의 의미로 쓰인 반면, 현대 국어에서 '의'는 관형격 조사로 사용된다.

지문풀이

이랑이 소리를 높이 하여 나를 불러, 저기 물 밑을 보라 외치거늘 급히 눈을 들어 보니, 물 밑 홍운을 헤치고 큰 실오라기 같은 줄이 붉기 더욱 기이하며, 기운이 진홍 같은 것이 차차 나 손바닥 너비 같은 것이 그믐밤에 보는 숯불빛 같더라. 차차 나오더니, 그 위로 작은 회오리밤 같은 것이 붉기가 호박 구슬 같고, 맑고 통랑하기는(속까지 비치어 환하기는) 호박보다 더 곱더라.

- 의유당 남씨, '동명일기'

04

난이도 ★★★

해설 ② 근대 국어에는 과거 시제 선어말 어미 '-았-/-었-'이 등장하였으므로 설명이 적절한 것은 ②이다. 과거 시제 선어말 어미는 중세 국어까지는 나타나지 않았던 특징으로, 이를 통해 근대 국어 시기에 이르러 과거 시제가 확립되었음을 알 수 있다.

오답분석 ① 언문일치는 20세기에 이르러 나타난 국어의 특징이다.

③ 유성 마찰음 'ㅸ, ㅿ'이 존재한 것은 중세 국어의 특징이며, 근대 국어 시기에는 존재하지 않았다. 참고로 'ㅸ'은 15세기 중후반에 'ㅿ'은 16세기 중반에 소멸하였다.

④ 판정 의문과 설명 의문이 구별되기 시작한 것은 중세 국어 시기의 특징이다.

Section 4
어문 규정

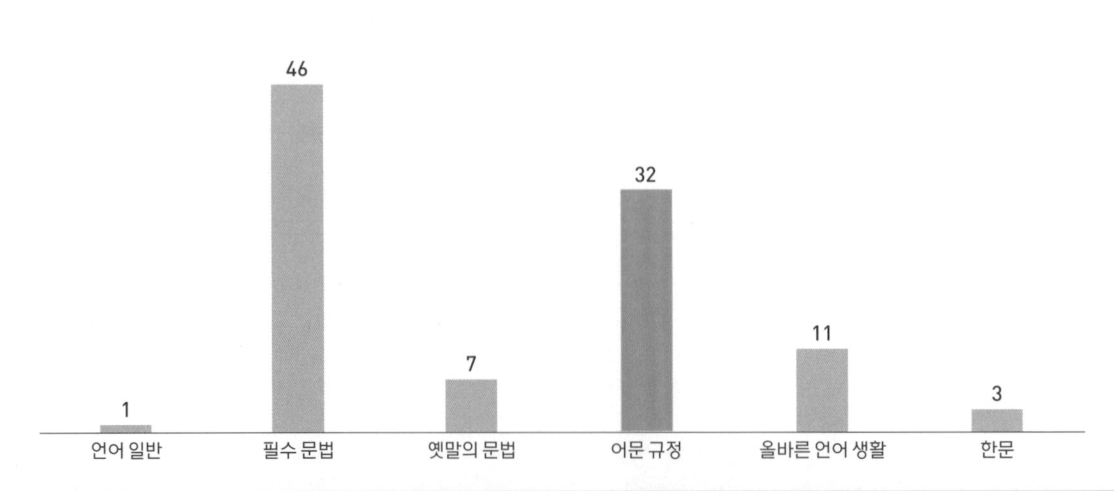

어법

○ Section 기출 트렌드

- 어문 규정은 매년 꾸준히 출제되는 Section이므로 철저한 대비가 필요합니다.
- 어문 규정에서는 맞춤법에 맞는 표기를 고르는 문제, 띄어쓰기 문제 등 한글 맞춤법과 관련된 문제가 가장 많이 출제됩니다. 또한 표준 발음법이나 표준어 사정 원칙, 외래어 표기법 문제도 종종 출제됩니다.
- 어문 규정은 규정에 대한 정확한 이해를 바탕으로 대표적인 용례와 예외 사항을 암기해야 합니다. 기출문제 풀이를 통해 암기한 내용을 점검하고 빈출되는 규정은 관련 내용이 눈에 익도록 꾸준히 학습해야 합니다.

Chapter

01 표준 발음법

기본서 1권 200p

01

[2021년 국회직 8급]

밑줄 친 단어의 표준 발음이 옳은 것만을 〈보기〉에서 모두 고르면?

〈보기〉

ㄱ. 마치 계절병[계:절뼝]을 앓는 것 같았다.
ㄴ. 신윤복[신눈복]은 조선 후기의 풍속화가이다.
ㄷ. 이 신문의 논조[논쪼]는 매우 보수적이다.
ㄹ. 참석자의 과반수[과:반쑤]가 그 안건에 찬성하였다.
ㅁ. 정부는 수입 상품에 높은 관세[관세]를 물렸다.

① ㄱ, ㄴ
② ㄱ, ㄷ
③ ㄱ, ㅁ
④ ㄴ, ㄹ
⑤ ㄴ, ㅁ

02

[2020년 서울시 9급]

표준 발음으로 가장 옳지 않은 것은?

① 풀꽃아[풀꼬다]
② 옷 한 벌[오탄벌]
③ 넓둥글다[넙뚱글다]
④ 늙습니다[늑씀니다]

03

[2020년 서울시 9급]

〈보기〉에서 음의 첨가 현상이 일어나지 않는 것을 모두 고른 것은?

〈보기〉

ㄱ. 등용문　　ㄴ. 한여름
ㄷ. 눈요기　　ㄹ. 송별연

① ㄱ, ㄷ
② ㄱ, ㄹ
③ ㄴ, ㄷ
④ ㄴ, ㄹ

04

[2020년 국회직 8급]

밑줄 친 부분의 표준 발음이 옳지 않은 것은?

① 그래도 일사병[일사뼝]에 쓰러진 대원이 없었다.
② 올여름에는 납량[남냥] 드라마가 줄을 잇고 있다.
③ 그는 시조 한 수를 처량하게 읊고[읍꼬] 길을 떠났다.
④ 그들은 불법적[불뻡쩍] 방법으로 돈을 엄청나게 벌었다.
⑤ 아직 저학년의 글이라 띄어쓰기[띠여쓰기]가 미흡하다.

챕터별 출제 경향
(2015-2021 국가직 / 지방직 / 서울시 7·9급)

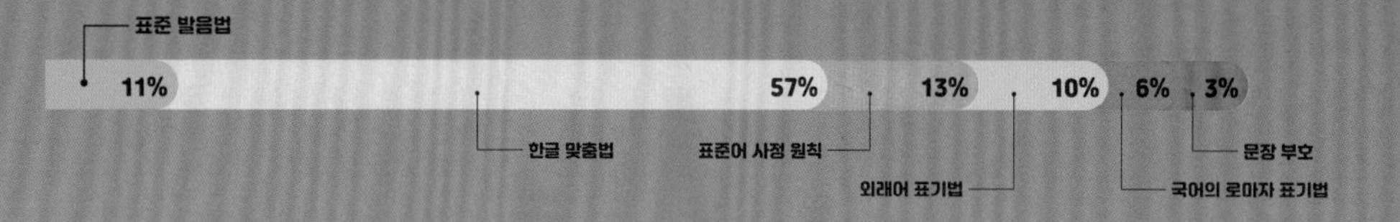

01
난이도 ★★☆

해설 **③ 밑줄 친 단어의 표준 발음이 옳은 것은 ③'ㄱ, ㅁ'이다.**

- **ㄱ. 계절병[계ː절뼝/게ː절뼝](○)**: 이중 모음 'ㅖ'는 [ㅖ]로 발음하는 것이 원칙이나 '예, 례' 이외의 'ㅖ'는 [ㅔ]로도 발음할 수 있으므로 '계절병'은 [계ː절뼝] 또는 [게ː절뼝]으로 발음해야 한다. 또한 '계절병'은 '계절(季節)'과 '병(病)'이 결합한 한자어 합성어로, 뒷말인 '병'이 된소리로 발음된다. 참고로, 이와 같이 한자어 합성어에서 일어나는 된소리되기는 특정 규칙으로 설명할 수 없는 수의적 현상이다.
- **ㅁ. 관세[관세](○)**: '관세(關稅)'는 단어 내부에서 된소리되기가 일어나는 조건이 충족되지 않았으므로, [관세]로 발음해야 한다.

오답분석
- **ㄴ. 신윤복[신뉸복](×) → [시뉸복](○)**: 'ㄴ' 첨가 현상은 원칙적으로 합성어 및 파생어에서 일어나는 현상이다. 그러나 인명은 합성어 및 파생어로 보기 어려우므로 'ㄴ' 첨가가 일어나지 않는다. 따라서 '신윤복'은 [시뉸복]으로 발음해야 한다.
- **ㄷ. 논조[논쪼](×) → [논조](○)**: '논조(論調)'는 단어 내부에서 된소리되기가 일어나는 조건이 충족되지 않았으므로 [논조]로 발음해야 한다.
- **ㄹ. 과반수[과ː반쑤](×) → [과ː반수](○)**: '과반수(過半數)'는 단어 내부에서 된소리되기가 일어나는 조건이 충족되지 않았으므로 [과ː반수]로 발음해야 한다.

02
난이도 ★☆☆

해설 **① 풀꽃아[풀꼬다](×) → [풀꼬차](○): 자음으로 끝나는 말 '꽃' 뒤에 모음으로 시작하는 형식 형태소가 결합했으므로 받침 'ㅊ'을 제 음가대로 뒤 음절로 옮겨 [풀꼬차]로 발음해야 한다.**

오답분석
② **옷 한 벌[오탄벌](○)**: '옷'의 'ㅅ'은 음절 말에서 대표음 [ㄷ]으로 바뀐 후 뒤에 오는 'ㅎ'과 결합하여 [ㅌ]으로 발음되므로 '옷 한 벌'의 표준 발음은 [오탄벌]이다.

③ **넓둥글다[넙뚱글다](○)**: 겹받침 'ㄼ'은 어말 또는 자음 앞에서 [ㄹ]로 발음되는 것이 원칙이지만 '넓둥글다'의 '넓-'은 [넙]으로 발음된다. 또한 뒤에 오는 'ㄷ'은 된소리되기로 인해 [ㄸ]으로 발음되므로 '넓둥글다'의 표준 발음은 [넙뚱글다]이다.

④ **늙습니다[늑씀니다](○)**: '늙-'의 겹받침 'ㄺ'은 어말 또는 'ㄱ'을 제외한 자음 앞에서 [ㄱ]으로 발음되며 이로 인해 뒤에 오는 'ㅅ'이 [ㅆ]으로 발음된다. 또한 '습'의 받침 'ㅂ'은 뒤에 오는 'ㄴ'으로 인해 [ㅁ]으로 발음되므로 '늙습니다'의 표준 발음은 [늑씀니다]이다.

03
난이도 ★★☆

해설 **② <보기>에서 음의 첨가 현상이 일어나지 않는 것은 ㄱ. '등용문', ㄹ. '송별연'이므로 답은 ②이다.**

- **ㄱ. 등용문[등용문], ㄹ. 송별연[송ː벼련]**: 합성어에서 앞 단어의 끝이 자음이고, 뒤 단어의 첫음절이 '이, 야, 여, 요, 유'인 경우에는 'ㄴ' 음을 첨가하여 발음한다. 다만, '등용문', '송별연'은 'ㄴ' 음을 첨가하여 발음하지 않는 예외적인 단어에 해당하므로 각각 [등용문], [송ː벼련]으로 발음한다.

오답분석
- **ㄴ. 한여름[한녀름]**: '한-(접사) + 여름(명사)'이 결합된 파생어로, 접두사의 끝이 자음 'ㄴ'으로 끝나고, 뒤 단어의 첫음절이 '여'이기 때문에 'ㄴ' 첨가 현상이 일어나 [한녀름]으로 발음한다.
- **ㄷ. 눈요기[눈뇨기]**: '눈(명사) + 요기(명사)'가 결합된 합성어로, 앞 단어의 끝이 자음 'ㄴ'으로 끝나고, 뒤 단어의 첫음절이 '요'이기 때문에 'ㄴ' 첨가 현상이 일어나 [눈뇨기]로 발음한다.

04
난이도 ★★☆

해설 **① 일사병[일사뼝](×) → [일싸뼝](○): 한자어 '일사(日射)'에서 'ㄹ' 받침 뒤에 연결되는 예사소리 'ㅅ'은 된소리 [ㅆ]으로 발음된다. 참고로 '일사' 뒤의 '병'이 [뼝]으로 발음되는데, 이는 한자어의 수의적 경음화 현상에 의한 것이다. 따라서 '일사병'의 표준 발음은 [일싸뼝]이다.**

오답분석
② **납량[남냥](○)**: 받침 'ㅂ' 뒤에 연결되는 'ㄹ'은 [ㄴ]으로 발음되고, [ㄴ]의 영향으로 앞말의 끝소리 'ㅂ'이 [ㅁ]으로 발음된다.

③ **읊고[읍꼬](○)**: 겹받침 'ㄿ'은 자음 앞에서 [ㅂ]으로 발음되고, [ㅂ]의 영향으로 뒷말의 첫소리 'ㄱ'이 [ㄲ]으로 발음된다.

④ **불법적[불법쩍/불뻡쩍](○)**: '불법(不法)'은 [불법]으로 발음하는 것이 원칙이지만, 2017년 3분기 표준국어대사전 정보 수정 내용에 따라 [불법]과 [불뻡] 모두 표준 발음으로 인정되었다. 또한 '적'의 첫소리인 'ㅈ'은 앞말의 끝소리 'ㅂ'의 영향을 받아 [ㅉ]으로 발음된다.

⑤ **띄어쓰기[띠어쓰기/띠여쓰기](○)**: 자음 'ㄸ'을 첫소리로 가지고 있는 'ㅢ'는 [ㅣ]로 발음하며, 이어지는 '어'는 [ㅓ]로 발음하는 것이 원칙이나, [ㅣ]의 뒤에 오는 'ㅓ'에 반모음을 첨가하여 [ㅕ]로 발음하는 것도 허용된다.

05

[2019년 서울시 7급 (10월)]

표준 발음이 아닌 것은?

① 핥다[할따]
② 밟게[밥ː께]
③ 얽거나[얼꺼나]
④ 맑고[막꼬]

06

[2019년 서울시 9급 (6월)]

밑줄 친 부분의 발음이 현행 표준 발음법에서 표준 발음으로 인정되지 않는 것은? (단, 'ː'은 장모음 표시임.)

① 비가 많이 내려서 물난리가 났다. - 물난리[물랄리]
② 그는 줄곧 신문만 읽고 있었다. - 신문[심문]
③ 겨울에는 보리를 밟는다. - 밟는다[밤ː는다]
④ 날씨가 벌써 한여름과 같다. - 한여름[한녀름]

07

[2019년 국회직 8급]

밑줄 친 부분의 표준 발음이 옳은 것만을 〈보기〉에서 모두 고르면?

〈보기〉

ㄱ. 이번 일을 계기[계ː기]로 삼자.
ㄴ. 퇴임하는 직원을 위한 송별연[송ː벼련]을 열다.
ㄷ. 그의 넓죽한[널쭈칸] 얼굴이 그리웠다.
ㄹ. 낙엽을 밟고[밥ː꼬] 지나가다.
ㅁ. 월드컵 때문에 축구의 열병[열뼝]이 전국을 휩쓸었다.

① ㄱ, ㄴ, ㄷ
② ㄱ, ㄴ, ㄹ
③ ㄱ, ㄷ, ㄹ
④ ㄴ, ㄹ, ㅁ
⑤ ㄷ, ㄹ, ㅁ

08

[2019년 국가직 7급]

㉠~㉣에 해당하는 예를 바르게 연결한 것은?

경음화는 장애음 중 평음이 일정한 환경에서 경음으로 바뀌는 현상이다. 한국어의 대표적인 경음화 유형은 다음과 같다.

㉠ 'ㄱ, ㄷ, ㅂ' 뒤에 연결되는 평음은 경음으로 발음된다.
㉡ 비음으로 끝나는 용언 어간에 연결되는 어미의 첫소리는 경음으로 발음된다.
㉢ 관형사형 어미 '-(으)ㄹ' 뒤에 연결되는 평음은 경음으로 발음된다.
㉣ 한자어에서 'ㄹ' 뒤에 연결되는 'ㄷ, ㅅ, ㅈ'은 경음으로 발음된다.

	㉠	㉡	㉢	㉣
①	잡고	담고	갈 곳	하늘소
②	받고	앉더라	발전	물동이
③	놓습니다	삶더라	열 군데	절정
④	먹고	껴안더라	어찌할 바	결석

05

난이도 ★★☆

해설 **④ 맑고[막꼬](×) → [말꼬](○): 용언의 어간 말음 'ㄺ'은 'ㄱ' 앞에서 [ㄹ]로 발음하고, 어간의 겹받침이 [ㄹ]로 발음될 때 어미의 첫소리 'ㄱ, ㄷ, ㅅ, ㅈ'은 된소리로 발음하므로 '맑고'는 [말꼬]로 발음해야 한다.**

① **핥다[할따](○)**: 용언의 어간 말음 'ㄾ'은 자음 앞에서 [ㄹ]로 발음하고, 어간 받침 'ㄾ' 뒤에 결합되는 어미의 첫소리 'ㄷ'은 된소리로 발음한다. 따라서 '핥다'는 [할따]로 발음한다.

② **밟게[밥:께](○)**: 용언의 어간 말음 'ㄼ'은 자음 앞에서 [ㄹ]로 발음하는 것이 원칙이나, '밟-'은 예외적으로 [밥]으로 발음한다. 또한 받침 'ㅂ' 뒤에 연결되는 'ㄱ, ㄷ, ㅂ, ㅅ, ㅈ'은 된소리로 발음하므로 '밟게'는 [밥:께]로 발음한다.

③ **읽거나[일꺼나](○)**: 용언의 어간 말음 'ㄺ'은 'ㄱ' 앞에서 [ㄹ]로 발음하고, 어간의 겹받침이 [ㄹ]로 발음될 때 어미의 첫소리 'ㄱ, ㄷ, ㅅ, ㅈ'은 된소리로 발음하므로 '읽거나'는 [일꺼나]로 발음한다.

이것도 알면 **합격**

겹받침(ㄺ, ㄻ, ㄿ)의 발음을 알아두자.

겹받침 'ㄺ, ㄻ, ㄿ'은 어말 또는 자음 앞에서 각각 [ㄱ, ㅁ, ㅂ]으로 발음함. 다만, 용언의 어간 말음 'ㄺ'은 'ㄱ' 앞에서 [ㄹ]로 발음함

예 • 맑다[막따], 젊다[점:따], 읊다[읍따]
• 맑게[말께], 묽고[물꼬], 얽거나[얼꺼나]

06

난이도 ★★☆

해설 **② 신문[심문](×) → [신문](○): '신문'을 [심문]으로 발음하는 것은 치조음인 받침 'ㄴ'이 양순음 'ㅁ'에 동화되어 양순음 [ㅁ]으로 발음된 것(양순음화)으로, 양순음화의 결과는 표준 발음으로 인정되지 않는다. 따라서 답은 ②이다.**

① **물난리[물랄리](○)**: '물'의 받침 'ㄹ'의 영향을 받아 '난'의 첫소리 'ㄴ'이 [ㄹ]로 발음되고, '리'의 첫소리 'ㄹ'의 영향을 받아 '난'의 받침 'ㄴ'이 [ㄹ]로 발음된다.

③ **밟는다[밤:는다](○)**: 용언의 어간 말음 'ㄼ'은 자음 앞에서 [ㄹ]로 발음하는 것이 원칙이나, '밟-'은 예외적으로 [밥]으로 발음한다. 또한 [밥]의 끝소리 [ㅂ]은 비음 'ㄴ'의 영향을 받아 [ㅁ]으로 발음된다.

④ **한여름[한녀름](○)**: '한-(접사) + 여름(명사)'이 결합된 파생어로, 앞 단어의 끝이 자음 'ㄴ'이고 뒤 단어의 첫음절이 '여'인 경우 'ㄴ' 음을 첨가하여 발음한다.

07

난이도 ★★☆

해설 **② 표준 발음으로 옳은 것은 ㄱ, ㄴ, ㄹ이므로 답은 ②이다.**

- **ㄱ. 계기[계:기/게:기](○)**: 모음 'ㅖ'는 [ㅖ]로 발음하는 것이 원칙이나, '예, 례' 이외의 'ㅖ'는 [ㅔ]로 발음함도 허용한다.
- **ㄴ. 송별연[송:벼련](○)**: 합성어에서 앞 단어의 끝이 자음이고 뒤 단어의 첫음절이 '이, 야, 여, 요, 유'인 경우에는 뒤 단어의 첫음절에 'ㄴ' 음을 첨가하여 발음한다. 다만, '송별연'은 'ㄴ' 음을 첨가하여 발음하지 않는 예외적인 단어에 해당하므로 [송:벼련]으로 발음한다.
- **ㄹ. 밟고[밥:꼬](○)**: 겹받침 'ㄼ'은 어말 또는 자음 앞에서 [ㄹ]로 발음하지만 '밟-'은 예외적으로 [밥]으로 발음한다. 또한 받침 'ㅂ' 뒤에 연결되는 'ㄱ, ㄷ, ㅂ, ㅅ, ㅈ'은 된소리로 발음하므로 [밥:꼬]로 발음한다.

- **ㄷ. 넓죽한[널쭈칸](×) → [넙쭈칸](○)**: 겹받침 'ㄼ'은 어말 또는 자음 앞에서 [ㄹ]로 발음하지만, '넓죽하다', '넓둥글다'는 예외적으로 [ㅂ]으로 발음한다. 그리고 'ㅂ' 뒤의 'ㅈ'은 된소리 [ㅉ]으로 발음하고 'ㄱ'과 'ㅎ'이 만나 [ㅋ]으로 축약되므로 '넓죽한'은 [넙쭈칸]으로 발음해야 한다.
- **ㅁ. 열병[열뼝](×) → [열병](○)**: 한자어에서 'ㄹ' 받침 뒤에 연결되는 'ㄷ, ㅅ, ㅈ'은 된소리로 발음하나, 'ㅂ'은 이에 해당하지 않으므로 '열병'은 [열병]으로 발음해야 한다.

08

난이도 ★★☆

해설 **④ ㉠~㉣에 해당하는 예를 바르게 연결한 것은 ④이다.**

- **㉠ 먹고[먹꼬](○)**: '먹'의 받침 'ㄱ' 뒤에 연결되는 예사소리 'ㄱ'이 된소리 [ㄲ]으로 발음된다.
- **㉡ 껴안더라[껴안떠라](○)**: 비음으로 끝나는 용언 어간 '껴안-'에 연결되는 어미의 첫소리 'ㄷ'이 된소리 [ㄸ]으로 발음된다.
- **㉢ 어찌할 바[어찌할빠](○)**: 관형사형 '어찌할' 뒤에 연결되는 예사소리 'ㅂ'이 된소리 [ㅃ]으로 발음된다.
- **㉣ 결석[결썩](○)**: 한자어 '결석(缺席/結石)'에서 'ㄹ' 뒤에 연결되는 예사소리 'ㅅ'이 된소리 [ㅆ]으로 발음된다.

오답 분석

① **㉣ 하늘소**: '하늘소'는 [하늘쏘]로 발음되지만 한자어가 아니므로 ㉣의 예로 적절하지 않다.

② • **㉢ 발전**: '발전'은 [발쩐]으로 발음되는데, 이는 한자어에서 'ㄹ' 받침 뒤에 연결되는 'ㄷ, ㅅ, ㅈ'을 된소리로 발음한 것이므로 ㉢의 예로 적절하지 않다.
• **㉣ 물동이**: '물동이'는 [물똥이]로 발음되지만 한자어가 아니므로 ㉣의 예로 적절하지 않다.

③ • **㉠ 놓습니다**: '놓습니다'는 [노씀니다]로 발음되지만 'ㅎ' 뒤에 'ㅅ'이 결합되는 경우에 'ㅅ'을 [ㅆ]으로 발음한 것이므로 ㉠의 예로 적절하지 않다.
• **㉢ 열 군데**: '열 군데'는 관형사형 어미 '-(으)ㄹ'이 아니라 관형사 '열'과 의존 명사 '군데'가 결합한 것이므로 ㉢의 예로 적절하지 않다.

09

[2018년 서울시 9급 (6월)]

〈보기〉에서 밑줄 친 부분의 발음으로 가장 옳지 않은 것은?

〈보기〉

손자: 할아버지. 여기 있는 ㉠밭을 우리가 다 매야 해요?
할아버지: 응. 이 ㉡밭만 매면 돼.
손자: 이 ㉢밭 모두요?
할아버지: 왜? ㉣밭이 너무 넓으니?

① ㉠: [바슬]
② ㉡: [반만]
③ ㉢: [받]
④ ㉣: [바치]

10

[2018년 서울시 7급 (6월)]

표준 발음법상 'ㄹ'의 발음이 동일한 것들을 바르게 묶은 것은?

① 상견례, 의견란, 백리
② 임진란, 공권력, 광한루
③ 대관령, 입원료, 협력
④ 동원령, 구근류, 난로

11

[2018년 국가직 7급]

밑줄 친 발음이 표준 발음이 아닌 것은?

① 연계[연게] 교육
② 차례[차레] 지내기
③ 충의의[충이의] 자세
④ 논의[노늬]에 따른 방안

12

[2017년 법원직 9급]

밑줄 친 부분의 발음이 표준 발음법에 맞는 것은?

① 깨끗이[깨끄치] 씻어라
② 신문[심문]을 보아라
③ 벌레를 밟다[밥:따]
④ 책을 읽지[일찌] 말고 써라

09

난이도 ★★☆

해설 **① ㉠ 밭을[바슬](×) → [바틀](○): '밭' 뒤에 모음으로 시작하는 형식 형태소인 조사 '을'이 결합한 것이므로, '밭'의 받침 'ㅌ'을 그대로 뒤 음절 첫소리로 옮겨 [바틀]로 발음해야 한다.**

오답분석 ② ㉡ **밭만[반만](○)**: '밭'의 받침 'ㅌ'이 음절의 끝소리 규칙에 따라 [ㄷ]으로 발음된 후 [ㄷ]이 비음 [ㅁ]과 만나 [ㄴ]으로 발음되는 비음화가 일어난다.

③ ㉢ **밭[받](○)**: 받침 'ㅌ'이 음절의 끝소리 규칙에 따라 [ㄷ]으로 발음된다.

④ ㉣ **밭이[바치](○)**: 받침 'ㅌ'이 'ㅣ'로 시작되는 형식 형태소인 조사 '이'를 만나 [ㅊ]으로 발음되는 구개음화 현상이 일어난다.

10

난이도 ★★☆

해설 **① '상견례, 의견란, 백리'의 'ㄹ'은 모두 [ㄴ]으로 발음되므로 표준 발음법상 'ㄹ'의 발음이 동일한 것으로 묶인 것은 ①이다.**

- **상견례[상견녜], 의견란[의:견난]**: '상견례'와 '의견란'은 'ㄴ'과 'ㄹ'이 결합할 때 [ㄹㄹ]로 발음되지 않고 [ㄴㄴ]으로 발음되는 경우로, 유음화의 예외에 해당한다.
- **백리[뱅니]**: '백리'는 받침 'ㄱ' 뒤에 연결되는 'ㄹ'이 [ㄴ]으로 발음된 후, 받침 'ㄱ'이 [ㄴ]으로 인해 [ㅇ]으로 발음되는 'ㄹ'의 비음화 현상이 발생한다.

오답분석 ② '임진란, 공권력'의 'ㄹ'은 [ㄴ]으로 발음되나, '광한루'의 'ㄹ'은 [ㄹ]로 발음된다.

- **임진란[임:진난], 공권력[공꿘녁]**: '임진란'과 '공권력'은 'ㄴ'과 'ㄹ'이 결합할 때 [ㄹㄹ]로 발음되지 않고 [ㄴㄴ]으로 발음되는 경우로, 유음화의 예외에 해당한다.
- **광한루[광:할루]**: '광한루'는 'ㄴ'과 'ㄹ'이 결합해 [ㄹㄹ]로 발음되는 유음화 현상이 발생한다.

③ '입원료, 협력'의 'ㄹ'은 [ㄴ]으로 발음되나, '대관령'의 'ㄹ'은 [ㄹ]로 발음된다.

- **입원료[이붠뇨]**: '입원료'는 'ㄴ'과 'ㄹ'이 결합할 때 [ㄹㄹ]로 발음되지 않고 [ㄴㄴ]으로 발음되는 경우로, 유음화의 예외에 해당한다.
- **협력[혐녁]**: '협력'은 받침 'ㅂ' 뒤에 연결되는 'ㄹ'이 [ㄴ]으로 발음된 후, 받침 'ㅂ'이 [ㄴ]으로 인해 [ㅁ]으로 발음되는 'ㄹ'의 비음화 현상이 발생한다.
- **대관령[대:괄령]**: '대관령'은 'ㄴ'과 'ㄹ'이 결합해 [ㄹㄹ]로 발음되는 유음화 현상이 발생한다.

④ '동원령, 구근류'의 'ㄹ'은 [ㄴ]으로 발음되나, '난로'의 'ㄹ'은 [ㄹ]로 발음된다.

- **동원령[동:원녕], 구근류[구근뉴]**: '동원령'과 '구근류'는 'ㄴ'과 'ㄹ'이 결합할 때 [ㄹㄹ]로 발음되지 않고 [ㄴㄴ]으로 발음되는 것으로, 유음화의 예외에 해당한다.
- **난로[날:로]**: '난로'는 'ㄴ'과 'ㄹ'이 결합해 [ㄹㄹ]로 발음되는 유음화 현상이 발생한다.

11

난이도 ★★☆

해설 **② 차례[차레](×) → [차례](○): '예, 례'의 'ㅖ'는 본음대로 [ㅖ]로 발음해야 한다. 따라서 밑줄 친 발음이 표준 발음이 아닌 것은 ②이다.**

오답분석 ① **연계[연계/연게](○)**: 모음 'ㅖ'는 [ㅖ]로 발음하는 것이 원칙이나, '예, 례' 이외의 'ㅖ'는 [ㅔ]로 발음하는 것도 허용한다.

③ ④ **충의의[충의의/충이의/충의에/충이에](○), 논의[노늬/노니](○)**: 모음 'ㅢ'는 [ㅢ]로 발음하는 것이 원칙이나, 단어의 첫음절 이외의 '의'는 [ㅣ]로, 조사 '의'는 [ㅔ]로 발음하는 것도 허용한다.

12

난이도 ★★☆

해설 **③ 밟다[밥:따](○): 겹받침 'ㄼ'은 자음 앞에서 [ㄹ]로 발음하지만, 예외적으로 '밟-'은 자음 앞에서 [밥]으로 발음한다. 또한 받침 'ㅂ' 뒤에 연결되는 'ㄱ, ㄷ, ㅂ, ㅅ, ㅈ'은 된소리로 발음하므로 '밟다'는 [밥:따]로 발음한다.**

오답분석 ① **깨끗이[깨끄치](×) → [깨끄시](○)**: 홑받침 'ㅅ'이 모음으로 시작하는 접미사 '이'와 결합하였으므로 그대로 연음하여 [깨끄시]로 발음해야 한다.

② **신문[심문](×) → [신문](○)**: '신문'을 [심문]으로 발음하는 것은 치조음인 받침 'ㄴ'이 양순음 'ㅁ'에 동화되어 양순음 [ㅁ]으로 발음된 것(양순음화)으로 양순음화의 결과는 표준 발음으로 인정되지 않는다.

④ **읽지[일찌](×) → [익찌](○)**: 용언의 어간 말음 'ㄺ'은 'ㄱ'을 제외한 자음 앞에서 [ㄱ]으로 발음하고, 받침 'ㄱ' 뒤에 연결되는 'ㄱ, ㄷ, ㅂ, ㅅ, ㅈ'은 된소리로 발음하므로 '읽지'는 [익찌]로 발음해야 한다.

13

[2017년 국회직 8급]

다음 <보기>의 밑줄 친 ㉠~㉤에 대한 표준 발음으로 옳은 것을 모두 고르면?

<보기>

- ㉠ 깃발이 바람에 날리다. - [기빨]
- ㉡ 불법적인 방법으로 돈을 벌고 있다. - [불법쩍]
- 나는 오늘 점심을 ㉢ 면류로 간단히 때웠다. - [멸류]
- ㉣ 도매금은 도매로 파는 가격을 말한다. - [도매금]
- 준법의 테두리 안에서 시위를 한다면 ㉤ 공권력 발동을 최대한 자제할 것이다. - [공:꿘녁]

① ㉠, ㉡, ㉢
② ㉠, ㉡, ㉤
③ ㉠, ㉢, ㉤
④ ㉡, ㉢, ㉣
⑤ ㉡, ㉣, ㉤

14

[2016년 서울시 9급]

다음 중 단어의 발음이 옳은 것끼리 묶인 것은?

① 디귿이[디그시], 홑이불[혼니불]
② 뚫는[뚤는], 밝히다[발키다]
③ 핥다[할따], 넓죽하다[넙쭉카다]
④ 흙만[흑만], 동원령[동:원녕]

15

[2016년 국가직 7급]

표준 발음법에 맞지 않는 것은?

① 솜이불[솜:니불]
② 직행열차[지캥열차]
③ 내복약[내:봉냑]
④ 막일[망닐]

16

[2016년 서울시 7급]

다음 중 「표준어 규정」에 맞게 발음한 문장은?

① 불법[불법]으로 고가[고까]의 보석을 훔친 도둑들이 고가[고가]도로로 도망치고 있다.
② 부정한 사건이 묻히지[무치지] 않도록 낱낱이[낟나치] 밝혀 부패가 끝이[끄치] 나도록 해야 한다.
③ 꽃 위[꼬 뒤]에 있는[인는] 나비를 잡기 위해 나비 날개의 끝을[끄츨] 잡으려고 했다.
④ 부자[부 : 자]간에 공동 운영하는 가게에 모자[모자]가 들러 서로 모자[모 : 자]를 선물했다.

13

난이도 ★★☆

해설 **① 표준 발음으로 옳은 것은 ㉠, ㉡, ㉢이므로 답은 ①이다.**

- ㉠ **깃발[기빨/긷빨](O)**: 'ㄱ, ㄷ, ㅂ, ㅅ, ㅈ'으로 시작하는 단어 앞에 사이시옷이 올 때는 이들 자음만을 된소리로 발음하는 것을 원칙으로 하되, 사이시옷을 [ㄷ]으로 발음하는 것도 허용한다.
- ㉡ **불법적[불법쩍/불뻡쩍](O)**: '불법(不法)'은 [불법]으로 발음하는 것이 원칙이지만, 2017년 3분기 표준국어대사전 수정 내용에 따라 [불뻡]도 표준 발음으로 인정되었다. 또한 '적'의 첫소리인 'ㅈ'이 앞말의 끝소리 'ㅂ'의 영향을 받아 [ㅉ]으로 발음된다.
- ㉢ **면류[멸류](O)**: 받침 'ㄴ'이 'ㄹ' 앞에서 [ㄹ]로 발음된다.

오답 분석

- ㉣ **도매금[도매금](×) → [도매끔](O)**: '도매금'은 표기상으로는 사이시옷이 없지만 관형격 기능을 지니는 사이시옷이 있어야 하는 합성어이므로 '금'의 첫소리 'ㄱ'을 된소리로 발음한다.
- ㉤ **공권력[공:꿘녁](×) → [공꿘녁](O)**: 한자어 '공권(公權)'은 짧게 발음하며, '공권력'은 유음화의 예외에 해당하는 단어이므로 '력'의 첫소리 'ㄹ'을 [ㄴ]으로 발음한다.

14

난이도 ★★☆

해설 **① 단어의 발음이 옳은 것끼리 묶인 것은 ①이다.**

- **디귿이[디그시](O)**: 한글 자모의 이름은 받침소리를 연음하여 발음하는 것이 원칙이지만 'ㄷ'은 현실 발음을 고려하여 [디그시]로 발음한다.
- **홑이불[혼니불](O)**: 음절의 끝소리 규칙으로 인해 '홑'의 받침 'ㅌ'은 [ㄷ]으로 발음하며 파생어에서 앞말이 자음으로 끝나고 뒷말의 첫음절이 '이'인 경우, 'ㄴ' 음을 첨가한다. 이후 [ㄷ]은 비음 [ㄴ]의 영향을 받아 비음 [ㄴ]으로 발음되므로 '홑이불'은 [혼니불]로 발음한다.

오답 분석

② • **뚫는[뚤는](×) → [뚤른](O)**: 'ㅀ' 뒤에 'ㄴ'이 오는 경우에는 'ㅎ'을 발음하지 않으며 [ㄹ]의 뒤에서 'ㄴ'이 [ㄹ]로 발음되므로 '뚫는'은 [뚤른]으로 발음한다.
• **밝히다[발키다](O)**: 'ㄺ' 뒤에 'ㅎ'이 오는 경우에는 'ㄱ'과 'ㅎ'을 축약하여 [ㅋ]으로 발음한다. 따라서 '밝히다'는 [발키다]로 발음한다.

③ • **핥다[할따](O)**: 받침 'ㄾ'은 자음 앞에서 [ㄹ]로 발음하고 어간 받침 'ㄾ' 뒤에 오는 어미의 첫소리 'ㄷ'은 된소리로 발음한다. 따라서 '핥다'는 [할따]로 발음한다.
• **넓죽하다[넙쭉카다](×) → [넙쭈카다](O)**: 겹받침 'ㄼ'은 자음 앞에서 [ㅂ]으로 발음하고, [ㅂ] 뒤의 'ㅈ'은 [ㅉ]으로 발음한다. 그리고 'ㄱ'과 'ㅎ'이 [ㅋ]으로 축약되므로 '넓죽하다'는 [넙쭈카다]로 발음한다.

④ • **흙만[흑만](×) → [흥만](O)**: 받침 'ㄺ'은 'ㅁ' 앞에서 [ㄱ]으로 발음되며, 이후 'ㅁ'으로 인해 [ㅇ]으로 발음된다. 따라서 '흙만'은 [흥만]으로 발음한다.
• **동원령[동:원녕](O)**: '동원령'은 한자어에서 'ㄴ'과 'ㄹ'이 결합하면서도 [ㄹㄹ]로 발음되지 않고 [ㄴㄴ]으로 발음되는 유음화의 예외에 해당하므로, [동:원녕]으로 발음한다.

15

난이도 ★★☆

해설 **② 직행열차[지캥열차](×) → [지캥녈차](O): '직행 + 열차'가 결합된 합성어로, 앞 단어의 끝이 자음 'ㅇ'이고 뒤 단어의 첫음절이 '여'이므로 'ㄴ' 음을 첨가하여 발음해야 한다.**

오답 분석

① **솜이불[솜:니불](O)**: '솜 + 이불'이 결합된 합성어로, 앞 단어의 끝이 자음 'ㅁ'이고, 뒤 단어의 첫음절이 '이'이므로 'ㄴ' 음을 첨가하여 발음한다.

③ **내복약[내:봉냑](O)**: '내복 + 약'이 결합된 합성어로, 앞 단어의 끝이 자음 'ㄱ'이고, 뒤 단어의 첫음절이 '야'이므로 'ㄴ' 음을 첨가한다. 그리고 '복'의 받침 'ㄱ'은 첨가된 'ㄴ' 음에 동화되어 [ㅇ]으로 발음한다.

④ **막일[망닐](O)**: '막- + 일'이 결합된 파생어로, 접두사의 끝이 자음 'ㄱ'이고, 뒤 단어의 첫음절이 '이'이므로 'ㄴ' 음을 첨가한다. 그리고 '막'의 받침 'ㄱ'은 첨가된 'ㄴ' 음에 동화되어 [ㅇ]으로 발음한다.

이것도 알면 합격

'ㄴ' 음을 첨가하여 발음하는 조건과 예외를 알아두자.

합성어 및 파생어에서 다음 조건이 모두 충족되면 '이, 야, 여, 요, 유'를 [니, 냐, 녀, 뇨, 뉴]로 발음함

1. 앞 단어나 접두사의 끝이 자음일 때
2. 뒤 단어나 접미사의 첫음절이 '이, 야, 여, 요, 유'일 때
   예 솜이불[솜:니불], 직행열차[지캥녈차], 내복약[내:봉냑]
3. 다음 단어들은 'ㄴ' 음을 첨가하여 발음하지 않음
   예 6·25[유기오], 3·1절[사밀쩔], 8·15[파리로], 송별-연[송:벼련], 등-용문[등용문], 절약[저략], 월요일[워료일], 목요일[모교일], 금요일[그묘일]

16

난이도 ★★★

해설 **① '불법(不法)[불법/불뻡], 고가(高價)[고까], 고가(高架)[고가]'는 모두 표준어 규정에 맞는 발음이므로 답은 ①이다.**

오답 분석

② **낱낱이[낟나치](×) → [난:나치](O)**: 첫음절 '낱'의 받침 'ㅌ'은 음절의 끝소리 규칙에 따라 [ㄷ]으로 바뀌고, 뒤 음절의 'ㄴ'에 동화되어 [ㄴ]으로 발음한다. 그리고 두 번째 음절의 받침 'ㅌ'은 'ㅣ'로 시작하는 형식 형태소를 만나 [ㅊ]으로 바뀌므로 [난:나치]로 발음한다.

③ **끝을[끄츨](×) → [끄틀](O)**: 받침 'ㅌ'에 모음으로 시작하는 조사 '을'이 결합하였으므로, 'ㅌ'을 제 음가대로 뒤 음절로 옮겨 [끄틀]로 발음한다.

④ • **부자[부:자](×) → [부자](O)**: '부자(父子)'의 '부(父)'는 짧게 발음한다.
• **모자[모자](×) → [모:자](O)**: '모자(母子)'의 '모(母)'는 길게 발음한다.
• **모자[모:자](×) → [모자](O)**: '모자(帽子)'의 '모(帽)'는 짧게 발음한다.

Chapter 02

한글 맞춤법

기본서 1권 209p

1. 사전 등재 순서

01

[2020년 국가직 9급]

㉠~㉣을 사전에 올릴 때 '한글 맞춤법 규정'에 따른 순서로 적절한 것은?

㉠ 곬	㉡ 규탄
㉢ 곳간	㉣ 광명

① ㉠ → ㉢ → ㉡ → ㉣
② ㉠ → ㉢ → ㉣ → ㉡
③ ㉢ → ㉠ → ㉡ → ㉣
④ ㉢ → ㉠ → ㉣ → ㉡

02

[2014년 지방직 9급 (6월)]

사전 등재 순서에 맞게 배열된 것은?

① 두다, 뒤켠, 뒤뜰, 따뜻하다
② 냠냠, 네모, 넘기다, 늴리리
③ 얇다, 얫되다, 여름, 에누리
④ 괴롭다, 교실, 구름, 귀엽다

2. 맞춤법에 맞는 표기

03

[2021년 국가직 9급]

맞춤법에 맞는 것만으로 묶은 것은?

① 돌나물, 꼭지점, 페트병, 낚시꾼
② 흡입량, 구름양, 정답란, 칼럼난
③ 오뚝이, 싸라기, 법석, 딱다구리
④ 찻간(車間), 홧병(火病), 셋방(貰房), 곳간(庫間)

04

[2020년 서울시 9급]

밑줄 친 부분의 맞춤법이 가장 옳지 않은 것은?

① 남에게 존경 받는 사람이 돼라는 아버지의 유언
② 존경 받는 사람이 되었다.
③ 남에게 존경 받는 사람이 돼라.
④ 존경 받는 사람이 되고 있다.

챕터별 출제 경향

(2015-2021 국가직 / 지방직 / 서울시 7·9급)

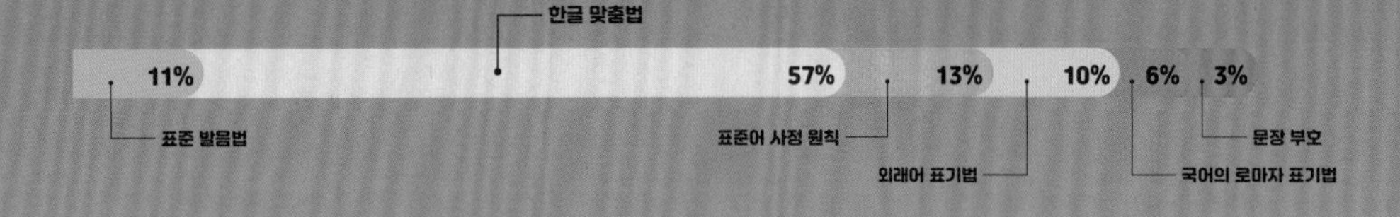

01

난이도 ★★☆

해설 ② 제시된 단어들은 모두 첫 글자의 초성(ㄱ)이 동일하므로 모음과 받침 글자를 통해 사전 등재 순서를 판단해야 한다. 모음의 등재 순서는 'ㅗ → ㅘ → ㅠ'이고, 받침 글자의 등재 순서는 'ㄽ → ㅅ → ㅇ'이므로 ② ㉠ '곬' → ㉢ '곳간' → ㉣ '광명' → ㉡ '규탄'의 순서가 적절하다.

이것도 알면 **합격**

사전 등재 순서를 알아두자.

자음	ㄱ ㄲ ㄴ ㄷ ㄸ ㄹ ㅁ ㅂ ㅃ ㅅ ㅆ ㅇ ㅈ ㅉ ㅊ ㅋ ㅌ ㅍ ㅎ
모음	ㅏ ㅐ ㅑ ㅒ ㅓ ㅔ ㅕ ㅖ ㅗ ㅘ ㅙ ㅚ ㅛ ㅜ ㅝ ㅞ ㅟ ㅠ ㅡ ㅢ ㅣ
받침 글자	ㄱ ㄲ ㄳ ㄴ ㄵ ㄶ ㄷ ㄹ ㄺ ㄻ ㄼ ㄽ ㄾ ㄿ ㅀ ㅁ ㅂ ㅄ ㅅ ㅆ ㅇ ㅈ ㅊ ㅋ ㅌ ㅍ ㅎ

02

난이도 ★☆☆

해설 ④ 모음의 사전 등재 순서는 'ㅏ, ㅐ, ㅑ, ㅒ, ㅓ, ㅔ, ㅕ, ㅖ, ㅗ, ㅘ, ㅙ, ㅚ, ㅛ, ㅜ, ㅝ, ㅞ, ㅟ, ㅠ, ㅡ, ㅢ, ㅣ'이므로 ④ '괴롭다, 교실, 구름, 귀엽다'는 사전 등재 순서에 맞게 배열되었다.

오답 분석 ①②③을 사전 등재 순서에 맞게 배열하면 다음과 같다.

① 두다, 뒤뜰, 뒤켠, 따뜻하다

② 냠냠, 넘기다, 네모, 늴리리

③ 앳되다, 얇다, 에누리, 여름

03

난이도 ★★☆

해설 ② 맞춤법에 맞는 것만으로 묶은 것은 ②이다.

- **흡입량, 정답란(○)**: 한자음 '랴, 라'가 단어의 첫머리 이외의 자리에 올 경우에는 두음 법칙이 적용되지 않아 본음대로 적으므로 '흡입량(吸入量), 정답란(正答欄)'은 맞춤법에 맞는 표기이다.
- **구름양, 칼럼난(○)**: 고유어나 외래어 뒤에 결합한 한자어는 독립적인 한 단어로 인식되어 두음 법칙이 적용되므로 '구름양(구름+量), 칼럼난(column+欄)'은 맞춤법에 맞는 표기이다.

오답 분석 ① **꼭지점(×) → 꼭짓점(○)**: '꼭짓점[꼭찌쩜/꼭찓쩜]'은 '꼭지+점(點)'이 결합한 순우리말과 한자어로 된 합성어이다. 앞말이 모음 'ㅣ'로 끝나고 뒷말의 첫소리 'ㅈ'이 된소리 [ㅉ]으로 발음되므로 사이시옷을 받쳐 적어야 한다.

③ **딱다구리(×) → 딱따구리(○)**: 한 단어에서 같거나 비슷한 음절이 겹쳐나는 부분은 같은 글자로 적으므로 '딱따구리'로 적어야 한다.

④ **홧병(火病)(×) → 화병(火病)(○)**: '화(火)+병(病)'은 한자어로 된 합성어이므로 사이시옷을 받쳐 적지 않는다. 두 음절로 된 한자어 '곳간(庫間), 셋방(貰房), 숫자(數字), 찻간(車間), 툇간(退間), 횟수(回數)'의 경우에만 예외적으로 사이시옷을 받쳐 적는다.

04

난이도 ★★☆

해설 ① **돼라는(×) → 되라는(○)**: '되다'의 어간 '되-'에 '-라고 하는'의 준말인 '-라는'이 결합한 것이므로 '되라는'으로 써야 한다.

오답 분석 ② **되었다(○)**: '되다'의 어간 '되-'에 선어말 어미 '-었-', 어말 어미 '-다'가 결합된 것이다. 참고로, '되었-'이 줄어들 경우 '됐다'도 옳은 표현이다.

③ **돼라(○)**: '돼라'는 '되어라'의 준말이다. 기본형 '되다'의 어간 '되-'에 어미 '-어라'가 결합된 것인데, 어간 모음 'ㅚ' 뒤에 '-어'가 붙었기 때문에 'ㅙ'로 줄어질 수 있다.

④ **되고(○)**: '되다'의 어간 '되-'에 연결 어미 '-고'가 결합된 것이다.

05

[2020년 소방직 9급]

어문 규정에 맞지 않는 문장은?

① 이 건물은 학교의 체육관이요, 그 옆 건물은 본관이다.
② 저 두 사람은 부부가 아니오, 친구이다.
③ 늦지 않게 빨리 오시오.
④ 이것은 책이 아니오.

06

[2020년 경찰직 2차]

다음 〈보기〉의 한글 맞춤법 규정이 적용된 단어가 아닌 것은?

〈보기〉

제7항 'ㄷ' 소리 나는 받침 중에서 'ㄷ'으로 적을 근거가 없는 것은 'ㅅ'으로 적는다.

예 덧저고리 자칫하면 돗자리

① 무릇 ② 엇셈
③ 웃어른 ④ 홋일

07

[2019년 지방직 9급]

밑줄 친 부분이 어법에 맞는 것은?

① 이 가곡의 노래말은 아름답다.
② 그 집의 순대국은 아주 맛있다.
③ 하교길은 늘 아이들로 북적인다.
④ 선생님은 간단한 인사말을 건넸다.

08

[2020년 법원직 9급]

〈보기〉의 자료를 읽고 탐구한 것으로 가장 옳지 않은 것은?

〈보기〉

맞춤법 규정
제23항 '-하다'나 '-거리다'가 붙는 어근에 '-이'가 붙어서 명사가 된 것은 그 원형을 밝히어 적는다. 예 깔쭉이, 꿀꿀이 등
[붙임] '-하다'나 '-거리다'가 붙을 수 없는 어근에 '-이' 나 다른 모음으로 시작되는 접미사가 붙어서 명사가 된 것은 그 원형을 밝히어 적지 아니한다. 예 개구리, 귀뚜라미 등

【해설】
접미사 '-하다'나 '-거리다'가 붙는 어근이란, 곧 동사나 형용사로 파생될 수 있는 어근을 말한다. 예컨대 (눈을) '깜짝깜짝하다, 깜짝거리다, 깜짝이다, (눈)깜짝이'와 같이 나타나는 형식에 있어서, 실질 형태소인 어근 '깜짝-'의 형태를 고정시킴으로써, 그 의미가 쉽게 파악되도록 하는 것이다.

① '동그라미' 같은 말은 원형을 밝히어 적지 아니한 예에 추가할 수 있겠어.
② '삐죽거리다'는 말이 있으므로 '삐주기'가 아니라, '삐죽이'라고 적어야겠군.
③ '매미', '뻐꾸기'를 '맴이', '뻐꾹이'라고 적지 않는 것은 붙임 규정에 따른 것이군.
④ '-거리다'가 붙을 수 있는 어근에 접미사가 붙은 말로 '부스러기'를 들 수 있겠어.

09

[2019년 서울시 9급 (6월)]

한글 맞춤법에 따라 바르게 표기된 것만 나열한 것은?

① 새까맣다 – 싯퍼렇다 – 샛노랗다
② 시뻘겋다 – 시허옇다 – 싯누렇다
③ 새퍼렇다 – 새빨갛다 – 샛노랗다
④ 시하얗다 – 시꺼멓다 – 싯누렇다

05

난이도 ★☆☆

해설 ② 아니오(×) → 아니요(○): '-오'는 종결 어미로 문장의 끝에서만 쓸 수 있으므로 어떤 사물이나 사실 등을 열거할 때 쓰이는 연결 어미 '-요'를 써야 한다.

오답분석 ① **체육관이요(○)**: 서술격 조사 '이다'의 어간 '이-'와 어떤 사물이나 사실 등을 열거할 때 쓰이는 연결 어미 '-요'가 결합한 형태로 어법에 맞는 문장이다.

③④ **오시오/아니오(○)**: 종결형에서 사용되는 어미 '-오'는 '요'로 소리 나는 경우가 있더라도 그 원형을 밝혀 '오'로 적는다.

06

난이도 ★★☆

해설 ④ '홋일[훈:닐]'은 '후(後) + 일'이 결합한 한자어와 순우리말로 된 합성어로, 앞말이 모음 '우'로 끝나고 뒷말의 첫소리 모음 앞에서 'ㄴㄴ' 소리가 덧나므로 사이시옷을 받쳐 적은 단어이다. 따라서 제시된 규정이 적용된 단어가 아닌 것은 ④ '훗일'이다.

오답분석 ①②③ '무릇, 엇셈, 웃어른'은 'ㄷ'으로 소리 나는 받침을 'ㄷ'으로 적을 근거가 없으므로 'ㅅ'으로 적는 단어이다.

07

난이도 ★★☆

해설 ④ 인사말(○): '인사말[인사말]'은 '인사(人事) + 말'이 결합한 한자어와 순우리말 합성어이다. 앞말이 모음 'ㅏ'로 끝나고 뒷말의 첫소리가 'ㅁ'으로 시작되나 발음상 'ㄴ' 소리가 덧나지 않으므로 사이시옷을 받쳐 적는 조건에 해당되지 않는다. 따라서 어법에 맞는 것은 ④이다.

오답분석 ① **노래말(×) → 노랫말(○)**: '노랫말'은 '노래 + 말'이 결합한 순우리말 합성어이다. 앞말이 모음 'ㅐ'로 끝나고 뒷말의 첫소리 'ㅁ' 앞에서 'ㄴ' 소리가 덧나므로 사이시옷을 받쳐 적어야 한다.

② **순대국(×) → 순댓국(○)**: '순대국'은 '순대 + 국'이 결합한 순우리말 합성어이다. 앞말이 모음 'ㅐ'로 끝나고 뒷말의 첫소리 'ㄱ'이 된소리 [ㄲ]으로 발음되므로 사이시옷을 받쳐 적어야 한다.

③ **하교길(×) → 하굣길(○)**: '하굣길'은 '하교(下校) + 길'이 결합한 한자어와 순우리말로 된 합성어이다. 앞말이 모음 'ㅛ'로 끝나고 뒷말의 첫소리 'ㄱ'이 된소리 [ㄲ]으로 발음되므로 사이시옷을 받쳐 적어야 한다.

08

난이도 ★★★

해설 ④ '부스러기'는 '-거리다'가 붙을 수 있는 어근 '부스럭'에 '-이'가 붙어서 명사가 된 말이 아니다. '부스러기'는 '잘게 부스러진 물건'을 뜻하는 말로 '부스럭'과는 다른 의미를 지닌 별개의 어근이다. 따라서 ④는 옳지 않은 설명이다.

오답분석 ① '동그라미'의 어근 '동글'은 '-하다'가 붙을 수 있는 어근이지만 '-이'가 붙어서 명사가 된 것이 아니므로 원형을 밝히어 적지 않는 예에 속한다.

② '삐죽'은 '-거리다'가 붙을 수 있는 어근이므로, '삐죽'에 '-이'가 결합한 것은 원형을 밝히어 '삐죽이'로 표기한다.

③ '매미', '뻐꾸기'의 어근 '맴', '뻐꾹'은 '-하다'나 '-거리다'가 붙을 수 없는 어근이므로 [붙임]에 따라 원형을 밝히어 적지 않는다.

09

난이도 ★★★

해설 ② 한글 맞춤법에 따라 바르게 표기한 것은 '시뻘겋다, 시허옇다, 싯누렇다'이므로 답은 ②이다.

- **시뻘겋다, 시허옇다(○)**: 접두사 '시-'는 어두음이 된소리나 거센소리 또는 'ㅎ'이고 첫음절의 모음이 'ㅓ, ㅜ'인 색채를 나타내는 형용사 '뻘겋다, 허옇다' 앞에 결합하여 '매우 짙고 선명하게'의 뜻을 더하므로, '시뻘겋다', '시허옇다'가 바르게 표기된 것이다.
- **싯누렇다(○)**: 접두사 '싯-'은 어두음이 울림소리 'ㄴ'이고 첫음절의 모음이 'ㅓ, ㅜ'인 색채를 나타내는 형용사 '누렇다' 앞에 결합하여 '매우 짙고 선명하게'의 뜻을 더하므로, '싯누렇다'는 바르게 표기된 것이다.

오답분석 ① 싯퍼렇다(×) → 시퍼렇다(○)

③ 새퍼렇다(×) → 시퍼렇다(○)

④ 시하얗다(×) → 시허옇다(○)

10

[2019년 서울시 9급 (6월)]

맞춤법 사용이 올바르지 않은 것으로만 묶인 것은?

① 웃어른, 사흗날, 베갯잇
② 닐리리, 남존녀비, 혜택
③ 적잖은, 생각건대, 하마터면
④ 홑몸, 밋밋하다, 선율

11

[2019년 서울시 9급 (6월)]

<보기>의 설명에 따라 올바르게 표기된 경우가 아닌 것은?

<보기>

○ 어간의 끝음절 '하'의 'ㅏ'가 줄고 'ㅎ'이 다음 음절의 첫소리와 어울려 거센소리로 될 적에는 거센소리로 적는다.
○ 어간의 끝음절 '하'가 아주 줄 적에는 준 대로 적는다.

① 섭섭지　② 흔타
③ 익숙치　④ 정결타

12

[2019년 국가직 7급]

밑줄 친 단어의 맞춤법이 옳은 것은?

① 그대와의 추억이 있으매 저는 행복하게 살아갑니다.
② 신제품을 선뵀어도 매출에는 큰 영향이 없을 거예요.
③ 생각지 못한 일이 자꾸 생기니 그때의 상황이 참 야속터군요.
④ 그 발가숭이 몸뚱이가 위로 번쩍 쳐들렸다가 물속에 텀벙 쳐박히는 순간이었습니다.

13

[2019년 법원직 9급]

<보기1>을 참고할 때, <보기2>에서 사이시옷을 적을 수 있는 것끼리 바르게 짝지은 것은?

<보기1>

제30항 사이시옷은 다음과 같은 경우에 받치어 적는다.
1. 순우리말로 된 합성어로서 앞말이 모음으로 끝난 경우
　(1) 뒷말의 첫소리가 된소리로 나는 것
　(2) 뒷말의 첫소리 'ㄴ, ㅁ' 앞에서 'ㄴ'소리가 덧나는 것
　(3) 뒷말의 첫소리 모음 앞에서 'ㄴㄴ'소리가 덧나는 것
2. 순우리말과 한자어로 된 합성어로서 앞말이 모음으로 끝난 경우
　(1) 뒷말의 첫소리가 된소리로 나는 것
　(2) 뒷말의 첫소리 'ㄴ, ㅁ'앞에서 'ㄴ'소리가 덧나는 것
　(3) 뒷말의 첫소리 모음 앞에서 'ㄴㄴ' 소리가 덧나는 것
3. 두 음절로 된 다음 한자어: 곳간(庫間), 셋방(貰房), 숫자(數字), 찻간(車間), 툇간(退間), 횟수(回數)

<보기2>

㉠ 대+잎　㉡ 아래+마을
㉢ 머리+말　㉣ 코+병
㉤ 위+층　㉥ 개(個)+수(數)

① ㉠, ㉡, ㉢　② ㉠, ㉡, ㉣
③ ㉡, ㉣, ㉤　④ ㉢, ㉤, ㉥

10

난이도 ★☆☆

해설 ② '닐리리, 남존녀비, 혜택'은 모두 올바르지 않은 표기이다.

- 닐리리(×) → 늴리리(○): 자음을 첫소리로 가지고 있는 음절의 'ㅢ'는 [ㅣ]로 소리가 나더라도 'ㅢ'로 적어야 한다.
- 남존녀비(×) → 남존여비(○): 접두사처럼 쓰이는 한자가 붙어서 된 말이나 합성어에서, 뒷말의 첫소리가 [ㄴ] 소리로 나더라도 두음 법칙에 따라 적어야 한다.
- 헤택(×) → 혜택(○): '혜'의 'ㅖ'는 [ㅔ]로 소리 나는 경우가 있더라도 'ㅖ'로 적어야 한다.

오답 분석
① • 웃어른(○): '웃 + 어른'이 결합한 단어로, '어른'은 위아래의 대립이 없는 단어이므로 접두사 '웃-'을 쓴다.
- 사흗날(○): '사흘 + 날'이 결합한 단어로, 끝소리가 'ㄹ'인 말과 다른 말이 어울릴 적에 'ㄹ' 소리가 'ㄷ' 소리로 나는 것은 'ㄷ'으로 적는다.
- 베갯잇(○): '베개 + 잇'이 결합한 순우리말 합성어로, 앞말이 모음 'ㅐ'로 끝나고 뒷말의 첫소리 모음 '이' 앞에서 'ㄴㄴ' 소리가 덧나므로 사이시옷을 받쳐 적는다.

③ • 적잖은(○): '적지 않은'의 준말로, '-지 않-'은 '-잖-'으로 줄여 쓴다.
- 생각건대(○): '생각하건대'의 준말로, 안울림소리 받침 'ㄱ' 뒤에서 어간의 끝음절 '하'가 아주 줄 적에는 거센소리로 표기하지 않고 준 대로 적는다.
- 하마터면(○): '조금만 잘못하였더라면'을 뜻하는 단어는 '하마터면'이다. 참고로 '하마트면'은 '하마터면'의 잘못된 표기이다.

④ • 홑몸(○): '딸린 사람이 없는 혼자의 몸'을 뜻하는 단어는 '홑몸'이다. 참고로 '홀몸'은 '배우자나 형제가 없는 사람'을 뜻한다.
- 밋밋하다(○): 한 단어 안에서 같은 음절이 겹쳐나는 부분은 같은 글자로 적는다.
- 선율(○): 'ㄴ' 받침 뒤에 오는 '렬, 률'은 '열, 율'로 적는다.

11

난이도 ★★☆

해설 ③ 익숙치(×) → 익숙지(○): '익숙지'는 '익숙하지'의 준말로, 안울림소리 'ㄱ' 뒤에서는 어간의 끝음절 '하'가 아주 줄어든다. 따라서 올바르게 표기된 경우가 아닌 것은 ③이다.

오답 분석
① 섭섭지(○): '섭섭지'는 '섭섭하지'의 준말로, 안울림소리 'ㅂ' 뒤에서는 어간의 끝음절 '하'가 아주 줄어든다.

② 흔타(○): '흔타'는 '흔하다'의 준말로, 울림소리 'ㄴ' 뒤에서는 어간의 끝음절 '하'의 'ㅏ'가 줄고 'ㅎ'이 다음 음절의 첫소리 'ㄷ'과 어울려 거센소리 'ㅌ'으로 될 적에는 거센소리로 적는다.

④ 정결타(○): '정결타'는 '정결하다'의 준말로, 울림소리 'ㄹ' 뒤에서는 어간의 끝음절 '하'의 'ㅏ'가 줄고 'ㅎ'이 다음 음절의 첫소리 'ㄷ'과 어울려 거센소리 'ㅌ'으로 될 적에는 거센소리로 적는다.

12

난이도 ★★★

해설 ① 있으매(○): '있으매'는 '있다'의 어간 '있-'에 어떤 일에 대한 원인이나 근거를 나타내는 연결 어미 '-(으)매'가 결합한 것으로 맞춤법에 맞는 표기이다. 따라서 답은 ①이다.

오답 분석
② 선뵜어도(×) → 선뵀어도(○): 어간 '선뵈-'의 'ㅚ' 뒤에 '-었-'이 어울려 'ㅙ'으로 줄 적에는 준 대로 적으므로 '선뵀어도'가 옳은 표기이다. 참고로 '선뵈다'는 '선보이다'의 준말이다.

③ 야속터군요(×) → 야속더군요(○): 안울림소리 받침 'ㄱ' 뒤에서 어간의 끝음절 '하'가 아주 줄 적에는 준 대로 적으므로 '야속하더군요'의 준말인 '야속더군요'가 옳은 표기이다.

④ 쳐박히는(×) → 처박히는(○): '매우 세게 박다'를 뜻하는 동사 '처박다'의 피동형은 '처박히다'이다.

13

난이도 ★★☆

해설 ② 〈보기1〉을 참고할 때 〈보기2〉에서 사이시옷을 적을 수 있는 것은 ㉠, ㉡, ㉣이다.

- ㉠ '대 + 잎'은 순우리말로 된 합성어로, 앞말이 모음 'ㅐ'로 끝나고 뒷말의 첫소리 모음 'ㅣ' 앞에서 'ㄴㄴ' 소리가 덧나므로 [댄닙]으로 발음된다. 따라서 ㉠은 〈보기1〉의 1-(3)에 해당하므로 '댓잎'과 같이 사이시옷을 받쳐 적는다.
- ㉡ '아래 + 마을'은 순우리말로 된 합성어로, 앞말이 모음 'ㅐ'로 끝나고 뒷말의 첫소리 'ㅁ' 앞에서 'ㄴ' 소리가 덧나므로 [아랜마을]로 발음된다. 따라서 ㉡은 〈보기1〉의 1-(2)에 해당하므로 '아랫마을'과 같이 사이시옷을 받쳐 적는다.
- ㉣ '코 + 병(病)'은 순우리말과 한자어로 된 합성어로, 앞말이 모음 'ㅗ'로 끝나고 뒷말의 첫소리 'ㅂ'이 된소리 'ㅃ'으로 나므로 [코뼝/콛뼝]으로 발음된다. 따라서 ㉣은 〈보기1〉의 2-(1)에 해당하므로 '콧병'과 같이 사이시옷을 받쳐 적는다.

오답 분석
- ㉢ 머리 + 말: 순우리말로 된 합성어이지만, 표준 발음이 [머리말]이므로 〈보기1〉의 1에 해당하지 않는다. 따라서 사이시옷을 적지 않고 '머리말'이라고 표기한다.
- ㉤ 위 + 층(層): 순우리말과 한자어로 된 합성어지만, 표준 발음이 [위층]이므로 〈보기1〉의 2에 해당하지 않는다. 따라서 사이시옷을 적지 않고 '위층'이라고 표기한다.
- ㉥ 개(個) + 수(數): 두 음절로 된 한자어지만, 〈보기1〉의 3에 해당하지 않으므로 사이시옷을 적지 않고 '개수'라고 표기한다.

14

[2019년 서울시 7급 (10월)]

밑줄 친 부분의 표기가 맞춤법에 맞지 않는 것은?

① 바짝 <u>존</u> 찌개를 다시 끓였다.

② 가을이라 그런지 은행잎들이 정말 <u>노라네</u>.

③ 앉은 자세가 <u>곧바라야</u> 허리에 무리가 가지 않는다.

④ 생김은 <u>저러나</u> 마음은 매우 유순하다.

15

[2018년 지방직 9급]

다음 한글 맞춤법 규정의 예로 옳지 않은 것은?

> (가) 제19항 어간에 '-이'나 '-음/ㅁ'이 붙어서 명사로 된 것과 '-이'나 '-히'가 붙어서 부사로 된 것은 그 어간의 원형을 밝히어 적는다.
>
> (나) 제19항 [붙임] 어간에 '-이'나 '-음' 이외의 모음으로 시작된 접미사가 붙어서 다른 품사로 바뀐 것은 그 어간의 원형을 밝히어 적지 아니한다.
>
> (다) 제20항 명사 뒤에 '-이'가 붙어서 된 말은 그 명사의 원형을 밝히어 적는다.
>
> (라) 제20항 [붙임] '-이' 이외의 모음으로 시작된 접미사가 붙어서 된 말은 그 명사의 원형을 밝히어 적지 아니한다.

① (가): 미닫이, 졸음, 익히

② (나): 마개, 마감, 지붕

③ (다): 육손이, 집집이, 곰배팔이

④ (라): 끄트머리, 바가지, 이파리

16

[2018년 서울시 9급 (6월)]

맞춤법 표기가 가장 옳은 것은?

① 이렇게 하면 되?

② 이번에는 꼭 합격할께요.

③ 서로 도우고 사는 게 좋다.

④ 그 사람은 제가 잘 압니다.

17

[2018년 서울시 9급 (3월)]

맞춤법이 가장 옳지 않은 것은?

① 철수는 열심히 일함으로써 보람을 느꼈다.

② 이제 각자의 답을 정답과 맞혀 보도록 해라.

③ 강아지가 고깃덩어리를 넙죽 받아먹었다.

④ 아이가 밥을 먹었을는지 모르겠어.

14

난이도 ★★★

해설 **③ 곧바라야(×) → 곧발라야(○): '곧바르다'는 어간의 끝음절 '르'가 모음으로 시작하는 어미 앞에서 'ㄹㄹ'로 바뀌는 '르' 불규칙 활용을 하므로, '곧발라야'로 표기해야 한다.**

오답 분석 ① **존(○)**: '졸다'는 어간 '졸-'에 어미 '-ㄴ'이 결합할 때, 어간 받침 'ㄹ'이 탈락하는 'ㄹ' 탈락 규칙 활용을 하므로, '존'은 맞춤법에 맞는 표기이다.

② **노라네(○)**: '노랗다'의 어간 '노랗-'에 어미 '-네'가 결합할 때, 어간 받침 'ㅎ'이 탈락하여 '노라네'로 쓰는 'ㅎ' 불규칙 활용을 하므로, '노라네'는 맞춤법에 맞는 표기이다. 참고로 2015년에 어간의 끝음절이 'ㅎ'으로 끝나는 용언과 어미 '-네'가 결합할 때 어간 받침 'ㅎ'을 탈락시키지 않고 표기하는 것도 표준어로 인정하였으므로, '노랗네'도 맞춤법에 맞는 표기이다.

④ **저러나(○)**: '저렇다'는 어간 '저렇-'에 어미 '-으나'가 결합할 때, 어간 받침 'ㅎ'이 탈락하고 어미도 바뀌는 'ㅎ' 불규칙 활용을 하므로 '저러나'는 맞춤법에 맞는 표기이다.

15

난이도 ★★★

해설 **② '마개, 마감'은 (나)의 예로 적절하나, '지붕'은 (라)에 해당하는 예이므로 ②는 적절하지 않다.**

- **마개(막-+-애), 마감(막-+-암)**: 어간 '막-'에 '-이'나 '-음' 이외의 모음으로 시작하는 접미사 '-애', '-암'이 붙어서 동사가 명사로 바뀌었다.
- **지붕(집+-웅)**: 명사 '집' 뒤에 '-이' 이외의 모음으로 시작하는 접미사 '-웅'이 붙은 것으로, 품사가 바뀌지 않고 명사로 유지되었다.

오답 분석 ① • **미닫이(미닫-+-이)**: 어간 '미닫-'에 '-이'가 붙어서 명사가 되었다.
- **졸음(졸-+-음)**: 어간 '졸-'에 '-음'이 붙어서 명사가 되었다.
- **익히(익-+-히)**: 어간 '익-'에 '-히'가 붙어서 부사가 되었다.

③ • **육손이(육손+-이)**: 명사 '육손' 뒤에 '-이'가 붙었다.
- **집집이(집집+-이)**: 명사 '집집' 뒤에 '-이'가 붙었다.
- **곰배팔이(곰배팔+-이)**: 명사 '곰배팔' 뒤에 '-이'가 붙었다.

④ • **끄트머리(끝+-으머리)**: 명사 '끝' 뒤에 '-이' 이외의 모음으로 시작하는 접미사 '-으머리'가 붙었다.
- **바가지(박+-아지)**: 명사 '박' 뒤에 '-이' 이외의 모음으로 시작하는 접미사 '-아지'가 붙었다.
- **이파리(잎+-아리)**: 명사 '잎' 뒤에 '-이' 이외의 모음으로 시작하는 접미사 '-아리'가 붙었다.

16

난이도 ★★☆

해설 **④ 압니다(○): '압니다'는 '알-+-ㅂ니다'가 결합한 것이다. 어미의 첫소리 'ㅂ' 앞에서 어간의 끝소리 'ㄹ'이 탈락하므로 ('ㄹ' 탈락 규칙) ④ '압니다'는 옳은 표기이다.**

오답 분석 ① **하면 되(×) → 하면 돼(○)**: '되다'의 어간 '되-'는 홀로 쓰일 수 없으며 어미와 결합하여 사용해야 한다. 따라서 '되'를 '되-+-어'의 준말인 '돼'로 고쳐 써야 한다.

② **합격할께요(×) → 합격할게요(○)**: 어떤 행동에 대한 약속이나 의지를 나타내는 종결 어미는 '-ㄹ게'이므로 '께'를 '게'로 고쳐 써야 한다. 참고로 '-ㄹ께'는 '-ㄹ게'의 잘못된 표기이다.

③ **도우고 사는 게(×) → 돕고 사는 게(○)**: '돕다'의 어간 '돕-'에 자음으로 시작하는 연결 어미 '-고'가 결합하였으므로 '돕고'로 써야 한다. 참고로 '돕다'의 어간 '돕-'에 모음으로 시작하는 어미가 결합하는 경우 어간의 끝소리 'ㅂ'이 '오/우'로 바뀌는 'ㅂ' 불규칙 활용을 한다.

이것도 알면 합격

'ㄹ' 탈락 규칙을 알아두자.

개념	어간의 끝소리인 'ㄹ'이 어미의 첫소리 'ㄴ, ㅂ, ㅅ' 및 '-(으)오, -(으)ㄹ' 앞에서 탈락하는 활용 형식
용례	• 갈다: 갈-+-ㄴ → 간 • 날다: 날-+-는 → 나는 • 빌다: 빌-+-ㅂ시다 → 빕시다 • 어질다: 어질-+-시다 → 어지시다 • 불다: 불-+-으오 → 부오 • 살다: 살-+-을수록 → 살수록

17

난이도 ★★☆

해설 **② 정답과 맞혀 보도록(×) → 정답과 맞춰 보도록(○): 각자 작성한 답과 실제 정답을 비교해 보라는 내용이므로, '둘 이상의 일정한 대상들을 나란히 놓고 비교하여 살피다'를 뜻하는 '맞추다'를 써야 한다. '맞히다'는 '정답을 골라내다, 문제에 대한 답을 틀리지 않게 하다'를 뜻하므로 문맥상 적절하지 않다.**

오답 분석 ① **일함으로써(○)**: 철수가 일을 통해 보람을 느낀다는 내용이므로, 어떤 일의 수단이나 도구를 나타내는 격 조사 '로써'를 쓴 것은 적절하다. 참고로 '로서'는 지위나 신분 또는 자격을 나타내는 격 조사이다.

③ **고깃덩어리(○)**: '고기+덩어리'가 결합한 순우리말 합성어로, 앞말이 모음 'ㅣ'로 끝나고 뒷말의 첫소리 'ㄷ'이 된소리 [ㄸ]으로 발음되므로 사이시옷을 받쳐 적는다.

④ **먹었을는지(○)**: 앎이나 판단, 추측을 담은 명사절에서 어떤 불확실한 사실의 실현 가능성에 대한 의문을 나타내는 어미는 '-을는지'이다. 참고로 '-을런지'는 '-을는지'의 잘못된 표기이므로 주의해야 한다.

18

[2018년 지방직 7급]

다음은 사이시옷 규정의 일부이다. 이 조건에 부합하지 않는 것은?

> ◦ 순우리말로 된 합성어로서 앞말이 모음으로 끝난 경우
> [1] 뒷말의 첫소리가 된소리로 나는 것
> [2] 뒷말의 첫소리 'ㄴ, ㅁ' 앞에서 'ㄴ' 소리가 덧나는 것
> [3] 뒷말의 첫소리 모음 앞에서 'ㄴㄴ' 소리가 덧나는 것
> ◦ 순우리말과 한자어로 된 합성어로서 앞말이 모음으로 끝난 경우
> [1] 뒷말의 첫소리가 된소리로 나는 것
> [2] 뒷말의 첫소리 'ㄴ, ㅁ' 앞에서 'ㄴ' 소리가 덧나는 것
> [3] 뒷말의 첫소리 모음 앞에서 'ㄴㄴ' 소리가 덧나는 것

① 냇가 ② 윗옷
③ 훗날 ④ 예삿일

19

[2018년 지방직 7급]

밑줄 친 부분의 고쳐쓰기에 대한 설명으로 적절하지 않은 것은?

① 그 일을 한 사람은 <u>민국예요</u>.
→ '민국이'와 '이에요'가 결합하였으므로, '민국예요'는 '민국이예요'로 바꾸어야 한다.

② 교실에서는 좀 조용히 해 <u>주십시오</u>.
→ 문장을 종결하는 어미가 나와야 하므로, '주십시요'로 바꾸어야 한다.

③ 자신이 한 말은 <u>반듯이</u> 책임을 져야 한다.
→ '반듯이'는 '반듯하게'의 의미이므로 문맥에 맞게 '꼭'이라는 의미의 '반드시'로 고쳐야 한다.

④ 선수들의 <u>잇딴</u> 부상으로 전력에 문제가 생겼다.
→ 동사 '잇달-'과 어미 '-은'이 결합한 활용형은 '잇단'이므로, '잇딴'은 '잇단'으로 바꾸어야 한다.

20

[2018년 서울시 7급 (6월)]

준말의 표기가 옳은 것을 〈보기〉에서 모두 고른 것은?

〈보기〉

> ㄱ. 되었다 - 됬다
> ㄴ. 쓰이어 - 쓰여
> ㄷ. 뜨이어 - 띄어
> ㄹ. 적지 않은 - 적잖은
> ㅁ. 변변하지 않다 - 변변찮다

① ㄱ, ㄴ ② ㄴ, ㄷ
③ ㄴ, ㄹ ④ ㄴ, ㅁ

21

[2018년 국회직 8급]

다음 〈보기〉 중 한글 맞춤법 규정에 맞게 표기한 것을 모두 고르면?

〈보기〉

> ㄱ. 얼룩배기 ㄴ. 판때기
> ㄷ. 나이빼기 ㄹ. 이맛배기
> ㅁ. 거적때기 ㅂ. 상판대기

① ㄱ, ㄷ, ㅁ ② ㄱ, ㄹ, ㅂ
③ ㄴ, ㄷ, ㄹ ④ ㄴ, ㄷ, ㅂ
⑤ ㄴ, ㅁ, ㅂ

18

난이도 ★★☆

해설 **② '웟옷'은 사이시옷 규정과 관련이 없는 단어이므로 답은 ②이다. 참고로 '윗옷'은 '위, 아래'의 대립이 있는 단어 '옷'에 접두사 '윗-'이 결합한 형태이다.**

오답분석 ① **냇가**: '내+가'가 결합된 순우리말 합성어로, 앞말이 모음 'ㅐ'로 끝나고 뒷말의 첫소리 'ㄱ'이 된소리 [ㄲ]으로 발음되므로 사이시옷을 받쳐 적는다.

③ **훗날**: '후(後)+날'이 결합된 한자어와 순우리말로 된 합성어이다. 앞말이 모음 'ㅜ'로 끝나고 뒷말의 첫소리 'ㄴ' 앞에서 'ㄴ' 소리가 덧나므로 사이시옷을 받쳐 적는다.

④ **예삿일**: '예사(例事)+일'이 결합된 한자어와 순우리말로 된 합성어이다. 앞말이 모음 'ㅏ'로 끝나고 뒷말의 첫소리 'ㅣ' 앞에서 'ㄴㄴ' 소리가 덧나므로 사이시옷을 받쳐 적는다.

19

난이도 ★★☆

해설 **② 주십시요(×) → 주십시오(○): 종결형에 사용되는 어미 '-오'는 '요'로 소리 나는 경우가 있더라도 그 원형을 밝혀 '오'로 적어야 한다. 따라서 '주십시오'를 '주십시요'로 바꾸어야 한다는 ②의 설명은 적절하지 않다.**

오답분석 ① **민국예요(×) → 민국이예요(○)**: '민국이'와 같이 모음으로 끝나는 말 뒤에서는 '이에요'가 '예요'로 줄어들 수 있으므로 '민국이예요'라고 고쳐 쓰는 것이 적절하다. 참고로 '민국'과 '이에요'가 결합한 '민국이에요'로 고쳐 쓰는 것도 적절하다.

③ **반듯이(×) → 반드시(○)**: 문맥상 '틀림없이 꼭'을 뜻하는 '반드시'로 고쳐 쓰는 것이 적절하다.

④ **잇딴(×) → 잇단(○)**: '어떤 사건이나 행동 등이 이어 발생하다'를 뜻하는 말은 '잇따르다' 또는 '잇달다'이다. 밑줄 친 단어가 '잇달다'의 활용형일 경우, 동사의 어간 '잇달-'에 관형사형 어미 '-ㄴ'이 결합하여 'ㄹ'이 탈락하므로('ㄹ' 탈락 규칙) '잇단'으로 고쳐 쓰는 것이 적절하다. 참고로 '잇따르다'의 활용형인 '잇따른'으로 고쳐 쓰는 것도 적절하다.

20

난이도 ★☆☆

해설 **② 준말의 표기가 옳은 것은 ㄴ, ㄷ이므로 답은 ②이다. 어간의 끝모음 'ㅡ' 뒤에 '-이어'가 붙을 때는 '이'가 앞 음절에 붙어 'ㅢ'로 줄거나 '-이어'가 '-여'로 줄어든다.**

- **ㄴ. 쓰여(○)**: '쓰이어'에서 '-이어'가 '-여'로 줄어든 '쓰여'는 맞는 표기이다.
- **ㄷ. 띄어(○)**: '뜨이어'에서 '이'가 앞 음절에 붙어 줄어든 '띄어'는 맞는 표기이다.

오답분석
- **ㄱ. 됬다(×) → 됐다(○)**: 'ㅚ' 뒤에 '-었-'이 붙을 때는 'ㅙㅆ'으로 줄여 쓰므로, '되었다'의 준말은 '됐다'이다.
- **ㄹ. 적잖은(×) → 적잖은(○)**: '-지 않-'은 '잖'으로 줄여 쓰므로, '적지 않은'의 준말은 '적잖은'이다.
- **ㅁ. 변변챦다(×) → 변변찮다(○)**: '-하지 않-'은 '찮'으로 줄여 쓰므로, '변변하지 않다'의 준말은 '변변찮다'이다.

이것도 알면 **합격**

준말의 표기를 알아두자.

어간의 끝모음 'ㅏ, ㅗ, ㅜ, ㅡ' 뒤에 '-이어'가 결합하여 줄어질 때는 '이'가 앞(어간) 음절에 붙어 'ㅐ, ㅚ, ㅟ, ㅢ'가 되거나, '-이어'가 줄어 '-여'가 되는 두 가지 형태를 모두 맞춤법에 맞는 표기로 인정함 (단, 중복해서 줄여 쓰면 안 됨)

예
- 까이어 → 깨어(○), 까여(○), 깨여(×)
- 쓰이어 → 씌어(○), 쓰여(○), 씌여(×)

21

난이도 ★★☆

해설 **⑤ 한글 맞춤법 규정에 맞게 표기한 것은 ㄴ. '판때기', ㅁ. '거적때기', ㅂ. '상판대기'이므로 답은 ⑤이다.**

- **ㄴ. 판때기(○), ㅁ. 거적때기(○)**: 명사 뒤에 붙어 비하의 뜻을 더하는 접미사 '-때기'가 옳게 표기되었다. 이때 '-때기'를 '-대기'로 잘못 표기하지 않도록 주의해야 한다.
- **ㅂ. 상판대기(○)**: '얼굴'을 속되게 이르는 말의 올바른 표기는 '상판대기'이다. 참고로 '상판때기' 또는 '쌍판대기'로 잘못 표기하지 않도록 주의해야 한다.

오답분석
- **ㄱ. 얼룩배기(×) → 얼룩빼기(○)**: '얼룩배기'에 쓰인 접미사 '-배기'는 다른 형태소인 '얼룩' 뒤에서 [빼기]로 발음되므로 '얼룩빼기'로 적어야 한다.
- **ㄷ. 나이빼기(×) → 나이배기(○)**: '나이배기'에 쓰인 접미사 '-배기'는 [배기]로 발음되므로 '나이배기'로 적어야 한다.
- **ㄹ. 이맛배기(×) → 이마빼기(○)**: '이맛배기'에 쓰인 접미사 '-배기'는 다른 형태소인 '이마' 뒤에서 [빼기]로 발음되므로 '이마빼기'로 적어야 한다. 또한 '이마빼기'는 파생어이므로 사이시옷을 받쳐 적지 않는다.

22

[2018년 경찰직 2차]

〈보기〉의 규정이 적용된 단어가 아닌 것은?

〈보기〉

제29항 끝소리가 'ㄹ'인 말과 딴 말이 어울릴 적에 'ㄹ' 소리가 'ㄷ' 소리로 나는 것은 'ㄷ'으로 적는다.

예 삼짇날[삼질+날] 숟가락[술+가락]

① 푿소　② 여닫다
③ 잗주름　④ 섣부르다

23

[2018년 기상직 9급]

밑줄 친 말 중 맞춤법에 따라 올바르게 쓰인 것은?

① 그는 돈이 없어서 막걸리도 푼푼이 못 마셨다.
② 그 서점은 내가 오면가면 들르는 곳이다.
③ 그는 숨바꼭질을 하면서 갈잎 낫가리 속에 숨었다.
④ 나는 가방을 엇다가 두었는지 기억이 나지 않는다.

24

[2017년 경찰직 2차]

다음 〈보기〉에서 사이시옷에 대한 표기 중 옳고 그름의 표시(○, ×)가 바르게 된 것만을 고른 것은?

〈보기〉

㉠ 대가(○) / 댓가(×) (代價)
㉡ 초점(○) / 촛점(×) (焦點)
㉢ 뒤풀이(○) / 뒷풀이(×)
㉣ 아래층(×) / 아랫층(○)
㉤ 해님(×) / 햇님(○)

① ㉠ ㉡　② ㉡ ㉣
③ ㉢ ㉣　④ ㉣ ㉤

25

[2017년 경찰직 1차]

한글 맞춤법 제30항의 사이시옷 표기 규정에 맞게 사이시옷을 표기한 것을 모두 고른 것은?

㉠ 첫사랑　㉡ 횟수
㉢ 등굣길　㉣ 소나깃밥

① ㉠ ㉡　② ㉠ ㉣
③ ㉡ ㉢　④ ㉡ ㉢ ㉣

22

난이도 ★★☆

해설 **② 여닫다[열- + 닫다]: '열다'의 어간 '열-'에 용언 '닫다'가 결합한 합성어이다. 이때 끝소리가 'ㄹ'인 말이 다른 말과 어울릴 때 'ㄹ' 소리가 나지 않는 것은 소리 나지 않는 대로 적으므로 '여닫다'로 적은 것이다. 따라서 〈보기〉의 규정이 적용된 단어가 아닌 것은 ②이다.**

오답 분석

① **푿소[풀 + 소]**: '풀'의 받침 'ㄹ'이 'ㄷ' 소리로 나서 '푿소'로 적은 것이다.
- **푿소**: 여름에 생풀만 먹고 사는 소

③ **잗주름[잘- + 주름]**: '잘다'의 어간 '잘-'의 'ㄹ'이 'ㄷ' 소리로 나서 '잗주름'으로 적은 것이다.
- **잗주름**: 옷 등에 잡은 잔주름

④ **섣부르다[설- + 부르다]**: '설다'의 어간 '설-'의 'ㄹ'이 'ㄷ' 소리로 나서 '섣부르다'로 적은 것이다.

23

난이도 ★★☆

해설 **② 오면가면(○): '오면서 가면서'를 뜻하는 부사 '오면가면'이 바르게 쓰였다.**

오답 분석

① **푼푼이(×) → 푼푼히(○)**: '-하다'가 붙는 어근 뒤('ㅅ' 받침 제외)에는 부사의 끝음절을 '-히'로 적는다.

③ **낟가리(×) → 낟가리(○)**: '낟알이 붙은 곡식을 그대로 쌓은 더미'는 '낟가리'로, 본래부터 'ㄷ' 받침을 가지고 있는 단어는 'ㄷ'으로 적는다.

④ **엇다가(×) → 얻다가(○)**: '얻다가'는 '어디에다가'의 준말로, 본말에서 준말로 줄어들 때 'ㄷ' 받침을 갖게 된 경우에는 받침을 'ㄷ'으로 적어야 한다.

24

난이도 ★☆☆

해설 **① 〈보기〉의 사이시옷 표기 중 옳고 그름의 표시가 바르게 된 것은 ㉠㉡㉢이므로 답은 ①'㉠㉡'이다.**
- ㉠㉡ '대가(代價)'와 '초점(焦點)'은 두 음절로 된 한자어이므로 사이시옷을 받쳐 적지 않는다.
- ㉢ '뒤풀이'는 '뒤 + 풀이'가 결합한 순우리말 합성어이다. 뒤 단어의 첫소리가 '풀'과 같이 거센소리이므로 사이시옷을 받쳐 적지 않는다.

오답 분석
- **㉣ 아래층(×) / 아랫층(○) → 아래층(○) / 아랫층(×)**: '아래층'은 '아래 + 층(層)'이 결합한 순우리말과 한자어의 합성어이다. 뒤 단어의 첫소리가 '층'과 같이 거센소리이므로 사이시옷을 받쳐 적지 않는다.
- **㉤ 해님(×) / 햇님(○) → 해님(○) / 햇님(×)**: '해님'은 명사 '해'에 접미사 '-님'이 결합한 파생어이다. 사이시옷은 합성어일 때만 받쳐 적으므로 '해님'에는 사이시옷을 받쳐 적지 않는다.

25

난이도 ★★☆

해설 **③ 사이시옷 표기가 옳은 것은 ㉡㉢이므로 답은 ③이다.**
- **㉡ 횟수(○)**: '횟수(回數)'는 두 음절로 된 한자어이지만 예외적으로 사이시옷을 받쳐 적는 경우이므로 옳은 표기이다.
- **㉢ 등굣길(○)**: '등교(登校) + 길'이 결합된 순우리말과 한자어로 된 합성어이다. 앞말이 모음 'ㅛ'로 끝나고, 뒷말의 첫소리가 된소리 [ㄲ]으로 발음되어 사이시옷을 받쳐 적는 조건에 해당하므로 옳은 표기이다.

오답 분석
- **㉠ 첫사랑**: 이때 '첫'은 본래 'ㅅ' 받침을 갖는 관형사이므로 이때 쓰인 'ㅅ'은 사이시옷이 아니다.
- **㉣ 소나깃밥(×) → 소나기밥(○)**: '소나기밥'의 표준 발음은 [소나기밥]이므로 사이시옷을 받쳐 적지 않는다.

이것도 알면 **합격**

사이시옷이 쓰이는 조건에 대해 알아두자.

1. 순우리말로 된 합성어로서 앞말이 모음으로 끝난 경우
   - 뒷말의 첫소리가 된소리로 나는 것
     예 고랫재[고래째/고랟째], 귓밥[귀빱/귇빱]
   - 뒷말의 첫소리 'ㄴ, ㅁ' 앞에서 [ㄴ] 소리가 덧나는 것
     예 멧나물[멘나물], 아랫니[아랜니], 텃마당[턴마당]
   - 뒷말의 첫소리 모음 앞에서 [ㄴㄴ] 소리가 덧나는 것
     예 도리깻열[도리깬녈], 뒷윷[뒨ː뉻], 두렛일[두렌닐]
2. 순우리말과 한자어로 된 합성어로서 앞말이 모음으로 끝난 경우
   - 뒷말의 첫소리가 된소리로 나는 것
     예 귓병(-病)[귀뼝/귇뼝], 머릿방(-房)[머리빵/머릳빵]
   - 뒷말의 첫소리 'ㄴ, ㅁ' 앞에서 [ㄴ] 소리가 덧나는 것
     예 곗날(契-)[곈ː날/겐ː날], 제삿날(祭祀-)[제ː산날]
   - 뒷말의 첫소리 모음 앞에서 [ㄴㄴ] 소리가 덧나는 것
     예 사삿일(私私-)[사산닐], 가욋일(加外-)[가왼닐/가웬닐]

26

[2017년 국회직 8급]

다음 중 사이시옷의 쓰임이 모두 옳은 것은?

① 아랫집, 볏가리, 선짓국, 댓가지, 가게집
② 화젯거리, 수랏간, 푯말, 나뭇잎, 연둣빛
③ 꼭짓점, 횟배, 킷값, 구둣발, 공기밥
④ 버드나뭇과, 장밋과, 봇둑, 무싯날, 쇳조각
⑤ 개수, 귀갓길, 사삿일, 시래깃국, 노잣돈

27

[2017년 국회직 8급]

다음 중 밑줄 친 한자어의 한글 표기가 옳은 것은?

① 이 요리는 잡지 가정난(家庭欄)에 있는 요리법을 따라 해 본 거야.
② 밀턴의 『실락원(失樂園)』은 기독교적인 이상주의와 청교도적인 세계관을 반영하고 있다.
③ 지방요(脂肪尿)는 지방 성분이 섞인 오줌을 말한다.
④ 봉선이가 이불을 개어 장농(欌籠) 속에 넣고 걸레로 방바닥을 훔치며 물었다.
⑤ 고려 말기, 조선 초기의 문신인 하윤(河崙)은 「태조실록」의 편찬을 지휘하였다.

28

[2017년 국가직 9급 (10월)]

다음 한글 맞춤법 제6항에 대한 설명으로 옳지 않은 것은?

> 'ㄷ, ㅌ' 받침 뒤에 종속적 관계를 가진 '-이(-)'나 '-히-'가 올 적에는, 그 'ㄷ, ㅌ'이 'ㅈ, ㅊ'으로 소리 나더라도 'ㄷ, ㅌ'으로 적는다.

① 예시로는 '해돋이, 같이'가 있다.
② 위 조항은 한글 맞춤법 총칙 중 '어법에 맞게 적는다'는 원리를 따른 것이다.
③ 종속적 관계란 체언, 어근, 용언 어간 등에 조사, 접사, 어미 등이 결합하는 관계를 말한다.
④ '잔디, 버티다'는 하나의 형태소에서 'ㄷ, ㅌ'과 'ㅣ'가 만난 것으로서 위 조항의 예에 해당된다.

29

[2017년 국가직 9급 (4월)]

밑줄 친 부분이 어문 규정에 맞는 것은?

① 병이 씻은 듯이 낳았다.
② 넉넉치 못한 선물이나 받아 주세요.
③ 그는 자물쇠로 책상 서랍을 잠갔다.
④ 옷가지를 이여서 밧줄처럼 만들었다.

26

난이도 ★★★

해설 ⑤ 사이시옷의 쓰임이 모두 옳은 것은 ⑤이다.

- **개수(個數)**: 두 음절로 된 한자어이므로 사이시옷을 받쳐 적지 않는다.
- **귀갓길(歸家+길)[귀:가낄/귀:갇낄], 노잣돈(路資+돈)[노:자똔/노:잗똔]**: 순우리말과 한자어로 된 합성어로, 앞말이 모음 'ㅏ'로 끝나고 뒷말의 첫소리가 된소리 [ㄲ], [ㄸ]으로 나므로 사이시옷을 받쳐 적는다.
- **사삿일(私私+일)[사산닐]**: 순우리말과 한자어로 된 합성어로, 앞말이 모음 'ㅏ'로 끝나고 'ㄴㄴ'소리가 덧나므로 사이시옷을 받쳐 적는다.
- **시래깃국[시래기꾹/시래긷꾹]**: 순우리말 합성어로, 앞말이 모음 'ㅣ'로 끝나고 뒷말의 첫소리가 된소리 [ㄲ]으로 나므로 사이시옷을 받쳐 적는다.

오답분석 ①③ **가게집, 공기밥(×) → 가겟집, 공깃밥(○)**: '가겟집[가:게찝/가:겓찝]'과 '공깃밥[공기빱/공긷빱]'은 순우리말로 된 합성어로, 앞말이 모음으로 끝나고 뒷말의 첫소리가 된소리로 나므로 사이시옷을 받쳐 적는다.

②④ **수랏간, 장밋과(×) → 수라간, 장미과(○)**: '수라간(水剌間)'과 '장미과(薔薇果)'는 한자어로 된 합성어이므로 사이시옷을 받쳐 적지 않는다.

27

난이도 ★☆☆

해설 ⑤ **하윤(河崙)(○): 성을 제외한 이름의 첫 글자는 두음 법칙에 따라 적으므로 한자 '崙(륜)'은 '윤'으로 적는다. 하지만 외자로 된 이름을 성에 붙여 쓸 경우에는 본음대로 적을 수도 있으므로 '하윤, 하륜' 모두 옳은 표기이다.**

오답분석 ①③④는 모두 단어 첫머리 이외에 오는 한자어에 두음 법칙을 적용하여 표기했으므로 잘못된 표기이다.

① 가정난(家庭欄)(×) → 가정란(家庭欄)(○)

③ 지방뇨(脂肪尿)(×) → 지방뇨(脂肪尿)(○)

④ 장농(欌籠)(×) → 장롱(欌籠)(○)

② **실락원(失樂園)(×) → 실낙원(失樂園)(○)**: '실낙원'은 '실(失)+낙원(樂園)'이 결합한 합성어이다. 접두사처럼 쓰이는 한자가 붙어서 형성된 합성어에서는 뒷말의 첫소리가 [ㄹ]로 나더라도 두음 법칙에 따라 '낙'으로 적는다.

28

난이도 ★☆☆

해설 ④ **제시된 조항은 '구개음화'와 관련된 것으로, 이에 대한 설명이 옳지 않은 것은 ④이다. '잔디, 버티다'는 한 형태소 안에서 'ㄷ, ㅌ'과 'ㅣ'가 만나 구개음화가 일어나지 않으므로 제시된 조항의 예에 해당되지 않는다.**

오답분석 ① '해돋이, 같이'는 종속적 관계를 갖는 접미사 '-이' 앞에서 끝소리 'ㄷ, ㅌ'이 'ㅈ, ㅊ'으로 바뀌는 구개음화가 일어나 각각 [해도지], [가치]로 발음된다. 그러나 소리 나는 대로 적지 않고 기본 형태를 밝혀 '해돋이, 같이'로 적으므로 제시된 조항의 예시에 해당한다.

② 제시된 조항에서 받침 'ㄷ, ㅌ'이 구개음화하여 [ㅈ, ㅊ]으로 발음되더라도, 그 기본 형태를 밝히어 'ㄷ, ㅌ'으로 적는다고 하였으므로 '어법에 맞게 적는다'라는 원리를 따랐음을 알 수 있다.

③ 제시된 조항에서 언급한 '종속적 관계'는 형태소 연결에서 실질 형태소(체언, 어근, 용언의 어간 등)와 형식 형태소(조사, 접미사, 어미 등)가 결합하는 관계를 뜻한다.

29

난이도 ★☆☆

해설 ③ **잠갔다(○): '잠갔다'는 '잠그-+-았-+-다'가 결합한 것이다. 어간의 끝소리 'ㅡ'는 모음 'ㅏ'로 시작하는 어미 앞에서 탈락하므로 ('ㅡ' 탈락 규칙) ③ '잠갔다'는 맞는 표기이다.**

① **낳았다(×) → 나았다(○)**: '병이나 상처가 고쳐져 본래대로 되다'를 뜻하는 '낫다'의 어간 끝소리 'ㅅ'이 모음 어미 '-았-' 앞에서 탈락 하므로('ㅅ'불규칙 활용) '나았다'로 쓴다.

② **넉넉치(×) → 넉넉지(○)**: '넉넉하지'의 준말로, 안울림소리 받침 'ㄱ' 뒤에서 어간의 끝음절 '하'가 아주 줄 적에는 거센소리로 표기하지 않고 준 대로 적는다.

④ **이여서(×) → 이어서(○)**: '두 끝을 맞대어 붙이다'를 뜻하는 '잇다'와 모음 어미 '-어서'가 결합한 것이다. 어간의 끝소리 'ㅅ'이 모음 'ㅓ'로 시작하는 어미 앞에서 탈락하므로('ㅅ' 불규칙 활용) '이어서'로 쓴다.

30
[2017년 서울시 9급]

다음 밑줄 친 부분 중 한글 맞춤법에 따라 바르게 표기된 것은?

① 방학 동안 몸이 부는 바람에 작년에 산 옷이 맞지 않았다.
② 넉넉치 않은 형편에도 불구하고 도움을 주셔서 감사합니다.
③ 오늘 뒤풀이는 길 건너에 있는 맥줏집에서 하도록 하겠습니다.
④ 한문을 한글로 풀이한 이 책은 중세 국어의 자료로써 가치가 있다.

31
[2016년 지방직 9급]

맞춤법에 맞는 것은?

① 희생을 치뤄야 대가를 얻을 수 있다.
② 내로라하는 선수들이 뒤쳐진 이유가 있겠지.
③ 방과 후 삼촌 댁에 들른 후 저녁에 갈 거여요.
④ 가스 밸브를 안 잠궈 화를 입으리라고는 전혀 생각지 못했다.

32
[2017년 국가직 7급 (10월)]

한글 맞춤법에 맞는 것으로만 묶은 것은?

① 반듯이, 수나비, 에두르다
② 쓱싹쓱싹, 명중률, 푸주간
③ 등교길, 늠름하다, 깡충깡충
④ 돋보이다, 거적떼기, 야단법석

33
[2017년 지방직 7급]

㉠과 ㉡의 예로 적절하지 않은 것은?

〈한글 맞춤법〉

총칙 제1항 한글 맞춤법은 표준어를 ㉠소리대로 적되, ㉡어법에 맞도록 함을 원칙으로 한다.

표준어를 소리대로 적는다는 것은 표음주의를 취한다는 것이다. 그런데 표준어를 소리대로 적는다는 원칙만을 적용하기 어려운 경우도 있다. 예를 들어 한 단어의 발음이 여러 가지로 실현되는 경우 소리대로 적는다면 뜻을 파악하기 어렵다. 어법이란 언어 조직의 법칙, 또는 언어 운용의 법칙이라고 풀이할 수 있다. 어법에 맞도록 한다는 것은 뜻을 파악하기 쉽도록 각 형태소의 본 모양을 밝히어 적는다는 것이다.

① ㉠: '살고기'로 적지 않고 '살코기'로 적음
② ㉠: '론의(論議)'로 적지 않고 '논의'로 적음
③ ㉡: '그피'로 적지 않고 '급히'로 적음
④ ㉡: '달달이'로 적지 않고 '다달이'로 적음

34
[2017년 서울시 7급]

밑줄 친 말이 한글 맞춤법에 맞는 것은?

① 점심 설겆이는 내가 할게.
② 일이 얼키고설켜서 풀기가 어렵다.
③ 감히 얻다가 대고 반말이야?
④ 모두 소매를 걷어부치고 달려들었다.

30

난이도 ★★☆

해설 ③ 밑줄 친 부분이 바르게 표기된 것은 ③이다.

- **뒤풀이(○)**: '뒤 + 풀이'가 결합한 순우리말 합성어이다. 뒤 단어의 첫소리가 거센소리일 경우 사이시옷을 받쳐 적지 않으므로 '뒤풀이'로 표기한다.
- **맥줏집(○)**: '맥주(麥酒) + 집'이 결합한 한자어와 순우리말로 된 합성어이다. 앞말이 모음 'ㅜ'로 끝나고 뒷말의 첫소리 'ㅈ'이 된소리 [ㅉ]으로 나므로 사이시옷을 받쳐 '맥줏집'으로 표기한다.

오답분석 ① **부는(×) → 붇는(○)**: '분량이나 수효가 많아지다'를 뜻하는 단어는 '붇다'로, 어간 '붇-'에 어미 '-는'이 결합한 활용형은 '붇는'이다.

② **넉넉치(×) → 넉넉지(○)**: '넉넉지'는 '넉넉하지'의 준말로, 안울림소리 받침 'ㄱ' 뒤에서 어간의 끝음절 '하'가 아주 줄어들므로 '넉넉지'로 적는다.

④ **로써(×) → 로서(○)**: '이 책'이 '중세 국어의 자료'라는 가치가 있다는 내용이므로, 자격 또는 지위를 나타내는 격 조사 '로서'를 써야 한다. 참고로 '로써'는 어떤 일의 수단이나 도구를 나타내는 격 조사이므로 문맥상 어울리지 않는다.

31

난이도 ★★☆

해설 ③ 맞춤법에 맞는 문장은 ③이다.

- **들른(○)**: '지나는 길에 잠깐 들어가 머무르다'를 뜻하는 '들르다'는 '들러, 들르니, 들른'과 같이 활용하므로, '들른'은 맞춤법에 맞는 표기이다.
- **거여요(○)**: '거여요'는 '거 + 이(다) + -어요'가 결합한 말이다. '거'와 같이 모음으로 끝나는 말 뒤에서 '이어요'를 '여요'로 줄여 쓸 수 있으므로, '거여요'는 맞춤법에 맞는 표기이다.

오답분석 ① **치뤄야(×) → 치러야(○)**: '무슨 일을 겪어 내다'를 뜻하는 '치르다'는 '치러, 치르니'와 같이 활용하므로, '치러야'가 맞춤법에 맞는 표기이다.

② • **내로라하는(○)**: '어떤 분야를 대표할 만하다'를 뜻하는 '내로라하다'의 활용형 '내로라하는'은 맞춤법에 맞는 표기이다.

- **뒤쳐진(×) → 뒤처진(○)**: '어떤 수준이나 대열에 들지 못하고 뒤로 처지거나 남게 되다'를 뜻하는 말은 '뒤처지다'이다. 참고로 '뒤쳐지다'는 '물건이 뒤집혀서 젖혀지다'라는 뜻이다.

④ • **잠궈(×) → 잠가(○)**: '잠가'는 '잠그다'의 어간 '잠그-'에 모음 어미 '-아'가 결합한 것이다. 어간의 끝소리 'ㅡ'는 모음 어미 앞에서 탈락하므로 '잠가'로 표기해야 한다.

- **생각지 못했다(○)**: '생각하지 못했다'의 준말로, 안울림소리 받침 'ㄱ' 뒤에서 어간의 끝음절 '하'가 아주 줄 적에는 거센소리로 표기하지 않고 준 대로 적는다.

32

난이도 ★★☆

해설 ① '반듯이, 수나비, 에두르다'는 모두 맞는 표기이다.

- **반듯이(○)**: 'ㅅ' 받침 뒤에서 부사의 끝음절이 분명히 '-이'로 소리 나는 것은 '-이'로 적는다. 참고로 '반듯이'는 '작은 물체, 또는 생각이나 행동 등이 비뚤어지거나 굽지 않고 바르게' 또는 '생김새가 아담하고 말끔하게'를 뜻한다.
- **수나비(○)**: '숫양, 숫염소, 숫쥐'를 제외하고 수컷을 이르는 접두사는 '수-'로 통일해 적는다.
- **에두르다(○)**: '에두르다'는 '에워서 둘러막다' 또는 '바로 말하지 않고 짐작하여 알아듣도록 둘러대다'를 뜻하는 말이다.

오답분석 ② **푸주간(×) → 푸줏간(○)**: '푸줏간'은 '푸주 + 간(間)'이 결합한 순우리말과 한자어의 합성어이다. 앞말이 모음으로 끝나고 뒷말의 첫소리가 된소리로 나므로 사이시옷을 받쳐 적는다.

③ **등교길(×) → 등굣길(○)**: '등굣길'은 '등교(登校) + 길'이 결합한 순우리말과 한자어의 합성어이다. 앞말이 모음으로 끝나고 뒷말의 첫소리가 된소리로 나므로 사이시옷을 받쳐 적는다.

④ **거적떼기(×) → 거적때기(○)**: '거적때기'는 '거적 + -때기'가 결합한 단어이다. 이때 '-때기'는 명사 뒤에 붙어 비하의 뜻을 더하는 접미사이므로 '거적떼기'는 '거적때기'로 고쳐 써야 한다.

33

난이도 ★★☆

해설 ④ '다달이'는 ㉡이 아닌 ㉠의 예이므로 적절하지 않은 것은 ④이다.

- **다달이**: '달 + 달 + -이'가 결합한 형태이다. 맨 앞 '달'의 끝소리 'ㄹ'이 뒤에 오는 'ㄷ'의 영향으로 탈락하여 [다달이]로 발음되며, 표기 시에도 소리 나는 대로 적으므로 ㉠의 예에 해당한다.

오답분석 ① **살코기**: '살 + 고기'가 결합한 말로 '살' 뒤에 [ㅎ] 음이 첨가되어 발음되는데, 이에 따라 뒤 단어의 첫소리를 거센소리로 적으므로 ㉠의 예에 해당한다.

② **논의**: 단어 첫머리에 오는 한자 '론(論)'이 두음 법칙에 따라 [논]으로 발음되는데, 표기 시에도 소리 나는 대로 적으므로 ㉠의 예에 해당한다.

③ **급히**: '급-(어근) + -히(접미사)'가 결합한 말로, [그피]로 발음되지만 각 형태소를 밝혀 적으므로 ㉡의 예에 해당한다.

34

난이도 ★★☆

해설 ③ '얻다가'는 '어디에다가'의 준말로 한글 맞춤법에 맞는 표기이다.

오답분석 ① 설겆이(×) → 설거지(○)

② 얼키고설켜서(×) → 얽히고설켜서(○)

④ 걷어부치고(×) → 걷어붙이고(○)

35
[2016년 국가직 7급]

밑줄 친 단어 중 한글 맞춤법에 맞는 것은?

① 대화는 열기를 띄기 시작했다.
② 여우도 제 굴이 있고 공중에 나는 새도 깃들일 곳이 있다.
③ 아침에 찌은 쌀이라서 밥맛이 정말 고소하군요.
④ 아침부터 오던 비가 개이고, 하늘에는 구름 한 점 없다.

36
[2016년 서울시 7급]

〈보기〉는 「한글 맞춤법」 제30항 사이시옷 표기의 일부이다. ㉠, ㉡, ㉢에 들어갈 단어가 바르게 연결된 것은?

〈보기〉

제30항 사이시옷은 다음과 같은 경우에 받치어 적는다.
1. 순우리말로 된 합성어로서 앞말이 모음으로 끝난 경우
(1) 뒷말의 첫소리가 된소리로 나는 것
고랫재 귓밥 ㉠
(2) 뒷말의 첫소리 'ㄴ, ㅁ' 앞에서 'ㄴ' 소리가 덧나는 것
뒷머리 아랫마을 ㉡
(3) 뒷말의 첫소리 모음 앞에서 'ㄴㄴ' 소리가 덧나는 것
도리깻열 뒷윷 ㉢

	㉠	㉡	㉢
①	못자리	멧나물	두렛일
②	쳇바퀴	잇몸	훗일
③	잇자국	툇마루	나뭇잎
④	사잣밥	곗날	예삿일

37
[2016년 교육행정직 9급]

〈보기〉의 밑줄 친 말 중 어법에 맞는 것만 고른 것은?

〈보기〉

ㄱ. 큰어머니께서는 언제 오실런지요?
ㄴ. 내가 가진 돈은 통틀어 오백 원뿐이다.
ㄷ. 다음 물음에 '예/아니오'로 답하시오.
ㄹ. 사용하신 후에는 수도꼭지를 꼭 잠가 주세요.

① ㄱ, ㄷ　② ㄱ, ㄹ
③ ㄴ, ㄷ　④ ㄴ, ㄹ

38
[2016년 교육행정직 9급]

밑줄 친 부분이 〈보기〉의 ㉠과 같은 구성 방식으로 이루어진 것은?

〈보기〉

김 대리, 박 대리가 빨리 사무실로 오래.(㉠)

① (옆에 있는 동료의 의사를 확인하고자 물으며) 우리 이제 그만 갈래?
② (이른 더위를 못마땅하게 생각하며 혼잣말로) 아직 6월인데 왜 이렇게 덥대?
③ (귀가를 서두르자는 동생의 말을 언니에게 전달하며) 어서 집으로 돌아가재.
④ (옆에 있는 동료에게 과거에 직접 본 영화를 평가하여 말하며) 그 영화 별로 재미없데.

35

난이도 ★★☆

해설 **② 새도 깃들일 곳(○): '조류가 보금자리를 만들어 그 속에 들어 살다'를 뜻하는 '깃들이다'의 어간에 관형사형 어미 '-ㄹ'이 결합된 것이므로, 맞춤법에 맞는 표기이다.**

오답분석 ① **띄기(×) → 띠기(○)**: '감정이나 기운을 나타내다'를 뜻할 때는 '띠다'를 써야 한다.

③ **찌은(×) → 찧은(○)**: '곡식 등을 잘게 만들려고 절구에 담고 공이로 내리치다'를 뜻하는 '찧다'는 모음 어미와 결합할 때 어간의 'ㅎ'이 탈락하지 않으므로 '찧은'으로 써야 한다.

④ **개이고(×) → 개고(○)**: '흐리거나 궂은 날씨가 맑아지다'를 뜻하는 말은 '개다'이므로 '개고'로 써야 한다.

36

난이도 ★★☆

해설 **① ㉠~㉢에는 순서대로 '못자리, 멧나물, 두렛일'이 들어가는 것이 바르다. 따라서 답은 ①이다.**

- **㉠ 못자리[모짜리/몯짜리]**: '모+자리'가 결합한 순우리말 합성어로, 앞말이 모음 'ㅗ'로 끝나고 뒷말의 첫소리가 된소리 [ㅉ]으로 나므로 사이시옷을 받치어 적는다.
- **㉡ 멧나물[멘나물]**: '메+나물'이 결합한 순우리말 합성어로, 앞말이 모음 'ㅔ'로 끝나고 뒷말의 첫소리 'ㄴ' 앞에서 'ㄴ' 소리가 덧나므로 사이시옷을 받치어 적는다.
- **㉢ 두렛일[두렌닐]**: '두레+일'이 결합한 순우리말 합성어로, 앞말이 모음 'ㅔ'로 끝나고 뒷말의 첫소리 모음 '이' 앞에서 'ㄴㄴ' 소리가 덧나므로 사이시옷을 받치어 적는다.

오답분석 ② '첫바퀴[체빠퀴/첻빠퀴]'는 ㉠, '잇몸[인몸]'은 ㉡에 들어갈 수 있으나, '훗일[훈:닐]'은 '후(後)+일'과 같이 한자어와 순우리말이 결합한 합성어이므로 ㉢에 들어갈 수 없다.

③ '잇자국[이짜국/읻짜국]'은 ㉠, '나뭇잎[나문닙]'은 ㉢에 들어 갈 수 있으나, '툇마루[퇸:마루/퉨:마루]'는 '퇴(退)+마루'와 같이 한자어와 순우리말이 결합한 합성어이므로 ㉡에 들어갈 수 없다.

④ '사잣밥[사:자빱/사:잗빱]'은 '사자(使者)+밥', '곗날[곈:날/겐:날]'은 '계(契)+날', '예삿일[예:산닐]'은 '예사(例事)+일'과 같이 모두 한자어와 순우리말이 결합한 합성어이므로 ㉠~㉢에 들어갈 수 없다.

37

난이도 ★★☆

해설 **④ 어법에 맞는 것만 고른 것은 ④ 'ㄴ, ㄹ'이다.**

- **ㄴ. 통틀어(○)**: '있는 대로 모두 합하여'를 뜻하는 부사의 올바른 표기는 '통틀어'이다.
- **ㄹ. 잠가(○)**: '잠그다'의 어간 '잠그-'에 어미 '-아'가 결합한 것이다. 이때 어간의 끝소리 'ㅡ'는 모음 어미 'ㅏ' 앞에서 탈락하므로 '잠가'로 활용한다.

오답분석
- **ㄱ. 오실런지요(×) → 오실는지요(○)**: '-ㄹ런지'는 '-ㄹ는지'의 잘못된 표기이다.
- **ㄷ. 아니오(×) → 아니요(○)**: '예/네'와 짝을 이루어 쓰는 말은 '윗사람이 묻는 말에 부정하여 대답할 때 쓰는 말'인 '아니요'이다.

38

난이도 ★☆☆

해설 **③ ㉠ '오래'의 '-래'는 '-라고 해'가 줄어든 말이다. 이때 ③의 '돌아가재'의 '-재'는 '-자고 해'가 줄어든 말이므로 ㉠과 같은 구성 방식으로 이루어져 있다.**

오답분석 ① '갈래'는 '가-+-ㄹ래'가 결합한 말로 이때 '-ㄹ래'는 상대편의 의사를 묻는 데 쓰이는 종결 어미이다.

② '덥대'는 '덥-+-대'가 결합한 말로 이때 '-대'는 어떤 사실을 주어진 것으로 치고 그 사실에 대한 의문을 나타내는 종결 어미이다.

④ '재미없데'는 '재미없-+-데'가 결합한 말로 이때 '-데'는 과거 어느 때에 직접 경험하여 알게 된 사실을 현재의 말하는 장면에 그대로 옮겨 와서 말함을 나타내는 종결 어미이다.

39

[2015년 국가직 9급]

어법에 맞게 쓰인 것은?

① 내일 야유회 간데요?
② 그이가 말을 아주 잘하대.
③ 연예인을 보니 그렇게 좋던?
④ 제가 직접 봤는데 너무 크대요.

40

[2015년 지방직 9급]

밑줄 친 부분의 표기가 잘못된 것은?

① 나는 그 일을 시답지 않게 생각한다.
② 그에게는 다섯 살배기 딸이 있다.
③ 밖에 있던 그가 금세 뛰어왔다.
④ 건물이 부숴진 지 오래되었다.

41

[2015년 서울시 7급]

다음 밑줄 친 단어 중 맞춤법이 옳지 않은 것은?

① 그는 밥을 몇 숟가락 뜨다가 밥상을 물렸다.
② 이번 수해로 우리 마을은 적잖은 피해를 봤다.
③ 집은 허름하지만 아까 본 집보다 가격이 만만잖다.
④ 그는 끝까지 그 일을 말끔케 처리하였다.

42

[2015년 국가직 7급]

맞춤법에 맞는 것은?

① 뒷뜰에 있는 옥수수나 따서 가져올게.
② 짐작건대, 그 사람은 야속다고 푸념만 한 것 같아.
③ 거름을 다 쳐내고 나서 어르신을 뵈러 길을 떠난대요.
④ 답을 얻기 위해 눈 덮힌 산야를 하염없이 헤매고 있을 거야.

39

난이도 ★★☆

해설 ③ **연예인을 보니 그렇게 좋던(○): '-던'은 과거에 직접 경험하여 새로이 알게 된 사실에 대한 물음을 나타내는 종결 어미이다. ③에서는 연예인을 본 과거 경험에 대해 새로 알게 된 사실을 묻고 있으므로 어미 '-던'이 적절하게 쓰였다. 따라서 ③은 어법에 맞는 문장이다.**

오답분석 ① **내일 야유회 간데요(×) → 내일 야유회 간대요(○)**: 화자가 직접 경험한 사실이 아니라 남이 말한 내용을 간접적으로 전달하는 것이므로 '-대'를 써야 한다.

② ④ **그이가 말을 아주 잘하대(×) → 그이가 말을 아주 잘하데(○) / 제가 직접 봤는데 너무 크대요(×) → 제가 직접 봤는데 너무 크데요(○)**: 화자가 직접 경험한 사실을 나중에 보고하듯이 말하는 것이므로 '-데'를 써야 한다.

이것도 알면 **합격**

어미 '-데'와 '-대'의 차이를 알아두자.

-데	1. '-더라'와 같은 의미 2. 화자가 과거 어느 때에 직접 경험하여 알게 된 사실을 현재의 말하는 장면에 그대로 옮겨 와서 말할 때 씀 예 • 그이가 말을 아주 잘하데. • 그 친구는 아들만 둘이데.
-대	1. '-다(고) 해'의 준말 2. 화자가 직접 경험한 사실이 아니라 남이 말한 내용을 간접적으로 전달할 때 씀 예 • 그 여자 예쁘대(예쁘다고 해). • 그 사람 오늘 떠난대(떠난다고 해).

40

난이도 ★☆☆

해설 ④ **부숴진(×) → 부서진(○): '부서지다'의 어간 '부서지-'에 관형사형 어미 '-ㄴ'이 결합한 '부서진'으로 표기해야 한다.**

오답분석 ① **시답지(○)**: '시답다'는 '마음에 차거나 들어서 만족스럽다'를 뜻하며, 주로 '시답지 않다', '시답지 못하다'의 구성으로 쓰인다.

② **다섯 살배기(○)**: '-배기'는 어린아이의 나이를 나타내는 명사구 뒤에 붙어 '그 나이를 먹은 아이'의 뜻을 더하는 접미사이다.

③ **금세(○)**: '금세'는 '금시에'의 준말로, '지금 바로'를 뜻한다. 참고로 '물건의 값' 또는 '물건값의 비싸고 싼 정도'를 뜻하는 '금새'와 구별해서 써야 한다.

41

난이도 ★★☆

해설 ③ **만만잖다(×) → 만만찮다(○): '만만하지 않다'의 준말은 '-하지 않-'이 '-찮-'으로 줄어든 '만만찮다'로 적으므로 맞춤법이 옳지 않은 것은 ③이다.**

오답분석 ① **숟가락(○)**: 본래 '술 + 가락'이 결합된 말이었으나, '술'의 'ㄹ'이 [ㄷ]으로 바뀌어 발음되므로 '숟가락'으로 적는다.

② **적잖은(○)**: '적지 않은'의 준말은 '-지 않-'이 '-잖-'으로 줄어든 '적잖은'으로 적는다.

④ **말끔케(○)**: '말끔하게'의 준말은 '하'의 'ㅏ'가 줄고 'ㅎ'이 다음 음절의 첫소리와 어울려 거센소리가 된 '말끔케'로 적는다.

42

난이도 ★★★

해설 ② **짐작건대 / 야속다고(○): 각각 '짐작하건대', '야속하다고'의 준말이다. 안울림소리 받침 'ㄱ' 뒤에서 어간의 끝음절 '하'가 아주 줄 적에는 준 대로 적으므로 '짐작건대', '야속다고'로 적는다.**

오답분석 ① **뒷뜰(×) → 뒤뜰(○)**: '뒤 + 뜰'이 결합한 순우리말 합성어로, 뒷말의 첫 음절이 된소리이므로 사이시옷을 받쳐 적지 않는다.

③ **처내고(×) → 쳐내고(○)**: '깨끗하지 못한 것을 쓸어 모아서 일정한 곳으로 가져가다'를 뜻하는 말은 '쳐내다'이다. '처내다'는 '불길이나 연기가 쏟아져 나오다'를 뜻한다.

④ **덮힌(×) → 덮인(○)**: '덮다'의 피동사는 접미사 '-이-'가 결합한 '덮이다'로 써야 한다. '덮히다'는 잘못된 표기이다.

43
[2014년 서울시 9급]

다음 예문에서 밑줄 친 부분이 맞춤법에 맞는 것은?

① 올해 신입생 입학율이 저조하다.
② 네 기사가 어린이란에 실렸다.
③ 알고도 모르는 채하였다.
④ 남술의 처는 또 한번 웃기 잘하는 그의 입술을 방끗 벌리었다.
⑤ 껍질채 먹는 것이 몸에 좋다.

44
[2014년 사회복지직 9급]

사이시옷의 표기에 대한 이해로 적절하지 않은 것은?

> 제30항 사이시옷은 다음과 같은 경우에 받치어 적는다.
> 1. 순우리말로 된 합성어로서 앞말이 모음으로 끝난 경우
>   (1) 뒷말의 첫소리가 된소리로 나는 것 ············· ㉠
>   (2) 뒷말의 첫소리 'ㄴ, ㅁ' 앞에서 'ㄴ' 소리가 덧나는 것 ············· ㉡
>   (3) 뒷말의 첫소리 모음 앞에서 'ㄴㄴ' 소리가 덧나는 것
> 2. 순우리말과 한자어로 된 합성어로서 앞말이 모음으로 끝난 경우
>   (1) 뒷말의 첫소리가 된소리로 나는 것 ············· ㉢
>   (2) 뒷말의 첫소리 'ㄴ, ㅁ' 앞에서 'ㄴ' 소리가 덧나는 것
>   (3) 뒷말의 첫소리 모음 앞에서 'ㄴㄴ' 소리가 덧나는 것 ············· ㉣

① '모깃불'의 사이시옷은 ㉠에 의한 것이다.
② '뒷머리'의 사이시옷은 ㉡에 의한 것이다.
③ '선짓국'의 사이시옷은 ㉢에 의한 것이다.
④ '예삿일'의 사이시옷은 ㉣에 의한 것이다.

3. 띄어쓰기

45
[2021년 국회직 8급]

띄어쓰기가 옳지 않은 것은?

① 부모님의∨염려를∨뒤로∨하고∨유학길에∨올랐다.
② 낡은∨그림∨하나가∨한쪽∨맞은편∨벽에∨걸려∨있었다.
③ 그∨밖에∨공∨모양으로∨굳은∨용암의∨흔적∨등이∨있었다.
④ 성안에는∨여러∨곳에∨건물∨터와∨연못∨터가∨남아∨있다.
⑤ 200∨미터나∨되는∨줄을∨10여∨일간∨만든다.

46
[2020년 지방직 9급]

밑줄 친 부분의 띄어쓰기가 옳은 것은?

① 해도해도 너무한다.
② 빠른 시일 내 지원해 줄 것이다.
③ 이 그릇은 귀한 거라 손님 대접하는데나 쓴다.
④ 소비 절약을 호소하는 정공법 밖에 달리 도리는 없다.

43

난이도 ★★☆

해설 **④ 방끗(○): '방끗'은 '입을 예쁘게 약간 벌리며 소리 없이 가볍게 한 번 웃는 모양'을 뜻하며, '방긋'보다 조금 센 느낌을 주는 말이다. 이때 한 단어 안에서 뚜렷한 까닭 없이 나는 된소리는 표기에 반영하므로 '방끗'은 맞춤법에 맞는 표기이다.**

오답분석 ① **입학율(×) → 입학률(○)**: '비율'의 뜻을 더하는 접미사 '-률'은 'ㄴ'을 제외한 받침이 있는 명사 뒤에서는 '-률'로 적는다.

② **어린이란(×) → 어린이난(○)**: '어린이+란(欄)'이 결합한 말로, 고유어 뒤에 오는 한자음 '란'은 하나의 형태소로 인식되므로 두음 법칙을 적용하여 '난'으로 적는다.

③ **채하였다(×) → 체하였다(○)**: '앞말이 뜻하는 행동이나 상태를 거짓으로 그럴듯하게 꾸밈'을 나타내는 말은 '체하다'이다.

⑤ **껍질채(×) → 껍질째(○)**: '그대로, 전부'의 뜻을 더하는 접미사는 '-째'이다.

44

난이도 ★★☆

해설 **③ '선짓국'의 사이시옷은 ㉠에 의한 것이므로 ③의 설명은 적절하지 않다. '선짓국[선지꾹/선짇꾹]'은 '선지+국'이 결합된 순우리말 합성어로, 앞말이 모음 'ㅣ'로 끝나고 뒷말의 첫소리 'ㄱ'이 된소리 [ㄲ]으로 소리 나므로 사이시옷을 받치어 적는다.**

오답분석 ① '모깃불'은 ㉠에 해당되는 예이다. '모깃불[모:기뿔/모:긷뿔]'은 '모기+불'이 결합된 순우리말 합성어로, 앞말이 모음 'ㅣ'로 끝나고 뒷말의 첫소리 'ㅂ'이 된소리 [ㅃ]으로 소리 나므로 사이시옷을 받쳐 적는다.

② '뒷머리'는 ㉡에 해당되는 예이다. '뒷머리[뒨:머리]'는 '뒤+머리'가 결합된 순우리말 합성어로, 앞말이 모음 'ㅟ'로 끝나고 뒷말의 첫소리 'ㅁ' 앞에서 'ㄴ' 소리가 덧나므로 사이시옷을 받쳐 적는다.

④ '예삿일'은 ㉣에 해당되는 예이다. '예삿일[예:산닐]'은 '예사(例事)+일'이 결합된 순우리말과 한자어로 된 합성어로, 앞말이 모음 'ㅏ'로 끝나고 뒷말의 첫소리 모음 'ㅣ' 앞에서 'ㄴㄴ' 소리가 덧나므로 사이시옷을 받쳐 적는다.

45

난이도 ★★☆

해설 **① 띄어쓰기가 옳지 않은 것은 ①이다.**

- **뒤로∨하고(×) → 뒤로하고(○)**: 이때 '뒤로하다'는 '뒤에 남겨 놓고 떠나다'를 뜻하는 한 단어이므로 붙여 써야 한다.
- **유학길(○)**: 이때 '유학길'은 '유학하러 가는 길'을 뜻하는 한 단어이므로 붙여 쓴다.

오답분석 ② • **한쪽(○)**: 이때 '한쪽'은 '어느 하나의 편이나 방향'을 뜻하는 한 단어이므로 붙여 쓴다.

- **맞은편(○)**: 이때 '맞은편'은 '서로 마주 바라보이는 편'을 뜻하는 한 단어이므로 붙여 쓴다.
- **걸려∨있었다(○)**: '걸리다(본용언)+있다(보조 용언)'가 결합한 것이므로 띄어 쓴다. 참고로 '걸려 있었다'와 같이 본용언과 보조 용언이 연결 어미 '-아/-어'로 연결된 구성은 '걸려있었다'로 붙여 쓸 수도 있다.

③ • **그∨밖에(○)**: 이때 '밖에'는 '일정한 한도나 범위에 들지 않는 나머지 다른 부분이나 일'을 뜻하는 명사 '밖'과 조사 '에'가 결합한 말이므로 앞말과 띄어 쓴다.

- **흔적∨등이(○)**: 이때 '등'은 '그 밖에도 같은 종류의 것이 더 있음'을 나타내는 의존 명사이므로 앞말과 띄어 쓴다.

④ • **성안(○)**: 이때 '성안'은 '성벽으로 둘러싸인 안'을 뜻하는 한 단어이므로 붙여 쓴다.

- **건물∨터/연못∨터(○)**: 이때 '터'는 '집이나 건물을 지었거나 지을 자리'를 뜻하는 명사이므로 앞말과 띄어 쓴다.
- **남아∨있다(○)**: '남다(본용언)+있다(보조 용언)'가 결합한 것이므로 띄어 쓴다. 참고로 '남아 있다'와 같이 본용언과 보조 용언이 연결 어미 '-아/-어'로 연결된 구성은 '남아있다'와 같이 붙여 쓸 수도 있다.

⑤ • **200∨미터나(○)**: '미터'는 단위를 나타내는 의존 명사이므로 앞말과 띄어 쓴다. 참고로 단위를 나타내는 명사가 순서를 나타내거나 숫자와 어울려 쓰이는 경우에는 붙여 쓸 수도 있다.

- **10여∨일간(○)**: '-여'는 수량을 나타내는 말 뒤에서 '그 수를 넘음'의 뜻을 더하는 접미사이므로 앞말과 붙여 쓴다. 그리고 '일'은 한자어 수 뒤에서 날을 세는 단위를 나타내는 의존 명사이므로 앞말과 띄어 쓰고, '-간'은 기간을 나타내는 일부 명사 뒤에서 '동안'의 뜻을 더하는 접미사이므로 앞말과 붙여 쓴다.

46

난이도 ★★☆

해설 **② 시일∨내(○): 이때 '내'는 '일정한 범위의 안'을 뜻하는 의존 명사이므로 앞말과 띄어 쓴다.**

오답분석 ① **해도해도(×) → 해도∨해도(○)**: 이때 '해도'는 '하여도'의 준말로, 각각 단어의 자격을 가지므로 띄어 써야 한다.

③ **대접하는데나(×) → 대접하는∨데나(○)**: 이때 '데'는 '경우'를 뜻하는 의존 명사이므로 앞말과 띄어 써야 한다.

④ **정공법∨밖에(×) → 정공법밖에(○)**: 이때 '밖에'는 '그것 말고는'을 뜻하는 조사이므로 앞말과 붙여 써야 한다.

47

[2020년 국회직 8급]

밑줄 친 부분의 띄어쓰기가 옳지 않은 것은?

① 그 일은 할만하다.
② 그들은 2 시간 동안 줄곧 걸었다.
③ 나에게만이라도 행운이 찾아오면 좋겠다.
④ 우리는 마을에서 불량배들을 쫓아내버렸다.
⑤ 유가의 문학 사상은 주로 철학적 문제나 사회와 관련지어 논의되었다.

48

[2019년 법원직 9급]

〈보기1〉의 내용을 참고할 때, 〈보기2〉에서 띄어쓰기가 올바른 것을 모두 고른 것은?

〈보기1〉

'노력한 만큼 대가를 얻다.'에서의 '만큼'과 '나도 너만큼은 공부를 잘 해.'의 '만큼'은 단어의 형태는 같으나 단어가 수행하는 기능은 다르다. 즉, 전자의 '만큼'은 의존 명사이지만, 후자의 '만큼'은 조사이다. 의존 명사의 경우는 앞말과 띄어 써야 하고 조사의 경우는 앞말에 붙여 써야 한다.

〈보기2〉

㉠집에 도착하는 대로 전화하도록 해.
㉡부모님 말씀 대로 행동해야 한다.
㉢느낀대로 표현하고 싶었다.
㉣내가 가진 것은 이것뿐이다.
㉤그 이야기는 소문으로 들었을뿐이다.

① ㉠, ㉣
② ㉡, ㉢
③ ㉠, ㉢, ㉣
④ ㉠, ㉣, ㉤

49

[2019년 국회직 8급]

밑줄 친 부분의 띄어쓰기가 옳은 것은?

① 전국 단위 민방위 훈련이 21년만에 실시된다.
② 최근 개성공단은 공장 가동률이 30%가량 떨어진 것으로 알려졌다.
③ ○○백화점 명품관도 올해 3월말까지 1년간 20~30대가 구매 고객의 52%를 차지했다.
④ 소방청은 대피 훈련을 20분내에 마쳐야 한다고 밝혔다.
⑤ 600여개 부스는 수많은 관람객들로 북적였다.

50

[2019년 지방직 9급]

밑줄 친 부분의 띄어쓰기가 옳은 것은?

① 그 중에 깨끗한 옷만 골라 입으세요.
② 어제는 밤이 늦도록 옛 책을 뒤적였다.
③ 시간 날 때 낚시나 한 번 같이 갑시다.
④ 사람들은 황급히 굴 속으로 모여들었다.

51

[2019년 서울시 9급 (2월)]

다음 중 띄어쓰기가 가장 옳은 것은?

① 열 길 물속은 알아도 한 길 사람의 속은 모른다.
② 데칸 고원은 인도 중부와 남부에 위치한 고원이다.
③ 못 본 사이에 키가 전봇대 만큼 자랐구나!
④ 이번 행사에서는 쓸모 있는 주머니만들기를 하였다.

47 난이도 ★★☆

해설 ④ 쫓아내버렸다(×) → 쫓아내V버렸다(○): '쫓아내- + 버렸다'에서 본용언 '쫓아내'는 '쫓-(용언의 어간) + -아-(연결 어미) + 내-(용언의 어간) + -어(연결 어미)'가 결합한 합성 용언이다. 앞말이 합성 용언인 경우 뒤에 오는 보조 용언은 띄어 써야 하므로 답은 ④이다.

오답분석
① 할만하다(○): '만하다'는 '앞말이 뜻하는 행동을 하는 것이 가능함'을 나타내는 보조 형용사로, 띄어 쓰는 것이 원칙이나 붙여 쓰는 것도 허용한다.
② 2V시간(○): '시간'은 하루의 24분의 1이 되는 동안을 세는 단위성 의존 명사로, 앞말과 띄어 쓰는 것이 원칙이나 숫자와 어울려 쓰이는 경우 붙여 쓸 수 있다.
③ 나에게만이라도(○): '만'은 '다른 것으로부터 제한하여 어느 것을 한정함'을 나타내는 보조사로, 앞에 있는 조사 '에게'와 붙여 쓴다.
⑤ 관련지어(○): '관련짓다'는 '둘 이상의 사람, 사물, 현상 등이 서로 관계를 맺게 하다'라는 의미의 한 단어이므로 붙여 쓴다.

48 난이도 ★★☆

해설 ① 〈보기2〉에서 띄어쓰기가 올바른 것은 ㉠, ㉣이므로 답은 ①이다.
- ㉠ 도착하는V대로(○): 이때 '대로'는 '어떤 상태나 행동이 나타나는 그 즉시'를 뜻하는 의존 명사이므로 앞말과 띄어 쓴다.
- ㉣ 이것뿐이다(○): 이때 '뿐'은 '그것만이고 더는 없음'을 나타내는 보조사이므로 앞말에 붙여 쓴다.

오답분석
- ㉡ 말씀V대로(×) → 말씀대로(○): 이때 '대로'는 '앞에 오는 말에 근거하거나 달라짐이 없음'을 나타내는 보조사이므로 앞말과 붙여 써야 한다.
- ㉢ 느낀대로(×) → 느낀V대로(○): 이때 '대로'는 '어떤 모양이나 상태와 같이'를 뜻하는 의존 명사이므로 앞말과 띄어 써야 한다.
- ㉤ 들었을뿐이다(×) → 들었을V뿐이다(○): 이때 '뿐'은 '다만 어떠하거나 어찌할 따름'이라는 뜻을 나타내는 의존 명사이므로 앞말과 띄어 써야 한다.

49 난이도 ★★☆

해설 ② 30%가량(○): '-가량'은 수량을 나타내는 명사 또는 명사구 뒤에 붙어 '정도'의 뜻을 더하는 접미사이므로, 앞말과 붙여 쓴다.

오답분석
① 21년만에(×) → 21년V만에(○): '만'은 '앞말이 가리키는 동안이나 거리'를 뜻하는 의존 명사이므로 앞말과 띄어 쓴다.
③ 3월말까지(×) → 3월V말까지(○): '말'은 '어떤 기간의 끝이나 말기'를 뜻하는 의존 명사이므로 앞말과 띄어 쓴다.
④ 20분내에(×) → 20분V내에(○): '내'는 '일정한 범위의 안'을 뜻하는 의존 명사이므로 앞말과 띄어 쓴다.
⑤ 600여개(×) → 600여V개(○): '여'는 수량을 나타내는 말 뒤에 붙어 '그 수를 넘음'의 뜻을 더하는 접미사이므로 앞말과 붙여 쓴다. 또한 '개'는 '낱으로 된 물건을 세는 단위'를 뜻하는 의존 명사이므로 앞말과 띄어 쓴다.

50 난이도 ★★☆

해설 ② 옛V책을(○): 이때 '옛'은 '지나간 때의'를 뜻하는 관형사이므로 명사 '책'과 띄어 쓴다.

오답분석
① 그V중에(×) → 그중에(○): 이때 '그중'은 '범위가 정해진 여럿 가운데'를 뜻하는 한 단어이므로 붙여 써야 한다.
③ 한V번(×) → 한번(○): 문맥상 이때 '한번'은 '기회 있는 어떤 때에'를 뜻하는 한 단어이므로 붙여 써야 한다. 참고로 '번'이 '일의 차례'나 '일의 횟수'를 뜻하는 경우에는 의존 명사이므로 '한 번'과 같이 앞말과 띄어 쓴다.
④ 굴V속으로(×) → 굴속으로(○): 이때 '굴속'은 '굴의 안'을 뜻하는 한 단어이므로 붙여 써야 한다.

51 난이도 ★☆☆

해설 ① 띄어쓰기가 가장 옳은 것은 ①이다.
- 열V길, 한V길(○): '길'은 길이의 단위를 나타내는 의존 명사이므로 수 관형사 '열', '한'과 띄어 쓴다.
- 물속(○): '물속'은 '물의 가운데'를 뜻하는 한 단어이므로 붙여 쓴다.

오답분석
② 데칸V고원(×) → 데칸고원(○): 이때 '데칸고원'은 하나의 단어로 굳어진 지명이므로 붙여 써야 한다.
③ 전봇대V만큼(×) → 전봇대만큼(○): 이때 '만큼'은 앞말과 비슷한 정도나 한도임을 나타내는 격 조사이므로 체언인 '전봇대'에 붙여 써야 한다.
④ 주머니만들기(×) → 주머니V만들기(○): '주머니'와 '만들기'는 각각의 단어이므로 띄어 써야 한다.

52

[2019년 서울시 9급 (6월)]

다음 중 띄어쓰기가 옳지 않은 것은?

① 불이 꺼져 간다.
② 그 사람은 잘 아는척한다.
③ 강물에 떠내려 가 버렸다.
④ 그가 올 듯도 하다.

53

[2019년 국가직 7급]

띄어쓰기가 옳은 것은?

① 이끄는 대로 따라갈밖에.
② 용수야, 5년만인데 한잔해야지.
③ 일이 오늘부터는 잘돼야 할텐데.
④ 태권도에서 만큼은 발군의 실력을 낼 거야.

54

[2019년 지방직 7급]

밑줄 친 부분의 띄어쓰기가 옳지 않은 것은?

① 형은 항상 열 시쯤 돌아온다.
② 나는 사과를 천 원어치 샀다.
③ 그녀는 스무 살남짓 되어 보였다.
④ 그 일은 이십 세기경 일어난 일이다.

55

[2018년 지방직 9급]

띄어쓰기가 옳지 않은 것은?

① 졸지에 부도를 맞았다니 참 안됐어.
그렇게 독선적으로 일을 처리하면 안 돼.
② 그건 사실 아무것도 아니니 걱정하지 말게.
지금 네가 본 것은 실상의 절반에도 못 미쳐.
③ 저 집은 부부 간에 금실이 좋아.
집을 살 때 부모님이 얼마간을 보태 주셨어.
④ 저 사람은 아무래도 믿을 만한 인물이 아니야.
지난번 해일이 밀어닥칠 때 집채만 한 파도가 해변을 덮쳤다.

52

난이도 ★★☆

해설 **③ 떠내려V가V버렸다(×) → 떠내려가V버렸다(○): '떠내려 가다'는 '물 위에 떠서 물결을 따라 옮겨 가다'라는 뜻의 한 단어이므로 붙여 써야 한다. 참고로 '버리다'는 앞말이 나타내는 행동이 이미 끝났음을 나타내는 보조 용언으로, 앞말이 합성 동사이며 그 활용형이 4음절이므로 띄어 쓴다.**

오답분석 ① **꺼져V간다(○)**: '꺼지다(본용언) + 가다(보조 용언)'가 결합한 단어이므로 띄어 쓴다.

② **아는척한다(○)**: '알다(본용언) + 척하다(보조 용언)'이 결합한 단어이므로 띄어 쓰는 것이 원칙이다. 다만 '관형사형 + 보조 용언(의존 명사 + -하다)' 구성이므로 붙여 쓸 수 있다.

④ **올V듯도V하다(○)**: '오다(본용언) + 듯하다(보조 용언)'이 결합한 단어이다. 이때 한 단어인 '듯하다'의 중간에 보조사 '도'가 들어간 경우에는 띄어 쓴다.

이것도 알면 **합격**

보조 용언의 띄어쓰기에 대해 알아두자.

1. 보조 용언은 띄어 씀을 원칙으로 하되, 경우에 따라 붙여 씀도 허용함
   예 내 힘으로 막아 낸다. (원칙) / 내 힘으로 막아낸다. (허용)
2. 앞말에 조사가 붙거나 앞말이 합성 동사인 경우, 그리고 중간에 조사가 들어갈 적에 그 뒤에 오는 보조 용언은 띄어 씀
   예 • 앞말에 조사가 붙는 경우: 잘도 놀아만 나는구나!
   • 앞말이 합성 동사인 경우: 네가 덤벼들어 보아라. (다만 본용언이 합성어나 파생어라도 그 활용형이 2음절인 경우에는 보조 용언과 붙여 쓸 수 있다.)
   • 중간에 조사가 들어가는 경우: 그가 올 듯도 하다. (한 단어인 '듯하다'의 중간에 보조사 '도'가 들어감)

53

난이도 ★★☆

해설 **① 띄어쓰기가 모두 옳은 것은 ①이다.**

- **이끄는V대로(○)**: 이때 '대로'는 '어떤 모양이나 상태와 같이'를 뜻하는 의존 명사이므로 앞말 '이끄는'과 띄어 쓴다.
- **따라갈밖에(○)**: 이때 '-ㄹ밖에'는 '다른 수가 없다'를 뜻하는 어미이므로 앞말에 붙여 쓴다.

오답분석 ② **5년만인데(×) → 5년V만인데(○)**: 이때 '만'은 '앞말이 가리키는 동안이나 거리'를 뜻하는 의존 명사이므로 앞말 '5년'과 띄어 써야 한다.

③ **할텐데(×) → 할V텐데(○)**: 이때 '텐데'는 '터인데'가 줄어든 말로, '터'는 '예정'이나 '추측', '의지'의 뜻을 나타내는 의존 명사이다. 따라서 앞말 '할'과 띄어 써야 한다.

④ **태권도에서V만큼은(×) → 태권도에서만큼은(○)**: 이때 '만큼'은 앞말과 비슷한 정도나 한도임을 나타내는 조사이므로 앞말 '태권도에서'에 붙여 써야 한다. 또한 조사는 둘 이상 겹쳐질 경우에도 붙여 쓰므로 '에서', '만큼', '은'을 모두 붙여 쓴다.

54

난이도 ★★☆

해설 **③ 스무V살남짓(×) → 스무V살V남짓(○): '남짓'은 '크기, 수효, 부피 등이 어느 한도에 차고 조금 남는 정도'를 뜻하는 말로 수량을 나타내는 말 뒤에 쓰이는 의존 명사이므로 앞말과 띄어 쓴다.**

오답분석 ① **열V시쯤(○)**: '시'는 '차례가 정하여진 시각'을 뜻하는 의존 명사이므로 앞말과 띄어 쓰고, '-쯤'은 '알맞은 한도, 그만큼 가량'의 의미를 더하는 접미사이므로 앞말과 붙여 쓴다.

② **천V원어치(○)**: '원'은 '우리나라 화폐 단위'를 이르는 의존 명사이므로 앞말과 띄어 쓰고, '-어치'는 '그 값에 해당하는 분량'의 뜻을 더하는 접미사이므로 앞말과 붙여 쓴다.

④ **이십V세기경(○)**: '세기'는 '백 년을 단위로 하는 기간'을 이르는 의존 명사이므로 앞말과 띄어 쓰고, '-경'은 '그 시간 또는 날짜에 가까운 때'의 뜻을 더하는 접미사이므로 앞말과 붙여 쓴다.

55

난이도 ★★☆

해설 **③ 띄어쓰기가 옳지 않은 것은 ③이다.**

- **부부V간(×) → 부부간(○)**: '부부간'은 '부부 사이'를 뜻하는 한 단어이므로 붙여 써야 한다.
- **얼마간(○)**: '얼마간'은 '그리 많지 않은 수량이나 정도'를 뜻하는 한 단어이므로 붙여 쓴다.

오답분석 ① • **안됐어(○)**: '안되다'는 '섭섭하거나 가엾어 마음이 언짢다'를 뜻하는 한 단어이므로 붙여 쓴다.
• **안V돼(○)**: '안'이 '아니'의 준말인 부사로 쓰였으므로 뒷말과 띄어 쓴다.

② • **아무것(○)**: '아무것'은 '대단하거나 특별한 어떤 것'을 뜻하는 한 단어이므로 붙여 쓴다.
• **본V것(○)**: '것'은 '사물, 일, 현상 등을 추상적으로 이르는 말'을 뜻하는 의존 명사이므로 앞말과 띄어 쓴다.
• **못V미쳐(○)**: '못'이 부정의 뜻을 나타내는 부사로 쓰였으므로 뒷말과 띄어 쓴다.

④ • **믿을V만한(○)**: '만하다'는 '앞말이 뜻하는 행동을 하는 것이 가능함'을 나타내는 의존 명사 '만'에 접미사 '-하다'가 결합한 보조 용언으로 한 단어이다. 따라서 용언의 관형사형 '믿을'과는 띄어 쓰고, '만한'은 붙여 쓴다. 참고로 '만하다'는 보조 용언이므로 본용언인 '믿을'과 붙여 쓰는 것도 허용한다.
• **집채만V한(○)**: '앞말이 나타내는 대상이나 내용 정도에 달함'을 나타내는 보조사 '만'은 앞의 체언에 붙여 쓴다. '한'은 용언 '하다'의 활용형이므로 앞말과 띄어 쓴다.

56
[2018년 국가직 9급]

밑줄 친 부분의 띄어쓰기가 옳지 않은 것은?

① 이처럼 좋은 걸 어떡해?
② 제 3장의 내용을 요약해 주세요.
③ 공사를 진행한 지 꽤 오래되었다.
④ 결혼 10년 차에 내 집을 장만했다.

57
[2018년 국가직 7급]

밑줄 친 부분의 띄어쓰기가 모두 옳은 것은?

① 그 길을 걸어 온 사람들도 이 연구에 참여하는데 큰 문제가 없다.
② 대책 없이 쓸 데 없는 일만 골라 하니 저렇게 시간을 낭비할 수밖에 없다.
③ 이 기계가 어떻게 사용되어야 하는 지에 대해서 자세히 알아볼 수 없었다.
④ 예기치 못했던 불미스러운 사고가 있었던바 재발 방지책을 찾아야 한다.

58
[2018년 서울시 9급 (6월)]

띄어쓰기가 가장 옳은 것은?

① 창조적 독해가 현실적인 문제 해결 방안으로 활용될 수 밖에 없다.
② 사소한 오해로 철수가 나하고 사이가 멀어졌다.
③ 아는 체하는 걸 보니 공부 깨나 했나 보다.
④ 동해로 가는김에 평창에도 들렀다 가자.

59
[2018년 지방직 7급]

띄어쓰기가 옳은 것은?

① 부모와 자식간에도 예의는 지켜야 한다.
② 김 양의 할머니는 안동 권씨라고 합니다.
③ 내일이 이 충무공 탄신 500돌이라고 합니다.
④ 이번 여름에는 카리브 해로 휴가를 가기로 했어.

56

난이도 ★★☆

해설 ② 제V3장의(×) → 제3V장의/제3장의(○): '제(第)-'는 '그 숫자에 해당되는 차례'의 뜻을 더하는 접두사이므로 '제3'과 같이 붙여 써야 한다. 그리고 '장'은 단위를 나타내는 의존 명사이므로 띄어 쓰는 것이 원칙이나, 숫자와 어울려 쓰이는 경우에는 붙여 쓸 수 있다. 따라서 답은 ②이다.

오답분석 ① 좋은V걸(○): 이때 '걸'은 의존 명사 '것'을 구어적으로 이르는 말인 '거'와 목적격 조사 'ㄹ'이 결합한 의존 명사이므로 앞말과 띄어 쓴다.

③ 진행한V지(○): 이때 '지'는 용언의 관형사형 뒤에서 경과한 시간을 나타내는 의존 명사이므로 앞말과 띄어 쓴다.

④ 10년V차에(○): 이때 '차(次)'는 주기나 경과의 해당 시기를 나타내는 의존 명사이므로 앞말과 띄어 쓴다.

57

난이도 ★★★

해설 ④ 밑줄 친 부분의 띄어쓰기가 모두 옳은 것은 ④이다.

- 있었던바(○): 이때 '바'는 뒤 절의 내용을 이야기하기 위해 관련된 상황을 제시하는 어미 '-ㄴ바'의 일부이므로 앞말에 붙여 쓴다.
- 찾아야V한다(○): 이때 '하다'는 앞말이 뜻하는 행동을 하거나 앞말이 뜻하는 상태가 되는 것이 필요함을 나타내는 보조 동사이다. 보조 용언은 본용언과 띄어 쓴다.

오답분석 ① • 걸어V온(×) → 걸어온(○): '지내 오거나 발전해 오다'를 뜻하는 '걸어오다'는 한 단어이므로 붙여 써야 한다.

- 참여하는데(×) → 참여하는V데(○): 이때 '데'는 '곳, 장소, 일, 것, 경우'를 뜻하는 의존 명사이므로 앞말과 띄어 써야 한다.

② • 쓸V데V없는(×) → 쓸데없는(○): '아무런 쓸모나 득이 될 것이 없다'를 뜻하는 '쓸데없다'는 한 단어이므로 붙여 써야 한다.

- 골라V하니(○): 이때 '하다'는 '사람이나 동물, 물체 등이 행동이나 작용을 이루다'를 뜻하는 본용언이므로 앞말과 띄어 쓴다.

③ • 하는V지에(×) → 하는지에(○): '지'가 막연한 의문을 나타내어 그것을 뒤 절과 연결시키는 연결 어미 '-는지'의 일부이므로 앞말에 붙여 써야 한다.

- 알아볼(○): '조사하거나 살펴보다'를 뜻하는 '알아보다'는 한 단어이므로 붙여 쓴다.

58

난이도 ★★☆

해설 ② 철수가V나하고(○): 이때 '하고'는 상대로 하는 대상임을 나타내는 격 조사이므로 앞말에 붙여 쓰는 것이 옳다.

오답분석 ① 수V밖에V없다(×) → 수밖에V없다(○): 이때 '밖에'는 '그것 말고는', '그것 이외에는'을 뜻하는 조사이므로 앞말에 붙여 써야 한다.

③ • 아는V체하는V걸V보니(○): 이때 '체'는 '그럴듯하게 꾸미는 거짓 태도나 모양'을 뜻하는 의존 명사이므로 앞말과 띄어 쓴다. 또한 이때 '걸'은 의존 명사 '것'을 구어적으로 이르는 '거'에 '를'을 구어적으로 이르는 'ㄹ'이 붙은 형태이므로 앞말과 띄어 쓴다.

- 공부V깨나(×) → 공부깨나(○): '깨나'는 '어느 정도 이상'을 뜻하는 보조사이므로 앞말과 붙여 써야 한다.

④ 가는김에(×) → 가는V김에(○): '김'은 '어떤 일의 기회나 계기'를 뜻하는 의존 명사이므로 앞말과 띄어 써야 한다.

59

난이도 ★★★

해설 ② 띄어쓰기가 옳은 것은 ②이다.

- 김V양(○): '김'은 성의 하나로 명사이고, '양'은 아랫사람을 조금 높여 이르거나 부를 때 쓰는 의존 명사이므로 '김V양'과 같이 띄어 쓴다.
- 안동V권씨(○): 이때 '-씨'는 '그 성씨 자체'의 뜻을 더하는 접미사이므로 '권씨'와 같이 붙여 쓴다.

오답분석 ① 부모와V자식간에도(×) → 부모와V자식V간에도(○): 이때 '간'은 '관계'의 뜻을 나타내는 의존 명사이므로 앞말인 '자식'과 띄어 써야 한다.

③ • 이V충무공(×) → 이충무공(○): '이충무공'은 '이순신'의 성과 시호를 함께 이르는 말이므로 붙여 써야 한다. 참고로 '이충무공'은 사전에 한 단어로 등재되어 있다.

- 500돌(○): '돌'은 '특정한 날이 해마다 돌아올 때, 그 횟수를 세는 단위'를 뜻하는 의존 명사이므로 앞말과 띄어 쓰는 것이 원칙이나, 숫자와 어울려 쓰이는 경우에는 붙여 쓸 수 있다.

④ 카리브V해(×) → 카리브해(○): '해, 섬, 강, 산' 등이 외래어에 붙을 때에는 앞말에 붙여 써야 한다.

이것도 알면 **합격**

'씨(氏)'의 띄어쓰기를 알아두자.

구분	내용
의존 명사 '씨'	상대방을 대접하여 부르거나 이르는 말로 쓰일 때는 의존 명사이므로 앞말과 띄어 씀 예 김V씨, 홍길동V씨
접미사 '-씨'	'그 성씨 자체', '그 성씨의 가문이나 문중'의 뜻을 더할 때는 접미사이므로 앞말에 붙여 씀 예 김씨 문중, 혜경궁 홍씨 ※ 비슷한 뜻을 지닌 '-가(哥)'도 '그 성씨 자체' 또는 '그 성씨를 가진 사람'의 뜻을 더하는 접미사이므로 앞말에 붙여 씀 예 김가야! 요즘은 잘 지내느냐?

60
[2018년 서울시 7급 (3월)]

띄어쓰기가 모두 옳은 문장은?

① 밥을 먹은지 두 시간밖에 안 지났다.
② 학력이나 나이에 관계 없이 누구나 지원할 수 있다.
③ 이번 휴가에 발리 섬으로 여행을 간다.
④ 하늘을 보니 비가 올 듯도 하다.

61
[2015년 기상직 9급]

다음 문장 중 띄어쓰기가 잘못된 것은? ('V'는 띄어쓰기 표시임)

① 이번V올림픽에서V메달을V몇V개나V딸V수V있을V지V궁금하다.
② 오늘은V자동차를V수리하는V데V필요한V공구를V사야겠다.
③ 식사를V할V때에는V먹을V만큼만V덜어V먹도록V하여라.
④ 우리는V수험생이므로V열심히V공부할V수밖에V없다.

62
[2017년 국가직 9급 (10월)]

띄어쓰기가 옳지 않은 것은?

① 조금 의심스러운 부분이 있어서 물어도 보았다.
② 매일같이 지각하던 김 선생이 직장을 그만두었다.
③ 이번 시험에서 우리 중 안 되어도 세 명은 합격할 듯하다.
④ 지난주에 발생한 사고를 어떻게 해결해야 할지 회의를 했다.

63
[2017년 국가직 9급 (4월)]

밑줄 친 부분의 띄어쓰기가 옳은 것은?

① 한밤중에 전화가 왔다.
② 그는 일도 잘할 뿐더러 성격도 좋다.
③ 친구가 도착한 지 두 시간만에 떠났다.
④ 요즘 경기가 안 좋아서 장사가 잘 안 된다.

64
[2017년 서울시 9급]

다음 〈보기〉 중 띄어쓰기가 옳은 것은?

〈보기〉

㉠창 밖은 가을이다. 남쪽으로 난 창으로 햇빛은 하루하루 깊이 안을 넘본다. 창가에 놓인 우단 의자는 부드러운 잿빛이다. 그러나 손으로 ㉡우단천을 결과 반대 방향으로 쓸면 슬쩍 녹둣빛이 돈다. 처음엔 짙은 쑥색이었다. 그 의자는 아무짝에도 쓸모가 없다. ㉢30년 동안을 같은 자리에서 움직이지 않은 채 하는 일이라곤 햇볕에 자신의 몸을 잿빛으로 바래는 ㉣일 밖에 없다.

① ㉠ ② ㉡
③ ㉢ ④ ㉣

60

난이도 ★★☆

해설 ④ 올V듯도V하다(○): **이때 '듯하다'는 앞말이 뜻하는 사건이나 상태 등을 짐작하거나 추측함을 나타내는 보조 형용사이다. 하지만 '듯'과 '-하다' 사이에 보조사 '도'가 결합한 경우에는 띄어 써야 한다.**

오답분석 ① • **먹은지(×) → 먹은V지(○)**: 이때 '지'는 어떤 일이 있었던 때로부터 지금까지의 동안을 나타내는 의존 명사이므로 앞말과 띄어 쓴다.
• **두V시간밖에(○)**: 이때 '시간'은 하루의 24분의 1이 되는 동안을 세는 의존 명사이므로 앞말과 띄어 쓴다. 또한 '밖에'는 체언 뒤에 붙어서 '그것 이외에는'의 뜻을 나타내는 조사이므로 앞말에 붙여 쓴다.

② **관계V없이(×) → 관계없이(○)**: '관계없다'는 한 단어이므로 붙여 쓴다.

③ **발리V섬(×) → 발리섬(○)**: '발리섬'은 하나의 단어로 굳어진 지명이므로 띄어 쓰지 않는다.

61

난이도 ★☆☆

해설 ① **있을V지(×) → 있을지(○): 이때 '지'는 추측에 대한 막연한 의문이 있는 채로 그것을 뒤 절의 사실이나 판단과 관련시키는 데 쓰는 연결 어미 '-을지'의 일부이므로 붙여 써야 한다.**

오답분석 ② **수리하는V데(○)**: 이때 '데'는 '일'이나 '것'의 뜻을 나타내는 의존 명사이므로 앞말과 띄어 쓴다.

③ **먹을V만큼만(○)**: 이때 '만큼'은 앞의 내용에 상당한 수량이나 정도임을 나타내는 의존 명사이므로 앞말과 띄어 쓴다.

④ **공부할V수밖에(○)**: 이때 '수'는 '일을 처리하는 방법이나 수완'을 뜻하는 명사이므로 앞말과 띄어 쓰고, '밖에'는 '그것 말고는', '그것 이외에는' 등의 뜻을 나타내는 보조사이므로 앞말과 붙여 쓴다.

이것도 알면 **합격**

의존 명사 '데'와 어미 '-ㄴ데/-는데'의 띄어쓰기를 알아두자.

의존 명사 '데'	다음과 같은 뜻으로 쓰일 때는 의존 명사이므로 앞말과 띄어 씀 • '곳'이나 '장소'의 뜻 예 지금 가는 데가 어디인데? • '일'이나 '것'의 뜻 예 그 책을 다 읽는 데 삼 일이 걸렸다. • '경우'의 뜻 예 머리 아픈 데 먹는 약
어미 '-ㄴ데/-는데'	뒤 절에서 어떤 일을 설명하거나 묻거나 시키거나 제안하기 위하여 그 대상과 상관되는 상황을 미리 말할 때에 쓰는 연결 어미 예 오늘 비가 오는데 우산을 가져갔니?

62

난이도 ★★☆

해설 ③ **안V되어도(×) → 안되어도(○): '일정한 수준이나 정도에 이르지 못하다'를 뜻하는 '안되다'는 한 단어이므로 붙여 쓴다.**

오답분석 ① **물어도V보았다(○)**: 한 단어인 '물어보다'의 중간에 보조사 '도'가 들어간 형태이므로 뒤에 오는 보조 용언은 띄어 쓴다.

② • **매일같이(○)**: 이때 '같이'는 앞말이 나타내는 그때를 강조하는 조사이므로 앞말과 붙여 쓴다.
• **김V선생(○)**: 성명 또는 성이나 이름 뒤에 붙는 호칭어나 관직명은 띄어 쓰므로, 성인 '김'과 직명인 '선생'은 띄어 쓴다.
• **직장을V그만두었다(○)**: '하던 일을 그치고 안 하다'를 뜻하는 '그만두다'는 한 단어이므로 붙여 쓴다.

④ • **지난주(○)**: '이 주의 바로 앞의 주'를 뜻하는 '지난주'는 한 단어이므로 붙여 쓴다.
• **어떻게V해결해야V할지(○)**: 이때 '지'는 어미 '-ㄹ지'의 일부이므로 앞말과 붙여 쓴다.

63

난이도 ★★☆

해설 ① **'한밤중'은 '깊은 밤'을 뜻하는 한 단어이므로 붙여 쓴다.**

오답분석 ② **잘할V뿐더러(×) → 잘할뿐더러(○)**: '-ㄹ뿐더러'는 하나의 연결 어미이므로 붙여 쓴다.

③ **시간만에(×) → 시간V만에(○)**: '앞말이 가리키는 동안'을 뜻하는 '만'은 의존 명사이므로 단위를 나타내는 의존 명사 '시간'과 띄어 쓴다.

④ **안V된다(×) → 안된다(○)**: '일, 현상, 물건 등이 좋게 이루어지지 않다'를 뜻하는 '안되다'는 한 단어이므로 붙여 쓴다.

64

난이도 ★★★

해설 ③ⓒ **30년V동안(○): 단위를 나타내는 의존 명사 '년'은 띄어 쓰는 것이 원칙이나 숫자와 어울려 쓰이는 경우에는 붙여 쓸 수 있다. 또한 '동안'은 어느 한때에서 다른 한때까지 시간의 길이를 나타내는 명사이므로 앞말과 띄어 쓴다.**

오답분석 ①ⓐ **창V밖(×) → 창밖(○)**: '창밖'은 한 단어이므로 붙여 쓴다.

②ⓑ **우단천(×) → 우단V천(○)**: '우단'은 '거죽에 곱고 짧은 털이 촘촘히 돋게 짠 비단'을 뜻하는 명사로 '우단천'은 한 단어가 아니므로 '우단'과 '천'은 띄어 쓴다.

④ⓓ **일V밖에(×) → 일밖에(○)**: 이때 '밖에'는 '그것 말고는', '그것 이외에는'을 뜻하는 보조사이므로 앞말에 붙여 쓴다.

65

[2017년 지방직 9급 (12월)]

띄어쓰기가 옳은 것은?

① 일이 얽히고 설켜서 풀기가 어렵다.

② 나를 알아 주는 사람은 너 밖에 없다.

③ 그는 고향을 등지고 정처 없이 떠돌아다녔다.

④ 잃어버린 물건을 찾겠다는 생각은 속절 없는 짓이었다.

66

[2017년 국가직 7급 (8월)]

띄어쓰기가 옳지 않은 것은?

① 형은 비밀이 드러날 것을 걱정하여 안절부절못했다.

② 학부모 간담회에는 약 20여 명이 참석하였다.

③ 서류를 검토한 바 몇 가지 미비한 사항이 발견되었다.

④ 아는 만큼 보인다는데 나에게는 그 가치를 평가할 만한 심미안이 부족하다.

67

[2017년 지방직 7급]

밑줄 친 부분의 띄어쓰기가 옳지 않은 것은?

① 너 말 <u>한번</u> 잘 했다.

② 값이 얼만지 <u>한번</u> 물어보세요.

③ 우리는 겨우 일주일에 <u>한번</u>밖에 못 만난다.

④ <u>한번</u> 엎지른 물은 다시 주워 담지 못한다.

68

[2016년 국가직 9급]

띄어쓰기가 옳은 것은?

① 그는 우리 시대의 스승이라기 보다는 자상한 어버이이다.

② 그는 황소 같이 일을 했다.

③ 하루 종일 밥은 커녕 물 한 모금도 마시지 못했다.

④ 내 모자는 그것하고 다르다.

65

난이도 ★★★

해설 ③ 띄어쓰기가 옳은 것은 ③이다.
- **등지다(○)**: '등지다'는 '관계를 끊고 멀리하거나 떠나다'를 뜻하는 한 단어이므로 붙여 쓴다.
- **정처∨없이(○)**: '정처'와 '없이'가 각각 하나의 단어이므로 띄어 쓴다.
- **떠돌아다녔다(○)**: '떠돌아다니다'는 '정처 없이 이곳저곳을 옮겨 다니다'를 뜻하는 한 단어이므로 붙여 쓴다.

오답분석 ① **얽히고∨설켜서(×) → 얽히고설켜서(○)**: '얽히고설키다'는 '관계, 일, 감정 등이 이리저리 복잡하게 되다'를 뜻하는 한 단어이므로 붙여 써야 한다.

② • **알아∨주는(×) → 알아주는(○)**: '알아주다'는 '남의 장점을 인정하거나 좋게 평가하여 주다'를 뜻하는 한 단어이므로 붙여 써야 한다.
• **너∨밖에(×) → 너밖에(○)**: 이때 '밖에'는 '그것 말고는', '그것 이외에는'의 뜻을 나타내는 조사이므로 앞말에 붙여 써야 한다.

④ **속절∨없는(×) → 속절없는(○)**: '속절없다'는 '단념할 수밖에 달리 어찌할 도리가 없다'를 뜻하는 한 단어이므로 붙여 써야 한다.

66

난이도 ★★☆

해설 ③ **검토한∨바(×) → 검토한바(○): 이때 '바'는 뒤 절에서 어떤 사실을 말하기 위하여 그 사실이 있게 된 것과 관련된 과거의 어떤 상황을 미리 제시하는 데 쓰는 연결 어미인 '-ㄴ바'의 일부이므로 앞말과 붙여 쓴다.**

오답분석 ① **안절부절못했다(○)**: '안절부절못하다'는 한 단어이므로 붙여 쓴다.

② **20여∨명(○)**: '-여'는 '그 수를 넘음'의 뜻을 더하는 접미사이므로 앞말에 붙여 쓰고, '명'은 사람을 세는 단위인 의존 명사이므로 '20여'와 띄어 쓴다.

④ • **아는∨만큼(○)**: 이때 '만큼'은 '앞의 내용에 상당한 정도'를 뜻하는 의존 명사이므로 앞말과 띄어 쓴다.
• **평가할∨만한(○)**: 이때 '만하다'는 앞말이 뜻하는 행동을 하는 것이 가능함을 나타내는 보조 형용사이다. 이때 본용언 '평가할'이 3음절 이상의 파생어이므로 본용언과 보조용언을 띄어 쓴다.

67

난이도 ★★☆

해설 ③ **한번(×) → 한∨번(○): 이때 '번'은 '일의 횟수를 세는 단위'를 뜻하는 의존 명사이므로 수 관형사 '한'과 띄어 쓴다.**

오답분석 ① **말 한번 잘 했다(○)**: 어떤 행동을 강조하는 뜻을 나타내는 '한번'은 한 단어이므로 붙여 쓴다.

② **값이 얼만지 한번 물어보세요(○)**: 어떤 일을 시험 삼아 시도함을 뜻하는 '한번'은 한 단어이므로 붙여 쓴다.

④ **한번 엎지른 물(○)**: '일단 한 차례'를 뜻하는 '한번'은 한 단어이므로 붙여 쓴다. 이때 '한번'을 '두 번', '세 번'으로 바꾸면 뜻이 통하지 않음을 알 수 있다.

68

난이도 ★★☆

해설 ④ **그것하고(○): 이때 '그것하고'의 '하고'는 '다른 것과 비교하는 대상이거나 기준으로 삼는 대상임'을 나타내는 격 조사이므로 체언인 '그것'과 붙여 쓴다. 따라서 ④는 띄어쓰기가 옳은 문장이다.**

오답분석 ① **스승이라기∨보다는(×) → 스승이라기보다는(○)**: 이때 '보다'는 비교의 뜻을 나타내는 격 조사이므로 앞말인 '스승이라기'에 붙여 써야 한다.

② **황소∨같이(×) → 황소같이(○)**: 이때 '같이'는 '앞말이 보이는 전형적인 어떤 특징처럼'의 뜻을 나타내는 격 조사이므로 체언인 '황소'에 붙여 써야 한다.

③ **밥은∨커녕(×) → 밥은커녕(○)**: 이때 '은커녕'은 앞말을 지정하여 어떤 사실을 부정하는 뜻을 강조하는 보조사로, 한 단어이므로 붙여 써야 한다.

이것도 알면 합격

'보다'와 '같이'의 띄어쓰기를 알아두자.

1. '보다'의 띄어쓰기

조사 '보다'	서로 차이가 있는 것을 비교할 때, 비교의 대상이 되는 말(체언)에 붙어 '~에 비해서'의 뜻을 나타내면 격 조사이므로 앞말과 붙여 씀 예 • 내가 너보다 크다. • 그는 누구보다도 걸음이 빠르다.
부사 '보다'	'어떤 수준에 비하여 한층 더'라는 의미의 부사로 쓰이면 앞말과 띄어 씀 예 서로 보다 나아지기 위해 노력했다.

2. '같이'의 띄어쓰기

조사 '같이'	'앞말이 보이는 전형적인 어떤 특징처럼'이라는 뜻을 나타내거나, 앞말이 나타내는 그때를 강조할 때는 조사이므로 앞말에 붙여 씀 예 • 얼음장같이 차가운 방바닥 • 새벽같이 떠나다.
부사 '같이'	'둘 이상의 사람이나 사물이 함께'라는 뜻을 나타내거나, '어떤 상황이나 행동 등과 다름이 없이'의 뜻을 나타낼 때는 부사이므로 앞말과 띄어 씀 예 • 친구와 같이 놀다. • 세월이 물과 같이 흐른다.

69

[2016년 지방직 9급]

띄어쓰기가 바른 것은?

① 지금으로부터 십여 년 전에 작은 소요가 있었다.
② 우리는 모임에서 정한대로 일정을 짤 수밖에 없다.
③ 수정 요청시 연관된 항목을 재조정 하여야 할 것이다.
④ 그것을 감당할 만한 능력뿐 아니라 추진력 마저 없는 사람이다.

70

[2016년 서울시 9급]

다음 중 띄어쓰기가 옳은 것은?

① 대화를∨하면∨할수록∨타협점은∨커녕∨점점∨갈등만∨커지게∨되었다.
② 창문∨밖에∨소리가∨나서∨봤더니∨바람∨소리∨밖에∨들리지∨않았다.
③ 그∨만큼∨샀으면∨충분하니∨가져갈∨수∨있을만큼만∨상자에∨담으렴.
④ 나는∨나대로∨갈∨데가∨있으니∨너는∨네가∨가고∨싶은∨데로∨가거라.

71

[2016년 지방직 7급]

띄어쓰기가 잘못된 문장은?

① 이제 봄이 옵니다그려.
② 집에서처럼 그렇게 해야겠지?
③ 사과하고 배하고는 과일입니다.
④ 나가면서 까지도 말썽을 피우고 있다.

72

[2016년 교육행정직 9급]

〈보기〉의 밑줄 친 부분을 설명한 '가~라' 중 틀린 것만을 모두 고른 것은?

〈보기〉

㉠밥은 커녕 죽도 못 먹었다.
㉡성씨 중에 김씨가 가장 많다.
㉢그 애는 노래는 잘 부르는 데 춤은 잘 못 춰.
㉣사람들은 "사람 살려."하고 울부짖으면서 뛰어나왔다.

가. ㉠의 '커녕'은 앞말을 지정하여 어떤 사실을 부정하는 뜻을 강조하는 의존 명사로서 앞말과 띄어 쓴다.
나. ㉡의 '씨'는 인명에서 성을 나타내는 명사 뒤에 붙어 '그 성씨 자체'의 뜻을 더하는 접미사이기 때문에 앞말에 붙여 쓴다.
다. ㉢의 '데'는 의존 명사이기 때문에 앞말과 띄어 쓴다.
라. ㉣의 '하고'는 직접 인용 조사로서 앞말에 붙여 쓴다.

① 가, 나 ② 다, 라
③ 가, 나, 라 ④ 가, 다, 라

73

[2015년 국가직 9급]

띄어쓰기가 바른 것은?

① 그 사고는 여러 가지 규칙을 도외시 하였기 때문이야.
② 사실상 여자 대 남자의 대리전으로 밖에는 보이지 않아.
③ 반드시 거기에 가겠다면 내키는 대로 행동해서는 안 돼.
④ 금연을 한 만큼 네 건강이 어느 정도까지 회복될 지 궁금해.

69

난이도 ★★☆

해설 **① 십여∨년(○): '-여(餘)'는 수량을 나타내는 말 뒤에 붙어 '그 수를 넘음'의 뜻을 더하는 접미사이다. 따라서 '십여'와 같이 붙여 쓰고, 뒤에 오는 의존 명사 '년(年)'은 띄어 쓴다.**

② **정한대로(×) → 정한∨대로(○)**: '대로'는 '어떤 모양이나 상태와 같이'를 뜻하는 의존 명사이므로 용언의 관형사형 '정한'과 띄어 쓴다.

③ • **요청시(×) → 요청∨시(○)**: '시(時)'는 '어떤 일이나 현상이 일어날 때나 경우'를 뜻하는 의존 명사이다. '요청'과 '시'는 각각의 단어이므로 띄어 쓴다.
• **재조정∨하여야(×) → 재조정하여야(○)**: '재조정하다'는 한 단어이므로 붙여 쓴다.

④ **추진력∨마저(×) → 추진력마저(○)**: '마저'는 '이미 어떤 것이 포함되고 그 위에 더함'을 뜻하는 보조사이므로 앞말인 '추진력'에 붙여 쓴다.

70

난이도 ★★☆

해설 **④ 나대로(○): 이때 '대로'는 '따로따로 구별됨'을 뜻하는 보조사이므로 앞말에 붙여 쓴다.**

① **타협점은∨커녕(×) → 타협점은커녕(○)**: '은커녕'은 앞말을 지정하여 어떤 사실을 부정하는 뜻을 강조하는 보조사이므로 앞말에 붙여 쓴다.

② • **창문∨밖에(○)**: 이때 '밖에'는 '어떤 선이나 금을 넘어선 쪽'을 뜻하는 명사 '밖'에 조사 '에'가 붙은 형태이므로 앞말과 띄어 쓴다.
• **바람∨소리∨밖에(×) → 바람∨소리밖에(○)**: 이때 '밖에'는 '그것 말고는', '그것 이외에는'의 뜻을 나타내는 조사이므로 앞말에 붙여 쓴다.

③ • **그∨만큼(×) → 그만큼(○)**: '그만큼'은 '그만한 정도로, 그만한 정도'의 뜻을 나타내는 한 단어이므로 '그만큼'으로 붙여 쓴다.
• **있을만큼만(×) → 있을∨만큼만(○)**: 이때 '만큼'은 앞의 내용에 상당한 수량이나 정도임을 나타내는 의존 명사이므로 앞말과 띄어 쓴다.

71

난이도 ★☆☆

해설 **④ 나가면서∨까지도(×) → 나가면서까지도(○): '까지도'는 '이미 어떤 것이 포함되고 그 위에 더함'을 뜻하는 보조사 '까지'와 '도'가 결합한 것이다. 조사는 앞말에 붙여 쓰므로 ④는 띄어쓰기가 잘못된 문장이다.**

① **옵니다그려(○)**: '그려'는 청자에게 문장의 내용을 강조할 때 쓰는 보조사이므로 종결 어미 '-ㅂ니다' 뒤에 붙여 쓴다.

② **집에서처럼(○)**: '에서'와 '처럼'은 격 조사이므로 앞말에 붙여 쓴다.

③ **사과하고∨배하고는(○)**: '하고'는 둘 이상의 사물을 같은 자격으로 이어 주는 접속 조사이므로 앞말 '사과', '배'에 각각 붙여 쓰고, 보조사 '는'도 앞말인 조사 '하고'와 붙여 쓴다.

72

난이도 ★★☆

해설 **④ 가~라 중 틀린 것은 '가, 다, 라'이므로 답은 ④이다.**

• **가**: ㉠의 '커녕'은 어떤 사실을 부정하는 것은 물론 그보다 덜하거나 못한 것까지 부정하는 뜻을 나타내는 보조사이므로 앞말과 붙여 써야 한다. 참고로 보조사 '은'과 보조사 '커녕'이 결합한 '은커녕'도 하나의 단어이다.
• **다**: ㉢의 '데'는 뒤 절에서 어떤 일을 설명하기 위하여 그 대상과 상관되는 상황을 미리 말할 때에 쓰는 연결 어미 '-는데'의 일부이므로 앞말과 붙여 써야 한다.
• **라**: ㉣의 '하고'는 인용 조사 없이 발화를 직접 인용하는 문장 뒤에 쓰여서 인용하는 기능을 나타내는 동사이므로 앞말과 띄어 써야 한다.

73

난이도 ★★☆

해설 **③ 띄어쓰기가 바른 것은 ③이다.**

• **내키는∨대로(○)**: 이때 '대로'는 '어떤 상태나 행동이 나타나는 족족'을 뜻하는 의존 명사이므로 용언의 관형사형 '내키는'과 띄어 쓴다.
• **안∨돼(○)**: 이때 '안'은 부정의 뜻을 나타내는 부사이므로 용언 '돼'와 띄어 쓴다.

① **도외시∨하였기(×) → 도외시하였기(○)**: 이때 '도외시하다'는 '상관하지 않거나 무시하다'를 뜻하는 한 단어이므로 붙여 써야 한다.

② **대리전으로∨밖에는(×) → 대리전으로밖에는(○)**: 이때 '밖에'는 '그것 말고는', '그것 이외에는'의 뜻을 나타내는 조사이므로 앞말과 붙여 써야 한다.

④ **회복될∨지(×) → 회복될지(○)**: 이때 '지'는 추측에 대한 막연한 의문을 나타내는 어미 '-ㄹ지'의 일부이므로 앞말과 붙여 써야 한다.

74
[2015년 서울시 9급]

다음 중 띄어쓰기가 옳은 것은?

① 차라리 얼어서 죽을망정 겻불은 아니 쬐겠다.
② 마음에 걱정이 있을 지라도 내색하지 마라.
③ 그녀는 얼굴이 예쁜대신 마음씨는 고약하다.
④ 그 사람이 친구들 말을 들을 지 모르겠다.

75
[2015년 서울시 7급]

다음 중 띄어쓰기가 옳은 것은?

① 먹을 만큼 덜어서 집에 갈거야.
② 이게 얼마만인가?
③ 저 도서관만큼 크게 지으시오.
④ 제 27대 국회의원

76
[2015년 국가직 7급]

밑줄 친 부분 중 띄어쓰기에 맞지 않는 것은?

① 난점은 앞서 말한 바와 같다.
그는 나와 동창인바 그를 잘 알고 있다.
② 사람은 항상 배운 대로 행동하기 마련이다.
사회의 규범대로 움직여야 타인의 지탄을 받지 않는다.
③ 어른들이 다 떠나시니 나도 떠날 밖에.
그밖에 더 논의할 사항은 두 가지 관점으로 요약될 수 있다.
④ 업무에 최선을 다할 뿐만 아니라 화합에도 각별히 신경을 쓴다.
젊은이들뿐만 아니라 기성세대와도 소통할 수 있어야 한다.

74

난이도 ★☆☆

해설 **① 죽을망정(○): 이때 '-을망정'은 앞 절의 사실을 인정하고 뒤 절에 그와 대립되는 다른 사실을 이어 말할 때에 쓰는 연결 어미이므로 용언의 어간 '죽-'에 붙여 쓴다.**

오답분석 ② **있을∨지라도(×) → 있을지라도(○)**: 이때 '지'는 앞 절의 사실을 인정하면서 그에 구애받지 않는 사실을 이어 말할 때에 쓰는 연결 어미 '-을지라도'의 일부이므로 붙여 쓴다.

③ **예쁜대신(×) → 예쁜∨대신(○)**: 이때 '대신'은 앞말이 나타내는 행동이나 상태와 다르거나 그와 반대임을 나타내는 명사이므로 용언의 관형사형 '예쁜'과 띄어 쓴다.

④ **들을∨지(×) → 들을지(○)**: 이때 '지'는 추측에 대한 막연한 의문이 있는 채로 그것을 뒤 절의 사실이나 판단과 관련시키는 데 쓰는 연결 어미 '-을지'의 일부이므로 붙여 쓴다.

75

난이도 ★★☆

해설 **③ 도서관만큼(○): 이때 '만큼'은 앞말과 비슷한 정도임을 나타내는 조사이므로 체언인 '도서관'에 붙여 쓴다.**

오답분석 ① **갈거야(×) → 갈∨거야(○)**: '거'는 '것'을 구어적으로 이르는 의존 명사이므로 용언의 관형사형인 '갈'과 띄어 쓴다.

② **얼마만인가(×) → 얼마∨만인가(○)**: '만'은 앞말이 가리키는 동안을 나타내는 의존 명사이므로 앞말과 띄어 쓴다.

④ **제∨27대(×) → 제27대(○)**: '제-'는 '그 숫자에 해당되는 차례'의 뜻을 더하는 접두사이므로 뒷말과 붙여 써야 한다. 또한 '대'는 가계나 지위를 이어받은 순서를 나타내는 말로, 단위를 나타내는 명사는 앞말과 띄어 쓰는 것이 원칙이지만 순서를 나타내는 경우에는 붙여 쓸 수 있다.

76

난이도 ★★☆

해설 **③ 밑줄 친 부분의 띄어쓰기가 잘못된 것은 ③이다.**

- **떠날∨밖에(×) → 떠날밖에(○)**: 이때 '밖에'는 '다른 수가 없다'를 뜻하는 어미 '-ㄹ밖에'의 일부이므로 앞말에 붙여 써야 한다.
- **그밖에(×) → 그∨밖에(○)**: 이때 '밖에'는 '일정한 한도나 범위에 들지 않는 나머지 다른 부분이나 일'을 뜻하는 명사 '밖'에 부사격 조사 '에'가 결합한 것이므로 앞말과 띄어 써야 한다.

오답분석 ① • **말한∨바(○)**: 이때 '바'는 앞에서 말한 내용 그 자체나 일 등을 나타내는 의존 명사이므로 앞말과 띄어 쓴다.
- **동창인바(○)**: 이때 '바'는 뒤 절에서 어떤 사실을 말하기 위하여 그 사실이 있게 된 것과 관련된 상황을 제시하는 데 쓰는 연결 어미인 '-ㄴ바'의 일부이므로 앞말에 붙여 쓴다.

② • **배운∨대로(○)**: 이때 '대로'는 '어떤 모양이나 상태와 같이'를 뜻하는 의존 명사이므로 앞말과 띄어 쓴다.
- **규범대로(○)**: 이때 '대로'는 앞에 오는 말에 근거하거나 달라짐이 없음을 나타내는 보조사이므로 앞말에 붙여 쓴다.

④ • **다할∨뿐만∨아니라(○)**: 이때 '뿐'은 다만 어떠하거나 어찌할 따름이라는 뜻을 나타내는 의존 명사이므로 앞말과 띄어 쓴다.
- **젊은이들뿐만∨아니라(○)**: 이때 '뿐'은 '그것만이고 더는 없음'을 나타내는 보조사이므로 앞말에 붙여 쓴다.

이것도 알면 **합격**

'대로'의 띄어쓰기를 알아두자.

의존 명사 '대로'	용언의 관형사형 뒤에서, '그와 같이', '어떤 상태나 행동이 나타나는 그 즉시' 또는 '어떤 상태나 행동이 나타나는 족족' 등을 뜻할 때는 의존 명사이므로 앞말과 띄어 씀 예 • 본 대로, 느낀 대로 • 집에 도착하는 대로 편지를 쓰다. • 기회 있는 대로 정리하는 메모
조사 '대로'	체언 뒤에 붙어 '앞에 오는 말에 근거하거나 달라짐이 없음' 또는 '따로따로 구별됨'을 뜻할 때는 조사이므로 앞말과 붙여 씀 예 • 처벌하려면 법대로 해라. • 큰 것은 큰 것대로 따로 모아 두다.

Chapter

03 표준어 사정 원칙

기본서 1권 239p

01

[2021년 국회직 8급]

〈보기〉에서 맞춤법에 맞는 문장은 모두 몇 개인가?

〈보기〉

ㄱ. 앞집 사는 노부부는 여전히 금실이 좋다.
ㄴ. 빈칸을 다 메워서 제출하세요.
ㄷ. 언덕바지에서 뛰놀던 꿈을 꾸었다.
ㄹ. 동생은 부모님의 주의에도 불구하고 여전히 짖궂은 장난을 친다.
ㅁ. 실내에서는 흡연을 삼가하시기 바랍니다.

① 1개
② 2개
③ 3개
④ 4개
⑤ 5개

02

[2020년 서울시 9급]

〈보기〉에 공통적으로 적용되는 표준어 규정으로 가장 옳은 것은?

〈보기〉

강낭콩, 고삿, 사글세

① 어원에서 멀어진 형태로 굳어져서 널리 쓰이는 것은, 그것을 표준어로 삼는다.
② 어원적으로 원형에 더 가까운 형태가 아직 쓰이고 있는 경우에는, 그것을 표준어로 삼는다.
③ 모음의 발음 변화를 인정하여, 발음이 바뀌어 굳어진 형태를 표준어로 삼는다.
④ 비슷한 발음의 몇 형태가 쓰일 경우, 그 의미에 아무런 차이가 없고, 그중 하나가 더 널리 쓰이면, 그 한 형태만을 표준어로 삼는다.

03

[2020년 국회직 8급]

〈보기〉의 〈표준어 규정〉에 해당하는 사례로만 묶인 것은?

〈보기〉

제21항: 고유어 계열의 단어가 널리 쓰이고 그에 대응되는 한자어 계열의 단어가 용도를 잃게 된 것은, 고유어 계열의 단어만을 표준어로 삼는다.

① 푼돈, 밥소라, 사래밭
② 벽지다, 움파, 흰말
③ 박달나무, 성냥, 두껍창
④ 목발, 솟을무늬, 구들장
⑤ 잎초, 가루약, 메찰떡

04

[2019년 경찰직 2차]

다음 밑줄 친 어휘가 표준어가 아닌 것은?

① 내 친구는 맨날 컴퓨터 게임만 해서 걱정이야.
② 운동을 많이 했더니 장단지가 뭉쳐서 아프네.
③ 철수는 짜장면을 즐겨 먹어.
④ 영수가 칠판에 글을 개발새발 그려놓았어.

05

[2019년 기상직 9급]

맞춤법에 맞는 어휘로 짝지어진 것은?

① 넝쿨, 넷째, 녹슨, 녹이다, 꼰지르다
② 눈썹, 눌어붙다, 늘그막, 널리리, 물크러지다
③ 나지막하다, 난쟁이, 냄비, 너희들, 콧망울
④ 담배꽁초, 더욱이, 덮이다, 도저히, 짭잘하다

챕터별 출제 경향

(2015-2021 국가직 / 지방직 / 서울시 7·9급)

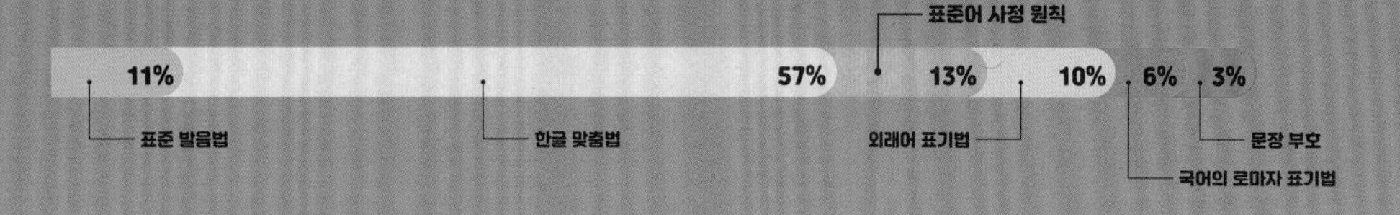

01

난이도 ★★☆

해설 ③ 〈보기〉에서 맞춤법에 맞는 문장은 ㄱ, ㄴ, ㄷ이므로 답은 ③이다.

- **ㄱ. 앞집, 금실(○)**: '앞쪽으로 이웃하여 있는 집'을 뜻하는 '앞집'은 한 단어이므로 붙여 쓰며, '부부간의 사랑'을 뜻하는 단어는 '금실'이므로 맞춤법이 적절하다. 참고로, '금슬(琴瑟)'은 '금실'의 원말로, 서로 바꾸어 쓸 수 있는 표준어이다. 이때 '금실/금슬'을 '금술'로 잘못 쓰지 않도록 주의해야 한다.
- **ㄴ. 메워서(○)**: '뚫려 있거나 비어 있는 곳을 막거나 채우다'를 뜻하는 단어는 '메우다/메꾸다'이다.
- **ㄷ. 언덕바지(○)**: '언덕의 꼭대기. 또는 언덕의 몹시 비탈진 곳'을 뜻하는 단어는 '언덕바지/언덕배기'이다. 이때 '언덕빼기'로 잘못 쓰지 않도록 주의해야 한다.

오답분석

- **ㄹ. 짖궂은(×) → 짓궂은(○)**: '장난스럽게 남을 괴롭고 귀찮게 하여 달갑지 않다'를 뜻하는 말은 '짓궂다'이다.
- **ㅁ. 삼가하시기(×) → 삼가시기(○)**: '꺼리는 마음으로 양(量)이나 횟수가 지나치지 않도록 하다'를 뜻하는 말은 '삼가다'이다. 이때 '삼가하다'는 '삼가다'의 잘못된 표기이므로 '삼가다'로 잘못 쓰지 않도록 주의해야 한다.

02

난이도 ★☆☆

해설 ① **'강낭콩, 고삿, 사글세'는 모두 언중의 어원 의식이 약해져서 어원으로부터 멀어진 형태로 널리 쓰이기에 표준어로 삼은 말이다. 따라서 〈보기〉의 단어들에 공통적으로 적용되는 표준어 규정에 대한 설명은 ①이다.**

- **강낭콩**: 중국의 '강남(江南)' 지방에서 들여온 콩이라 붙여진 이름인데, '강남'의 형태가 '강낭'으로 변함
- **고삿**: '지붕을 일 때에 쓰는 새끼'를 뜻하는 말의 어원은 '고샅'이나 어원에 대한 의식이 희박해져 조사가 붙은 형태가 [고사시/고사슬] 등으로 발음되고 있으므로 '고삿'으로 정해짐
- **사글세**: '월세(月貰)'와 뜻이 같은 말로서 '삭월세'와 '사글세'가 모두 쓰였으나 '삭월세'를 한자어 '朔月貰'로 나타내는 것은 '사글세'의 음을 단순히 한자로 흉내 낸 것이므로 '사글세'만을 표준으로 삼음

오답분석

② '갈비(가리×)', '굴젓(구젓×)' 등이 이에 해당한다.

③ '상추(상치×)', '나무라다(나무래다×)' 등이 이에 해당한다.

④ '본새(뽄새×)', '봉숭아(봉숭화×)'가 이에 해당한다.

03

난이도 ★★★

해설 ① **'푼돈, 밥소라, 사래밭'은 모두 〈보기〉의 규정에 해당하는 표준어이다.**

- 푼돈(○) - 분전(分錢)/푼전(푼錢)(×)
- 밥소라(○) - 식소라(食소라)(×)
- 사래밭(○) - 사래전(사래田)(×)

오답분석

② 벽지다(僻지다)(×) → 외지다(○)

③ 두껍창(두껍窓)(×) → 두껍닫이(○)

④ **목발(木발)(×) → 지겟다리(○)**: 이때 '목발'은 '지게 몸체의 맨 아랫부분에 있는 양쪽 다리'를 뜻하는 말이다.

⑤ 잎초(잎草)(×) → 잎담배(○)

04

난이도 ★☆☆

해설 ② **장단지(×) → 장딴지(○): '종아리의 살이 불룩한 부분'을 뜻하는 단어는 '장딴지'이다.**

오답분석

① **맨날(○)**: '맨날'은 '매일같이 계속하여서'를 뜻하는 표준어이다. 참고로 '맨날'은 2011년에 기존 표준어 '만날'에 추가로 인정된 복수 표준어이다.

③ **짜장면(○)**: '짜장면'은 고기와 채소를 넣어 볶은 중국 된장에 국수를 비벼 먹는 중국요리의 하나이다. 참고로 '짜장면'은 2011년에 기존 표준어 '자장면'에 추가로 인정된 복수 표준어이다.

④ **개발새발(○)**: '개발새발'은 '개의 발과 새의 발'이라는 뜻으로, 글씨를 되는대로 아무렇게나 써 놓은 모양을 이르는 말'을 뜻하는 표준어이다. 참고로 '개발새발'은 2011년에 기존 표준어 '괴발개발'과 별도의 표준어로 인정되었다.

05

난이도 ★★★

해설 ② **맞춤법에 맞는 어휘로 짝지어진 것은 ②이다.**

오답분석

① **꼰지르다(×) → 고자질하다(○)**: '꼰지르다'는 '남의 잘못이나 비밀을 일러바치다'를 뜻하는 표준어 '고자질하다'의 잘못된 표현이다.

③ **콧망울(×) → 콧방울(○)**: '콧망울'은 '코끝 양쪽으로 둥글게 방울처럼 내민 부분'을 뜻하는 표준어 '콧방울'의 잘못된 표현이다.

④ **짭잘하다(×) → 짭짤하다(○)**: '짭잘하다'는 '감칠맛이 있게 조금 짜다'를 뜻하는 표준어 '짭짤하다'의 잘못된 표현이다.

06
[2019년 서울시 9급 (2월)]

〈보기〉는 복수 표준어에 대한 설명이다. 이에 따른 표기로 가장 옳지 않은 것은?

〈보기〉

한 가지 의미를 나타내는 형태 몇 가지가 널리 쓰이며 표준어 규정에 맞으면, 그 모두를 표준어로 삼는다.

① 가는허리 / 잔허리
② 고깃간 / 정육간
③ 관계없다 / 상관없다
④ 기세부리다 / 기세피우다

07
[2019년 서울시 7급 (10월)]

밑줄 친 부분이 표준어가 아닌 것은?

① 휴지를 함부로 버리지 말아라.
② 그는 여직껏 그 일을 모르는 척했다.
③ 두리뭉실하게 말 돌리지 말고 사실대로 얘기해 봐.
④ 살짝 주책스러운 면이 있지만 인품은 훌륭한 사람이다.

08
[2018년 서울시 9급 (6월)]

표준어끼리 묶인 것으로 가장 옳지 않은 것은?

① 등물, 남사스럽다, 쌉싸름하다, 복숭아뼈
② 까탈스럽다, 걸판지다, 주책이다, 겉울음
③ 찰지다, 잎새, 꼬리연, 푸르르다
④ 개발새발, 이쁘다, 덩쿨, 마실

09
[2018년 서울시 7급 (6월)]

밑줄 친 단어 중 표준어가 아닌 것은?

① 잘못한 사람이 되려 큰소리를 친다.
② 너는 시험이 코앞인데 맨날 놀기만 하니?
③ 어제 일을 벌써 깡그리 잊어버렸다.
④ 영화를 보면서 눈물을 억수로 흘렸다.

10
[2017년 지방직 9급 (6월)]

밑줄 친 말이 표준어인 것은?

① 큰 죄를 짓고도 그는 뉘연히 대중 앞에 나섰다.
② 아주머니는 부엌에서 갖가지 양념을 뒤어내고 있었다.
③ 사업에 실패했던 원인을 이제야 깨단하게 되었다.
④ 그 사람은 허구헌 날 팔자 한탄만 한다.

11
[2017년 지방직 7급]

밑줄 친 어휘의 표기가 옳은 것은?

① 달걀 파동으로 먹거리에 대한 관심이 높아졌다.
② 식당에서 깍두기를 더 주문했다.
③ 손님은 종업원에게 당장 주인을 불러오라고 닥달하였다.
④ 작은 문 옆에 차가 드나들 수 있을 만큼 넓다란 길이 났다.

06

난이도 ★★☆

해설 **② '고깃간'은 표준어이지만 '정육간'은 비표준어이므로 가장 옳지 않은 것은 ②이다. 참고로 '고깃간'과 동일한 의미의 복수 표준어는 '푸줏간'이며 이를 '고깃관', '푸줏관'으로 잘못 표기하지 않도록 주의해야 한다.**

- **고깃간/푸줏간**: 예전에, 쇠고기나 돼지고기 등의 고기를 끊어 팔던 가게

오답 분석 ①③④ 모두 동일한 의미의 복수 표준어이다.

① **가는허리/잔허리**: 잘록 들어간, 허리의 뒷부분

③ **관계없다/상관없다**: 1. 서로 아무런 관련이 없다. 2. 문제 될 것이 없다.

④ **기세부리다/기세피우다**: 남에게 영향을 끼칠 기운이나 태도를 드러내 보이다.

07

난이도 ★★☆

해설 **② 여직껏(×) → 여태껏(○): '여태'를 강조하여 이르는 말을 뜻하는 표준어는 '여태껏'이며, '여직껏'은 '여태껏'의 잘못된 표기이다. 참고로 '여태껏'과 동일한 의미의 복수 표준어는 '입때껏'이다.**

오답 분석 ① **말아라(○)**: '말아라'는 '어떤 일이나 행동을 하지 않거나 그만두다'를 뜻하는 '말다'의 어간 '말-'에 명령형 어미 '-아라'가 결합한 것이다. 참고로 '말다'의 어간 '말-'에 어미 '-아', '-아라', '-아요' 등이 결합할 때는 어간 끝의 'ㄹ'이 탈락하는 것이 원칙이나 2015년 표준국어대사전 정보 수정 내용에 따라 '말다'의 경우, 어간 끝의 'ㄹ'이 탈락하지 않은 형태인 '말아/말아라/말아요'도 복수 표준형으로 인정되었다.

③ **두리뭉실하게(○)**: '두리뭉실하다'는 '말이나 태도 등이 확실하거나 분명하지 않다'를 뜻하는 표준어이다. 참고로 '두리뭉실하다'는 2011년 기존 표준어 '두루뭉술하다'에 추가로 인정된 별도 표준어이다.

④ **주책스러운(○)**: '주책스럽다'는 '일정한 줏대가 없이 이랬다 저랬다하여 몹시 실없는 데가 있다'를 뜻하는 표준어로, 2017년 표준국어대사전 정보 수정 내용에 따라 '주책맞다'와 함께 표준어로 인정되었다.

08

난이도 ★★☆

해설 **④ '개발새발, 이쁘다, 마실'은 표준어이나 '덩쿨'은 비표준어이므로 답은 ④이다.**

- **덩쿨(×) → 넝쿨/덩굴(○)**: 길게 뻗어 나가면서 다른 물건을 감기도 하고 땅바닥에 퍼지기도 하는 식물의 줄기

이것도 알면 **합격**

'괴발개발'과 '개발새발'의 뜻을 알아두자.

'개발새발'은 2011년 기존 표준어 '괴발개발'과 별도의 표준어로 인정된 것이다. 이때 '괴발개발'은 '고양이(괴)의 발과 개의 발'이라는 뜻으로, 글씨를 되는대로 아무렇게나 써 놓은 모양을 이르는 말이며, '개발새발'(개의 발과 새의 발)도 유사한 의미로 쓰인다.

09

난이도 ★★★

해설 **① 되려(×) → 도리어(○): '되려'는 '예상이나 기대 또는 일반적인 생각과는 반대되거나 다르게'를 뜻하는 '도리어'의 방언이므로 표준어가 아니다. 참고로, '도리어'의 준말인 '되레'는 표준어이다.**

오답 분석 ②③④ '맨날, 깡그리, 억수'는 모두 표준어이다.

② **맨날**: 매일같이 계속하여서

③ **깡그리**: 하나도 남김없이

④ **억수**: 끊임없이 흘러내리는 눈물, 코피 등을 비유적으로 이르는 말

10

난이도 ★★☆

해설 **③ 깨단하게(○): '깨단하다'는 '오랫동안 생각해 내지 못하던 일을 어떠한 실마리로 말미암아 깨닫거나 분명히 알다'를 뜻하는 표준어이다.**

오답 분석 ① **뉘연히(×) → 버젓이(○)**: '뉘연히'는 표준어 '버젓이'의 잘못된 표현이다. '버젓이'는 '남을 의식하여 조심하거나 굽히는 데가 없이' 또는 '남에게 뒤처지지 않을 만큼 번듯하게'를 뜻한다.

② **뒤어내고(×) → 뒤져내고(○)**: '뒤어내다'는 표준어 '뒤져내다'의 잘못된 표현이다. '뒤져내다'는 '샅샅이 뒤져서 들춰내거나 찾아내다'를 뜻한다.

④ **허구헌(×) → 허구한(○)**: '허구허다'는 표준어 '허구하다'의 잘못된 표현이다. '허구하다'는 주로 '허구한' 꼴로 쓰여, '날, 세월 등이 매우 오래다'를 뜻한다.

11

난이도 ★★☆

해설 **① 먹거리(○): '사람이 살아가기 위하여 먹는 온갖 것'을 뜻하는 말로, 옳은 표기이다. 2011년에 표준어로 인정되었고 이와 유사한 별도 표준어로는 '먹을거리(먹을 수 있거나 먹을 만한 음식 또는 식품)'가 있다.**

오답 분석 ② **깍두기(×) → 깍두기(○)**: '깍두기'는 용언의 어간 '깍-'과는 관련이 없는 단어로, '깍두기'는 '깍두기'의 잘못된 표기이다.

③ **닥달(×) → 닦달(○)**: '남을 단단히 윽박질러서 혼을 냄'을 뜻하는 단어는 '닦달'이다. '닥달'은 '닦달'의 잘못된 표기이다.

④ **넓다란(×) → 널따란(○)**: 용언의 어간 뒤에 자음으로 시작된 접미사가 붙는 경우 그 원형을 밝혀 적는 것이 원칙이지만, 겹받침의 끝소리가 드러나지 않는 것은 소리 나는 대로 적는다. '널따랗다'의 어간 '넓-'은 겹받침의 끝소리 'ㅂ'이 드러나지 않으므로, 소리 나는 대로 적는다.

12
[2015년 서울시 9급]

다음 중 표준어로만 짝지어진 것은?

① 넝쿨 - 눈두덩이 - 놀이감
② 윗어른 - 호루라기 - 딴지
③ 계면쩍다 - 지리하다 - 삐지다
④ 주책 - 두루뭉술하다 - 허드레

13
[2016년 국가직 9급]

밑줄 친 어휘 중 표준어가 아닌 것은?

① 그는 얼금얼금한 얼굴에 콧망울을 벌름거리면서 웃음을 터뜨렸다.
② 그 사람 눈초리가 아래로 축 처진 것이 순하게 생겼어.
③ 무슨 일인지 귓밥이 훅 달아오르면서 목덜미가 저린다.
④ 등산을 하고 났더니 장딴지가 땅긴다.

14
[2016년 서울시 9급]

다음 중 표준어로만 묶인 것은?

① 끄나풀 - 새벽녘 - 삵쾡이 - 떨어먹다
② 뜨게질 - 세째 - 수평아리 - 애닯다
③ 치켜세우다 - 사글세 - 설거지 - 수캉아지
④ 보조개 - 숫양 - 광우리 - 강남콩

15
[2016년 서울시 7급]

다음 중 비표준어가 포함된 것은?

① 마을 - 마실
② 예쁘다 - 이쁘다
③ 새초롬하다 - 새치름하다
④ 부스스하다 - 부시시하다

16
[2015년 지방직 7급]

동일한 의미의 복수 표준어가 아닌 것은?

① 짜장면 / 자장면
② 간지럽히다 / 간질이다
③ 복숭아뼈 / 복사뼈
④ 손주 / 손자

12

난이도 ★☆☆

해설 **④ '주책, 두루뭉술하다, 허드레'는 모두 표준어이므로 답은 ④이다.**

오답분석
① • 넝쿨(×) → 덩굴/넝쿨(○)
• 놀이감(×) → 놀잇감(○)

② **웃어른(×) → 웃어른(○)**: '어른'은 위아래의 대립이 있는 단어가 아니므로 접두사 '웃-'이 결합한 형태를 표준어로 삼는다.

③ 지리하다(×) → 지루하다(○)

13

난이도 ★★★

해설 **① 콧망울(×) → 콧방울(○): '콧망울'은 표준어가 아니며, '코끝 양쪽으로 둥글게 방울처럼 내민 부분'을 뜻하는 표준어는 '콧방울'이다. 따라서 답은 ①이다.**

오답분석
②③④ '눈초리, 귓밥, 장딴지'는 모두 표준어이다.

② **눈초리**: 1. 눈꼬리 2. 어떤 대상을 바라볼 때 눈에 나타나는 표정

③ **귓밥**: 귓불(귓바퀴의 아래쪽에 붙어 있는 살)

④ **장딴지**: 종아리의 살이 불룩한 부분. 참고로, '어복(魚腹)'도 '장딴지'와 동일한 뜻으로 쓰이는 말이다.

14

난이도 ★★☆

해설 **③ '치켜세우다, 사글세, 설거지, 수캉아지'는 모두 표준어이다.**

오답분석
① '끄나풀, 새벽녘'은 표준어이지만 '삵괭이, 떨어먹다'는 비표준어이다.
• 삵괭이(×) → 살쾡이(○)
• 떨어먹다(×) → 털어먹다(○)

② '뜨게질', '수평아리'는 표준어이지만 '세째, 애닯다'는 비표준어이다.
• 세째(×) → 셋째(○)
• 애닯다(×) → 애달프다(○)

④ '보조개', '숫양'은 표준어이지만 '광우리, 강남콩'은 비표준어이다.
• 광우리(×) → 광주리(○)
• 강남콩(×) → 강낭콩(○)

15

난이도 ★☆☆

해설 **④ '머리카락이나 털 등이 몹시 어지럽게 일어나거나 흐트러져 있다'를 뜻하는 '부스스하다'는 표준어이지만 '부시시하다'는 비표준어이다. 따라서 답은 ④이다.**

오답분석
① '마슬/마실'은 복수 표준어로 '이웃에 놀러 다니는 일'을 뜻한다.

② '예쁘다/이쁘다'는 복수 표준어이다.

③ '새초롬하다', '새치름하다'는 모두 표준어인데, 두 단어는 모음의 차이로 인한 어감 및 뜻 차이가 있는 별도 표준어이다.
• **새초롬하다**: 조금 쌀쌀맞게 시치미를 떼는 태도가 있다.
• **새치름하다**: 쌀쌀맞게 떼는 태도가 있다.

16

난이도 ★★☆

해설 **④ '손주'와 '손자'는 뜻이 다르므로, 복수 표준어가 아니다. '손주'는 '손자와 손녀'를 아울러 이르는 말이고, '손자'는 '아들의 아들. 또는 딸의 아들'을 이르는 말이다.**

오답분석
①②③ 모두 동일한 의미의 복수 표준어이다.

① **짜장면/자장면**: 중국요리의 하나

② **간지럽히다/간질이다**: 살갗을 문지르거나 건드려 간지럽게 하다.

③ **복숭아뼈/복사뼈**: 발목 부근에 안팎으로 둥글게 나온 뼈

01

[2021년 국회직 8급]

외래어 표기가 모두 맞는 것은?

① 바통, 기브스, 디렉터리
② 도너츠, 래디오, 리포트
③ 리모콘, 렌트카, 메세지
④ 배터리, 바베큐, 심포지엄
⑤ 앙코르, 부티크, 앙케트

02

[2020년 서울시 9급]

〈보기〉 중 「외래어 표기법」에 맞지 않는 단어의 개수는?

〈보기〉

로봇(robot), 배지(badge), 타깃(target), 텔레비전(television), 플룻(flute)

① 1개 ② 2개
③ 3개 ④ 4개

03

[2020년 지방직 7급]

밑줄 친 외래어 표기가 옳은 것은?

① 그 주제로 심포지엄을 열었다.
② 위험물 주위에 바리케이트를 쳤다.
③ 이 광고에 대한 컨셉트를 논의했다.
④ 인터넷을 통해 많은 컨텐츠가 제공되었다.

04

[2020년 국회직 8급]

〈보기〉에서 외래어 표기가 옳은 것은 모두 몇 개인가?

〈보기〉

ㄱ. 앰풀(ampoule)
ㄴ. 리조토(risotto)
ㄷ. 마오쩌둥(Mao Zedong)
ㄹ. 포퓔리슴(populisme)
ㅁ. 캐시밀론(Cashmilon)

① 1개 ② 2개
③ 3개 ④ 4개
⑤ 5개

05

[2019년 서울시 9급 (6월)]

외래어 표기 용례로 올바른 것은?

① dot - 다트
② parka - 파카
③ flat - 플래트
④ chorus - 코루스

06

[2019년 경찰직 2차]

다음 밑줄 친 외래어의 표기가 올바르게 된 것은?

① 철수는 리더쉽이 뛰어난 학생이다.
② 철수는 거의 매달 비즈니스 문제로 중국에 간다.
③ 영희는 다음 주에 있을 프리젠테이션 준비에 열심이다.
④ 민수는 생일인 영수를 위해 케잌을 준비했다.

챕터별 출제 경향
(2015-2021 국가직 / 지방직 / 서울시 7·9급)

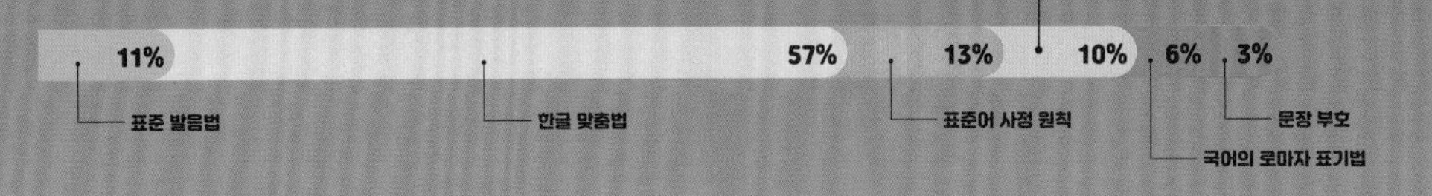

01
난이도 ★★☆

해설 ⑤ 외래어 표기가 모두 맞는 것은 ⑤ '앙코르, 부티크, 앙케트'이다.

오답분석
① 기브스(×) → 깁스(○)
② 도너츠(×) → 도넛(○), 래디오(×) → 라디오(○)
③ 리모콘(×) → 리모컨(○), 렌트카(×) → 렌터카(○), 메세지(×) → 메시지(○)
④ 바베큐(×) → 바비큐(○)

02
난이도 ★★☆

해설 ① 「외래어 표기법」에 맞지 않는 단어는 '플룻(flute)'뿐이다.
- flute 플룻(×) → 플루트(○): 'flute'는 [fluːt]로 소리 나고, 이때 어말의 [t]는 '으'를 붙여 '트'로 적어야 한다. 따라서 '플루트'로 표기해야 한다.

오답분석
- robot 로봇(○), target 타깃(○): 짧은 모음 다음의 어말 무성 파열음 [t]는 받침으로 적으므로 각각 '로봇', '타깃'으로 표기한다.
- badge 배지(○): 'badge'는 [bædʒ]로 소리 나는데 이때 [dʒ]는 '지'로 적는다. 따라서 '배지'로 표기한다.
- television 텔레비전(○)

03
난이도 ★★☆

해설 ① 'symposium'은 [sɪmpoʊziəm]으로 소리 나므로 '심포지엄'으로 표기한다. '심포지움' 또는 '씸포지엄'과 같이 표기하지 않도록 주의해야 한다.

오답분석
② 바리케이트(×) → 바리케이드(○)
③ 컨셉트(×) → 콘셉트(○)
④ 컨텐츠(×) → 콘텐츠(○)

04
난이도 ★☆☆

해설 ④ 외래어 표기가 옳은 것은 ㄱ. '앰풀(ampoule)', ㄷ. '마오쩌둥(Mao Zedong)', ㄹ. '포퓰리슴(populisme)', ㅁ. '캐시밀론(Cashmilon)'으로 4개이다.

오답분석
- ㄴ. 리조토(risotto)(×) → 리소토(○)

05
난이도 ★★☆

해설 ② 외래어 표기 용례로 올바른 것은 ② '파카'이다.

오답분석
① dot 다트(×) → 도트(○)
③ flat 플래트(×) → 플랫(○)
④ chorus 코루스(×) → 코러스(○)

06
난이도 ★★☆

해설 ② 'business'는 [ˈbɪznəs]로 소리 나므로 '비즈니스'로 표기한다. '비지니스'로 표기하지 않도록 주의해야 한다.

오답분석
① 리더쉽(×) → 리더십(○)
③ 프리젠테이션(×) → 프레젠테이션(○)
④ 케잌(×) → 케이크(○)

07

[2019년 서울시 7급 (10월)]

외래어 표기가 모두 옳은 것은?

① 옐로카드(yellow card), 스태프(staff), 케이크(cake)
② 가디건(cardigan), 뷔페(buffet), 캐러멜(caramel)
③ 냅킨(napkin), 점퍼(jumper), 초콜렛(chocolate)
④ 팡파레(fanfare), 크로켓(croquette), 마사지(massage)

08

[2017년 지방직 9급 (12월)]

외래어 표기가 옳은 것만을 모두 고른 것은?

ㄱ. yellow: 옐로 ㄴ. cardigan: 카디건
ㄷ. lobster: 롭스터 ㄹ. vision: 비전
ㅁ. container: 콘테이너

① ㄱ, ㅁ ② ㄷ, ㄹ
③ ㄱ, ㄴ, ㄹ ④ ㄴ, ㄷ, ㅁ

09

[2017년 국가직 7급 (10월)]

외래어 표기가 옳은 것만을 모두 고른 것은?

ㄱ. 커미션(commission) ㄴ. 콘서트(concert)
ㄷ. 컨셉트(concept) ㄹ. 에어컨(← air conditioner)
ㅁ. 리모콘(← remote control)

① ㄱ, ㄴ ② ㄱ, ㄴ, ㄹ
③ ㄴ, ㄷ, ㄹ ④ ㄴ, ㄷ, ㅁ

10

[2017년 교육행정직 9급]

외래어 표기가 맞는 것을 〈보기〉에서 있는 대로 고른 것은?

〈보기〉

ㄱ. 카톨릭(Catholic) ㄴ. 시뮬레이션(simulation)
ㄷ. 숏커트(short cut) ㄹ. 카레(curry)
ㅁ. 챔피온(champion) ㅂ. 캐리커쳐(caricature)

① ㄱ, ㅁ ② ㄴ, ㄹ
③ ㄱ, ㄹ, ㅂ ④ ㄴ, ㄷ, ㅁ

11

[2016년 국가직 9급]

외래어 표기가 옳지 않은 것은?

① flash - 플래시
② shrimp - 쉬림프
③ presentation - 프레젠테이션
④ Newton - 뉴턴

12

[2016년 지방직 7급]

외래어 표기 규정에 모두 맞는 것은?

① 브러쉬, 케익 ② 카페트, 파리
③ 초콜릿, 셰퍼드 ④ 슈퍼마켇, 서비스

07

난이도 ★★☆

해설 ① 외래어 표기가 모두 옳은 것은 '옐로카드(yellow card)', '스태프(staff)', '케이크(cake)'이므로 답은 ①이다.

오답분석
② cardigan 가디건(×) → 카디건(○)
③ chocolate 초콜렛(×) → 초콜릿(○)
④ fanfare 팡파레(×) → 팡파르(○)

08

난이도 ★★☆

해설 ③ 외래어 표기가 옳은 것은 ㄱ. '옐로', ㄴ. '카디건', ㄹ. '비전'이므로 답은 ③이다.

오답분석
- ㄷ. lobster 롭스터(×) → 랍스터/로브스터(○)
- ㅁ. container 콘테이너(×) → 컨테이너(○)

09

난이도 ★☆☆

해설 ② '커미션, 콘서트, 에어컨'은 모두 옳은 표기이다.

오답분석
- ㄷ. 컨셉트(×) → 콘셉트(○)
- ㅁ. 리모콘(×) → 리모컨(○)

10

난이도 ★☆☆

해설 ② '시뮬레이션, 카레'는 모두 맞는 표기이다.

오답분석
- ㄱ. 카톨릭(×) → 가톨릭(○)
- ㄷ. 숏커트(×) → 쇼트커트(○)
- ㅁ. 챔피온(×) → 챔피언(○)
- ㅂ. 캐리커쳐(×) → 캐리커처(○)

11

난이도 ★★★

해설 ② 쉬림프(×) → 슈림프(○): 'shrimp'는 [ʃrimp]로 소리 나고, 이때 자음 앞의 [ʃ]는 '슈'로 적으므로 답은 ②이다.

오답분석
① 플래시(○): 'flash'는 [flæʃ]로 소리 나며, 이때 어말의 [ʃ]는 '시'로 적는다.

12

난이도 ★☆☆

해설 ③ '초콜릿, 셰퍼드' 모두 맞는 표기이다.

오답분석
① • 브러쉬(×) → 브러시(○)
  • 케익(×) → 케이크(○)
② 카페트(×) → 카펫(○)
④ 슈퍼마켈(×) → 슈퍼마켓(○)

Chapter

05 국어의 로마자 표기법

기본서 1권 274p

01

[2021년 국회직 8급]

〈로마자 표기법〉의 각 조항에 들어갈 예를 바르게 짝지은 것은?

> 제3장 표기상의 유의점
> 제1항 음운 변화가 일어날 때는 변화의 결과에 따라 다음 각 호와 같이 적는다.
> 1. 자음 사이에서 동화 작용이 일어나는 경우
> 예 ㉠
> 2. 'ㄴ, ㄹ'이 덧나는 경우
> 예 ㉡
> 3. 구개음화가 되는 경우
> 예 ㉢
> 4. 'ㄱ, ㄷ, ㅂ, ㅈ'이 'ㅎ'과 합하여 거센소리가 나는 경우
> 다만, 체언에서 'ㄱ, ㄷ, ㅂ' 뒤에 'ㅎ'이 따를 때에는 'ㅎ'을 밝혀 적는다.
> 예 ㉣
> [붙임] 된소리되기는 표기에 반영하지 않는다.
> 예 ㉤

① ㉠: '학여울'은 [학녀울]로 발음되므로 'Haknyeoul'로 쓴다.
② ㉡: '왕십리'는 [왕심니]로 발음되므로 'Wangsimni'로 쓴다.
③ ㉢: '해돋이'는 [해도지]로 발음되므로 'haedoji'로 쓴다.
④ ㉣: '집현전'은 [지편전]으로 발음되므로 'Jipyeonjeon'으로 쓴다.
⑤ ㉤: '팔당'은 [팔땅]으로 발음되므로 'Palddang'으로 쓴다.

02

[2019년 국회직 9급]

다음 중 국어의 로마자 표기가 옳지 않은 것은?

① 천마총: Cheonmachong
② 첨성대: Cheomseongdae
③ 분황사: Bunwhangsa
④ 안압지: Anapji
⑤ 석빙고: Seokbinggo

03

[2021년 법원직 9급]

〈보기〉를 참고하여 로마자 표기법을 적용할 때 가장 옳지 않은 것은?

〈보기〉

(1) 로마자 표기법의 주요내용
㉮ 'ㄱ, ㄷ, ㅂ'은 모음 앞에서는 'g, d, b'로, 자음 앞이나 어말에서는 'k, t, p'로 적는다.
㉯ 'ㄹ'은 모음 앞에서는 'r'로, 자음 앞이나 어말에서는 'l'로 적는다. 단, 'ㄹㄹ'은 'll'로 적는다.
예 알약[알략] allyak
㉰ 자음동화, 구개음화, 거센소리되기는 변화가 일어난 대로 표기함.
예 왕십리는 [왕심니] Wangsimni
놓다[노타] nota
– 다만, 체언에서 'ㄱ, ㄷ, ㅂ' 뒤에 'ㅎ'이 따를 때에는 'ㅎ'을 밝혀 적는다.
예 묵호 Mukho
㉱ 된소리되기는 표기에 반영하지 않는다.
㉲ 고유 명사는 첫 글자를 대문자로 적는다.

(2) 표기 일람

ㅏ	ㅓ	ㅗ	ㅜ	ㅡ	ㅣ	ㅐ	ㅔ	ㅚ	ㅟ	ㅑ	ㅕ	ㅛ	ㅠ
a	eo	o	u	eu	i	ae	e	oe	wi	ya	yeo	yo	yu

ㅒ	ㅖ	ㅘ	ㅙ	ㅝ	ㅞ	ㅢ
yae	ye	wa	wae	wo	we	ui

ㄱ	ㄲ	ㅋ	ㄷ	ㄸ	ㅌ	ㅂ	ㅃ	ㅍ	ㅈ	ㅉ	ㅊ	ㅅ	ㅆ
g, k	kk	k	d,t	tt	t	b,p	pp	p	j	jj	ch	s	ss

ㅎ	ㄴ	ㅁ	ㅇ	ㄹ
h	n	m	ng	r,l

① '해돋이'는 [해도지]로 구개음화가 되므로 그 발음대로 haedoji로 적어야 해.
② '속리산'은 [송니산]으로 발음되지만 고유명사이므로 Sokrisan으로 적어야 해.
③ '울산'은 [울싼]으로 된소리로 발음되지만 표기에는 반영하지 않고 Ulsan으로 적어야 해.
④ '집현전'은 [지편전]으로 거센소리로 발음되지만 체언이므로 'ㅂ'과 'ㅎ'을 구분하여 Jiphyeonjeon으로 적어야 해.

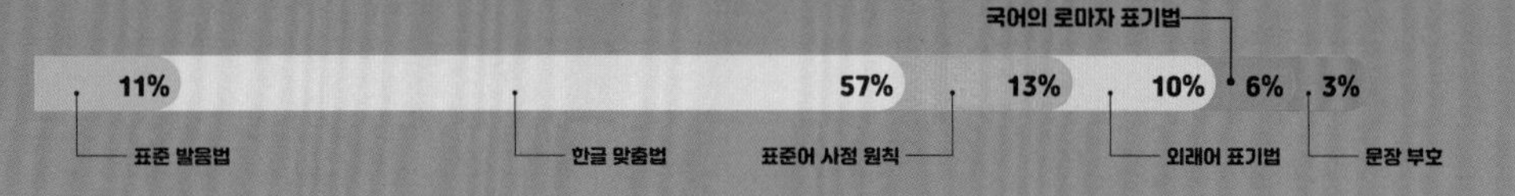

챕터별 출제 경향

(2015-2021 국가직 / 지방직 / 서울시 7·9급)

01

난이도 ★★☆

해설 ③ 〈로마자 표기법〉의 각 조항에 들어갈 예를 바르게 짝지은 것은 ③이다.

- ⓒ 해돋이[해도지] haedoji(○): '해돋이'는 '돋'의 받침 'ㄷ'이 'ㅣ'로 시작하는 형식 형태소와 만나 [ㅈ]으로 발음되는 구개음화 현상이 일어나므로 [해도지]로 발음한다. 이때 구개음화에 의한 음운 변화는 로마자 표기에 반영하므로 '해돋이'는 'haedoji'로 표기하며, 이는 ⓒ에 해당하는 예시이다.

오답 분석 ① ㉠ 학여울[학녀울] Haknyeoul(×) → ㉠ 학여울[항녀울] Hangnyeoul(○): '학여울'은 '여'에 'ㄴ'이 첨가되고, '학'의 받침 'ㄱ'이 [ㄴ]을 만나 [ㅇ]으로 발음되는 자음 동화 현상이 일어나므로 [항녀울]로 발음한다. 'ㄴ, ㄹ'이 덧나는 경우와 자음 사이에서 일어나는 동화 작용으로 인한 결과는 로마자 표기에 반영하므로 '학여울'은 'Hangnyeoul'로 표기해야 하며, 이는 ㉠과 ㉡에 해당하는 예시이다.

② ㉡ 왕십리[왕심니] Wangsimni(×) → ㉠ 왕십리[왕심니] Wangsimni(○): '왕십리'는 '십'의 받침 'ㅂ'과 '리'의 'ㄹ'이 만나 자음 동화(비음화)가 일어나므로 [왕심니]로 발음한다. 자음 사이에서 일어나는 동화 작용으로 인한 결과는 로마자 표기에 반영하므로 '왕십리'는 'Wangsimni'로 표기해야 한다. 하지만 이는 ㉡이 아니라 ㉠에 해당하는 예시이다.

④ ㉣ 집현전[지편전] Jipyeonjeon(×) → ㉣ 집현전[지편전] Jiphyeonjeon (○): '집현전'은 '집'의 받침 'ㅂ'과 '현'의 'ㅎ'이 만나 'ㅍ'으로 축약되어 [지편전]으로 발음한다. 음운의 축약은 로마자 표기에 반영하지만 체언에서 'ㄱ, ㄷ, ㅂ' 뒤에 'ㅎ'이 따를 때에는 'ㅎ'을 밝혀 적어야 하므로 '집현전'은 'Jiphyeonjeon'으로 표기해야 하며, 이는 ㉣에 해당하는 예시이다.

⑤ ㉤ 팔당[팔땅] Palddang(×) → ㉤ 팔당[팔땅] Paldang(○): '팔당'은 앞 음절 받침 'ㄹ'로 인해 뒤 음절의 'ㄷ'이 된소리로 발음되므로 [팔땅]으로 발음한다. 된소리되기는 로마자 표기에 반영하지 않으므로 '팔당'은 'Paldang'으로 표기해야 하며, 이는 ㉤에 해당하는 예시이다.

02

난이도 ★☆☆

해설 ③ 분황사[분황사] Bunwhangsa(×) → Bunhwangsa(○): 이중 모음 'ㅘ'는 'wa'로 표기해야 하므로 국어의 로마자 표기가 옳지 않은 것은 ③이다.

오답 분석 ④ ⑤ 안압지[아:납찌] Anapji(○), 석빙고[석삥고] Seokbinggo(○): 된소리되기는 변화의 결과를 로마자 표기에 반영하지 않으므로 옳은 표기이다.

03

난이도 ★☆☆

해설 ② 속리산[송니산] Sokrisan(×) → Songnisan(○): ㉮를 통해 자음 동화에 의한 변화는 로마자 표기에 반영해야 함을 알 수 있다. 따라서 '속리산'은 자음 동화(비음화)에 의해 [송니산]으로 발음되므로 'Songnisan'으로 적어야 한다.

오답 분석 ① 해돋이[해도지] haedoji(○): ㉯를 통해 구개음화에 의한 변화는 로마자 표기에 반영해야 함을 알 수 있다. 따라서 '해돋이'는 'haedoji'로 적는다.

③ 울산[울싼] Ulsan(○): ㉱를 통해 된소리되기에 의한 변화는 로마자 표기에 반영하지 않음을 알 수 있다. 따라서 '울산'은 'Ulsan'으로 적는다.

④ 집현전[지편전] Jiphyeonjeon(○): ㉰를 통해 체언에서 'ㄱ, ㄷ, ㅂ' 뒤에 'ㅎ'이 따를 때에는 'ㅎ'을 밝혀 적음을 알 수 있다. 따라서 '집현전'은 'Jiphyeonjeon'으로 적는다.

04

[2020년 군무원 9급]

국어 로마자 표기법 규정에 어긋난 것은?

① 종로 2가 Jongno 2(i)-ga

② 신라 Silla

③ 속리산 Songnisan

④ 금강 Keumgang

05

[2019년 서울시 9급 (6월)]

〈보기〉의 ㉠~㉣을 현행 로마자 표기법에 따라 표기한 것으로 가장 적절한 것은?

〈보기〉

㉠다락골	㉡국망봉
㉢낭림산	㉣한라산

① ㉠ - Dalakgol

② ㉡ - Gukmangbong

③ ㉢ - Nangrimsan

④ ㉣ - Hallasan

06

[2019년 서울시 9급 (2월)]

〈보기〉의 로마자 표기가 옳은 것을 모두 고르면?

〈보기〉

ㄱ. 오죽헌	Ojukeon
ㄴ. 김복남(인명)	Kim Bok-nam
ㄷ. 선릉	Sunneung
ㄹ. 합덕	Hapdeok

① ㄱ, ㄴ ② ㄱ, ㄷ

③ ㄴ, ㄹ ④ ㄷ, ㄹ

07

[2018년 국가직 9급]

로마자 표기법에 관한 다음 규정이 적용된 것은?

> 발음상 혼동의 우려가 있을 때에는 음절 사이에 붙임표 (-)를 쓸 수 있다.

① 독도: Dok-do

② 반구대: Ban-gudae

③ 독립문: Dok-rip-mun

④ 인왕리: Inwang-ri

04

난이도 ★★☆

해설 ④ **금강[금:강] Keumgang(×) → Geumgang(○): 'ㄱ'은 모음 앞에서 'g'로 적어야 하며 고유 명사의 첫 글자는 대문자로 적어야 한다. 따라서 국어 로마자 표기법 규정에 어긋난 것은 ④이다.**

오답분석 ① **종로 2가[종노 이가] Jongno 2(i)-ga(○)**: '종'의 받침 'ㅇ' 뒤에 연결되는 'ㄹ'이 비음 'ㅇ'의 영향으로 [ㄴ]으로 바뀌어 발음되는 자음 동화(비음화)가 일어나는데, 자음 동화는 로마자 표기에 반영하여 적으므로 'Jongno'로 표기해야 한다. 또한 숫자 '2'는 발음대로 'i'로 적으며, 도로명을 나타내는 '가'는 'ga'로 적고 그 앞에는 붙임표(-)를 넣어야 한다.

② **신라[실라] Silla(○)**: '신'의 받침 'ㄴ'에 연결되는 'ㄹ'의 영향으로 'ㄴ'이 [ㄹ]로 바뀌어 발음되는 자음 동화(유음화)가 일어나므로, 'Silla'로 표기한다.

③ **속리산[송니산] Songnisan(○)**: 자연 지물명은 붙임표(-) 없이 붙여 써야 하며, '속'의 받침 'ㄱ' 뒤에 연결되는 'ㄹ'은 [ㄴ]으로 발음한다(비음화). 이후 '속'의 받침 'ㄱ'은 이어지는 [ㄴ]의 영향으로 [ㅇ]으로 바뀌어 발음되는 자음 동화(비음화)가 일어나므로 'Songnisan'으로 표기한다.

이것도 알면 **합격**

붙임표(-)와 관련된 로마자 표기법을 알아두자.

1. 발음상 혼동의 우려가 있을 때에는 음절 사이에 붙임표(-)를 쓸 수 있다.
   예 중앙 Jung-ang
2. 인명은 성과 이름의 순서로 띄어 쓴다. 이름은 붙여 쓰는 것을 원칙으로 하되 음절 사이에 붙임표(-)를 쓰는 것을 허용한다.
   예 한복남 Han Boknam(Han Bok-nam)
3. '도, 시, 군, 구, 읍, 면, 리, 동'의 행정 구역 단위와 '가'는 각각 'do, si, gun, gu, eup, myeon, ri, dong, ga'로 적고, 그 앞에는 붙임표(-)를 넣는다. 붙임표(-) 앞뒤에서 일어나는 음운 변화는 표기에 반영하지 않는다. 예 충청북도 Chungcheongbuk-do
4. 자연 지물명, 문화재명, 인공 축조물명은 붙임표(-) 없이 붙여 쓴다.
   예 안압지 Anapji, 속리산 Songnisan, 다보탑 Dabotap

05

난이도 ★★☆

해설 ④ **ⓔ 한라산[할:라산] Hallasan(○): 받침 'ㄴ'이 'ㄹ'과 만나 [ㄹ]로 발음되는 유음화 현상이 나타나며, 자음 동화의 결과는 국어의 로마자 표기에 반영한다. 또한 [ㄹㄹ]은 'll'로 적으므로 'Hallasan'은 옳은 표기이다.**

오답분석 ① **㉠ 다락골[다락꼴] Dalakgol(×) → Darakgol(○)**: 'ㄹ'은 모음 앞에서는 'r'로, 자음 앞이나 어말에서는 'l'로 적어야 하며 된소리되기는 로마자 표기에 반영하지 않는다.

② **㉡ 국망봉[궁망봉] Gukmangbong(×) → Gungmangbong(○)**: 받침 'ㄱ'이 'ㅁ'과 만나 [ㅇ]으로 발음되는 비음화 현상이 나타나며 자음 동화의 결과는 로마자 표기에 반영하여 적어야 한다.

③ **㉢ 낭림산[낭:님산] Nangrimsan(×) → Nangnimsan(○)**: 받침 'ㅇ'이 'ㄹ'과 만나 'ㄹ'이 [ㄴ]으로 발음되는 비음화 현상이 나타나며 자음 동화의 결과는 로마자 표기에 반영하여 적어야 한다.

06

난이도 ★★☆

해설 ③ **로마자 표기가 옳은 것은 ㄴ, ㄹ이므로 답은 ③이다.**

- **ㄴ. 김복남[김봉남] Kim Bok-nam(○)**: 받침 'ㄱ'이 뒤에 연결되는 비음 'ㄴ'의 영향으로 비음 [ㅇ]으로 발음되는 비음화 현상이 나타나므로 '김복남'의 발음은 [김봉남]이다. 그러나 이름에서 일어나는 음운 변화는 로마자 표기에 반영하지 않으므로 'Kim Bok-nam'으로 표기한다.
- **ㄹ. 합덕[합떡] Hapdeok(○)**: 'ㄱ, ㄷ, ㅂ'은 모음 앞에서는 'g, d, b'로, 자음 앞이나 어말에서는 'k, t, p'로 적는다. 또한 된소리되기는 로마자 표기에 반영하지 않으므로 'Hapdeok'으로 표기한다.

- **ㄱ. 오죽헌[오주컨] Ojukeon(×) → Ojukheon(○)**: 받침 'ㄱ'과 'ㅎ'이 만나 [ㅋ]으로 축약되므로 '오죽헌'의 표준 발음은 [오주컨]이다. 그러나 체언에서 'ㄱ' 뒤에 'ㅎ'이 따를 때에는 발음상 거센소리가 나더라도 'ㅎ'을 밝혀 적으므로 'Ojukheon'으로 표기해야 한다.
- **ㄷ. 선릉[설릉] Sunneung(×) → Seolleung(○)**: 받침 'ㄴ'이 'ㄹ' 앞에서 [ㄹ]로 발음되는 유음화 현상이 나타나므로 '선릉'의 표준 발음은 [설릉]이다. 또한 [ㄹㄹ]은 'll'로 적으므로 'Seolleung'으로 표기해야 한다.

07

난이도 ★★☆

해설 ② **반구대 Ban-gudae(○): 붙임표 없이 'Bangudae'로 적을 경우 '반구대(Ban-gudae)'로 발음할지 '방우대(Bang-udae)'로 발음할지에 대해 혼동할 우려가 있다. 따라서 '반구대'를 로마자로 표기할 때는 음절 사이에 붙임표(-)를 쓸 수 있다.**

① **독도 Dok-do(×) → Dokdo(○)**: 자연 지물명은 붙임표(-) 없이 붙여 쓰는 것을 원칙으로 한다. 또한 ①은 발음상 혼동의 우려가 있는 경우가 아니다.

③ **독립문 Dok-rip-mun(×) → Dongnimmun(○)**: 자음 동화가 일어나는 경우 변화의 결과를 로마자 표기에 반영해야 하며, 문화재명과 인공 축조물명은 붙임표(-) 없이 붙여 쓰는 것을 원칙으로 한다. 또한 ③은 발음상 혼동의 우려가 있는 경우가 아니다.

④ **인왕리 Inwang-ri(○)**: 행정 구역 단위인 '리'는 'ri'로 적고, 그 앞에는 붙임표(-)를 넣는 것을 원칙으로 한다.

08

[2018년 서울시 9급 (3월)]

로마자 표기의 예로 옳지 않은 것은?

① 종로[종노] → Jongro
② 알약[알략] → allyak
③ 같이[가치] → gachi
④ 좋고[조코] → joko

09

[2018년 서울시 7급 (3월)]

로마자 표기법이 가장 옳지 않은 것은?

① 신리: Sin-li
② 일직면: Iljik-myeon
③ 사직로: Sajik-ro
④ 진량읍: Jillyang-eup

10

[2018년 서울시 7급 (6월)]

로마자 표기법으로 가장 옳지 않은 것은?

① 독립문 Dongnimmun, 광화문 Gwanghwamun
② 선릉 Seolleung, 정릉 Jeongneung
③ 신문로 Sinmunno, 율곡로 Yulgongro
④ 한라산 Hallasan, 백두산 Baekdusan

11

[2017년 서울시 7급]

다음 중 로마자 표기법이 옳지 않은 것은?

① 독도: Dokdo
② 불국사: Bulguksa
③ 극락전: Geukrakjeon
④ 촉석루: Chokseongnu

12

[2016년 사회복지직 9급]

로마자 표기법이 옳지 않은 것은?

① 춘천 – Chuncheon
② 밀양 – Millyang
③ 청량리 – Cheongnyangni
④ 예산 – Yesan

08

난이도 ★★☆

해설 **① 종로[종노] Jongro(×) → Jongno(○): 받침 'ㅇ' 뒤에 연결되는 'ㄹ'이 비음 'ㅇ'의 영향으로 [ㄴ]으로 바뀌어 발음되는 자음 동화(비음화)가 일어난다. 자음 동화의 결과는 로마자 표기에 반영하여 적으므로, '종로'는 'Jongno'로 표기해야 한다. 따라서 로마자 표기가 옳지 않은 것은 ①이다.**

오답분석 ② **알약[알략] allyak(○)**: '알약'은 'ㄴ' 첨가로 [알냑]이 되고 유음 'ㄹ'의 영향을 받아 [알략]으로 발음된다(유음화). 국어의 로마자 표기에서 [ㄹㄹ]은 'll'로 적으므로 'allyak'은 옳은 표기이다.

③ **같이[가치] gachi(○)**: '같이'의 발음은 [가치]이다. 받침 'ㅌ'이 모음 'ㅣ'를 만나 구개음 [ㅊ]으로 바뀌어 발음되는 구개음화 현상이 일어난다. 구개음화 현상은 로마자 표기에 반영하므로 'gachi'는 옳은 표기이다.

④ **좋고[조코] joko(○)**: 'ㅎ'과 'ㄱ'이 만나 [ㅋ]으로 축약되므로, 발음의 결과에 따라 'joko'로 적는다.

이것도 알면 **합격**

음운 변화와 관련된 로마자 표기법을 알아두자.

1. 음운 변화가 일어날 때에는 변화의 결과에 따라 적음

음운 변화	예
자음 동화	백마[뱅마] Baengma, 신문로[신문노] Sinmunno, 종로[종노] Jongno, 왕십리[왕심니] Wangsimni, 별내[별래] Byeollae, 신라[실라] Silla
'ㄴ, ㄹ'이 덧나는 경우	학여울[항녀울] Hangnyeoul, 알약[알략] allyak
구개음화	해돋이[해도지] haedoji, 같이[가치] gachi, 굳히다[구치다] guchida
음운 축약	좋고[조코] joko, 놓다[노타] nota 잡혀[자펴] japyeo, 낳지[나치] nachi

2. 다만, 체언에서 'ㄱ, ㄷ, ㅂ' 뒤에 'ㅎ'이 따를 때에는 'ㅎ'을 밝혀 적음
   예 묵호 Mukho, 집현전 Jiphyeonjeon
3. 된소리되기는 표기에 반영하지 않음
   예 압구정 Apgujeong, 낙동강 Nakdonggang, 죽변 Jukbyeon

09

난이도 ★★☆

해설 **① 신리 Sin-li(×) → Sin-ri(○): 행정 구역 단위인 '리'는 'ri'로 표기해야 하므로 ①의 로마자 표기법은 옳지 않다.**

오답분석 ②③ **일직면 Iljik-myeon(○), 사직로 Sajik-ro(○)**: 행정 구역 단위인 '면'은 'myeon'으로, '로'는 'ro'로 표기하며 행정 구역 단위 앞에는 붙임표(-)를 넣는다.

④ **진량읍 Jillyang-eup(○)**: 받침 'ㄴ'은 'ㄹ' 앞에서 [ㄹ]로 발음되므로 '진량'의 표준 발음은 [질량]이다. 로마자 표기법에서 [ㄹㄹ]은 'll'로 적으므로 '진량'은 'Jillyang'으로 표기한다. 또한 행정 구역 단위인 '읍'은 'eup'으로 표기하며 행정 구역 단위 앞에는 붙임표(-)를 넣는다.

10

난이도 ★★☆

해설 **③ '율곡로'의 로마자 표기가 옳지 않으므로 답은 ③이다.**

- **신문로[신문노] Sinmunno(○)**: 자음 동화의 결과는 로마자 표기에 반영하여 적는다.
- **율곡로[율공노] Yulgongro(×) → Yulgok-ro(○)**: 도로명 '로'는 'ro'로 적고, 그 앞에는 붙임표(-)를 넣어야 한다. 또한 붙임표(-) 앞뒤에서 일어나는 음운 변화는 표기에 반영하지 않는다.

오답분석 ① • **독립문[동님문] Dongnimmun(○)**: 자음 동화의 결과는 로마자 표기에 반영하여 적는다.
- **광화문[광화문] Gwanghwamun(○)**: 모음 앞의 'ㄱ'은 'g'로 적는다.

② • **선릉[설릉] Seolleung(○)**: 자음 동화의 결과는 로마자 표기에 반영하며, [ㄹㄹ]은 'll'로 적는다.
- **정릉[정능] Jeongneung(○)**: 자음 동화의 결과는 로마자 표기에 반영하여 적는다.

④ • **한라산[할:라산] Hallasan(○)**: 자음 동화의 결과는 로마자 표기에 반영하며, [ㄹㄹ]은 'll'로 적는다.
- **백두산[백뚜산] Baekdusan(○)**: 된소리되기의 결과는 로마자 표기에 반영하지 않는다.

11

난이도 ★★☆

해설 **③ 극락전[긍낙쩐] Geukrakjeon(×) → Geungnakjeon(○): 된소리되기는 로마자 표기에 반영하지 않으나, 자음 사이에서 동화 작용이 일어나는 경우에는 표기에 반영해야 한다. 따라서 자음 동화의 결과를 반영하지 않은 ③ 'Geukrakjeon'은 잘못된 표기이다.**

오답분석 ① **독도[독또] Dokdo(○)**: 된소리되기는 로마자 표기에 반영하지 않는다.

② **불국사[불국싸] Bulguksa(○)**: 'ㄹ'은 자음 앞에서 'l'로 적고, 된소리되기는 로마자 표기에 반영하지 않는다.

④ **촉석루[촉썽누] Chokseongnu(○)**: 자음 동화의 결과는 로마자 표기에 반영하지만 된소리되기의 결과는 반영하지 않는다.

12

난이도 ★☆☆

해설 **② 밀양 Millyang(×) → Miryang(○): '밀양'의 발음은 [미량]이다. 모음 앞에 오는 'ㄹ'은 'r'로 표기하므로 '밀양'은 'Miryang'으로 적는다. 따라서 표기가 잘못된 것은 ②이다.**

오답분석 ① **춘천 Chuncheon(○)**: 'ㅊ'은 'ch', 'ㅜ'는 'u', 'ㅓ'는 'eo'로 표기한다.

③ **청량리 Cheongnyangni(○)**: '청량리'의 발음은 [청냥니]이고, 받침 'ㅇ'은 'ng', 'ㅑ'는 'ya'로 표기한다.

④ **예산 Yesan(○)**: 'ㅖ'는 'ye'로 표기한다.

Chapter

06 문장 부호

기본서 1권 278p

01

[2020년 국회직 8급]

문장 부호의 사용이 옳지 않은 것은?

① '1919년 3월 1일'은 '1919. 3. 1.'로도 쓸 수 있다.

② 놀이공원 입장료는 4,000원/명이다.

③ 그는 최선을 다했다. 그러나 성공할지는.......

④ 저번 동창회의 불참자는 이○○, 박○○ 등 4명이었다.

⑤ 나라들이 무역 장벽을 제거하여 무역을 자유롭게 하는 협정이 자유 무역 협정(FTA)이다.

02

[2017년 국가직 7급 (10월)]

문장 부호 사용법에 대한 설명으로 옳지 않은 것은?

① 의문문의 끝에 마침표나 느낌표를 쓰는 경우도 있다.

② 열거할 어구들을 일정한 기준으로 묶어서 나타낼 때 가운뎃점을 쓴다.

③ 바로 다음 말과 직접적인 관계에 있지 않음을 나타낼 때 쉼표를 쓴다.

④ 한 문장 안에 몇 개의 선택적인 물음이 이어질 때 각 물음의 뒤에 물음표를 쓴다.

03

[2015년 지방직 9급]

묶음표의 쓰임이 잘못된 것은?

① 나는 3·1 운동(1919) 당시 중학생이었다.

② 그녀의 나이(年歲)가 60세일 때 그 일이 터졌다.

③ 젊음[희망(希望)의 다른 이름]은 가장 아름다운 꽃이다.

④ 국가의 성립 요소 {국토, 국민, 주권}

04

[2017년 사회복지직 9급]

<보기>의 ㉠~㉣에 대한 이해로 가장 옳지 않은 것은?

<보기>

㉠낯익은, 철수의 동생이 우리 집에 찾아왔다.
㉡꺼진 불도 다시 보자
㉢휴가를 낸 김에 며칠 푹 쉬고 온다?
㉣나는 '일이 다 틀렸나 보군.' 하고 생각하였다.

① ㉠: 쉼표를 보니 관형어 '낯익은'은 '철수'와 '동생'을 동시에 수식함을 알 수 있다.

② ㉡: 마침표가 없는 것을 보니 '꺼진 불도 다시 보자'는 제목이나 표어임을 알 수 있다.

③ ㉢: 물음표를 보니 의문형 종결 어미로 끝나지 않았더라도 의문을 나타낼 수 있음을 알 수 있다.

④ ㉣: 작은따옴표를 보니 '일이 다 틀렸나 보군.'은 마음속으로 한 말이 인용되었음을 알 수 있다.

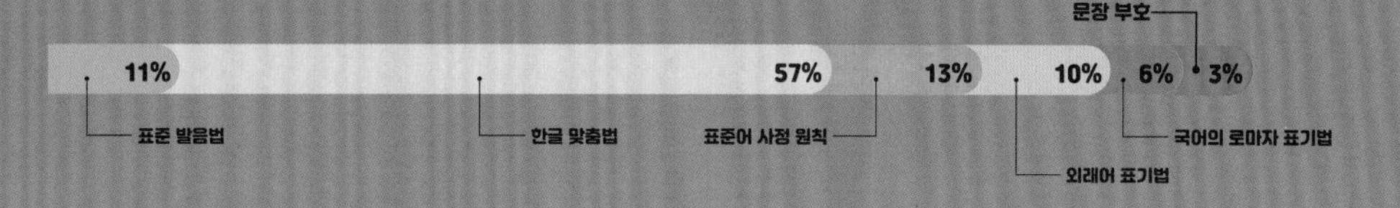

01

난이도 ★★☆

해설 **⑤ 자유 무역 협정(FTA)(×) → 자유 무역 협정[FTA](○): 한자어에 대응하는 외국어를 아울러 보일 때는 대괄호([ ])를 사용해야 한다.**

오답분석 ① **1919. 3. 1.(○)**: 아라비아 숫자만으로 연월일을 표시할 때는 마침표를 쓴다. 이때 '일'을 나타내는 마침표를 생략해서는 안 된다.

② **4,000원/명(○)**: 기준 단위당 수량을 표시할 때는 해당 수량과 기준 단위 사이에 빗금을 쓴다.

③ **성공할지는.......(○)**: 할 말을 줄였음을 나타낼 때는 줄임표를 쓴다. 이때는 줄임표로써 문장이 끝나는 것이므로 줄임표 뒤에는 마침표를 쓰는 것이 원칙이다. 또한 줄임표는 가운데에 여섯 점을 찍는 것이 원칙이나 아래에 여섯 점을 찍는 것도 허용된다.

④ **이○○, 박○○(○)**: 비밀을 유지해야 하거나 밝힐 수 없는 사항임을 나타낼 때 숨김표를 쓴다.

이것도 알면 **합격**

빗금(/)의 쓰임을 알아두자.

1. 대비되는 두 개 이상의 어구를 묶어 나타낼 때 그 사이
   예 • 금메달/은메달/동메달
   • 문과 대학 / 이과 대학
2. 기준 단위당 수량을 표시할 때 해당 수량과 기준 단위 사이
   예 100미터/초
3. 시의 행이 바뀌는 부분임을 나타낼 때
   예 산에 / 산에 / 피는 꽃은 / 저만치 혼자서 피어 있네

참고로, 빗금의 앞뒤는 1.과 2.에서는 붙여 쓰며, 3.에서는 띄어 쓰는 것을 원칙으로 하되 붙여 쓰는 것을 허용함. 단, 1.에서 대비되는 어구가 두 어절 이상인 경우에는 빗금의 앞뒤를 띄어 쓸 수 있음

02

난이도 ★★☆

해설 **④ 한 문장 안에 몇 개의 선택적인 물음이 이어질 때는 맨 끝의 물음에만 물음표를 쓴다. 참고로, 각 물음이 독립적일 때는 각 물음의 뒤에 물음표를 쓴다.**

오답분석 ① 의문문이지만 의문의 정도가 약할 때는 마침표를 쓸 수 있으며, 놀람이나 항의의 뜻을 나타낼 때는 느낌표를 쓸 수 있다.

이것도 알면 **합격**

물음표(?)의 쓰임을 알아두자.

1. 의문문의 형식뿐 아니라 의문을 나타내는 어구의 끝에 물음표를 씀
2. 한 문장 안에 몇 개의 선택적인 물음이 이어질 때 맨 끝의 물음에만 물음표를 씀
   예 너는 이게 마음에 드니, 저게 마음에 드니?
3. 각 물음이 독립적일 때 각 물음의 뒤에 물음표를 씀
   예 너는 여기에 언제 왔니? 어디서 왔니? 무엇하러 왔니?

03

난이도 ★★☆

해설 **② 나이(年歲)(×) → 나이[年歲](○): ②는 소괄호의 쓰임이 잘못되었다. 고유어에 대응하는 한자어를 함께 보일 때는 대괄호([ ])를 써야 한다.**

오답분석 ① **3·1 운동(1919)(○)**: 특정한 의미가 있는 날을 표시할 때 월과 일을 나타내는 아라비아 숫자 사이에는 마침표(.)를 쓰는데, 마침표 대신 가운뎃점(·)을 쓸 수도 있다. 또한 앞말에 대한 주석이나 보충적인 내용을 덧붙일 때는 소괄호(( ))를 쓴다.

③ **젊음[희망(希望)의 다른 이름](○)**: 괄호 안에 또 괄호를 쓸 필요가 있을 때 바깥쪽의 괄호는 대괄호([ ])를 쓴다.

④ 같은 범주에 속하는 여러 요소를 세로로 묶어서 보일 때는 중괄호({ })를 쓴다.

04

난이도 ★★☆

해설 **① ㉠에서 '낯익은' 다음에 쓰인 쉼표(,)는 앞말이 바로 다음 말과 직접적인 관계가 없음을 나타내는 문장 기호이다. 따라서 관형어 '낯익은'은 '철수'가 아닌 '철수의 동생'만을 수식하므로 답은 ①이다.**

오답분석 ② 문장 형식으로 된 제목이나 표어에는 마침표를 쓰지 않는다. 단, 꼭 필요하다고 판단될 때에는 예외적으로 제목이나 표어 등에 마침표를 쓸 수 있다.

③ 의문형 종결 어미가 쓰이지 않았거나 전형적인 문장 형식을 갖추지 않았더라도 의문을 나타낸다면 어구의 끝에 물음표를 쓴다.

④ 마음속으로 한 말을 인용할 때는 작은따옴표를 쓴다.

Section 5
올바른 언어생활

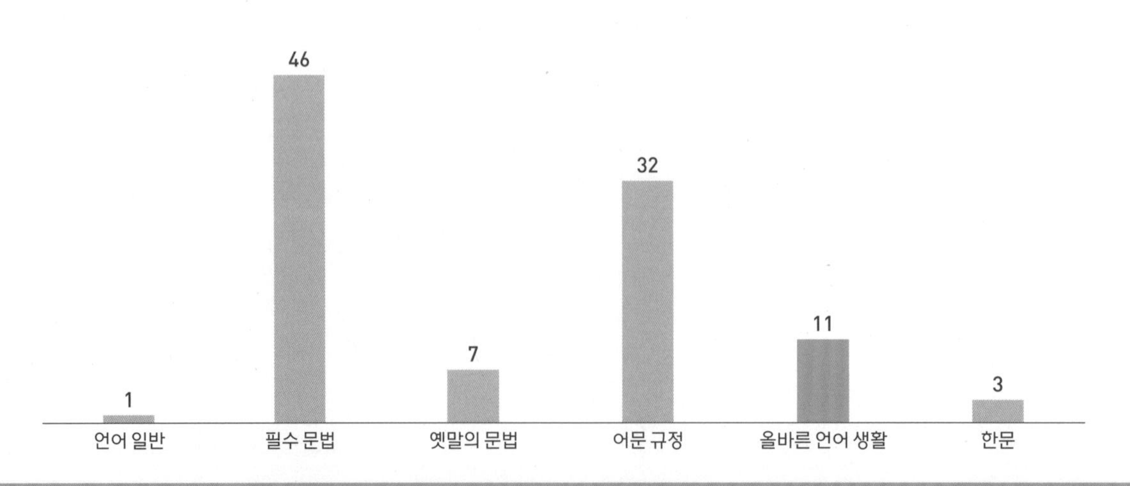

해커스공무원 **단원별 기출문제집 국어**

어법

● Section 기출 트렌드

- 올바른 언어 생활은 상대적으로 출제 비중이 높지 않지만, 최근 공무원 시험에서 매년 1~2문제씩 꾸준히 출제되고 있는 Section입니다. 비문학 지문을 고쳐 쓰는 문제와 연계하여 출제되기도 합니다.

- 문장 성분의 호응이나 의미 중복 여부 등 문장 표현의 적절성을 판단하는 문제가 가장 많이 출제됩니다. 또한 호칭어와 지칭어를 구분하거나 일상생활에서의 언어 예절을 묻는 문제가 출제되기도 합니다.

- 앞서 학습한 필수 문법과 어문 규정에 대한 지식을 바탕으로 적절하지 않은 문장을 판단하고 이를 올바르게 고쳐 쓰는 연습을 해 두어야 합니다. 이때 충분한 기출문제 풀이를 통해 틀리기 쉬운 문장 표현들을 익혀 두는 것이 좋습니다.

Chapter

01 올바른 문장 표현

기본서 1권 338p

01

[2021년 국가직 9급]

가장 자연스러운 문장은?

① 날씨가 선선해지니 역시 책이 잘 읽힌다.

② 이렇게 어려운 책을 속독으로 읽는 것은 하늘의 별 따기이다.

③ 내가 이 일의 책임자가 되기보다는 직접 찾기로 의견을 모았다.

④ 그는 시화전을 홍보하는 일과 시화전의 진행에 아주 열성적이다.

02

[2021년 지방직 9급]

(가)~(라)의 고쳐 쓰기 방안으로 적절하지 않은 것은?

(가) 현재 우리 구청 조직도에는 기획실, 홍보실, 감사실, 행정국, 복지국, 안전국, 보건소가 있었나.
(나) 오늘은 우리 시청이 지양하는 '누구나 행복한 ○○시'를 실현하기 위한 추진 방안을 논의합니다.
(다) 지난달 수해로 인한 준비 기간이 짧았기 때문에 지역 축제는 예년보다 규모가 줄어들었다.
(라) 공과금을 기한 내에 지정 금융 기관에 납부하지 않으면 연체료를 내야 한다.

① (가): '있었다'는 문맥상 시제 표현이 적절하지 않으므로 '있다'로 고쳐 쓴다.

② (나): '지양'은 어떤 목표로 뜻이 쏠리어 향한다는 의미인 '지향'으로 고쳐 쓴다.

③ (다): '지난달 수해로 인한'은 '준비 기간'을 수식하는 절이 아니므로 '지난달 수해로 인하여'로 고쳐 쓴다.

④ (라): '납부'는 맥락상 금융 기관이 돈이나 물품 따위를 받아 거두어들인다는 '수납'으로 고쳐 쓴다.

03

[2020년 국가직 9급]

문장 성분의 호응이 자연스러운 것은?

① 내가 강조하고 싶은 점은 우리가 고유 언어를 가졌다.

② 좋은 사람과 대화하며 함께한 일은 즐거운 시간이었다.

③ 내 생각은 집을 사서 이사하는 것이 좋겠다고 결정했다.

④ 그는 내 생각이 옳지 않다고 여러 사람 앞에서 말을 하였다.

04

[2020년 국가직 9급]

㉠~㉣의 고쳐 쓰기 방안으로 적절하지 않은 것은?

㉠ 공사하는 기간 동안 안전사고가 일어나지 않도록 유의해 주십시오.
㉡ 오늘 오후에 팀 전체가 모여 회의를 갖겠습니다.
㉢ 비상문이 열려져 있어 신속하게 대피할 수 있었다.
㉣ 지난밤 검찰은 그를 뇌물 수수 혐의로 구속했다.

① ㉠: '기간'과 '동안'은 의미가 중복되므로 '공사하는 기간 동안'은 '공사하는 동안'으로 고쳐 쓴다.

② ㉡: '회의를 갖겠습니다'는 번역 투이므로 '회의하겠습니다'로 고쳐 쓴다.

③ ㉢: '열려져'는 '-리-'와 '-어지다'가 결합한 이중 피동 표현이므로 '열려'로 고쳐 쓴다.

④ ㉣: 동작의 대상에게 행위의 효력이 미친다는 의미를 제시해야 하므로 '구속했다'는 '구속시켰다'로 고쳐 쓴다.

01

난이도 ★★☆

해설 ① 앞 절(날씨가 선선해지다)과 뒤 절(책이 잘 읽히다)이 '앞말이 뒷말의 원인이나 근거, 전제가 됨'을 나타내는 연결 어미 '-니'로 자연스럽게 연결되어 있다. 또한 뒤 절의 주어 '책'은 행위의 객체이므로 피동사 '읽힌다'가 올바르게 사용되었다.

오답분석 ② 어려운 책을 속독으로 읽는 것은(×) → 어려운 책을 속독하는 것은/어려운 책을 빠르게 읽는 것은(○): '속독'은 '책 등을 빠른 속도로 읽음'을 뜻하므로 '읽는'과 의미가 중복된 표현이다. 따라서 '어려운 책을 속독하는 것은' 또는 '어려운 책을 빠르게 읽는 것은'으로 고쳐 써야 한다.

③ 책임자가 되기보다는 직접 찾기로(×) → 책임자가 되기보다는 책임자를 직접 찾기로(○): 서술어 '찾다'와 호응하는 목적어가 생략되어 적절하지 않은 문장이다. 따라서 '책임자를'과 같은 목적어를 넣어 주어야 한다.

④ 시화전을 홍보하는 일과 시화전의 진행에(×) → 시화전을 홍보하는 일과 (시화전을) 진행하는 일에/시화전의 홍보와 (시화전의) 진행에(○): 조사 '과'로 연결되어 있는 앞뒤 내용이 각각 절과 구로 제시되어 구조적으로 대응하지 않는 문장이다. 따라서 절과 절, 또는 구와 구로 대응되도록 고쳐 쓰는 것이 적절하며, '시화전을' 또는 '시화전의'가 중복 제시되므로 뒤의 것을 생략하면 더욱 자연스러운 문장이 된다.

02

난이도 ★☆☆

해설 ④ '납부'는 '세금이나 공과금 등을 관계 기관에 냄'을 의미하므로 (라)의 문맥상 어휘의 쓰임이 적절하다. '수납'은 '돈이나 물품 등을 거두어들임'을 뜻하므로 (라)에서 '납부'를 '수납'으로 고쳐 써야 한다는 ④의 설명은 적절하지 않다.

① 있었다(×) → 있다(○): 부사 '현재'와 과거 시제 선어말 어미 '-었-'이 결합한 서술어 '있었다'의 호응이 적절하지 않다. 따라서 서술어를 현재형 '있다'로 고쳐 써야 한다.

② 지양(×) → 지향(○): '지양(止揚)'은 '더 높은 단계로 오르기 위하여 어떠한 것을 하지 않음'을 뜻하므로, (나)의 문맥상 시청이 행복한 도시를 실현하기 위한 추진 방안과 어울리지 않는다. 따라서 '어떤 목표로 뜻이 쏠리어 향함'을 의미하는 '지향(志向)'으로 고쳐 써야 한다.

③ 수해로 인한(×) → 수해로 인하여(○): 문맥상 '지난달 수해'는 '준비 기간이 짧았다'의 원인이므로 까닭이나 근거 등을 나타내는 연결 어미 '-여'를 사용하여 '수해로 인하여'로 고쳐 쓰는 것이 적절하다.

03

난이도 ★☆☆

해설 ④ 그는 ~ 말을 하였다(○): 주어와 서술어, 목적어와 서술어의 호응이 자연스러운 문장이다.

오답분석 ① 강조하고 싶은 점은 ~ 가졌다(×) → 강조하고 싶은 점은 ~ 가졌다는 것(점)이다(○): 주어부 '강조하고 싶은 점은'과 서술부 '가졌다'의 호응이 적절하지 않은 문장이다. 따라서 서술부를 '가졌다는 것(점)이다'로 고쳐야 한다.

② 함께한 일은 즐거운 시간이었다(×) → 함께한 시간은 즐거웠다(○): 주어 '일은'과 서술어 '시간이었다'의 호응이 적절하지 않은 문장이다. 따라서 '함께한 시간은 즐거웠다'로 고쳐 써야 한다.

③ 내 생각은 ~ 좋겠다고 결정했다(×) → 나는 ~ 좋겠다고 결정했다(○): 주어 '내 생각은'과 서술어 '결정했다'의 호응이 적절하지 않은 문장이다. 따라서 주어를 '나는'으로 고쳐 써야 한다.

04

난이도 ★☆☆

해설 ④ ㉣ '구속하다'에는 이미 동작의 대상에게 행위의 효력이 미친다는 의미가 포함되어 있으므로 사동의 뜻을 더하는 접미사 '-시키다'와 함께 쓰는 것은 적절하지 않다.

- 구속하다: 법원이나 판사가 피의자나 피고인을 강제로 일정한 장소에 잡아 가두다.

① ㉠ '기간'과 '동안'은 서로 의미가 중복되므로 '공사하는 기간에는' 혹은 '공사하는 동안'으로 고쳐 쓰는 것이 적절하다.

- 기간: 어느 때부터 다른 어느 때까지의 동안
- 동안: 어느 한때에서 다른 한때까지 시간의 길이

② ㉡ '회의를 가지다'는 영어의 'have a meeting'을 직역한 표현이므로 '회의하겠습니다'로 고쳐 쓰는 것이 적절하다.

③ ㉢ '열려져'는 '열-+-리-+-어지(다)-+-어'의 구성으로, 피동을 나타내는 문법 요소가 두 번 사용된 이중 피동 표현이다. 따라서 '열려'로 고쳐 쓰는 것이 적절하다.

05

[2020년 지방직 9급]

다음에 해당하는 사례로 적절하지 않은 것은?

> '역전앞'과 마찬가지로 '피해(被害)를 당하다'에도 의미의 중복이 나타난다. '피해'의 '피(被)'에 이미 '당하다'라는 의미가 포함되어 있기 때문이다.

① 형부터 먼저 해라.
② 채훈이는 오로지 빵만 좋아한다.
③ 발언자마다 각각 다른 주장을 편다.
④ 그는 예의가 바를뿐더러 무척 부지런하다.

06

[2020년 국가직 7급]

㉠~㉣에 해당하는 사례로 적절하지 않은 것은?

> 문장 오류의 유형으로 ㉠서술어와 주어가 서로 호응하지 않는 경우, ㉡서술어와의 호응이 필요한 보어가 누락된 경우, ㉢서술어와의 호응이 필요한 목적어가 누락된 경우, ㉣서술어와의 호응이 필요한 필수적 부사어가 누락된 경우 등이 종종 관찰된다.

① ㉠: 내 말의 요점은 지속 가능한 기후 환경을 조성하기 위하여 우리 모두 열심히 노력하자.
② ㉡: 나는 이 일의 적임자를 찾는 것보다 내가 직접 되기로 결심했다.
③ ㉢: 겁이 많았던 나는 혼자 해외로 여행을 가는 것이 못내 무서워 동행하였다.
④ ㉣: 우리와 함께 살아가는 동물은 사람을 경계하기도 하지만 때때로 의지하기도 한다.

07

[2020년 국회직 8급]

의미의 중복이 없이 자연스러운 문장은?

① 나는 오늘 저녁에 역전 앞에서 선이를 만나기로 했다.
② 그 문제에 대해서는 더 이상 다시 재론할 필요가 없다.
③ 요즘 들어 여러 가지 제반 문제들이 우리를 난처하게 한다.
④ 민수는 단풍이 울긋불긋하게 물든 설악산으로 여행을 떠났다.
⑤ 언어의 의미 변화가 왜 일어나는가의 원인을 살펴보기로 한다.

08

[2019년 지방직 9급]

어법에 어긋난 문장을 수정하고 설명한 예로 적절하지 않은 것은?

① 유사한 내용의 제안이 접수되었을 때에는 먼저 접수된 것이 우선한다.
→ '접수되었을 때에는'은 사건이나 행위가 완료된 상황을 나타내므로 '접수될 때에는'으로 바꾼다.

② 안내서 및 과업 지시서 교부는 참가 신청자에게만 교부한다.
→ '과업 지시서 교부'와 서술어 '교부하다'는 의미상 중복되며 호응하지 않으므로 앞의 '교부'를 삭제한다.

③ 해안선에서 200미터 이내의 수역을 제외된 상태에서 논의를 진행하겠습니다.
→ 목적어 '수역을'과 서술어 '제외되다'는 호응하지 않으므로 '제외된'은 '제외한'으로 바꾼다.

④ 관련 도서는 해당 부서에 비치하고 관계자에게 열람한다.
→ 서술어 '열람하다'는 부사어 '관계자에게'와 호응하지 않으므로 '열람하게 한다.'와 같이 바꾼다.

05

난이도 ★☆☆

해설 ④ 연결 어미 '-ㄹ뿐더러'는 '어떤 일이 그것만으로 그치지 않고 나아가 다른 일이 더 있음'을 의미하며, 부사 '무척'은 '다른 것과 견줄 수 없이'라는 의미를 지닌다. 따라서 '-ㄹ뿐더러'와 '무척'이 의미하는 바가 서로 다르므로 의미 중복에 해당하지 않는 것은 ④이다.

오답분석 ① '부터'와 '먼저' 모두 '앞서다'라는 뜻이므로 의미 중복에 해당한다.

- **부터**: '어떤 일이나 상태 등에 관련된 범위의 시작임'을 나타내는 보조사
- **먼저**: 시간적으로나 순서상으로 앞서서

② '오로지'와 '만' 모두 '오직'이라는 뜻이므로 의미 중복에 해당한다.

- **오로지**: 오직 한 곬으로
- **만**: '다른 것으로부터 제한하여 어느 것을 한정함'을 나타내는 보조사

③ '마다'와 '각각' 모두 '하나씩 모두'라는 뜻이므로 의미 중복에 해당한다.

- **마다**: '낱낱이 모두'의 뜻을 나타내는 보조사
- **각각**: 사람이나 물건의 하나하나마다

06

난이도 ★★☆

해설 ③ 못내 무서워 동행하였다(×) → 못내 무서워 친구와 동행하였다(○): 서술어 '동행하다'와 호응하는 필수적 부사어가 누락된 경우로, '친구와'와 같은 필수적 부사어를 추가하여야 한다. 이는 ⓒ이 아니라 ⓔ에 해당하는 사례이므로 적절하지 않다.

오답분석 ① **내 말의 요점은 ~ 열심히 노력하자(×) → 내 말의 요점은 ~ 열심히 노력하자는 것이다(○)**: 주어 '요점은'과 서술어 '노력하자'가 서로 호응하지 않으므로 서술어를 주어와 호응하는 '~는 것이다'의 형태로 고쳐 써야 한다.

② **내가 직접 되기로 결심했다(×) → 내가 직접 책임자가 되기로 결심했다(○)**: 서술어 '되다'와 호응하는 보어가 누락된 문장이므로 '책임자가'와 같은 보어를 넣어 주어야 한다.

④ **때때로 의지하기도 한다(×) → 때때로 사람에게 의지하기도 한다(○)**: 서술어 '의지하다'와 호응하는 필수적 부사어가 누락된 문장이므로 '사람에게'와 같은 필수적 부사어를 넣어 주어야 한다.

07

난이도 ★★☆

해설 ④ 의미 중복이 없는 문장은 ④이다.

오답분석 ① **역전 앞에서(×) → 역전에서/역 앞에서(○)**: '역전'은 '역 앞'이라는 의미로, '역전 앞'은 '앞'의 의미가 중복된 표현이다.

② **다시 재론할 필요가 없다(×) → 다시 논할 필요가 없다/재론할 필요가 없다(○)**: '재론'은 '이미 논의한 것을 다시 논의함'이라는 의미로, '다시'의 의미가 중복되었다.

③ **여러 가지 제반 문제들이(×) → 여러 가지 문제들이/제반 문제들이(○)**: '제반'은 '어떤 것과 관련된 모든 것'이라는 의미로, '여러 가지'의 의미가 중복되었다.

⑤ **왜 일어나는가의 원인을(×) → 왜 일어나는가를/원인을(○)**: '원인'은 '어떤 사물이나 상태를 변화시키거나 일으키게 하는 근본이 된 일이나 사건'이라는 의미로, '왜'의 의미가 중복되었다.

08

난이도 ★★☆

해설 ① 유사한 내용의 제안이 접수되었을 때에는(×) → 유사한 내용의 제안이 기관에 접수되었을 때에는(○): '접수되다'는 주로 '~에/에게 접수되다'와 같은 형태로 쓰이므로, '기관에'와 같이 부사어를 넣는 것이 적절하다. 또한 '유사한 내용의 제안이 접수되었다'는 문맥상 사건이 이미 완료된 상황을 나타내는 것으로 해석하는 것이 적절하므로 '접수될 때에는'으로 바꾸는 것은 옳지 않다.

09

[2019년 서울시 9급 (2월)]

다음 문장 중 어법에 가장 맞는 것은?

① 금융 당국은 내년 금리가 올해보다 더 오를 것으로 내다보면서 대출 이자율이 2% 이상 오를 것으로 예측하였다.

② 작성 내용의 정정 또는 신청인의 서명이 없는 서류는 무효입니다.

③ 12월 중에 한-중 정상회담이 다시 한 번 열릴 것으로 보여집니다.

④ 그의 목표는 세계 최고의 축구 선수가 되는 것이었고, 그래서 단 하루도 연습을 쉬지 않았다.

10

[2019년 국가직 7급]

밑줄 친 부분이 어법상 가장 적절한 것은?

① 시간 내에 역에 도착하려면 가능한 빨리 달려야 합니다.

② 그는 그들에 뒤지지 않는 근력을 길렀기에 메달과 인연을 맺을 수 있었습니다.

③ 자율 학습 시간을 줄이는 대신 보충 수업 시간을 늘리는 것에 대해 매우 부정적입니다.

④ 그다지 효과적이지 않는 논평이 계속 이어지면서 발표 대회의 분위기는 급격히 안 좋아졌습니다.

11

[2019년 지방직 7급]

다음 중 의미 중복이 없는 문장은?

① 투고한 원고는 돌려주지 않습니다.

② 나는 아무 생각 없이 길거리를 도보로 걸었다.

③ 요즈음 남자들의 절반은 담배를 피우지 않는다.

④ 버스 안에 탄 승객은 우리와 자매결연을 맺은 분들이다.

12

[2019년 경찰직 2차]

다음 중 가장 어법에 맞고 자연스러운 것은?

① 그 계획은 가능한 한 빨리 실행되어야 한다.

② 철수는 근거 없는 낭설에 휘말려 곤혹스러웠다.

③ 내가 너에게 하고 싶은 이야기는 힘든 일이 있더라도 잘 극복하길 바란다.

④ 영희는 철수와 싸운 뒤로 일체 대화를 하지 않는다.

09

난이도 ★☆☆

해설 ① '금융 당국은 ~ 내다 보면서 (금융 당국은) ~ 예측하였다'의 구조로 이루어진 이어진 문장으로, 주어와 서술어의 호응이 적절하며, 앞뒤 문장이 두 가지 이상의 움직임이나 사태 등이 동시에 겸하여 있음을 나타내는 연결 어미 '-면서'를 통해 적절하게 연결되어 있다.

오답분석 ② 작성 내용의 정정 또는 신청인의 서명이 없는 서류는 무효입니다(×) → 작성 내용의 정정이 있거나 신청인의 서명이 없는 서류는 무효입니다(○): '작성 내용의 정정'과 호응하는 서술어가 생략되었으므로 이에 호응하는 서술어를 넣어 '작성 내용의 정정이 있거나'로 고쳐 쓰는 것이 적절하다.

③ 12월 중에 ~ 보여집니다(×) → 12월 중에 ~ 보입니다(○): '보여집니다'는 '보다'의 어간 '보-'에 피동 접미사 '-이-'와 피동 표현 '-어지다'가 결합한 형태로, 이중 피동 표현이다. 따라서 '-어지다'를 생략한 '보입니다'로 고쳐 쓰는 것이 적절하다.

④ 그의 목표는 ~ 되는 것이었고, 그래서 ~ 쉬지 않았다(×) → 그의 목표는 ~ 되는 것이었기 때문에 그는 ~ 쉬지 않았다(○): 뒤 문장의 서술어 '쉬지 않았다'와 호응하는 주어가 생략되었으므로 주어 '그는'을 추가하는 것이 적절하다. 또한, '-고'는 두 가지 이상의 사실을 대등하게 벌여 놓거나, 서로 뜻이 대립되는 말을 벌여 놓을 때 사용하는 연결 어미인데, ④의 앞뒤 문장은 대등하거나 대립되는 내용이라기보다 인과 관계를 형성하고 있다. 따라서 인과성이 드러나는 연결 어미 '-므로', 또는 '-기 때문에'로 고쳐 써야 한다.

10

난이도 ★★☆

해설 ③ 수업 시간을 늘리는 것에(○): '시간이나 기간을 길게 하다'를 뜻하는 단어는 '늘리다'이므로 어법상 가장 적절한 것은 ③이다. 참고로 '늘이다'는 '본디보다 더 길어지게 하다'의 의미로 '고무줄을 늘이다'와 같은 형태로 쓰인다.

오답분석 ① 가능한 빨리(×) → 가능한 한 빨리(○): 형용사의 관형사형 '가능한'이 부사인 '빨리'를 수식하고 있어 자연스럽지 않은 문장이다. '가능한' 뒤에 명사 '한'을 넣어 '가능한 한'으로 써야 한다.

② 그들에 뒤지지 않는(×) → 그들에게 뒤지지 않는(○): '뒤지다'는 '능력, 수준 등이 남보다 뒤떨어지거나 못하다'라는 의미로 '~에/에게 뒤지다'의 형태로 쓰인다. 이때 '그들'은 유정 명사이므로 '에게'를 써야 한다.

④ 효과적이지 않는 논평이(×) → 효과적이지 않은 논평이(○): '않는'은 보조 용언 '않다'의 활용형으로 본용언과 품사가 동일하다. 이때 선행어 '효과적이지'는 명사와 서술격 조사가 결합한 것으로 형용사와 유사한 성격을 갖는다. 따라서 '않는'도 형용사와 동일하게 활용해야 하므로 관형사형 어미 '-(으)ㄴ'이 결합한 '않은'으로 써야 한다.

11

난이도 ★★☆

해설 ③ 의미 중복이 없는 문장은 ③이다.

오답분석 ① 투고한 원고(×) → 보낸 원고(○): '투고'는 '의뢰를 받지 않은 사람이 신문이나 잡지 등에 실어 달라고 원고를 써서 보냄. 또는 그 원고'를 뜻한다. 따라서 '원고'의 의미가 중복되었으므로 '보낸'으로 고쳐 써야 한다.

② 길거리를 도보로 걸었다(×) → 길거리를 걸었다(○): '도보'는 '탈것을 타지 않고 걸어감'을 뜻한다. 따라서 '걷다'의 의미가 중복되었으므로 '도보로'를 삭제해야 한다.

④ 버스 안에 탄 승객은 우리와 자매결연을 맺은 분들(×) → 버스 안에 탄 손님은 우리와 자매결연을 한 분들(○): '승객'은 '차, 배, 비행기 등의 탈것을 타는 손님'을 뜻하며 '타다'의 의미를 포함하고 있고, '결연'은 '인연을 맺음. 또는 그런 관계'를 뜻하며 '맺다'의 의미를 포함하고 있다. 따라서 '타다'와 '맺다'의 의미가 중복되었으므로 '승객'은 '손님'으로, '자매결연을 맺은'은 '자매결연을 한'으로 고쳐 써야 한다.

12

난이도 ★★☆

해설 ① 가능한 한 빨리(○): 형용사의 관형사형 '가능한'이 명사 '한'을 수식하고 있으므로 어법에 맞고 자연스러운 문장이다.

오답분석 ② 근거 없는 낭설(×) → 낭설(○): '낭설'은 '터무니 없는 헛소문'이라는 뜻으로 '근거 없는'과 의미가 중복되므로 적절하지 않다.

③ 이야기는 ~ 극복하길 바란다(×) → 이야기는 ~ 극복하길 바란다는 것이다(○): 주어 '이야기는'과 서술어 '극복하길 바란다'가 적절하게 호응하지 않으므로, 서술어를 '~는 것이다'의 형식으로 고쳐 써야 한다.

④ 일체 대화를 하지 않는다(×) → 일절 대화를 하지 않는다(○): 부정문의 서술어와 함께 쓰일 때는 '일체'가 아니라 '일절'을 써야 한다.

13

[2018년 국가직 9급]

(가)~(라)에 대한 고쳐쓰기 방안으로 옳지 않은 것은?

> (가) 수학 성적은 참 좋군. 국어 성적도 좋고.
> (나) 친구가 "난 학교에 안 가겠다."고 말했다.
> (다) 동생은 가던 길을 멈추면서 나에게 달려왔다.
> (라) 대통령은 진지한 연설로서 국민을 설득했다.

① (가): '수학 성적은 참 좋군.'은 국어 성적이 좋을 가능성을 배제하는 의미가 포함되어 있다. 따라서 보조사 '은'을 주격 조사 '이'로 바꿔 쓴다.

② (나): 직접 인용문 다음이므로 인용 조사는 '고'가 아닌 '라고'를 쓴다.

③ (다): 어미 '-면서'는 두 동작의 동시성을 나타내지 못하므로 '-고'로 바꿔 쓴다.

④ (라): '로서'는 자격을 나타내는 기능을 하므로 수단을 나타내는 기능을 하는 조사 '로써'로 바꿔 쓴다.

14

[2018년 지방직 9급]

어법에 어긋나는 문장을 수정하고 설명한 예로 옳지 않은 것은?

① 전철 내에서 뛰지 말고, 문에 기대거나 강제로 열려고 하지 마십시오.
→ '열다'는 타동사이므로 '강제로'와 '열려고' 사이에 목적어 '문을'을 보충하여야 한다.

② ○○시에서 급증하는 생활용수를 안정적으로 공급하기 위하여 시행하는 사업임
→ 생활용수에 대한 수요가 급증하는 것이지 생활용수가 급증하는 것이 아니므로, '급증하는 생활용수의 수요에 대응하여 생활용수를 안정적으로 공급하기 위하여'로 고쳐야 한다.

③ 사고 원인 파악과 재발 방지 대책을 조속히 마련하여
→ '사고 원인 파악을 마련하여'로 해석될 수 있으므로 앞의 명사구를 '사고 원인을 파악하고'로 고쳐 절과 절의 접속으로 바꾸어야 한다.

④ 도량형은 미터법 사용을 원칙으로 하되 각종 증빙 서류 등을 미터법 이외의 도량형으로 작성할 경우 미터법으로 환산한 수치를 병기함
→ '하되'는 앞뒤 문장의 내용을 연결하는 어미로 적합하지 않으므로 '하며'로 고쳐야 한다.

15

[2018년 서울시 9급 (6월)]

문장쓰기 어법이 가장 옳은 것은?

① 한국 정부는 독도 영유권 문제에 대하여 일본에 강력히 항의하였다.

② 경쟁력 강화와 생산성의 향상을 위해 경영 혁신이 요구되어지고 있다.

③ 이것은 아직도 한국 사회가 무사안일주의를 벗어나지 못했다는 생각이 든다.

④ 냉정하게 전력을 평가해 봐도 한국이 자력으로 16강 티켓 가능성은 높은 편이다.

16

[2018년 서울시 9급 (3월)]

문장 성분 간의 호응이 가장 옳은 것은?

① 왜냐하면 한국이 빠른 속도로 경제적 발전을 이루었다는 것이다.

② 그 사람이 우리에게 중요한 까닭은 우리가 합격했다는 사실이다.

③ 내가 그 분을 처음 뵌 것은 호텔에서 내 친구하고 만나 이야기하고 있을 때였다.

④ 학계에서는 국어 문법에 관심과 조명을 해 나가고 근대 국어에도 관심을 보이기 시작했다.

13

난이도 ★★☆

해설 ③ 가던 길을 멈추면서 나에게 달려왔다(×) → 가던 길을 멈추고 나에게 달려왔다(○): 연결 어미 '-면서'를 '-고'로 고쳐 쓰는 것은 옳으나, 이는 '-면서'가 두 동작의 동시성을 나타내지 못하기 때문이 아니므로 ③은 고쳐 쓰기 방안으로 옳지 않다. '-면서'를 '-고'로 고쳐 써야 하는 이유는 '멈추다'와 '달리다'가 동시에 일어날 수 없는 동작이기 때문이다.

오답 분석 ① 수학 성적은 참 좋군(×) → 수학 성적이 참 좋군(○): 조사 '은'이 '어떤 대상이 다른 것과 대조됨'을 나타내는 보조사로 해석될 경우, 수학 성적과 국어 성적이 모두 좋다는 맥락에 어울리지 않는다. 따라서 '은'을 대조의 뜻을 나타내지 않는 주격 조사 '이'로 바꾸어 쓰는 것이 적절하다.

② 친구가 "난 학교에 안 가겠다."고 말했다(×) → 친구가 "난 학교에 안 가겠다."라고 말했다(○): 이때 '고'는 앞말이 간접 인용되는 말임을 나타내는 격 조사이다. (나)의 인용된 문장에는 큰따옴표가 쓰였으므로 앞말이 직접 인용되는 말임을 나타내는 격 조사 '라고'로 바꾸어 쓰는 것이 적절하다.

④ 대통령은 진지한 연설로서 국민을 설득했다(×) → 대통령은 진지한 연설로써 국민을 설득했다(○): '로서'는 지위나 신분 또는 자격을 나타내는 격 조사이다. (라)에서 '연설'을 통해 국민을 설득했다는 내용이 드러나므로 '로서'를 수단이나 도구를 나타내는 격 조사인 '로써'로 바꾸어 쓰는 것이 적절하다.

이것도 알면 합격

직접 인용과 간접 인용을 알아두자.

구분	내용
직접 인용	다른 사람의 말이나 글을 원래 말해진 그대로 따와서 쓰는 것으로, 조사 '라고'와 함께 씀 예 선생님께서 "오늘 수업 끝나고 다 남아!"라고 말씀하셨어.
간접 인용	다른 사람의 말이나 글을 말하는 사람의 표현으로 바꾸어서 나타내는 것으로, 격 조사 '고', '-으라고'(어미 '-으라' + 격 조사 '고'), '-라고'('이다, 아니다'가 활용한 형태인 어미 '이라, 아니라'의 '-라' + 격 조사 '고') 등과 함께 씀 예 • 아직도 네가 잘했다고 생각하느냐? (격 조사 '고') • 선생님께서 오늘 수업 끝나고 다 남으라고 말씀하셨어. (어미 '-으라' + 격 조사 '고') • 자기는 절대 범인이 아니라고 주장한다. ('아니라'의 어미 '-라' + 격 조사 '고')

14

난이도 ★★☆

해설 ④ '하되'의 '-되'는 어떤 사실을 서술하면서 그와 관련된 조건이나 세부 사항을 뒤에 덧붙이는 뜻을 나타내는 연결 어미로 그 쓰임이 적절하다. '-며'는 두 가지 이상의 동작이나 상태 등을 나열할 때 쓰는 연결 어미이므로 제시된 문장의 '하되'를 '하며'로 고쳐 써야 한다는 ④의 설명은 적절하지 않다.

오답 분석 ①②③ 모두 문장을 올바르게 수정한 예에 해당한다.

15

난이도 ★★☆

해설 ① 한국 정부는 ~ 일본에 강력히 항의하였다(○): 무정 명사인 '일본' 뒤에 조사 '에'를 사용하였으므로 ①은 어법상 옳은 문장이다. 참고로, 사람이나 동물 등의 유정 명사 뒤에는 조사 '에게'를 사용한다.

오답 분석 ② 경영 혁신이 요구되어지다(×) → 경영 혁신이 요구된다(○): 피동 표현 '-되다'에 피동의 뜻을 더하는 접미사 '-어지다'가 결합한 '-되어지다'는 피동 표현이 중복 사용된 것이므로 옳지 않다. 따라서 '요구된다'로 고쳐 쓰는 것이 자연스럽다.

③ 이것은 ~ 생각이 든다(×) → 이것은 ~ 사실을 나타낸다(○): 주어와 서술어의 호응이 옳지 않은 문장이다. 따라서 주어인 '이것은'과 호응하는 서술어 '나타낸다'를 넣어 고쳐 쓰는 것이 자연스럽다. 또한 '나타낸다'는 목적어를 필수 성분으로 하는 서술어이므로 이에 호응하는 적절한 목적어를 넣어 고쳐 쓰는 것이 자연스럽다.

④ 16강 티켓 가능성은 높은 편이다(×) → 16강 티켓을 얻게 될 가능성은 높은 편이다(○): 목적어 '16강 티켓을'과 호응하는 서술어가 생략되어 있으므로 옳지 않은 문장이다. 목적어인 '16강 티켓을'과 호응하는 서술어를 넣어 '16강 티켓을 얻게 될 가능성은 높은 편이다'로 고쳐 쓰는 것이 자연스럽다.

16

난이도 ★★☆

해설 ③ 그 분을 처음 뵌 것은 ~ 이야기하고 있을 때였다(○): 주어부인 '내가 그 분을 처음 뵌 것은'과 서술부인 '이야기하고 있을 때였다'의 호응이 자연스럽다.

오답 분석 ① 왜냐하면 ~ 이루었다는 것이다(×) → 왜냐하면 ~ 이루었기 때문이다(○): 부사어 '왜냐하면'과 서술어 '것이다'의 호응이 자연스럽지 않으므로 '때문이다'로 고쳐 써야 한다.

② ~ 까닭은 우리가 합격했다는 사실이다(×) → ~ 까닭은 우리가 합격했기 때문이다(○): 주어 '까닭은'과 서술어 '사실이다'의 호응이 자연스럽지 않으므로 '때문이다'로 고쳐 써야 한다.

④ 관심과 조명을 해 나가고(×) → 관심을 가지고 조명을 해 나가고(○): 목적어 '관심'과 서술어 '해 나가고'의 호응이 자연스럽지 않다. '관심을'에 호응하는 서술어를 추가하여야 한다.

17

[2018년 국가직 7급]

문장 성분의 호응이 가장 자연스러운 것은?

① 세종이 한글을 만든 것은 모든 한자 사용을 없애고자 한 의도였다.

② 우리는 균형 있는 식단 마련과 쾌적한 실내 분위기를 조성하는 노력을 꾸준히 해 왔다.

③ 우리 팀에서는 가능한 한 많은 관중이 동원될 수 있도록 모든 홍보 방안을 고려해 왔다.

④ 아래에 제시된 두 가지 통계 자료를 살펴보면, 2000년대 이후 복지 정책에 상당히 큰 변화가 일어나고 있다.

18

[2018년 국회직 8급]

다음 중 문장의 구성이 자연스럽지 않은 것은?

① 불평등과 양극화가 심해진 지금의 자본주의가 자본과 시장의 폐해를 제대로 규제하고 제어하지 못한 정치 실패이자 민주주의 실패의 결과인 것은 한국만의 문제가 아니다.

② 1980년대 초부터 지난 30년 동안 미국과 유럽의 선진국들이 시장 근본주의적인 자본주의를 추구한 결과로 경제 구조뿐만 아니라 사회 구조에도 부정적 결과들이 구조화되었다.

③ 단순하게는 혼자서 삶을 꾸려 나갈 수 없다는 데서, 나아가 여러 사람과 더불어 살면서 가치 있는 삶을 만들어간다는 데서 인간이 사회적 동물이라는 진술의 원인 혹은 의미를 찾을 수 있겠다.

④ 현재의 출산 장려 정책은 분만을 전후한 수개월의 짧은 기간에 혜택을 집중시키는데, 가족과 모성의 생애주기를 고려한 종합적 건강증진보다는 건강한 신생아를 얻는 것 자체를 목적으로 하기 때문이다.

⑤ 그러나 이러한 높은 수준의 지성적 연구는 예술과 과학 사이에 존재하는 차이점보다 오히려 양자 간의 유사점에 대한 인식을 토대로 하여 성립하기 때문에 예술이나 과학 어느 하나만으로는 지칭될 수 없는 성질의 것이다.

19

[2018년 지방직 7급]

문장 성분의 호응이 가장 자연스러운 것은?

① 대화명을 규정에 맞게 변경하지 않는 사람은 관리자가 카페 이용을 제한해야 한다.

② 그 일이 벌어졌을 때 아마 마음속으로라도 박수를 보내는 사람은 얼마나 되었을까.

③ 월드컵에서 보여 준 에너지를 바탕으로 국민 대통합과 국가 경쟁력을 제고해야 한다.

④ 행복의 조건으로서 물질적 기반 이외에 자질의 연마, 인격, 원만한 인간관계 등이 필요하다는 것이다.

20

[2017년 경찰직 2차]

다음 중 어법에 가장 적절한 것은?

① 때는 바야흐로 만물이 소생하는 봄이다.

② 인간은 자연에 복종하기도 하고, 지배하기도 한다.

③ 글을 잘 쓰려면 신문과 뉴스를 열심히 시청해야 한다.

④ 철이는 영선이에게 가방을 주었는데, 그 보답으로 철이에게 책을 선물하였다.

17

난이도 ★★★

해설 ③ 우리 팀에서는 가능한 한 ~ 모든 홍보 방안을 고려해 왔다(○): 주어와 서술어, 목적어와 서술어의 호응이 적절하다. 또한 관형어 '가능한'이 조건의 뜻을 나타내는 명사 '한'을 수식하는 구조도 어법상 올바르므로, 문장 성분의 호응이 가장 자연스러운 것은 ③이다.

오답분석 ① 세종이 한글을 만든 것은 모든 한자 사용을 없애고자 한 의도였다(×) → 세종이 한글을 만든 것은 한자 사용을 모두 없애고자 한 의도에서 비롯된 것이었다(○): 주어부인 '세종이 ~ 만든 것은'과 서술부인 '~ 의도였다'가 호응하지 않아 어법상 자연스럽지 않다. 따라서 서술부를 '~ 것이었다'의 형태로 고쳐 쓰는 것이 적절하다. 또한 '모든 한자 사용'에서 '모든'이 수식하는 범위가 '한자'인지 '한자 사용'인지 모호하므로 '한자 사용을 모두'로 고쳐 수식 범위를 명확하게 해야 한다.

② 균형 있는 식단 마련과 쾌적한 실내 분위기를 조성하는 노력(×) → 균형 있는 식단을 마련하고 쾌적한 실내 분위기를 조성하는 노력(○): 조사 '과'로 연결되는 '식단 마련'과 '실내 분위기를 조성하는'이 각각 구와 절로 제시되어 어법상 자연스럽지 않다. 따라서 문법적 형태가 동일하게 대응되도록 '식단을 마련하고'로 고쳐 쓰는 것이 적절하다.

④ (네가) 통계 자료를 살펴보면 ~ 상당히 큰 변화가 일어나고 있다(×) → (네가) 통계 자료를 살펴보면 ~ 상당히 큰 변화가 일어나고 있다는 것을 알 수 있다(○): 생략되어 있는 주어와 서술어가 호응하지 않아 어법상 자연스럽지 않다. 생략되었을 것으로 예상되는 주어에 '네가'를 넣어보면 앞 절은 주어 '네가'와 서술어 '살펴보면'이 호응하지만, 뒤 절은 주어 '네가'와 서술어 '일어나고 있다'가 호응하지 않음을 알 수 있다. 따라서 생략된 주어를 고려하여 적절한 서술어로 고쳐 써야 한다.

18

난이도 ★★★

해설 ④ 가족과 모성의 생애주기를 고려한 ~ 목적으로 하기 때문이다(×) → 그 이유는/이는 가족과 모성의 생애주기를 고려한 ~ 목적으로 하기 때문이다(○): 서술어 '때문이다'와 호응하는 주어가 생략되어 있어 자연스럽지 않다. 따라서 답은 ④이다.

19

난이도 ★★☆

해설 ① 대화명을 규정에 맞게 변경하지 않는 사람은 관리자가 카페 이용을 제한해야 한다(○): 문장의 필수 성분인 주어(관리자가), 목적어(카페 이용을), 서술어(제한해야 한다)가 모두 포함되어 있으며, 각각의 문장 성분의 호응이 자연스러우므로 답은 ①이다.

오답분석 ② 아마 ~ 얼마나 되었을까(×) → 과연 ~ 얼마나 되었을까(○): 부사어 '아마'와 서술어 '되었을까'가 호응하지 않아 자연스럽지 않다. 따라서 서술어 '되었을까'와 호응하는 부사어 '과연'으로 고쳐 쓰는 것이 적절하다.

③ 국민 대통합과 국가 경쟁력을 제고해야 한다(×) → 국민 대통합을 이룩하고 국가 경쟁력을 제고해야 한다(○): 조사 '과'로 연결되는 '국민 대통합'과 '국가 경쟁력을 제고해야 한다'가 각각 구와 절로 제시되어 어법상 자연스럽지 않다. 문법적 형태가 동일하게 대응되도록 '대통합을 이룩하고'로 고쳐 쓰는 것이 적절하다.

④ 자질의 연마, 인격, 원만한 인간관계 등이 ~ 필요하다는 것이다(×) → 자질의 연마, 인격, 원만한 인간관계 등이 ~ 필요하다(○): 주어 '자질의 연마, 인격, 원만한 인간관계 등이'와 서술어 '~ 것이다'가 호응하지 않으므로 서술어를 '필요하다'로 고쳐 쓰는 것이 적절하다.

20

난이도 ★☆☆

해설 ① '바야흐로', '소생하다' 등의 어휘 사용이 문맥상 자연스럽다.
- **바야흐로**: 이제 한창. 또는 지금 바로
- **소생하다**: 거의 죽어 가다가 다시 살아나다.

오답분석 ② 자연에 복종하기도 하고, 지배하기도 한다(×) → 자연에 복종하기도 하고, 자연을 지배하기도 한다(○): 서술어 '지배하다'와 호응하는 적절한 목적어를 넣어 주어야 한다.

③ 신문과 뉴스를 열심히 시청해야 한다(×) → 신문과 뉴스를 열심히 보아야 한다(○): '눈으로 보고 귀로 듣다'를 뜻하는 서술어 '시청하다'가 '신문'과 '뉴스'를 모두 서술하는 것이 자연스럽지 않다. '신문을 시청하다'는 그 의미가 어색하므로 '신문'과 '뉴스'에 모두 호응할 수 있는 적절한 서술어를 넣어 주어야 한다.

④ 그 보답으로 철이에게 책을 선물하였다(×) → 그 보답으로 영선이는 철이에게 책을 선물하였다(○): 서술어 '선물하였다'에 호응하는 적절한 주어를 넣어 주어야 한다.

21
[2017년 경찰직 1차]

다음 중 문장의 표현이 가장 적절한 것은?

① 공직자는 사회 현실과 사회적 책임을 다해야 할 것이다.
② 이 약은 예전부터 우리 집의 만병통치약으로 사용되어 왔다.
③ 인간은 환경을 지배하기도 하고 순응하기도 한다.
④ 그는 내키지 않는 일은 반드시 하지 않는다.

22
[2016년 국가직 7급]

어법에 맞는 것은?

① 날씨가 내일부터 누그러져 주말에는 예년 기온을 되찾을 것으로 예상됩니다.
② 내가 유학을 떠날 때, 친구가 소개시켜 준 학교는 유명한 학교가 아니었다.
③ 1반 축구팀은 불안한 수비와 문전 처리가 미숙하여 2반 축구팀에 패배하였다.
④ 방송 장비를 휴대한 트럭이 현장에 대기하면서 실시간으로 상황을 중계합니다.

23
[2016년 국가직 7급]

㉠~㉣의 문장을 고쳐 쓰기 위한 방안으로 적절한 것은?

> 아이의 학교를 방문하는 날이었다. ㉠아침부터 흐린 게 비가 올런지 몰라 우산을 미리 챙겨 나갔다. ㉡길을 나서자 갑자기 곧 해님이 모습을 드러냈다. ㉢시장 입구에는 앳된 소녀들이 우산을 들고 왁자지껄 이야기를 하며 지나가고 있었다. ㉣소녀들의 모습에서 어렸을 때 어머니를 따라 시장에 갔던 기억이 두루뭉술하게 떠올랐다.

① ㉠의 '올런지'는 표기법에 맞게 '올른지'로 고친다.
② ㉡의 '해님'은 표기법에 맞게 '햇님'으로 고친다.
③ ㉢의 '앳된'은 표준어에 맞게 '앳띤'으로 고친다.
④ ㉣의 '두루뭉술하게'는 의미상 자연스럽게 '어렴풋이'로 고친다.

24
[2016년 사회복지직 9급]

어법상 옳은 것은?

① 입사 시험에 합격하신 것을 축하드립니다.
② 고객님, 주문하신 물건이 나오셨습니다.
③ 어른들이 묻자 안절부절하며 어쩔 줄 몰라 했다.
④ 이어서 회장님의 인사 말씀이 계시겠습니다.

21

난이도 ★☆☆

해설 ② 이 약은 ~ 사용되어 왔다(○): 주어 '이 약은'과 필수적 부사어 '만병통치약으로', 서술어 '사용되어 왔다'가 적절하게 호응하고 있으므로 문장의 표현이 가장 적절한 것은 ②이다.

오답분석 ① 사회 현실과 사회적 책임을 다해야 할 것이다(×) → 사회 현실을 파악하고 사회적 책임을 다해야 할 것이다(○): 목적어 '사회 현실'과 서술어 '다해야 할 것이다'가 호응하지 않으므로 '사회 현실'과 호응하는 서술어를 추가해야 한다.

③ 환경을 지배하기도 하고 순응하기도 한다(×) → 환경을 지배하기도 하고 환경에 순응하기도 한다(○): 서술어 '순응하기도 한다'에 호응하는 부사어가 생략되어 있으므로 적절한 부사어를 넣어 주어야 한다.

④ 반드시 하지 않는다(×) → 절대로 하지 않는다(○): 부사어 '반드시'는 당위의 서술어 '~ 해야 한다'와 호응하므로, '반드시'를 부정의 서술어와 함께 쓰는 '절대로'로 수정해야 한다.

22

난이도 ★★☆

해설 ① 어휘의 사용이 적절하고 어법에 맞는 문장은 ①이다.

- 누그러지다: 추위, 질병, 물가 등의 정도가 내려 덜하여지다.
- 예년: 1. 보통의 해 2. 일기 예보에서, 지난 30년간 기후의 평균적 상태를 이르는 말

오답분석 ② 친구가 소개시켜 준 학교(×) → 친구가 소개해 준 학교(○): '소개시키다'는 '소개하게 하다'를 뜻하므로 사동 표현이 불필요하게 사용되어 어법에 맞지 않는다.

③ 불안한 수비(A)와 문전 처리가 미숙하여(B)(×) → 수비가 불안하고 문전 처리가 미숙하여(○): 조사 '와'로 연결되어 있는 A와 B가 각각 구와 절로 제시되어 구조적으로 대응하지 않으므로, 절과 절로 대응되도록 고쳐 써야 한다.

④ 방송 장비를 휴대한 트럭(×) → 방송 장비를 탑재한 트럭(○): '휴대하다'는 '손에 들거나 몸에 지니고 다니다'라는 뜻이므로 '장비를 휴대한 트럭'은 어색한 표현이다. 따라서 '배, 비행기, 차 등에 물건을 싣다'라는 뜻의 '탑재하다'로 고쳐 써야 한다.

23

난이도 ★★☆

해설 ④ ㉣은 어렸을 때의 기억이 떠오른 것에 대한 내용이므로 '두루뭉술하게'보다는 '기억이나 생각이 뚜렷하지 않고 흐릿하게'를 뜻하는 '어렴풋이'를 쓰는 것이 의미상 자연스럽다. 따라서 고쳐 쓰기 방안으로 적절한 것은 ④이다.

- 두루뭉술하다: 1. 모나거나 튀지 않고 둥그스름하다. 2. 말이나 행동이 철저하거나 분명하지 않다.

오답분석 ① 올런지/올른지(×) → 올는지(○): '-ㄹ런지/-ㄹ른지'는 '-ㄹ는지'의 잘못된 표기이다.

② 햇님(×) → 해님(○): '해'를 인격화하여 높이거나 다정하게 이르는 말인 '해님'은 '해+-님'이 결합한 파생어이므로 사이시옷을 받쳐 적지 않는다.

③ 앳띤(×) → 앳된(○): '애티가 있어 어려 보이다'를 뜻하는 말의 올바른 표기는 '앳되다'이다.

24

난이도 ★☆☆

해설 ① 합격하신 것을 축하드립니다(○): 입사 시험에 합격한 주체를 높이기 위한 주체 높임 선어말 어미 '-시-'와 공손한 행위의 뜻을 더하는 접미사 '-드리다'가 어법에 맞게 사용되었다.

오답분석 ② 물건이 나오셨습니다(×) → 물건이 나왔습니다(○): '나오셨습니다'에 쓰인 '-시-'는 문장의 주체를 높일 때 사용하는데, '물건'은 간접 높임의 대상이 아니므로 '-시-'를 쓰면 안 된다.

③ 안절부절하며(×) → 안절부절못하며(○): '마음이 초조하고 불안하여 어찌할 바를 모르다'를 뜻할 때는 '안절부절못하다'를 써야 한다. '안절부절하다'는 사전에 등재되지 않은 단어이다.

④ 회장님의 인사 말씀이 계시겠습니다(×) → 회장님의 인사 말씀이 있으시겠습니다/있겠습니다(○): '계시다'는 직접 높임 표현에 쓰이는 어휘이므로, '회장님'과 관련된 '말씀'을 높이는 간접 높임 표현에서는 쓰면 안 된다. 서술어에 '-(으)시-'를 붙인 '있으시겠습니다'나 높임 표현을 쓰지 않은 '있겠습니다'로 고쳐야 한다.

25

[2015년 국가직 9급]

밑줄 친 조사의 쓰임이 옳지 않은 것은?

① 건축 면적은 설계도에서 정한 기준에 따라 산정한다.

② 제안서 및 과업 지시서는 참가 신청자에게 한하여 교부한다.

③ 관계 조서 사본을 관리 사무소에 비치하고 일반인에게 보인다.

④ 제5조 제1항의 규정에도 불구하고 다음 각 목의 평가는 1년 유예를 둔다.

26

[2015년 지방직 9급]

다음 중 고친 문장이 적절하지 않은 것은?

① 그는 창작 활동과 전시회를 열었다.
→ 그는 창작 활동을 하고 전시회를 열었다.

② 그는 천재로 불려졌다.
→ 그는 천재로 불렸다.

③ 그는 마음씨 좋은 할머니의 손자이다.
→ 그는 마음씨가 좋은 할머니의 손자이다.

④ 나는 오늘 아침 나무에게 물을 주었다.
→ 나는 오늘 아침 나무에 물을 주었다.

27

[2015년 지방직 9급]

밑줄 친 부분을 고친 것 중 가장 적절한 것은?

> 사업자는 절전형 기기 보급 제도가 에너지를 합리적이고 효율적인 이용을 증진하여 에너지 소비로 인한 환경 피해를 줄임으로써 국민 경제의 건전한 발전과 국민 복지의 증진에 이바지한다는 것에 동의한다.

① 사업자는 → 사업자의

② 에너지를 → 에너지의

③ 줄임으로써 → 줄임으로서

④ 발전과 → 발전보다

28

[2015년 국가직 7급]

가장 자연스러운 문장은?

① 그는 이 문제에 대해 가능한 충실히 논의해 왔다.

② 이 물건은 후보 공천 시점에 보낸 것인지도 모른다.

③ 디지털 텔레비전 시대에는 고화질의 화면은 물론 다양한 정보도 손쉽게 얻을 수 있다.

④ 지금까지는 문제를 회피하기만 했지만 이제는 이와 같은 관례를 깨뜨릴 때도 되었다는 생각이다.

25

난이도 ★★☆

해설 ② 신청자에게 한하여(×) → 신청자에 한하여(○): '어떤 조건, 범위에 제한되거나 국한되다'를 뜻하는 말인 '한하다'는 앞말이 제한된 범위임을 나타내는 부사격 조사 '에'와 어울리는 동사이다.

오답 분석 ① 설계도에서 정한 기준(○): 이때 '에서'는 앞말이 어떤 일의 출처임을 나타내는 격 조사이므로 그 쓰임이 옳다.

③ 관리 사무소에 비치하고(○): 이때 '에'는 앞말이 처소의 부사어임을 나타내는 격 조사이므로 그 쓰임이 옳다.

④ 규정에도 불구하고(○): '얽매여 거리끼지 않다'를 뜻하는 '불구하다'는 격 조사 '에', 보조사 '도'가 결합한 '에도'와 함께 '-에도 불구하고'의 구성으로 주로 쓰이므로 '에도'의 쓰임이 옳다.

26

난이도 ★★☆

해설 ③ 고치기 전 문장인 '그는 마음씨 좋은 할머니의 손자이다'는 '마음씨 좋은'이 수식하는 대상이 할머니인지 손자인지 모호한 문장이다. 그런데 '마음씨'에 조사 '가'를 추가하더라도 여전히 수식하는 대상이 모호하므로, ③의 고친 문장은 적절하지 않다. 이때 마음씨가 좋은 것이 손자일 경우 '그는 마음씨가 좋은, 할머니의 손자이다'와 같이 쉼표를 넣어 수식을 받는 대상을 명확히 할 수 있다.

오답 분석 ① 그는 창작 활동을 하고 전시회를 열었다(○): '창작 활동'과 호응하는 서술어가 없었으므로, 서술어를 추가하여 적절하게 수정하였다.

② 그는 천재로 불렸다(○): 이중 피동 표현인 '불려졌다('부르다'의 피동사인 '불리다'에 피동 표현 '-어지다'가 결합한 형태)'에서 '-어지다'를 생략하여 적절하게 수정하였다.

④ 나는 오늘 아침 나무에 물을 주었다(○): '나무'는 무정물이므로 사람이나 동물 등의 체언에 붙는 조사 '에게' 대신 조사 '에'로 적절하게 수정하였다.

27

난이도 ★★☆

해설 ② 문맥상 '에너지'는 서술어 '증진하다'가 아닌 목적어 '합리적이고 효율적인 이용'과 호응하는 말이므로 관형격 조사 '의'와 결합한 형태인 '에너지의'로 쓰이는 것이 적절하다.

오답 분석 ①③④ 모두 고치기 전이 맞는 표현이다.

① 사업자의(×) → 사업자는(○): '사업자는'은 서술어 '동의한다'와 호응하는 주어이므로, 조사 '는'을 '의'로 고치면 안 된다.

③ 줄임으로서(×) → 줄임으로써(○): 문맥상 어떤 일의 이유를 나타내는 격 조사 '으로써'가 들어가야 한다. 조사 '으로서'는 지위, 신분, 자격을 나타내므로 적절하지 않다.

④ 발전보다(×) → 발전과(○): '국민 경제의 건전한 발전'과 '국민 복지의 증진'은 대상을 같은 자격으로 이어 주는 접속 조사 '과'로 연결되는 것이 자연스럽다. 조사 '보다'는 비교의 대상이 되는 말에 붙어 '~에 비해서'의 뜻을 나타내므로 적절하지 않다.

28

난이도 ★★★

해설 ② 주어 '이 물건은'과 서술어 '모른다'의 호응이 적절하며, 문장 성분간의 연결도 올바르다. 따라서 가장 자연스러운 문장은 ②이다.

오답 분석 ① 가능한 충실히(×) → 가능한 한 충실히(○): 형용사의 관형사형 '가능한'이 부사 '충실히'를 수식하고 있어 자연스럽지 않은 문장이다. 따라서 '가능한' 뒤에 명사 '한(限)'을 넣어 '가능한 한'으로 써야 한다.

③ 고화질의 화면은 물론 다양한 정보도 손쉽게 얻을 수 있다(×) → 고화질의 화면을 볼 수 있는 것은 물론 다양한 정보도 손쉽게 얻을 수 있다(○): '고화질의 화면'에 호응하는 서술어가 생략되어 있어 자연스럽지 않은 문장이다. 따라서 호응하는 서술어를 넣어 주어야 한다.

④ 깨뜨릴 때도 되었다는 생각이다(×) → 깨뜨릴 때도 되었다/깨뜨릴 때도 되었다고 생각한다(○): '생각이다'라는 서술어의 의미가 문맥상 어색하여 자연스럽지 않은 문장이다. 따라서 '생각이다'를 삭제하거나 '~고 생각하다'의 형식으로 고쳐 써야 한다.

29

[2015년 지방직 7급]

다음 중 문장을 잘못 고친 것은?

① 실내에서 담배를 피우지 맙시다. → 실내에서 담배를 피지 맙시다.

② 사용 후 반듯이 물을 내려 주십시오. → 사용 후 반드시 물을 내려 주십시오.

③ 화장실을 깨끗히 사용합시다. → 화장실을 깨끗이 사용합시다.

④ 지나친 흡연을 삼가합시다. → 지나친 흡연을 삼갑시다.

30

[2015년 지방직 7급]

어법에 맞는 문장은?

① 인간은 자연을 지배하기도 하고 복종하기도 한다.

② 북극의 빙하는 수십 년 내에 없어질 것으로 예측되어졌다.

③ 국가 경쟁력을 높이는 요소 중 하나는 인문학적 상상력이다.

④ 교육부는 새 교과서를 편찬함에 있어서 전인교육의 충실화에 두었다.

31

[2015년 사회복지직 9급]

어법에 맞는 문장은?

① 그는 당대 최고의 피아니스트인 김 교수에게 피아노를 사사했다.

② 주민들은 정부 당국에게 건의 사항을 전달했다.

③ 인간은 현실을 지배하기도 하고 복종하기도 한다.

④ 여러분 가정에 행운이 가득하기를 기원하는 것으로 치사에 갈음합니다.

32

[2015년 사회복지직 9급]

다음 <공고문>의 ㉠~㉣에 대한 수정 의견으로 적절하지 않은 것은?

> <공고문>
>
> 이곳은 ㉠개인이 소유하고 있는 사유지입니다. 따라서 외부인이 ㉡이곳을 마음대로 출입하거나 쓰레기를 무단으로 투기하는 행위는 법에 ㉢접촉되오니 ㉣삼가주시기 바랍니다. 향후 이와 같은 일이 발생할 경우 고발 조치를 할 것임을 엄중하게 경고하는 바입니다.
>
> 2015년 ○○월 ○○일 주인 백

① ㉠: 의미가 중복되므로 '개인이 소유하고 있는 토지'로 표현하는 게 좋겠어.

② ㉡: 문장 성분의 자연스러운 호응을 위해 '이곳을'을 '이곳에'로 수정하는 게 좋겠어.

③ ㉢: 맥락상 적절하지 못한 단어이므로 '저촉'으로 수정하는 게 좋겠어.

④ ㉣: 어법에 맞게 '삼가해 주시기'로 수정하는 게 좋겠어.

29

난이도 ★★☆

 ① **피지(×) → 피우지(○): '어떤 물질에 불을 붙여 연기를 빨아들였다가 내보내다'를 뜻할 때는 '피우다'를 써야 한다. 따라서 ① '피지'로 고쳐 쓰는 것은 적절하지 않다.**
- **피다**: 연탄이나 숯 등에 불이 일어나 스스로 타다.

오답분석 ② **반드시(○)**: '틀림없이 꼭'을 뜻할 때는 '반드시'를 써야 한다. '반듯이'는 '작은 물체, 또는 생각이나 행동 등이 비뚤어지거나 기울거나 굽지 않고 바르게'를 뜻한다.

③ **깨끗이(○)**: '사물이 더럽지 않게'를 뜻할 때는 '깨끗이'를 써야 한다. '깨끗히'는 잘못된 표기이다.

④ **삼갑시다(○)**: '몸가짐 또는 언행을 조심하다'를 뜻하는 단어는 '삼가다'이다. '삼가하다'는 잘못된 표기이므로 '삼가다'의 활용형 '삼갑시다'로 고쳐 써야 한다.

이것도 알면 **합격**

부사화 접미사 '-이/-히'의 표기를 알아두자.

부사화 접미사 '-이/-히'는 대체로 다음 조건에 따라 구별해 적음
(다만 아래 조건이 적용되지 않는 예외도 있다는 점에 유의한다.)

1. **'-이'로 적는 것**
   - 첩어 또는 준첩어인 명사 뒤 예 번번이, 샅샅이
   - 'ㅅ' 받침 뒤 예 산뜻이, 의젓이
   - 'ㅂ' 불규칙 용언의 어간 뒤 예 가까이, 가벼이
   - '-하다'가 붙지 않는 용언의 어간 뒤 예 같이, 굳이
   - 부사 뒤 예 곰곰이, 더욱이
2. **'-히'로 적는 것**
   - '-하다'가 붙는 어근 뒤 (단, 'ㅅ' 받침 제외) 예 딱히, 속히
   - '-하다'가 붙는 어근에 '-히'가 결합하여 된 부사가 줄어진 형태 예 (익숙히 →) 익히

30

난이도 ★★☆

 ③ **'~ 중 하나는 ~ 이다'의 구성으로 주어와 서술어가 적절히 호응하므로, ③은 어법에 맞는 문장이다.**

오답분석 ① **자연을 지배하기도 하고 복종하기도 한다(×) → 자연을 지배하기도 하고 자연에 복종하기도 한다(○)**: '복종하다'와 호응하는 부사어가 생략되어 있어 어법에 맞지 않다. 따라서 적절한 부사어를 넣어 주어야 한다.

② **예측되어졌다(×) → 예측되었다(○)**: '예측되어졌다'는 피동 표현 '되다'와 '-어지다'가 함께 쓰인 이중 피동 표현이므로 어법에 맞지 않다. 따라서 피동 표현을 하나만 쓴 형태로 고쳐 써야 한다.

④ **편찬함에 있어서 전인교육의 충실화에 두었다(×) → 편찬할 때 목적을 전인교육의 충실화에 두었다(○)**: '~에 있어서'는 일본어식 표현이므로 어법에 맞지 않다. 또한 제시된 문장에는 서술어 '두다'가 필요로 하는 문장 성분인 목적어가 빠져 있다. 따라서 번역 투를 적절히 고치고 '두다'와 호응하는 목적어를 넣어 주어야 한다.

31

난이도 ★★☆

 ① **그는 ~ 김 교수에게 피아노를 사사했다(○): '사사하다(師事-)'는 '스승으로 섬기다. 또는 스승으로 삼고 가르침을 받다'를 뜻한다. '누구를 사사하다' 또는 '누구에게(서) 무엇을 사사하다'와 같은 형태로 쓰이므로 ①은 어법에 맞는 문장이다.**

오답분석 ② **정부 당국에게(×) → 정부 당국에(○)**: 조사 '에게'는 사람이나 동물 등의 체언 뒤에 붙으므로 조사 '에게' 대신 조사 '에'를 써야 한다.

③ **현실을 지배하기도 하고 복종하기도 한다(×) → 현실을 지배하기도 하고 현실에 복종하기도 한다(○)**: '복종하다'와 호응하는 부사어가 생략되어 있으므로 적절한 부사어를 넣어 주어야 한다.

④ **기원하는 것으로 치사에 갈음합니다(×) → 기원하는 것으로 치사를 갈음합니다(○)**: '갈음하다'는 '~을 ~으로 갈음하다/~으로 ~을 갈음하다'와 같은 형태로 쓰이므로, 조사 '에' 대신 조사 '를'을 써야 한다.

32

난이도 ★☆☆

해설 ④ **삼가해 주시기(×) → 삼가 주시기(○): '삼가하다'는 '삼가다'의 잘못된 표기이므로 ④는 수정 의견으로 적절하지 않다.**
- **삼가다**: 몸가짐 또는 언행을 조심하다.

 ① '소유하다'와 '사유지'를 함께 쓸 경우 '가지다[有]'라는 의미가 중복되므로, '사유지'를 '토지'로 수정하는 것이 적절하다.
- **소유하다(所有-)**: 가지고 있다.
- **사유지(私有地)**: 개인 또는 사법인이 가진 땅

② '이곳을'은 '마음대로 출입하거나'와는 호응할 수 있으나, '쓰레기를 무단으로 투기하는 행위'와는 호응이 자연스럽지 않다. '출입하다'는 주로 '~에 출입하다'와 같은 형태로 쓰이므로, '이곳을'을 '이곳에'로 수정하면 '이곳에 마음대로 출입하거나'와 '이곳에 쓰레기를 무단으로 투기하는 행위' 모두에 호응할 수 있게 된다.

③ '법률에 위반됨'의 의미로 쓰일 때는 '접촉'이 아닌 '저촉'으로 쓰는 것이 적절하다.
- **저촉(抵觸)**: 1. 서로 부딪치거나 모순됨 2. 법률이나 규칙에 위반되거나 거슬림
- **접촉(接觸)**: 1. 서로 맞닿음 2. 가까이 대하고 사귐

Chapter

02 표준 언어 예절

기본서 1권 359p

01

[2017년 지방직 9급 (12월)]

호칭어와 지칭어의 사용이 적절한 것은?

① (남편의 형에게) 큰아빠, 전화 받으세요.

② (시부모에게 남편을) 오빠는 요즘 무척 바빠요.

③ (남편의 누나에게) 형님, 어떤 것이 좋을까요?

④ (다른 사람에게 자기 배우자를) 이쪽은 제 부인입니다.

02

[2017년 지방직 7급]

전화를 걸 때의 표준 언어 예절에 대한 설명으로 적절하지 않은 것은?

① 전화를 거는 사람은 인사를 하고 자신의 신분을 밝히는 것이 바람직하다. 나이 어린 사람의 경우 어른이 전화를 받았을 때는 '안녕하십니까? 저는 ○○(친구)의 친구 ○○(이름)입니다.'처럼 통화하고 싶은 사람과 어떤 관계인가를 밝히는 것이 예(禮)이다.

② 대화를 마치고 전화를 끊을 때 '고맙습니다.', '안녕히 계십시오.'하고 인사하고 끊는다. '들어가세요.'라는 말도 많이 쓰이는데, 상대방을 배려하는 표현이므로 사용하는 것이 좋다. 만약 통화하고 싶은 사람이 없어 전화를 끊어야 할 때도 자신을 밝히고 끊어야 하며, 어른보다 먼저 전화를 끊는 것은 예의에 어긋난 행동이다.

③ 통화하고 싶은 사람이 없을 때 '죄송합니다만, ○○(이름)한테서 전화 왔었다고 전해 주시겠습니까?', '말씀 좀 전해 주시겠습니까?'라는 말을 쓴다. 이 상황에서도 '전해 주시겠습니까?'를 '전해 주시면 고맙겠습니다.' 등으로 적절히 바꾸어 쓸 수 있다.

④ 전화가 잘못 걸렸을 때 '죄송합니다. 전화가 잘못 걸렸습니다.' 또는 '미안합니다. 전화가 잘못 걸렸습니다.'라고 예의를 갖추어 정중히 말하는 것이 바람직한 표현이다.

03

[2016년 국가직 7급]

전화를 사용할 때, 표준 언어 예절로 바람직하지 않은 것은?

① 아닌데요, 전화 잘못 거셨습니다.

② 네, 잠깐 기다려 주십시오. 바꾸어 드리겠습니다.

③ 지금 안 계십니다. 들어오시면 뭐라고 전해 드릴까요?

④ 잘 알겠습니다. 이만 끊겠습니다. 안녕히 계십시오.

04

[2015년 지방직 9급]

다음 중 올바른 우리말 표현은?

① (초청장 문안에서) 귀하를 이번 행사에 꼭 모시고자 하오니 많이 참석해 주시기 바랍니다.

② (전화 통화에서) 과장님은 지금 자리에 안 계십니다. 뭐라고 전해 드릴까요?

③ (직원이 고객에게) 주문하신 상품은 현재 품절이십니다.

④ (방송에 출연해서) 저희나라가 이번에 우승한 것은 국민 여러분의 뜨거운 성원 덕택입니다.

챕터별 출제 경향

(2015~2021 국가직 / 지방직 / 서울시 7·9급)

표준 언어 예절 13%
올바른 문장 표현 87%

01

난이도 ★☆☆

해설 ③ 남편의 누나는 '형님'이라고 부르므로 답은 ③이다.

오답 분석 ① '큰아빠'는 어린아이가 큰아버지를 가리키거나 부르는 말이다. 남편의 형은 '아주버님'이라고 부른다.

② 시부모에게 남편을 지칭할 경우 '아범', '아비'를 사용해야 한다. 다만 아이가 없을 때는 '그이'로 지칭할 수도 있다.

④ '부인'은 남의 아내를 높여 이르는 말이므로 자신의 배우자에 대한 지칭어로 적절하지 않다. 대화하는 상대가 친구인지 아니면 아는 사람 또는 모르는 사람인지에 따라 아내를 지칭하는 말은 달라질 수 있다. 그러나 이때 공통적으로는 사용 가능한 지칭어로는 '집사람, 안사람, 아내' 등이 있다.

이것도 알면 **합격**

배우자에 대해 말할 때의 언어 예절을 알아두자.

1. 남편의 지칭어
   - 당사자에게: 당신, ○○씨, 영감
   - 시부모에게: 아범, 아비, 그이
   - 친정 부모에게: ○서방, 아범, 아비
   - 그 외의 사람에게: ○○[자녀] 아버지, ○○[자녀] 아빠
2. 아내의 지칭어
   - 당사자에게: 당신, ○○씨, 임자
   - 장인, 장모와 친부모에게: 어멈, 어미, 집사람, 안사람, ○○[자녀] 엄마
   - 그 외의 사람에게: ○○[자녀] 엄마
3. 다른 사람에게 배우자를 말할 때

   배우자를 배우자의 친구나 회사 상사에게 말할 때에는 '-시-'를 넣지 않는 것이 무난하다. 방송 출연을 했을 때와 같이 불특정 다수에게 배우자에 대해 말할 때, 나이 든 사람은 '-시-'를 넣어 말해도 되지만, 젊은 사람이 '-시-'를 넣어 말하는 것은 피해야 한다.

   예 • 그이는/집사람은 아직 안 들어왔습니다.
   • ○○[자녀] 어머니는 아직 안 들어왔습니다.

02

난이도 ★★☆

해설 ② '들어가세요'는 명령형 표현이며, 일부 지역에서만 쓰는 말이므로 피하는 것이 좋다. 따라서 ②의 설명은 적절하지 않다.

03

난이도 ★★☆

해설 ① 국립국어원에서 공개한 '표준 언어 예절'에서는 능동 형태인 '전화 잘못 거셨습니다'가 전화도 제대로 못 거느냐는 느낌이 들어 전화 건 사람의 자존심을 건드릴 수도 있는 표현이므로 적절하지 않다고 제시하고 있다. 따라서 피동 형태인 '아닌데요/아닙니다. 전화 잘못 걸렸습니다'로 바꿔 쓰는 것이 적절하다.

04

난이도 ★★☆

해설 ② 과장님은 지금 자리에 안 계십니다. 뭐라고 전해 드릴까요?(○): 전화를 받았는데 상대방이 찾는 사람이 없을 경우 말할 수 있는 올바른 표현이므로 답은 ②이다.

오답 분석 ① 귀하를 ~ 꼭 모시고자 하오니 많이 참석해 주시기(×) → 귀하를 ~ 모시고자 하오니 참석해 주시기(○): 특정인을 이르는 '귀하'와 '많이 참석해'가 호응을 이루지 못한다. 또한 '꼭'과 같이 받는 사람에게 부담을 주는 표현은 사용하지 않는 것이 좋다.

- 귀하: 편지글에서 상대편을 높여 이름 다음에 붙여 쓰는 말로 쓰이거나, 듣는 이를 높여 이르는 2인칭 대명사로 쓰이는 말

③ 상품은 현재 품절이십니다(×) → 상품은 현재 품절입니다(○): '상품'은 청자의 소유물이나 청자와 밀접한 관계를 맺고 있는 대상이 아니므로 간접 높임법을 적용한 표현은 적절하지 않다.

④ 저희나라(×) → 우리나라(○): '나라'를 말할 때 '우리'의 낮춤말인 '저희'를 쓰는 것은 적절하지 않다.

이것도 알면 **합격**

'우리'와 '저희'의 올바른 사용에 대해 알아두자.

사람이나 남에게 말할 때 자신과 관계된 부분을 낮추어 '저희 가게', '저희 회사' 등과 같이 '우리' 대신 '저희'를 쓰는 것이 바람직하다. 그러나 듣는 사람과 말하는 사람이 동시에 관계되어 있을 경우에는 '우리'를 써야 한다. 또한 나라에 대해서는 자기의 나라나 민족을 남의 나라, 다른 민족 앞에서 낮출 필요가 없으므로 '우리'의 낮춤말인 '저희'를 써서 '저희나라'와 같이 표현하지 않는다.

예 • 저희 집에 놀러 오세요.
• 우리나라 국민의 주식은 쌀입니다.

공무원시험전문 해커스공무원
gosi.Hackers.com

Section 6

한문

1분 만에 파악하는 **7개년 기출 트렌드**

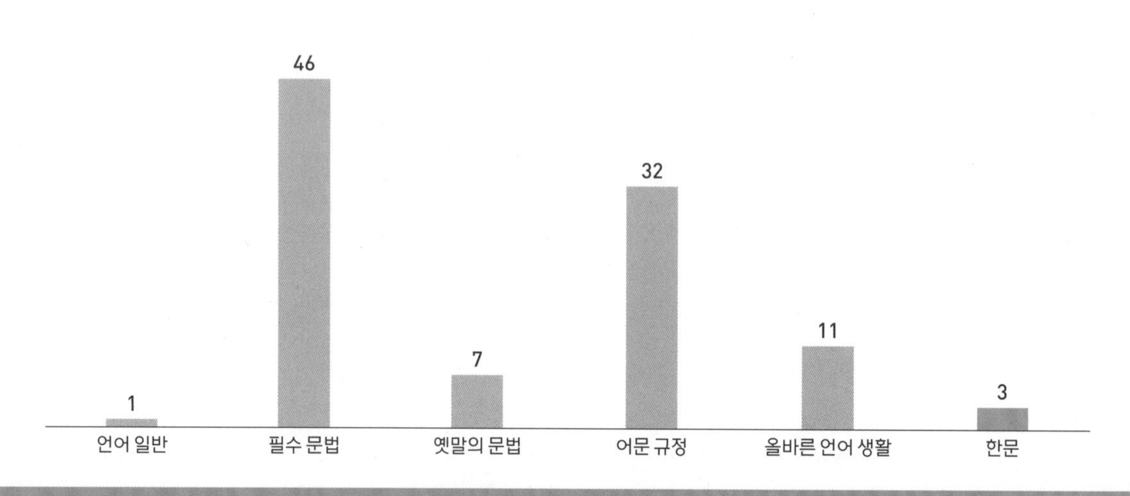

어법

Section 기출 트렌드

- 한문은 7급 공무원 시험에서 출제되는 Section으로, 최근에는 거의 출제되지 않고 있습니다.
- 한문은 한문장의 구조나 허사의 쓰임을 파악해야 하는 문제 또는 한문장과 한시를 해석해야 하는 문제가 출제됩니다.
- 한문은 출제 비중은 낮지만 난도가 높기 때문에 7급을 준비하는 수험생이라면 확실한 대비가 필요합니다. 자주 출제되는 한문장의 문형을 결정하는 주요 한자와 허사를 익혀 두고 기출문제 풀이를 통해 한문장이나 한시를 해석해 보는 연습을 해야 합니다.

Chapter 01

한문법

기본서 1권 410p

01

[2017년 지방직 7급]

㉠, ㉡에 들어갈 한자로 가장 적절한 것은?

> ○ 富與貴, 是人之所欲也, 不(㉠)其道得之, 不處也
> ○ 樹欲靜(㉡)風不止

	㉠	㉡
①	而	以
②	以	而
③	而	而
④	以	以

02

[2016년 서울시 7급]

다음 중 문형이 나머지 셋과 가장 다른 것은?

① 問征夫以前路
② 子將安之
③ 誰能與我同
④ 孰爲好學

03

[2014년 서울시 7급]

다음 밑줄 친 한자의 용법이 다른 하나는?

① 學而不思則罔思而不學則殆.
② 古者易子而敎之.
③ 君子不鏡於水而鏡於人.
④ 儒以文亂法而俠以武犯禁.
⑤ 君子周而不比小人比而不周.

챕터별 출제 경향

(2015~2021 국가직 / 지방직 / 서울시 7·9급)

한문법 25% / 한문장과 한시 75%

01

난이도 ★★☆

해설 ②㉠, ㉡에 들어갈 한자는 각각 '以, 而'이므로 답은 ②이다.

- **富與貴, 是人之所欲也, 不以其道得之, 不處也(부여귀, 시인지소욕야, 불이기도득지, 불처야)**: '부귀는 누구나 원하는 것이지만, 도로써 얻은 것이 아니라면 가지지 말 것이다'로 해석되는 문장으로, ㉠에는 '로써'를 뜻하는 한자가 들어가야 한다. 따라서 수단의 의미로 쓰이는 한자 '以(써 이)'가 들어가는 것이 적절하다.
- **樹欲靜而風不止(수욕정이풍부지)**: '나무는 조용히 있으려 하지만 바람이 그치지 않는다'로 해석되는 문장으로, ㉡에는 '~지만'을 뜻하는 한자가 들어가야 한다. 따라서 역접의 의미로 쓰이는 한자 '而(말 이을 이)'가 들어가는 것이 적절하다.

이것도 알면 **합격**

'以(써 이)'와 '而(말 이을 이)'의 쓰임을 알아두자.

1. 以(써 이): 어떤 것의 수단 또는 이유를 나타냄

수단	• 事親以孝(사친이효): 어버이 섬기기를 효도로써 하라. • 以責人之心 責己(이책인지심 책기): 남을 꾸짖는 마음으로 자신을 꾸짖다.
이유	勿以善小而不爲(물이선소이불위): 선이 작다는 이유로 행하지 않음이 없도록 하라.

2. 而(말 이을 이): 단어와 단어, 어구와 어구, 문장과 문장을 순접/역접의 관계로 이어 주는 역할을 함

순접	• 保民而王(보민이왕): 백성을 보호하고 왕 노릇을 하다. • 吾從而師之(오종이사지): 내 그를 좇아서 스승으로 삼는다. • 登高山 而望四海(등고산 이망사해): 높은 산에 올라, 사해를 바라본다.
역접	• 無病而死(무병이사): 병이 없지만 죽는다. • 小人之言多而虛(소인지언다이허): 소인의 말은 많지만 헛되다. • 子欲養而親不待(자욕양이친부대): 자식이 봉양하고자 하나, 어버이는 기다려 주지 않는다.

02

난이도 ★★★

해설 ① '問征夫以前路'는 평서문이고 ②③④는 의문문이므로 문형이 다른 하나는 ①이다.

- **問征夫以前路(문정부이전로)**: 길 가는 나그네[征夫]에게 앞길을 묻다.

오답분석

② **子將安之(자장안지)**: 당신은 장차 어디로 가려 하는가?

③ **誰能與我同(수능여아동)**: 그 누가 능히 나와 같을 것인가?

④ **孰爲好學(숙위호학)**: 누가 배우기를 좋아하는가?

03

난이도 ★★★

해설 ① 용법이 다른 것은 ①의 '而(말 이을 이)'로, 이때는 역접의 의미로 쓰였으나, ②③④⑤는 모두 순접의 의미로 쓰였다.

- **學而不思則罔思而不學則殆(학이불사즉망사이불학즉태)**: 배우되 생각하지 않으면 (사리에) 어두워지고, 생각하되(생각만 하고) 배우지 않으면 위태로워진다. (역접)

오답분석

② **古者易子而敎之(고자역자이교지)**: 옛날에는 자식을 서로 바꾸어 가르쳤다. (순접)

③ **君子不鏡於水而鏡於人(군자불경어수이경어인)**: 군자는 물로 거울을 삼지 않고 타인을 거울로 삼는다. (순접)

④ **儒以文亂法而俠以武犯禁(유이문란법이협이무범금)**: 선비는 글로써 법을 어지럽히고 협객은 무로써 금기를 범한다. (순접)

⑤ **君子周而不比小人比而不周(군자주이불비소인비이불주)**: 군자는 두루 사귀고 편을 짓지 아니하며, 소인은 편을 짓고 두루 사귀지 아니한다. (순접)

Chapter 02

한문장과 한시

기본서 1권 426p

01

[2020년 국가직 7급]

한시의 한글 풀이를 참조할 때 ㉠~㉢에 들어갈 말로 가장 적절한 것은?

天高日月明	하늘이 높으니 해와 달이 밝고
㉠ 草木生	땅이 두터우니 풀과 나무가 나도다.
春來梨花白	봄이 오니 배꽃이 하얗고
夏至 ㉡ 青	여름이 이르니 나뭇잎이 푸르도다.
㉢ 黃菊發	가을은 서늘하여 누런 국화가 피고
冬寒白雪來	겨울은 차가우니 흰 눈이 내리도다.

	㉠	㉡	㉢
①	至厚	木葉	科涼
②	地厚	樹葉	秋涼
③	地后	樹葉	私諒
④	地侯	樹草	秋涼

02

[2019년 서울시 7급 (2월)]

'欲速則不達, 見小利則大事不成'과 뜻이 가장 잘 통하는 속담은?

① 첫술에 배부르랴.

② 내 코가 석 자다.

③ 공든 탑이 무너지랴.

④ 바늘허리 실 매어 못쓴다.

03

[2015년 지방직 7급]

다음 글에서 강조하는 덕목과 가장 가까운 것은?

> 子路曰, "君子尙勇乎?" 子曰, "君子義以爲上. 君子有勇而無義爲亂, 小人有勇而無義爲盜."
>
> -《論語》,〈陽貨〉

① 惻隱之心 ② 羞惡之心

③ 辭讓之心 ④ 是非之心

04

[2016년 국가직 7급]

㉠~㉣의 풀이로 적절하지 않은 것은?

> (가) 春去花猶在 ㉠ 天晴谷自陰
> 杜鵑啼白晝 始覺㉡ 卜居深
>
> - 李仁老, '山居'
>
> (나) 渭城朝雨浥輕塵, 客舍青青㉢ 柳色新
> 勸君更盡一杯酒, 西出陽關無㉣ 故人
>
> - 王維, '送元二使安西'

① ㉠: 날이 개다.

② ㉡: 사는 곳이 깊다.

③ ㉢: 버드나무 빛깔이 새롭다.

④ ㉣: 돌아가신 분

05

[2016년 지방직 7급]

다음 글과 뜻이 통하는 속담은?

> 君子之道 辟如行遠必自邇 辟如登高必自卑 (*辟는 譬와 같다)
>
> - '中庸'에서

① 절하고 뺨 맞는 일 없다.

② 급하면 부처 다리를 안는다.

③ 천 리 길도 한 걸음부터이다.

④ 가자니 태산이요, 돌아서자니 숭산이라.

01

난이도 ★★★

해설 ② ㉠은 '땅이 두터우니', ㉡은 '나뭇잎이', ㉢은 '가을은 서늘하여'에 해당하므로 ㉠~㉢에는 순서대로 '**地厚**(지후: 땅 지, 두터울 후)', '**樹葉**(수엽: 나무 수, 잎 엽)', '**秋涼**(추량: 가을 추, 서늘할 량)'이 들어가는 것이 가장 적절하다. 따라서 답은 ②이다.

오답분석 ㉠ **至**(이를 지), **后**(뒤 후), **侯**(제후 후)

㉡ **木**(나무 목), **草**(풀 초)

㉢ **科**(과목 과), **私**(사사 사), **諒**(살펴 알 량)

02

난이도 ★★★

해설 ④ '**欲速則不達, 見小利則大事不成**(욕속즉부달, 견소리즉대사불성)'은 '빨리 하려고 하면 통달하지 못하고, 작은 이익을 보면 큰일을 이루지 못한다'라는 뜻으로 이와 뜻이 가장 잘 통하는 속담은 ④ '바늘허리 실 매어 못쓴다'이다.

- **바늘허리 실 매어 못쓴다**: 아무리 급하다 하여도 꼭 갖추어야 할 것은 갖추어야 일을 할 수 있음을 비유적으로 이르는 말

오답분석 ① **첫술에 배부르랴**: '어떤 일이든지 단번에 만족할 수는 없다'라는 말

② **내 코가 석 자다**: 내 사정이 급하고 어려워서 남을 돌볼 여유가 없음을 비유적으로 이르는 말

③ **공든 탑이 무너지랴**: '공들여 쌓은 탑은 무너질 리 없다'라는 뜻으로, 힘을 다하고 정성을 다하여 한 일은 그 결과가 반드시 헛되지 않음을 비유적으로 이르는 말

03

난이도 ★★☆

해설 ② 제시문에서는 '의로움[義]'의 덕목을 강조하고 있다. 이와 가까운 것은 '옳지 못함을 부끄러워하고 착하지 못함을 미워하는 마음'을 뜻하는 ② '**羞惡之心**(수오지심)'이다.

오답분석 ① **惻隱之心**(측은지심): 불쌍히 여기는 마음

③ **辭讓之心**(사양지심): 겸손히 남에게 사양하는 마음

④ **是非之心**(시비지심): 옳고 그름을 가릴 줄 아는 마음

지문풀이

- **子路曰, "君子尙勇乎?"(자로왈, 군자상용호)**: 자로가 말하기를, "군자는 용맹을 숭상합니까?"
- **子曰, "君子義以爲上. 君子有勇而無義爲亂, 小人有勇而無義爲盜."(자왈, 군자의이위상. 군자유용이무의위란, 소인유용이무의위도)**: 공자가 말하기를, "군자는 의로움을 으뜸으로 여긴다. 군자에게 용기만 있고 의로움이 없다면 난을 일으키고, 소인이 용맹하고 의로움이 없다면 도둑질을 하게 된다."

04

난이도 ★★☆

해설 ④ ㉣ '**故人**(고인)'은 '오래전부터 사귀어 온 친구'를 뜻하므로 ④의 뜻풀이는 적절하지 않다.

오답분석 ① ㉠ **天晴**(천청: 하늘 천, 갤 청)

② ㉡ **卜居深**(복거심: 점 복, 살 거, 깊을 심)

③ ㉢ **柳色新**(류색신: 버들 류, 빛 색, 새 신)

지문풀이

(가) **春去花猶在** 봄은 갔으나 꽃은 오히려 피어 있고
(춘거화유재)
天晴谷自陰 ㉠날이 개었는데 골짜기는 절로 그늘이 지네.
(천청곡자음)
杜鵑啼白晝 두견새가 대낮에 울음을 우니
(두견제백주)
始覺卜居深 비로소 ㉡사는 곳이 깊음을 알았네.
(시각복거심) - **李仁老**(이인로), '**山居**(산거)'

(나) **渭城朝雨浥輕塵** 위성의 아침 비 가볍게 먼지를 적시니
(위성조우읍경진)
客舍靑靑柳色新 객사의 푸른 ㉢버들 빛이 새롭구나.
(객사청청류색신)
勸君更盡一杯酒 그대에게 다시 한 잔의 술을 다 마시기를 권하니
(권군갱진일배주)
西出陽關無故人 서쪽으로 양관을 나가면 ㉣친구가 없을 것이네.
(서출양관무고인)
- **王維**(왕유), '**送元二使安西**(송원이사안서)'

05

난이도 ★★★

해설 ③ 제시된 문장은 '모든 일은 순서에 맞게 기본이 되는 것부터 이루어 나가야 한다'라는 뜻이므로 ③ '천 리 길도 한 걸음부터이다'라는 속담과 뜻이 통한다.

- **君子之道 辟如行遠必自邇 辟如登高必自卑(군자지도 비여행원필자이 비여등고필자비)**: 군자의 도는 비유컨대 멀리 가려면 반드시 가까운 곳으로부터 하며, 비유컨대 높이 오르려면 반드시 낮은 곳에서부터 함과 같다.
- **③ 천 리 길도 한 걸음부터이다**: 무슨 일이나 그 일의 시작이 중요하다는 말

오답분석 ① **절하고 뺨 맞는 일 없다**: 누구한테나 겸손한 태도로 공대를 하면 남에게 봉변하지 않는다는 말

② **급하면 부처 다리를 안는다**: '일이 없을 때에는 분향을 게을리하다가 졸지에 급한 일을 당하면 어쩔 줄 몰라 부처 다리를 안는다'라는 뜻으로, 평소에 부지런히 하여 급한 일을 당하더라도 당황하지 말라는 말

④ **가자니 태산이요, 돌아서자니 숭산이라**: '앞에도 높은 산이고 뒤에도 높은 산'이라는 뜻으로, 이러지도 저러지도 못할 난처한 지경에 이름을 비유적으로 이르는 말

MEMO

MEMO

MEMO

2022 대비 최신판

해커스공무원

단원별 기출문제집

국어 1권 | 어법

초판 2쇄 발행 2021년 12월 20일
초판 1쇄 발행 2021년 9월 3일

지은이	해커스 공무원시험연구소
펴낸곳	해커스패스
펴낸이	해커스공무원 출판팀
주소	서울특별시 강남구 강남대로 428 해커스공무원
고객센터	1588-4055
교재 관련 문의	gosi@hackerspass.com 해커스공무원 사이트(gosi.Hackers.com) 교재 Q&A 게시판 카카오톡 플러스 친구 [해커스공무원강남역], [해커스공무원노량진]
학원 강의 및 동영상강의	gosi.Hackers.com
ISBN	1권: 979-11-6662-630-2 (14710) 세트: 979-11-6662-629-6 (14710)
Serial Number	01-02-01

이 책의 내용 중 일부는 국립국어원이 제공하는 '표준국어대사전', '한국어 어문 규범'을 참고하였습니다.